LES MISÉRABLES

Tome III

© 1996, Bookking International, Paris

VICTOR HUGO

Les Misérables

Tome III

VICTOR HUGO
(1802-1885)

Le 26 février 1802, à Besançon, naît Victor Hugo. Son père est devenu général au cours des guerres de la Révolution et de l'Empire. Enfant, il souffre de la mésentente de ses parents. Dès son adolescence, il affirme des ambitions littéraires, et participe à des concours poétiques. Après des études brillantes, il épouse, en 1822, Adèle Foucher, son amie d'enfance, grâce à la pension accordée par le roi à la suite de la parution de son premier recueil poétique — et premier succès public —, *Odes*. La nuit de son mariage, Eugène, son frère qui, lui aussi, aimait Adèle, devient fou.

Naissent Léopoldine (1824), Charles (1826), Francis-Victor (1828). En 1829, avec *les Orientales*, il est déjà reconnu comme le chef de file du mouvement romantique. Les milieux officiels l'estiment. Ce révolutionnaire en littérature, qui a reçu la Légion d'honneur, est conservateur en politique. *Hernani*, en 1830, premier drame romantique joué à la Comédie-Française, *Notre-Dame de Paris*, l'année suivante, confirment sa gloire littéraire.

Sa femme, amoureuse du critique Sainte-Beuve, ami de la famille, se détache de lui, avant de lui revenir. Il a rencontré l'actrice Juliette Drouet. Entre son épouse et l'actrice qui ont fait vœu de se consacrer à leur grand homme, sa vie privée devient digne d'un vaudeville. Il reçoit ses maîtresses dans son bureau relié par une porte secrète à son appartement.

Ruy Blas est créé en 1838. En 1842, le mariage et la noyade tragique de sa fille Léopoldine sont une première épreuve. Lui qui a composé de si beaux poèmes sur l'enfance inspirés de sa vie familiale verra, dans sa vieillesse, mourir aussi ses deux fils. Quant à sa fille Adèle, elle sera internée en 1872, devenue folle à la suite d'une histoire d'amour, comme son oncle Eugène.

Ce chef de file du romantisme, cet ami d'Alexandre Dumas, de Théophile Gautier, ne se contente pas d'écrire. Il participe activement à la vie politique. En 1845, cet académicien élu à 38 ans, devient pair de France et réclame, lors d'une intervention, le retour en France de la famille Bonaparte. Mais le coup d'État du 2 décembre 1851 le fait entrer dans l'opposition ouverte au régime. Il doit s'enfuir en Belgique. Il y rédige *les Châtiments* (1853) avant de s'installer à Jersey puis à Guernesey, avec sa famille, et Juliette Drouet.

Hugo se passionne alors pour le spiritisme, écrit (*les Contemplations, Chanson des rues et des bois, les Misérables, les Travailleurs de la mer, la Légende des siècles*, que Juliette recopie...) et refuse avec hauteur les amnisties proposées par Napoléon III, qu'il a surnommé, dans ses pamphlets, Napoléon le petit.

Il s'est laissé pousser une barbe blanche de patriarche et s'habille comme un ouvrier. *Les Misérables* font, en 1862, un triomphe à Paris. Après l'effondrement de l'Empire, Hugo revient à Paris, le 5 septembre 1870, et reçoit un accueil triomphal.

Élu au Sénat en 1876, mais ayant renoncé à jouer un rôle politique de premier plan, il cultive l'art d'être grand-père (des deuils successifs l'ont laissé seul avec ses deux petits-enfants), recevant les grands du monde entier qui viennent le visiter. Ses 80 ans sont l'occasion d'une immense manifestation. Des millions d'hommes se reconnaissent dans son œuvre universelle. Premier dramaturge de son siècle, il en est aussi l'un des plus grands romanciers, un poète de génie et un illustrateur de talent. Et bien que couvert de gloire et d'honneurs, il est devenu le protecteur des humbles.

Le 11 mai 1883, Juliette s'éteint (sa femme est morte à Bruxelles en 1868). Il lui survit deux ans. Le 22 mai 1885, une congestion pulmonaire l'emporte. Des obsèques nationales sont décrétées. Le 1er juin, deux millions de personnes suivent le cercueil de ce grand républicain, de l'Arc de triomphe au Panthéon, où ses cendres sont déposées.

Chansons des rues et des bois, recueil de vers publié en 1865, montre un Victor Hugo sensuel et frivole, épicurien. Il y dépeint la nature, sa gaieté, le rire des filles et la fraîcheur des bosquets. Humain, attendri, il l'est aussi dans *l'Art d'être grand-père* (1877) où un octogénaire, en regardant vivre ses petits-enfants, redécouvre la douceur et l'espièglerie de l'enfance, en leur expliquant la nature qui les entoure.

Riches d'un humanisme serein, ces deux recueils, complémentaires, révèlent un Victor Hugo loin de sa statue de chantre de l'histoire et de l'épopée ; mais, même sur des sujets intimistes, Victor Hugo reste un maître dans l'art de versifier, un grand poète qui, entre les rimes, fait jaillir l'émotion.

LIVRE SEPTIÈME

L'ARGOT

I

ORIGINE

Pigritia est un mot terrible.

Il engendre un monde, *la pègre*, lisez : *le vol*, et un enfer, *la pégrenne*, lisez : *la faim*.

Ainsi la paresse est mère.

Elle a un fils, le vol, et une fille, la faim.

Où sommes-nous en ce moment ? Dans l'argot.

Qu'est-ce que l'argot ? C'est tout à la fois la nation et l'idiome ; c'est le vol sous ses deux espèces, peuple et langue.

Lorsqu'il y a trente-quatre ans, le narrateur de cette grave et sombre histoire introduisait au milieu d'un ouvrage écrit dans le même but que celui-ci un voleur parlant argot, il y eut ébahissement et clameur. — Quoi ! comment ! l'argot ! Mais l'argot est affreux ! mais c'est la langue des chiourmes, des bagnes, des prisons, de tout ce que la société a de plus abominable ! etc., etc., etc.

Nous n'avons jamais compris ce genre d'objections.

Depuis, deux puissants romanciers, dont l'un est un profond observateur du cœur humain, l'autre un intrépide ami du peuple, Balzac et Eugène Sue, ayant fait parler des bandits dans leur langue naturelle comme l'avait fait en 1828 l'auteur du *Dernier jour d'un condamné*, les mêmes réclamations ne sont élevées. On a répété : — Que nous veulent les écrivains avec ce révoltant patois ? l'argot est odieux ! l'argot fait frémir !

Qui le nie ? Sans doute.

Lorsqu'il s'agit de sonder une plaie, un gouffre ou une société, depuis quand est-ce un tort de descendre trop avant, d'aller au fond ? Nous avions toujours pensé que c'était quelquefois un acte de courage, et tout au moins une action simple et utile, digne de l'attention sympathique que mérite le devoir accepté et accompli. Ne pas tout explorer, ne pas tout étudier, s'arrêter en chemin, pourquoi ? S'arrêter est le fait de la sonde et non du sondeur.

Certes, aller chercher dans les bas-fonds de l'ordre social, là où la terre finit et où la boue commence, fouiller dans ces vagues épaisses, poursuivre, saisir et jeter tout palpitant sur le pavé cet idiome abject qui ruisselle de fange ainsi tiré au jour, ce vocabulaire pustuleux dont chaque mot semble un anneau immonde d'un monstre de la vase et des ténèbres, ce n'est ni une tâche attrayante ni une tâche aisée. Rien n'est plus lugubre que de contempler ainsi à nu, à la lumière de la pensée, le fourmillement effroyable de l'argot. Il semble en effet que ce soit une sorte d'horrible bête faite pour la nuit qu'on vient d'arracher de son cloaque. On croit voir une affreuse broussaille vivante et hérissée qui tressaille, se meut, s'agite, redemande l'ombre, menace et regarde. Tel mot ressemble à une griffe, tel autre à un œil éteint et sanglant ; telle phrase semble remuer comme une pince de crabe. Tout cela vit de cette vitalité hideuse des choses qui se sont organisées dans la désorganisation.

Maintenant, depuis quand l'horreur exclut-elle l'étude ? depuis quand la maladie chasse-t-elle le médecin ? Se figure-t-on un naturaliste qui refuserait d'étudier la vipère, la chauve-souris, le scorpion, la scolopendre, la tarentule, et qui les rejetterait dans leurs ténèbres en disant : Oh ! que c'est laid ! Le penseur qui se détournerait de l'argot ressemblerait à un chirurgien qui se détournerait d'un ulcère ou d'une verrue. Ce serait un philologue hésitant à examiner un fait de la langue, un philosophe hésitant à scruter un fait de l'humanité. Car, il faut bien le dire à ceux qui l'ignorent, l'argot est tout ensemble un phénomène littéraire et un résultat social. Qu'est-ce que l'argot proprement dit ? L'argot est la langue de la misère.

Ici on peut nous arrêter; on peut généraliser le fait, ce qui est quelquefois une manière de l'atténuer; on peut nous dire que tous les métiers, toutes les professions, on pourrait presque ajouter tous les accidents de la hiérarchie sociale et toutes les formes de l'intelligence, ont leur argot. Le marchand qui dit : *Montpellier disponible; Marseille belle qualité*, l'agent de change qui dit : *report, prime, fin courant*, le joueur qui dit : *tiers et tout, refait de pique*, l'huissier des îles normandes qui dit : *l'affieffeur s'arrêtant à son fonds ne peut clamer les fruits de ce fonds pendant la saisie héréditale des immeubles du renonciateur*, le vaudevilliste qui dit : *on a égayé l'ours*, le comédien qui dit : *j'ai fait four*, le philosophe qui dit : *triplicité phénoménale*, le chasseur qui dit : *voileci allais, voileci fuyant*, le phrénologue qui dit : *amativité, combativité, sécrétivité*, le fantassin qui dit : *ma clarinette*, le cavalier qui dit : *mon poulet d'Inde*, le maître d'armes qui dit : *tierce, quarte, rompez*, l'imprimeur qui dit : *parlons batio*, tous, imprimeur, maître d'armes, cavalier, fantassin, phrénologue, chasseur, philosophe, comédien, vaudevilliste, huissier, joueur, agent de change, marchand, parlent argot. Le peintre qui dit : *mon rapin*, le notaire qui dit : *mon saute-ruisseau*, le perruquier qui dit : *mon commis*, le savetier qui dit : *mon gniaf*, parlent argot. À la rigueur, et si on le veut absolument, toutes ces façons diverses de dire la droite et la gauche, le matelot *bâbord* et *tribord*, le machiniste, *côté cour et côté jardin*, le bedeau, *côté de l'épître* et *côté de l'évangile*, sont de l'argot. Il y a l'argot des mijaurées comme il y a eu l'argot des précieuses. L'hôtel de Rambouillet confinait quelque peu à la Cour des Miracles. Il y a l'argot des duchesses, témoin cette phrase écrite dans un billet doux par une très grande dame et très jolie femme de la restauration : « Vous trouverez dans ces « potains-là une foultitude de raisons pour que je me libe- « retis. » Les chiffres diplomatiques sont de l'argot; la chancellerie pontificale, en disant 26 pour *Rome*, *grkztntgzyal* pour *envoi* et *abfxustgrnogrkzutux*i pour *duc de Modène*, parle argot. Les médecins du moyen-âge qui, pour dire carotte, radis et navet, disaient : *apoponack, perfroschinum, reptitalmus, dracatholicum angelorum, postmegorum*, parlaient argot. Le fabricant de sucre qui dit : *vergeoise, tête, claircé, tape, lumps, mélis, bâtarde, commun, brûlé, plaque*, cet honnête manufacturier parle argot. Une certaine école de critique d'il y a vingt ans qui disait : — *La moitié de Shakespeare est jeux de mots et calembours*, — parlait argot. Le poëte et l'artiste qui, avec un sens profond, qualifieront M. de Montmorency « un bourgeois », s'il ne se connaît pas en vers et en statues, parlent argot. L'académicien classique qui appelle les fleurs *Flore*, les fruits *Pomone*, la mer *Neptune*, l'amour *les feux*, la beauté *les appas*, un cheval *un coursier*, la cocarde blanche ou tricolore *la rose de Bellone*, le chapeau à trois cornes *le triangle de Mars*, l'académicien classique parle argot. L'algèbre, la médecine, la botanique, ont leur argot. La langue qu'on emploie à bord, cette admirable langue de la mer, si complète et si pittoresque, qu'ont parlée Jean Bart, Duquesne, Suffren et Duperré, qui se mêle au sifflement des agrès, au bruit des porte-voix, au choc des haches d'abordage, au roulis, au vent, à la rafale, au canon, est tout un argot héroïque et éclatant qui est au farouche argot de la pègre ce que le lion est au chacal.

Sans doute. Mais, quoi qu'on en puisse dire, cette façon de comprendre le mot argot est une extension, que tout le monde même n'admettra pas. Quant à nous, nous conservons à ce mot sa vieille acception précise, circonscrite et déterminée, et nous restreignons l'argot à l'argot. L'argot véritable, l'argot par excellence, si ces deux mots peuvent s'accoupler, l'immémorial argot qui était un royaume, n'est autre chose, nous le répétons, que la langue laide, inquiète, sournoise, traître, venimeuse, cruelle, louche, vile, profonde, fatale, de la misère. Il y a, à l'extrémité de tous les abaissements et de toutes les infortunes, une dernière misère qui se révolte et qui se décide à entrer en lutte contre l'ensemble des faits heureux et des droits régnants ; lutte affreuse où, tantôt rusée, tantôt violente, à la fois malsaine et féroce, elle attaque l'ordre social à coups d'épingle par le vice et à coups de massue par le crime. Pour les besoins de cette lutte, la misère a inventé une langue de combat qui est l'argot.

L'idylle rue Plumet et l'épopée rue Saint-Denis

Faire surnager et soutenir au-dessus de l'oubli, au-dessus du gouffre, ne fût-ce qu'un fragment d'une langue quelconque que l'homme a parlée et qui se perdrait, c'est-à-dire un des éléments, bons ou mauvais, dont la civilisation se compose ou se complique, c'est étendre les données de l'observation sociale, c'est servir la civilisation même. Ce service, Plaute l'a rendu, le voulant ou ne le voulant pas, en faisant parler le phénicien à deux soldats carthaginois ; ce service, Molière l'a rendu en faisant parler le levantin et toutes sortes de patois à tant de ses personnages. Ici les objections se raniment : Le phénicien, à merveille ! le levantin, à la bonne heure ! même le patois, passe ! ce sont des langues qui ont appartenu à des nations ou à des provinces ; mais l'argot ? à quoi bon conserver l'argot ? à quoi bon « faire surnager » l'argot ?

À cela nous ne répondrons qu'un mot. Certes, si la langue qu'a parlée une nation ou une province est digne d'intérêt, il est une chose plus digne encore d'attention et d'étude, c'est la langue qu'a parlée une misère.

C'est la langue qu'a parlée en France, par exemple, depuis plus de quatre siècles, non seulement une misère, mais la misère, toute la misère humaine possible.

Et puis, nous y insistons, étudier les difformités et les infirmités sociales et les signaler pour les guérir, ce n'est point une besogne où le choix soit permis. L'historien des mœurs et des idées n'a pas une mission moins austère que l'historien des événements. Celui-ci a la surface de la civilisation, les luttes des couronnes, les naissances de princes, les mariages de rois, les batailles, les assemblées, les grands hommes publics, les révolutions au soleil, tout le dehors ; l'autre historien à l'intérieur, le fond, le peuple qui travaille, qui souffre et qui attend, la femme accablée, l'enfant qui agonise, les guerres sourdes d'homme à homme, les férocités obscures, les préjugés, les iniquités convenues, les contre-coups souterrains de la loi, les évolutions secrètes des âmes, les tressaillements indistincts des multitudes, les meurt-de-faim, les va-nu-pieds, les bras-nus, les déshérités, les orphelins, les malheureux et les infâmes, toutes les larves qui errent dans l'obscurité. Il faut qu'il descende, le cœur plein de charité et de sévérité à la fois, comme un frère et comme un juge, jusqu'à ces casemates impénétrables où rampent pêle-mêle ceux qui saignent et ceux qui frappent, ceux qui pleurent et ceux qui maudissent, ceux qui jeûnent et ceux qui dévorent, ceux qui endurent le mal et ceux qui le font. Ces historiens des cœurs et des âmes ont-ils des devoirs moindres que les historiens des faits extérieurs ? Croit-on qu'Alighieri ait moins de choses à dire que Machiavel ? Le dessous de la civilisation, pour être plus profond et plus sombre, est-il moins important que le dessus ? Connaît-on bien la montagne quand on ne connaît pas la caverne ?

Disons-le du reste en passant, de quelques mots de ce qui précède on pourrait inférer entre les deux classes d'historiens une séparation tranchée qui n'existe pas dans notre esprit. Nul n'est bon historien de la vie patente, visible, éclatante et publique des peuples s'il n'est en même temps, dans une certaine mesure, historien de leur vie profonde et cachée ; et nul n'est bon historien du dedans s'il ne sait être, toutes les fois que besoin est, historien du dehors. L'histoire des mœurs et des idées pénètre l'histoire des événements, et réciproquement. Ce sont deux ordres de faits différents qui se répondent, qui s'enchaînent toujours et s'engendrent souvent. Tous les linéaments que la providence trace à la surface d'une nation ont leurs parallèles sombres, mais distincts, dans le fond, et toutes les convulsions du fond produisent des soulèvements à la surface. La vraie histoire étant mêlée à tout, le véritable historien se mêle de tout.

L'homme n'est pas un cercle à un seul centre ; c'est une ellipse à deux foyers. Les faits sont l'un, les idées sont l'autre.

L'argot n'est autre chose qu'un vestiaire où la langue, ayant quelque mauvaise action à faire, se déguise. Elle s'y revêt de mots masques et de métaphores haillons.

De la sorte elle devient horrible.

On a peine à la reconnaître. Est-ce bien la langue française, la grande langue humaine ? La voilà prête à entrer en scène et à donner au crime la réplique, et propre à tous les emplois du répertoire du mal. Elle ne marche plus, elle clopine ; elle boite sur la béquille de la Cour des miracles, béquille métamorphosable en massue ; elle se nomme truanderie ; tous les spectres, ses habilleurs, l'ont grimée ;

elle se traîne et se dresse, double allure du reptile. Elle est apte à tous les rôles désormais, faite louche par le faussaire, vert-de-grisée par l'empoisonneur, charbonnée de la suie de l'incendiaire; et le meurtrier lui met son rouge.

Quand on écoute, du côté des honnêtes gens, à la porte de la société, on surprend le dialogue de ceux qui sont dehors. On distingue des demandes et des réponses. On perçoit, sans le comprendre, un murmure hideux, sonnant presque comme l'accent humain, mais plus voisin du hurlement que de la parole. C'est l'argot. Les mots sont difformes, et empreints d'on ne sait quelle bestialité fantastique. On croit entendre des hydres parler.

C'est l'inintelligible dans le ténébreux. Cela grince et cela chuchote, complétant le crépuscule par l'énigme. Il fait noir dans le malheur, il fait plus noir encore dans le crime; ces deux noirceurs amalgamées composent l'argot. Obscurité dans l'atmosphère, obscurité dans les actes, obscurité dans les voix. Épouvantable langue crapaude qui va, vient, sautèle, rampe, brave, et se meut monstrueusement dans cette immense brume grise faite de pluie, de nuit, de faim, de vice, de mensonge, d'injustice, de nudité, d'asphyxie et d'hiver, plein midi des misérables.

Ayons compassion des châtiés. Hélas! qui sommes-nous nous-mêmes? qui suis-je, moi qui vous parle? qui êtes-vous, vous qui m'écoutez? d'où venons-nous? et est-il bien sûr que nous n'ayons rien fait avant d'être nés? La terre n'est point sans ressemblance avec une geôle. Qui sait si l'homme n'est pas un repris de justice divine?

Regardez la vie de près. Elle est ainsi faite qu'on y sent partout de la punition.

Êtes-vous ce qu'on appelle un heureux? Eh bien, vous êtes triste tous les jours. Chaque jour a son grand chagrin ou son petit souci. Hier, vous trembliez pour une santé qui vous est chère, aujourd'hui vous craignez pour la vôtre; demain ce sera une inquiétude d'argent, après-demain la diatribe d'un calomniateur, l'autre après-demain le malheur d'un ami; puis le temps qu'il fait, puis quelque chose de cassé ou de perdu, puis un plaisir que la conscience et la colonne vertébrale vous reprochent; une autre fois, la marche des affaires publiques. Sans compter les peines de cœur. Et ainsi de suite. Un nuage se dissipe, un autre se reforme. À peine un jour sur cent de pleine joie et de plein soleil. Et vous êtes de ce petit nombre qui a le bonheur! Quant aux autres hommes, la nuit stagnante est sur eux.

Les esprits réfléchis usent peu de cette locution : les heureux et les malheureux. Dans ce monde, vestibule d'un autre évidemment, il n'y a pas d'heureux.

La vraie division humaine est celle-ci : les lumineux et les ténébreux.

Diminuer le nombre des ténébreux, augmenter le nombre des lumineux, voilà le but. C'est pourquoi nous crions : enseignement! science! Apprendre à lire, c'est allumer du feu; toute syllabe épelée étincelle.

Du reste qui dit lumière ne dit pas nécessairement joie. On souffre dans la lumière; l'excès brûle. La flamme est ennemie de l'aile. Brûler sans cesser de voler, c'est là le prodige du génie.

Quand vous connaîtrez et quand vous aimerez, vous souffrirez encore. Le jour naît en larmes. Les lumineux pleurent, ne fût-ce que sur les ténébreux.

II

RACINES

L'argot, c'est la langue des ténébreux.

La pensée est émue dans ses plus sombres profondeurs, la philosophie sociale est sollicitée à ses méditations les plus poignantes, en présence de cet énigmatique dialecte à la fois flétri et révolté. C'est là qu'il y a du châtiment visible. Chaque syllabe y a l'air marquée. Les mots de la langue vulgaire y apparaissent comme froncés et racornis sous le fer rouge du bourreau. Quelques-uns semblent fumer encore. Telle phrase vous fait l'effet de l'épaule fleurdelysée d'un voleur brusquement mise à nu. L'idée refuse presque de se laisser exprimer par ces substantifs repris de justice. La métaphore y est parfois si effrontée qu'on sent qu'elle a été au carcan.

Du reste, malgré tout cela et à cause de tout cela, ce patois étrange a de droit son compartiment dans ce grand casier impartial où il y a place pour le liard oxydé comme pour la médaille d'or, et qu'on nomme la littérature. L'argot, qu'on y consente ou non, a sa syntaxe et sa poésie. C'est une langue. Si, à la difformité de certains vocables, on reconnaît qu'elle a été mâchée par Mandrin, à la splendeur de certaines métonymies, on sent que Villon l'a parlée.

Ce vers si exquis et si célèbre :

> Mais où sont les neiges d'antan ?

est un vers d'argot. Antan — *ante annum* — est un mot de l'argot de Thunes qui signifiait *l'an passé* et par extension *autrefois*. On pouvait encore lire il y a trente-cinq ans, à l'époque du départ de la grande chaîne de 1827, dans un des cachots de Bicêtre, cette maxime gravée au clou sur le mur par un roi de Thunes condamné aux galères : *Les dabs d'antan trimaient siempre pour la pierre du Coësre.* Ce qui veut dire : *Les rois d'autrefois allaient toujours se faire sacrer.* Dans la pensée de ce roi-là, le sacre, c'était le bagne.

Le mot *décarade*, qui exprime le départ d'une lourde voiture au galop, est attribué à Villon, et il en est digne. Ce mot, qui fait feu des quatre pieds, résume dans une onomatopée magistrale tout l'admirable vers de La Fontaine :

> Six forts chevaux tiraient un coche.

Au point de vue purement littéraire, peu d'études seraient plus curieuses et plus fécondes que celle de l'argot. C'est toute une langue dans la langue, une sorte d'excroissance maladive, une greffe malsaine qui a produit une végétation, un parasite qui a ses racines dans le vieux tronc gaulois et dont le feuillage sinistre rampe sur tout un côté de la langue. Ceci est ce qu'on pourrait appeler le premier aspect, l'aspect vulgaire de l'argot. Mais, pour ceux qui étudient la langue ainsi qu'il faut l'étudier, c'est-à-dire comme les géologues étudient la terre, l'argot apparaît comme une véritable alluvion. Selon qu'on y creuse plus ou moins avant, on trouve dans l'argot, au-dessous du vieux français populaire, le provençal, l'espagnol, de l'italien, du levantin, cette langue des ports de la Méditerranée, de l'anglais et de l'allemand, du roman dans ses trois variétés : roman français, roman italien, roman roman, du latin, enfin du basque et du celte. Formation profonde et bizarre. Édifice souterrain bâti en commun par tous les misérables. Chaque race maudite a déposé sa couche, chaque souffrance a laissé tomber sa pierre, chaque cœur a donné son caillou. Une foule d'âmes mauvaises, basses ou irritées, qui ont traversé la vie et sont allées s'évanouir dans l'éternité, sont là presque entières et en quelque sorte visibles encore sous la forme d'un mot monstrueux.

Veut-on de l'espagnol? le vieil argot gothique en fourmille. Voici *boffette*, soufflet, qui vient de *bofeton; vantane*, fenêtre (plus tard vanterne), qui vient de *vantana; gat*, chat, qui vient de *gato; acite*, huile, qui vient de *aceyte*. Veut-on de l'italien? Voici *spade*, épée, qui vient de *spada; carvel*, bateau, qui vient de *caravella*. Veut-on de l'anglais? Voici le *bichot*, l'évêque, qui vient de *bishop; raille*, espion, qui vient de *rascal, rascalion*, coquin; *pilche*, étui, qui vient de *pilcher*, fourreau. Veut-on de l'allemand? Voici le *caleur*, le garçon, *kellner*; le *hers*, le maître, *herzog* (duc). Veut-on du latin? Voici *frangir*, casser, *frangere; affurer*, voler, *fur; cadène*, chaîne, *catena*. Il y a un mot qui reparaît dans toutes les langues du continent avec une sorte de puissance et d'autorité mystérieuse, c'est le mot *magnus*; l'Écosse en fait son *mac*, qui désigne le chef du clan, Mac-Farlane, Mac-Callummore, le grand Farlane, le grand Callummore; l'argot en fait le *meck*, et plus tard, le *meg*, c'està-dire Dieu. Veut-on du basque? Voici *gahisto*, le diable, qui vient de *gaïztoa*, mauvais; *sorgabon*, bonne nuit, qui vient de *gabon*, bonsoir. Veut-on du celte? Voici *blavin*, mouchoir, qui vient de *blavet*, eau jaillissante; *ménesse*, femme (en mauvaise part), qui vient de *meinec*, plein de pierres; *barant*, ruisseau, de *baranton*, fontaine; *goffeur*, serrurier, de *goff*, forgeron; la *guédouze*, la mort, qui vient de *guenn-du*, blanche-noire. Veut-on de l'histoire enfin? L'argot appelle les écus *les maltaises*, souvenir de la monnaie qui avait cours sur les galères de Malte.

Outre les origines philologiques qui viennent d'être indiquées, l'argot a d'autres racines plus naturelles encore et qui sortent pour ainsi dire de l'esprit même de l'homme :

Premièrement, la création directe des mots. Là est le mystère des langues. Peindre par des mots qui ont, on ne sait comment ni pourquoi, des figures. Ceci est le fond primitif de tout langage humain, ce qu'on en pourrait nommer le granit. L'argot pullule de mots de ce genre, mots immédiats, créés de toute pièce on ne sait où ni par qui, sans étymologies, sans analogies, sans dérivés, mots solitaires, barbares, quelquefois hideux, qui ont une singulière puissance d'expression et qui vivent. — Le bourreau, *le taule* ; — la forêt, *le sabri* ; — la peur, la fuite, *taf* ; — le laquais, *le larbin* ; — le général, le préfet, le ministre, *pharos* ; — le diable, *le rabouin*. Rien n'est plus étrange que ces mots qui masquent et qui montrent. Quelques-uns, *le rabouin*, par exemple, sont en même temps grotesques et terribles, et vous font l'effet d'une grimace cyclopéenne.

Deuxièmement, la métaphore. Le propre d'une langue qui veut tout dire et tout cacher, c'est d'abonder en figures. La métaphore est une énigme où se réfugie le voleur qui complote un coup, le prisonnier qui combine une évasion. Aucun idiome n'est plus métaphorique que l'argot. — *Dévisser le coco*, tordre le cou ; — *tortiller*, manger ; — *être gerbé*, être jugé ; — *un rat*, un voleur de pain ; — *il lansquine*, il pleut, vieille figure frappante, qui porte en quelque sorte sa date avec elle, qui assimile les longues lignes obliques de la pluie aux piques épaisses et penchées des lansquenets, et qui fait tenir dans un seul mot la métonymie populaire : *il pleut des hallebardes*. Quelquefois, à mesure que l'argot va de la première époque à la seconde, des mots passent de l'état sauvage et primitif au sens métaphorique. Le diable cesse d'être le *rabouin* et devient *le boulanger*, celui qui enfourne. C'est plus spirituel, mais moins grand ; quelque chose comme Racine après Corneille, comme Euripide après Eschyle. Certaines phrases d'argot, qui participent des deux époques et ont à la fois le caractère barbare et le caractère métaphorique, ressemblent à des fantasmagories. — *Les sorgueurs vont sollicer des gails à la lune* (les rôdeurs vont voler des chevaux la nuit). — Cela passe devant l'esprit comme un groupe de spectres. On ne sait ce qu'on voit.

Troisièmement, l'expédient. L'argot vit sur la langue. Il en use à sa fantaisie, il y puise au hasard, et il se borne souvent, quand le besoin surgit, à la dénaturer sommairement et grossièrement. Parfois, avec les mots usuels ainsi déformés, et compliqués de mots d'argot pur, il compose des locutions pittoresques où l'on sent le mélange des deux éléments précédents, la création directe et la métaphore : — *Le cab jaspine, je marronne que la roulotte de Pantin trime dans le sabri*; le chien aboie, je soupçonne que la diligence de Paris passe dans le bois. — *Le dab est sinve, la dabuge est merloussière, la fée est bative;* le bourgeois est bête, la bourgeoise est rusée, la fille est jolie. — Le plus souvent, afin de dérouter les écouteurs, l'argot se borne à ajouter indistinctement à tous les mots de la langue une sorte de queue ignoble, une terminaison en aille, en orgue, en iergue, ou en uche. Ainsi : *Vousiergue trouvaille bonorgue ce gigot-muche ?* Trouvez-vous ce gigot bon ? Phrase adressée par Cartouche à un guichetier, afin de savoir si la somme offerte pour l'évasion lui convenait. — La terminaison en *mar* a été ajoutée assez récemment.

L'argot, étant l'idiome de la corruption, se corrompt vite. En outre, comme il cherche toujours à se dérober, sitôt qu'il se sent compris, il se transforme. Au rebours de toute autre végétation, tout rayon de jour y tue ce qu'il touche. Aussi l'argot va-t-il se décomposant et se recomposant sans cesse; travail obscur et rapide qui ne s'arrête jamais. Il fait plus de chemin en dix ans que la langue en dix siècles. Ainsi le larton devient le lartif; le gail devient le gaye; la fertanche, la fertille; le momignard, le momacque; les siques, les frusques; la chique, l'égrugeoir; le colabre, le colas. Le diable est d'abord gahisto, puis le rabouin, puis le boulanger; le prêtre est le ratichon, puis le sanglier; le poignard est le vingt-deux, puis le surin, puis le lingre; les gens de police sont des railles, puis des roussins, puis des rousses, puis des marchands de lacets, puis des coqueurs, puis des cognes; le bourreau est le taule, puis Charlot, puis l'atigeur, puis le becquillard. Au dix-septième siècle, se battre, c'était *se donner du tabac*; au dix-neuvième, c'est *se chiquer la gueule*. Vingt locutions différentes ont passé entre ces deux extrêmes. Cartouche parlerait hébreu pour Lacenaire. Tous les mots de cette langue sont perpétuellement en fuite comme les hommes qui les prononcent.

Cependant, de temps en temps, et à cause de ce mouvement même, l'ancien argot reparaît et redevient nouveau. Il a ses chefs-lieux où il se maintient. Le Temple conservait l'argot du dix-septième siècle; Bicêtre, lorsqu'il était prison, conservait l'argot de Thunes. On y entendait la terminaison en *anche* des vieux thuneurs. *Boyanches-tu* (bois-tu?)? *il croyanche* (il croit). Mais le mouvement perpétuel n'en reste pas moins la loi.

Si le philosophe parvient à fixer un moment, pour l'observer, cette langue qui s'évapore sans cesse, il tombe dans de douloureuses et utiles méditations. Aucune étude n'est plus efficace et plus féconde en enseignements. Pas une métaphore, pas une étymologie de l'argot qui ne contienne une leçon. — Parmi ces hommes, *battre* veut dire *feindre*; on *bat* une maladie; la ruse est leur force.

Pour eux l'idée de l'homme ne se sépare pas de l'idée de l'ombre. La nuit se dit *la sorgue*; l'homme, *l'orgue*. L'homme est un dérivé de la nuit.

Ils ont pris l'habitude de considérer la société comme une atmosphère qui les tue, comme une force fatale, et ils parlent de leur liberté comme on parlerait de sa santé. Un homme arrêté est un *malade*; un homme condamné est un *mort*.

Ce qu'il y a de plus terrible pour le prisonnier dans les quatre murs de pierre qui l'ensevelissent, c'est une sorte de chasteté glaciale; il appelle le cachot, le *castus*. — Dans ce lieu funèbre, c'est toujours sous son aspect le plus riant que la vie extérieure apparaît. Le prisonnier a des fers aux pieds; vous croyez peut-être qu'il songe que c'est avec les pieds qu'on marche? non, il songe que c'est avec les pieds qu'on danse; aussi, qu'il parvienne à scier ses fers, sa première idée est que maintenant il peut danser, et il appelle la scie un *bastringue*. — Un *nom* est un *centre;* profonde assimilation — Le bandit a deux têtes, l'une qui raisonne ses actions et le mène pendant toute sa vie, l'autre qu'il a sur ses épaules le jour de sa mort; il appelle la tête qui lui conseille le crime, la *sorbonne*, et la tête qui l'expie, la *tronche*. — Quand un homme n'a plus que des guenilles sur le corps et des vices dans le cœur, quand il est arrivé à cette double dégradation matérielle et morale que caractérise dans ses deux acceptions le mot *gueux*, il est à point pour le crime ; il est comme un couteau bien affilé ; il a deux tranchants, sa détresse et sa méchanceté ; aussi l'argot ne dit pas « un gueux » ; il dit un *réguisé*. — Qu'est-ce que le bagne ? un brasier de damnation, un enfer. Le forçat s'appelle un *fagot*. — Enfin, quel nom les malfaiteurs donnent-ils à la prison ? *le collège*. Tout un système pénitentiaire peut sortir de ce mot.

Le voleur a, lui aussi, sa chair à canon, la matière volable, vous, moi, quiconque passe ; *le pantre*. (*Pan*, tout le monde.)

Veut-on savoir où sont écloses la plupart des chansons de bagne, ces refrains appelés dans le vocabulaire spécial les *lirlonfa* ? Qu'on écoute ceci :

Il y avait au Châtelet de Paris une grande cave longue. Cette cave était à huit pieds en contre-bas au-dessous du niveau de la Seine. Elle n'avait ni fenêtres ni soupiraux, l'unique ouverture était la porte ; les hommes pouvaient y entrer, l'air non. Cette cave avait pour plafond une voûte de pierre et pour plancher dix pouces de boue. Elle avait été dallée ; mais, sous le suintement des eaux, le dallage s'était pourri et crevassé. À huit pieds au-dessus du sol, une longue poutre massive traversait ce souterrain de part en part ; de cette poutre tombaient, de distance en distance, des chaînes de trois pieds de long, et à l'extrémité de ces chaînes il y avait des carcans. On mettait dans cette cave les hommes condamnés aux galères jusqu'au jour du départ pour Toulon. On les poussait sous cette poutre où chacun avait son ferrement oscillant dans les ténèbres, qui l'attendait. Les chaînes, ces bras pendants, et les carcans, ces mains ouvertes, prenaient ces misérables par le cou. On les rivait, et on les laissait là. La chaîne étant trop courte, ils ne pouvaient se coucher. Ils restaient immobiles dans cette cave, dans cette nuit, sous cette poutre, presque pendus, obligés à des efforts inouïs pour atteindre au pain ou à la cruche, la voûte sur la tête, la boue jusqu'à mi-jambe, leurs excréments coulant sur leurs jarrets, écartelés de fatigue, ployant aux hanches et aux genoux, s'accrochant par les mains à la chaîne pour se reposer, ne pouvant dormir que debout, et réveillés à chaque instant par l'étranglement du carcan ; quelques-uns ne se réveillaient pas. Pour manger, ils faisaient monter avec leur talon le long de leur tibia jusqu'à leur main leur pain qu'on leur jetait dans la boue. Combien de temps demeuraient-ils ainsi ? Un mois, deux mois, six mois quelquefois ; un resta une année. C'était l'antichambre des galères. On était mis là pour un lièvre volé au roi. Dans ce sépulcre enfer, que faisaient-ils ? Ce qu'on peut faire dans un sépulcre, ils agonisaient, et ce qu'on peut faire dans un enfer, ils chantaient. Car où il n'y a plus l'espérance, le chant reste. Dans les eaux de Malte, quand une galère approchait, on entendait le chant avant d'entendre les rames. Le pauvre braconnier Survincent qui avait traversé la prison-cave du Châtelet disait : *Ce sont les rimes qui m'ont soutenu.* Inutilité de la poésie. À quoi bon la rime ? C'est dans cette cave que sont nées presque toutes les chansons d'argot. C'est de ce cachot du Grand-Châtelet de Paris que vient le mélancolique refrain de la galère de Montgomery : *Timaloumisaine, timoulamison.* La plupart de ces chansons sont lugubres ; quelques-unes sont gaies ; une est tendre :

> Icicaille est le théâtre
> Du petit dardant.

Vous aurez beau faire, vous n'anéantirez pas cet éternel reste du cœur de l'homme, l'amour.

Dans ce monde des actions sombres, on se garde le secret. Le secret, c'est la chose de tous. Le secret, pour ces misérables, c'est l'unité qui sert de base à l'union. Rompre le secret, c'est arracher à chaque membre de cette communauté farouche quelque chose de lui-même. Dénoncer, dans l'énergique langue d'argot, cela se dit : *manger le morceau.* Comme si le dénonciateur tirait à lui un peu de la substance de tous et se nourrissait d'un morceau de la chair de chacun.

Qu'est-ce que recevoir un soufflet ? La métaphore banale répond : *C'est voir trente-six chandelles.* Ici l'argot intervient, et reprend : *Chandelle, camoufle.* Sur ce, le langage usuel donne au soufflet pour synonyme *camouflet.* Ainsi, par une sorte de pénétration de bas en haut, la métaphore, cette trajectoire incalculable, aidant, l'argot monte de la caverne à l'académie; et Poulailler disant : *J'allume ma camoufle*, fait écrire à Voltaire : *Langleviel La Beaumelle mérite cent camouflets*.

Une fouille dans l'argot, c'est la découverte à chaque pas. L'étude et l'approfondissement de cet étrange idiome mènent au mystérieux point d'intersection de la société régulière avec la société maudite.

L'argot, c'est le verbe devenu forçat.

Que le principe pensant de l'homme puisse être refoulé si bas, qu'il puisse être traîné et garrotté là par les obscures tyrannies de la fatalité, qu'il puisse être lié à on ne sait quelles attaches dans ce précipice, cela consterne.

Ô pauvre pensée des misérables !

Hélas ! personne ne viendra-t-il au secours de l'âme humaine dans cette ombre ? Sa destinée est-elle d'y attendre à jamais l'esprit, le libérateur, l'immense chevaucheur des pégases et des hippogriffes, le combattant couleur d'aurore qui descend de l'azur entre deux ailes, le radieux chevalier de l'avenir ? Appellera-t-elle toujours en vain à son secours la lance de lumière de l'idéal ? Est-elle condamnée à entendre venir épouvantablement dans l'épaisseur du gouffre le Mal, et à entrevoir, de plus en plus près d'elle, sous l'eau hideuse, cette tête draconienne, cette gueule mâchant l'écume, et cette ondulation serpentante de griffes, de gonflements et d'anneaux ? Faut-il qu'elle reste là, sans une lueur, sans espoir, livrée à cette approche formidable, vaguement flairée du monstre, frissonnante, échevelée, se tordant les bras, à jamais enchaînée au rocher de la nuit, sombre Andromède blanche et nue dans les ténèbres !

III

ARGOT QUI PLEURE ET ARGOT QUI RIT

Comme on le voit, l'argot tout entier, l'argot d'il y a quatre cents ans comme l'argot d'aujourd'hui, est pénétré de ce sombre esprit symbolique qui donne à tous les mots tantôt une allure dolente, tantôt un air menaçant. On y sent la vieille tristesse farouche de ces truands de la Cour des Miracles qui jouaient aux cartes avec des jeux à eux, dont quelques-uns nous ont été conservés. Le huit de trèfle, par exemple, représentait un grand arbre portant huit énormes feuilles de trèfle, sorte de personnification fantastique de la forêt. Au pied de cet arbre on voyait un feu allumé où trois lièvres faisaient rôtir un chasseur à la broche, et derrière, sur un autre feu, une marmite fumante d'où sortait la tête du chien. Rien de plus lugubre que ces représailles en peinture, sur un jeu de cartes, en présence des bûchers à rôtir les contrebandiers et de la chaudière à bouillir les faux monnayeurs. Les diverses formes que prenait la pensée dans le royaume d'argot, même la chanson, même la raillerie, même la menace, avaient toutes ce caractère impuissant et accablé. Tous les chants, dont quelques mélodies ont été recueillies, étaient humbles et lamentables à pleurer. Le pègre s'appelle *le pauvre pègre*, et il est toujours le lièvre qui se cache, la souris qui se sauve, l'oiseau qui s'enfuit. À peine réclame-t-il ; il se borne à soupirer ; un de ses gémissements est venu jusqu'à nous : — *Je n'entrave que le dail comment meck, le daron des orgues, peut aliger ses mômes et ses momignards et les locher criblant sans être aligé lui-même.* — Le misérable, toutes les fois qu'il a le temps de penser, se fait petit devant la loi et chétif devant la société ; il se couche à plat ventre, il supplie, il se tourne du côté de la pitié ; on sent qu'il se sait dans son tort.

Vers le milieu du dernier siècle, un changement se fit. Les chants de prisons, les ritournelles de voleurs prirent, pour ainsi parler, un geste insolent et jovial. Le plaintif *maluré* fut remplacé par *larifla*. On retrouve au dix-huitième siècle dans presque toutes les chansons des galères, des bagnes et des chiourmes, une gaîté diabolique et énigmatique. On y entend ce refrain strident et sautant qu'on dirait éclairé d'une lueur phosphorescente et qui semble jeté dans la forêt par un feu follet jouant du fifre :

> Mirlababi, surlababo,
> Mirliton ribon ribette,
> Surlababi, mirlababo,
> Mirliton ribon ribo.

Cela se chantait en égorgeant un homme dans une cave ou au coin d'un bois.

Symptôme sérieux. Au dix-huitième siècle l'antique mélancolie de ces classes mornes se dissipe. Elles se mettent à rire. Elles raillent le grand meg et le grand dab. Louis XV étant donné, elles appellent le roi de France « le marquis de Pantin ». Les voilà presque gaies. Une sorte de lumière légère sort de ces misérables comme si la conscience ne leur pesait plus. Ces lamentables tribus de l'ombre n'ont plus seulement l'audace désespérée des actions, elles ont l'audace insouciante de l'esprit. Indice qu'elles perdent le sentiment de leur criminalité, et qu'elles se sentent jusque parmi les penseurs et les songeurs je ne sais quels appuis qui s'ignorent eux-mêmes. Indice que le vol et le pillage commencent à s'infiltrer jusque dans des doctrines et des sophismes, de manière à perdre un peu de leur laideur en en donnant beaucoup aux sophismes et aux doctrines. Indice enfin, si aucune diversion ne surgit, de quelque éclosion prodigieuse et prochaine.

Arrêtons-nous un moment. Qui accusons-nous ici? est-ce le dix-huitième siècle? est-ce sa philosophie? Non certes. L'œuvre du dix-huitième siècle est saine et bonne. Les encyclopédistes, Diderot en tête, les physiocrates, Turgot en tête, les philosophes, Voltaire en tête, les utopistes, Rousseau en tête, ce sont là quatre légions sacrées. L'immense avance de l'humanité vers la lumière leur est due. Ce sont les quatre avant-gardes du genre humain allant aux quatre points cardinaux du progrès, Diderot vers le beau, Turgot vers l'utile, Voltaire vers le vrai, Rousseau vers le juste. Mais, à côté et au-dessous des philosophes, il y avait les sophistes, végétation vénéneuse mêlée à la croissance salubre, ciguë dans la forêt vierge. Pendant que le bourreau brûlait sur le maître-escalier du palais de justice les grands livres libérateurs du siècle, des écrivains aujourd'hui oubliés publiaient, avec privilège du roi, on ne sait quels écrits étrangement désorganisateurs, avidement lus des misérables. Quelques-unes de ces publications, détail bizarre, patronnées par un prince, se retrouvent dans la *Bibliothèque secrète*. Ces faits, profonds mais ignorés, étaient inaperçus à la surface. Parfois c'est l'obscurité même d'un fait qui est son danger. Il est obscur parce qu'il est souterrain. De tous ces écrivains, celui peut-être qui creusa alors dans les masses la galerie la plus malsaine, c'est Restif de la Bretonne.

Ce travail, propre à toute l'Europe, fit plus de ravage en Allemagne que partout ailleurs. En Allemagne, pendant une certaine période, résumée par Schiller dans son drame fameux des *Brigands*, le vol et le pillage s'érigeaient en protestation contre la propriété et le travail, s'assimilaient de certaines idées élémentaires, spécieuses et fausses, justes en apparence, absurdes en réalité, s'enveloppaient de ces idées, y disparaissaient en quelque sorte, prenaient un nom abstrait et passaient à l'état de théorie, et de cette façon circulaient dans les foules laborieuses, souffrantes et honnêtes, à l'insu même des chimistes imprudents qui avaient préparé la mixture, à l'insu même des masses qui l'acceptaient. Toutes les fois qu'un fait de ce genre se produit, il est grave. La souffrance engendre la colère ; et tandis que les classes prospères s'aveuglent, ou s'endorment, ce qui est toujours fermer les yeux, la haine des classes malheureuses allume sa torche à quelque esprit chagrin ou mal fait qui rêve dans un coin, et elle se met à examiner la société. L'examen de la haine, chose terrible !

De là, si le malheur des temps le veut, ces effrayantes commotions qu'on nommait jadis *jacqueries*, près desquelles les agitations purement politiques sont jeux d'enfants, qui ne sont plus la lutte de l'opprimé contre l'oppresseur, mais la révolte du malaise contre le bien-être. Tout s'écroule alors.

Les jacqueries sont des tremblements de peuple.

C'est à ce péril, imminent peut-être en Europe vers la fin du dix-huitième siècle, que vint couper court la révolution française, cet immense acte de probité.

La révolution française, qui n'est pas autre chose que l'idéal armé du glaive, se dressa, et, du même mouvement brusque, ferma la porte du mal et ouvrit la porte du bien.

Elle dégagea la question, promulgua la vérité, chassa le miasme, assainit le siècle, couronna le peuple.

On peut dire d'elle qu'elle a créé l'homme une deuxième fois, en lui donnant une seconde âme, le droit.

Le dix-neuvième siècle hérite et profite de son œuvre, et aujourd'hui la catastrophe sociale que nous indiquions tout à l'heure est simplement impossible. Aveugle qui la dénonce ! niais qui la redoute ! la révolution est la vaccine de la jacquerie.

Grâce à la révolution, les conditions sociales sont changées. Les maladies féodales et monarchiques ne sont plus dans notre sang. Il n'y a plus de moyen-âge dans notre constitution. Nous ne sommes plus aux temps où d'effroyables fourmillements intérieurs faisaient irruption, où l'on entendait sous ses pieds la course obscure d'un bruit sourd, où apparaissaient à la surface de la civilisation on ne sait quels soulèvements de galeries de taupes, où le sol se crevassait, où le dessus des cavernes s'ouvrait, et où l'on voyait tout à coup sortir de terre des têtes monstrueuses.

Le sens révolutionnaire est un sens moral. Le sentiment du droit, développé, développe le sentiment du devoir. La loi de tous, c'est la liberté, qui finit où commence la liberté d'autrui, selon l'admirable définition de Robespierre. Depuis 89, le peuple tout entier se dilate dans l'individu sublimé ; il n'y a pas de pauvre qui, ayant son droit, n'ait son rayon ; le meurt-de-faim sent en lui l'honnêteté de la France ; la dignité du citoyen est une armure intérieure ; qui est libre est scrupuleux ; qui vote règne. De là l'incorruptibilité ; de là l'avortement des convoitises malsaines ; de là les yeux héroïquement baissés devant les tentations. L'assainissement révolutionnaire est tel qu'un jour de délivrance, un 14 juillet, un 10 août, il n'y a plus de populace. Le premier cri des foules illuminées et grandissantes c'est : mort aux voleurs ! Le progrès est honnête homme ; l'idéal et l'absolu ne font pas le mouchoir. Par qui furent escortés en 1848 les fourgons qui contenaient les richesses des Tuileries ? par les chiffonniers du faubourg Saint-Antoine. Le haillon monta la garde devant le trésor. La vertu fit ces déguenillés resplendissants. Il y avait là, dans ces fourgons, dans des caisses à peine fermées, quelques-unes même entr'ouvertes, parmi cent écrins éblouissants, cette vieille couronne de France toute en diamants, surmontée de l'escarboucle de la royauté, du régent, qui valait trente millions. Ils gardaient, pieds nus, cette couronne.

Donc plus de jacquerie. J'en suis fâché pour les habiles. C'est là de la vieille peur qui a fait son dernier effet et qui ne pourrait plus désormais être employée en politique. Le grand ressort du spectre rouge est cassé. Tout le monde le sait maintenant. L'épouvantail n'épouvante plus. Les oiseaux prennent des familiarités avec le mannequin, les stercoraires s'y posent, les bourgeois rient dessus.

IV

LES DEUX DEVOIRS : VEILLER ET ESPÉRER

Cela étant, tout danger social est-il dissipé ? non certes. Point de jacquerie. La société peut se rassurer de ce côté, le sang ne lui portera plus à la tête ; mais qu'elle se préoccupe de la façon dont elle respire. L'apoplexie n'est plus à craindre, mais la phtisie est là. La phtisie sociale s'appelle misère. On meurt miné aussi bien que foudroyé.

Ne nous lassons pas de le répéter, songer, avant tout, aux foules déshéritées et douloureuses, les soulager, les aérer, les éclairer, les aimer, leur élargir magnifiquement l'horizon, leur prodiguer sous toutes les formes l'éducation, leur offrir l'exemple du labeur, jamais l'exemple de l'oisiveté, amoindrir le poids du fardeau individuel en accroissant la notion du but universel, limiter la pauvreté sans limiter la richesse, créer de vastes champs d'activité publique et populaire, avoir comme Briarée cent mains à tendre de toutes parts aux accablés et aux faibles, employer la puissance collective à ce grand devoir d'ouvrir des ateliers à tous les bras, des écoles à toutes les aptitudes et des laboratoires à toutes les intelligences, augmenter le salaire, diminuer la peine, balancer le doit et l'avoir, c'est-à-dire proportionner la jouissance à l'effort et l'assouvissement au besoin, en un mot, faire dégager à l'appareil social, au profit de ceux qui souffrent et de ceux qui ignorent, plus de clarté et plus de bien-être, c'est, que les âmes sympathiques ne l'oublient pas, la première des obligations fraternelles, c'est, que les cœurs égoïstes le sachent, la première des nécessités politiques.

Et, disons-le, tout cela, ce n'est encore qu'un commencement. La vraie question, c'est celle-ci : le travail ne peut être une loi sans être un droit.

Nous n'insistons pas, ce n'est point ici le lieu.

Si la nature s'appelle providence, la société doit s'appeler prévoyance.

La croissance intellectuelle et morale n'est pas moins indispensable que l'amélioration matérielle. Savoir est un viatique; penser est de première nécessité; la vérité est nourriture comme le froment. Une raison, à jeun de science et de sagesse, maigrit. Plaignons, à l'égal des estomacs, les esprits qui ne mangent pas. S'il y a quelque chose de plus poignant qu'un corps agonisant faute de pain, c'est une âme qui meurt de la faim de la lumière.

Le progrès tout entier tend du côté de la solution. Un jour on sera stupéfait. Le genre humain montant, les couches profondes sortiront tout naturellement de la zone de détresse. L'effacement de la misère se fera par une simple élévation de niveau.

Cette solution bénie, on aurait tort d'en douter.

Le passé, il est vrai, est très fort à l'heure où nous sommes. Il reprend. Ce rajeunissement d'un cadavre est surprenant. Le voici qui marche et qui vient. Il semble vainqueur; ce mort est un conquérant. Il arrive avec sa légion, les superstitions, avec son épée, le despotisme, avec son drapeau, l'ignorance; depuis quelque temps il a gagné dix batailles. Il avance, il menace, il rit, il est à nos portes. Quant à nous, ne désespérons pas. Vendons le champ où campe Annibal.

Nous qui croyons, que pouvons-nous craindre?

Il n'y a pas plus de reculs d'idées que de reculs de fleuves.

Mais que ceux qui ne veulent pas de l'avenir y réfléchissent. En disant non au progrès, ce n'est point l'avenir qu'ils condamnent, c'est eux-mêmes. Ils se donnent une maladie sombre, ils s'inoculent le passé. Il n'y a qu'une manière de refuser Demain, c'est de mourir.

Or, aucune mort, celle du corps le plus tard possible, celle de l'âme jamais, c'est là ce que nous voulons.

Oui, l'énigme dira son mot, le sphinx parlera, le problème sera résolu. Oui, le Peuple, ébauché par le dix-huitième siècle, sera achevé par le dix-neuvième. Idiot qui en douterait! L'éclosion future, l'éclosion prochaine du bien-être universel, est un phénomène divinement fatal.

D'immenses poussées d'ensemble régissent les faits humains et les amènent tous dans un temps donné à l'état logique, c'est-à-dire à l'équilibre, c'est-à-dire à l'équité. Une force composée de terre et de ciel résulte de l'humanité et la gouverne; cette force-là est une faiseuse de miracles; les dénoûments merveilleux ne lui sont pas plus difficiles que les péripéties extraordinaires. Aidée de la science qui vient de l'homme et de l'événement qui vient d'un autre, elle s'épouvante peu de ces contradictions dans la pose des problèmes, qui semblent au vulgaire impossibilités. Elle n'est pas moins habile à faire jaillir une solution du rapprochement des idées qu'un enseignement du rapprochement des faits; et l'on peut s'attendre à tout de la part de cette mystérieuse puissance du progrès qui, un beau jour, confronte l'orient et l'occident au fond d'un sépulcre et fait dialoguer les imans avec Bonaparte dans l'intérieur de la grande pyramide.

En attendant, pas de halte, pas d'hésitation, pas de temps d'arrêt dans la grandiose marche en avant des esprits. La philosophie sociale est essentiellement la science de la paix. Elle a pour but et doit avoir pour résultat de dissoudre les colères par l'étude des antagonismes. Elle examine, elle scrute, elle analyse; puis elle recompose. Elle procède par voie de réduction, retranchant de tout la haine.

Qu'une société s'abîme au vent qui se déchaîne sur les hommes, cela s'est vu plus d'une fois; l'histoire est pleine de naufrages de peuples et d'empires; mœurs, lois, religions, un beau jour cet inconnu, l'ouragan, passe et emporte tout cela. Les civilisations de l'Inde, de la Chaldée, de la Perse, de l'Assyrie, de l'Égypte, ont disparu l'une après l'autre. Pourquoi? nous l'ignorons. Quelles sont les causes de ces désastres? nous ne le savons pas. Ces sociétés auraient-elles pu être sauvées? y a-t-il de leur faute? se sont-elles obstinées dans quelque vice fatal qui les a perdues? quelle quantité de suicide y a-t-il dans ces morts terribles d'une nation et d'une race? Questions sans réponse. L'ombre couvre ces civilisations condamnées.

Elles faisaient eau, puisqu'elles s'engloutissent ; nous n'avons rien de plus à dire ; et c'est avec une sorte d'effarement que nous regardons, au fond de cette mer qu'on appelle le passé, derrière ces vagues colossales, les siècles, sombrer ces immenses navires, Babylone, Ninive, Tarse, Thèbes, Rome, sous le souffle effrayant qui sort de toutes les bouches des ténèbres. Mais ténèbres là, clarté ici. Nous ignorons les maladies des civilisations antiques, nous connaissons les infirmités de la nôtre. Nous avons partout sur elle le droit de lumière ; nous contemplons ses beautés et nous mettons à nu ses difformités. Là où elle a mal, nous sondons ; et, une fois la souffrance constatée, l'étude de la cause mène à la découverte du remède. Notre civilisation, œuvre de vingt siècles, en est à la fois le monstre et le prodige ; elle vaut la peine d'être sauvée. Elle le sera. La soulager, c'est déjà beaucoup ; l'éclairer, c'est encore quelque chose. Tous les travaux de la philosophie sociale moderne doivent converger vers ce but. Le penseur aujourd'hui a un grand devoir, ausculter la civilisation.

Nous le répétons, cette auscultation encourage ; et c'est par cette insistance dans l'encouragement que nous voulons finir ces quelques pages, entr'acte austère d'un drame douloureux. Sous la mortalité sociale on sent l'impérissabilité humaine. Pour avoir çà et là ces plaies, les cratères, et ces dartres, les solfatares, pour un volcan qui aboutit et qui jette son pus, le globe ne meurt pas. Des maladies de peuple ne tuent pas l'homme.

Et néanmoins, quiconque suit la clinique sociale hoche la tête par instants. Les plus forts, les plus tendres, les plus logiques ont leurs heures de défaillance.

L'avenir arrivera-t-il ? il semble qu'on peut presque se faire cette question quand on voit tant d'ombre terrible. Sombre face-à-face des égoïstes et des misérables. Chez les égoïstes, les préjugés, les ténèbres de l'éducation riche, l'appétit croissant par l'enivrement, un étourdissement de prospérité qui assourdit, la crainte de souffrir qui, dans quelques-uns, va jusqu'à l'aversion des souffrants, une satisfaction implacable, le moi si enflé qu'il ferme l'âme ; — chez les misérables, la convoitise, l'envie, la haine de voir les autres jouir, les profondes secousses de la bête humaine vers les assouvissements, les cœurs pleins de brume, la tristesse, le besoin, la fatalité, l'ignorance impure et simple.

Faut-il continuer de lever les yeux vers le ciel ? le point lumineux qu'on y distingue est-il de ceux qui s'éteignent ? L'idéal est effrayant à voir ainsi perdu dans les profondeurs, petit, isolé, imperceptible, brillant, mais entouré de toutes ces grandes menaces noires monstrueusement amoncelées autour de lui; pourtant pas plus en danger qu'une étoile dans les gueules des nuages.

LIVRE HUITIÈME

LES ENCHANTEMENTS ET LES DÉSOLATIONS

I

PLEINE LUMIÈRE

Le lecteur a compris qu'Éponine, ayant reconnu à travers la grille l'habitante de cette rue Plumet où Magnon l'avait envoyée, avait commencé par écarter les bandits de la rue Plumet, puis y avait conduit Marius, et qu'après plusieurs jours d'extase devant cette grille, Marius, entraîné par cette force qui pousse le fer vers l'aimant et l'amoureux vers les pierres dont est faite la maison de celle qu'il aime, avait fini par entrer dans le jardin de Cosette comme Roméo dans le jardin de Juliette. Cela même lui avait été plus facile qu'à Roméo; Roméo était obligé d'escalader un mur, Marius n'eut qu'à forcer un peu un des barreaux de la grille décrépite qui vacillait dans son alvéole rouillé, à la manière des dents des vieilles gens. Marius était mince et passa aisément.

Comme il n'y avait jamais personne dans la rue et que d'ailleurs Marius ne pénétrait dans le jardin que la nuit, il ne risquait pas d'être vu.

À partir de cette heure bénie et sainte où un baiser fiança ces deux âmes, Marius vint là tous les soirs. Si, à ce moment de sa vie, Cosette était tombée dans l'amour d'un homme peu scrupuleux et libertin, elle était perdue; car il y a des natures généreuses qui se livrent, et Cosette en était une. Une des magnanimités de la femme, c'est de céder. L'amour, à cette hauteur où il est absolu, se complique d'on ne sait quel céleste aveuglement de la pudeur. Mais que de dangers vous courez, ô nobles âmes ! Souvent, vous donnez le cœur, nous prenons le corps. Votre cœur vous reste, et vous le regardez dans l'ombre en frémissant. L'amour n'a point de moyen terme ; ou il perd, ou il sauve. Toute la destinée humaine est ce dilemme-là. Ce dilemme, perte ou salut, aucune fatalité ne le pose plus inexorablement que l'amour. L'amour est la vie, s'il n'est pas la mort. Berceau ; cercueil aussi. Le même sentiment dit oui et non dans le cœur humain. De toutes les choses que Dieu a faites, le cœur humain est celle qui dégage le plus de lumière, hélas ! et le plus de nuit.

Dieu voulut que l'amour que Cosette rencontra fût un de ces amours qui sauvent.

Tant que dura le mois de mai de cette année 1832, il y eut là, toutes les nuits, dans ce pauvre jardin sauvage, sous cette broussaille chaque jour plus odorante et plus épaissie, deux êtres composés de toutes les chastetés et de toutes les innocences, débordant de toutes les félicités du ciel, plus voisins des archanges que des hommes, purs, honnêtes, enivrés, rayonnants, qui resplendissaient l'un pour l'autre dans les ténèbres. Il semblait à Cosette que Marius avait une couronne et à Marius que Cosette avait un nimbe. Ils se touchaient, ils se regardaient, ils se prenaient les mains, ils se serraient l'un contre l'autre ; mais il y avait une distance qu'ils ne franchissaient pas. Non qu'ils la respectassent ; ils l'ignoraient. Marius sentait une barrière, la pureté de Cosette, et Cosette sentait un appui, la loyauté de Marius. Le premier baiser avait été aussi le dernier. Marius, depuis, n'était pas allé au delà d'effleurer de ses lèvres la main, ou le fichu, ou une boucle de cheveux de Cosette. Cosette était pour lui un parfum et non une femme. Il la respirait. Elle ne refusait rien, et il ne demandait rien. Cosette était heureuse, et Marius était satisfait. Ils vivaient dans ce ravissant état qu'on pourrait appeler l'éblouissement d'une âme par une âme. C'était cet ineffable premier embrassement de deux virginités dans l'idéal. Deux cygnes se rencontrant sur la Jungfrau.

À cette heure-là de l'amour, heure où la volupté se tait absolument sous la toute-puissance de l'extase, Marius, le pur et séraphique Marius, eût été plutôt capable de monter chez une fille publique que de soulever la robe de Cosette à la hauteur de la cheville. Une fois, à un clair de lune, Cosette se pencha pour ramasser quelque chose à terre, son corsage s'entr'ouvrit et laissa voir la naissance de sa gorge. Marius détourna les yeux.

Que se passait-il entre ces deux êtres? Rien. Ils s'adoraient.

La nuit, quand ils étaient là, ce jardin semblait un lieu vivant et sacré. Toutes les fleurs s'ouvraient autour d'eux et leur envoyaient de l'encens; eux, ils ouvraient leurs âmes et les répandaient dans les fleurs. La végétation lascive et vigoureuse tressaillait pleine de sève et d'ivresse autour de ces deux innocents, et ils disaient des paroles d'amour dont les arbres frissonnaient.

Qu'étaient-ce que ces paroles? Des souffles. Rien de plus. Ces souffles suffisaient pour troubler et pour émouvoir toute cette nature. Puissance magique qu'on aurait peine à comprendre si on lisait dans un livre ses causeries faites pour être emportées et dissipées comme des fumées par le vent sous les feuilles. Ôtez à ces murmures de deux amants cette mélodie qui sort de l'âme et qui les accompagne comme une lyre, ce qui reste n'est plus qu'une ombre; vous dites: Quoi! ce n'est que cela! Eh oui, des enfantillages, des redites, des rires pour rien, des inutilités, des niaiseries, tout ce qu'il y a au monde de plus sublime et de plus profond! les seules choses qui vaillent la peine d'être dites et d'être écoutées!

Ces niaiseries-là, ces pauvretés-là, l'homme qui ne les a jamais entendues, l'homme qui ne les a jamais prononcées, est un imbécile et un méchant homme.

Cosette disait à Marius:

— Sais-tu?...

(Dans tout cela, et à travers cette céleste virginité, et sans qu'il fût possible à l'un et à l'autre de dire comment, le tutoiement était venu.)

— Sais-tu? Je m'appelle Euphrasie.

— Euphrasie? Mais non, tu t'appelles Cosette.

— Oh! Cosette est un assez vilain nom qu'on m'a

donné comme cela quand j'étais petite. Mais mon vrai nom est Euphrasie. Est-ce que tu n'aimes pas ce nom-là, Euphrasie ?

— Si... — Mais Cosette n'est pas vilain.

— Est-ce que tu l'aimes mieux qu'Euphrasie ?

— Mais... — oui.

— Alors je l'aime mieux aussi. C'est vrai, c'est joli, Cosette. Appelle-moi Cosette !

Et le sourire qu'elle ajoutait faisait de ce dialogue une idylle digne d'un bois qui serait dans le ciel.

Une autre fois elle le regardait fixement et s'écriait :

— Monsieur, vous êtes beau, vous êtes joli, vous avez de l'esprit, vous n'êtes pas bête du tout, vous êtes bien plus savant que moi, mais je vous défie à ce mot-là : je t'aime !

Et Marius, en plein azur, croyait entendre une strophe chantée par une étoile.

Ou bien, elle lui donnait une petite tape parce qu'il toussait, et elle lui disait :

— Ne toussez pas, monsieur. Je ne veux pas qu'on tousse chez moi sans ma permission. C'est très laid de tousser et de m'inquiéter. Je veux que tu te portes bien, parce que d'abord, moi, si tu ne te portais pas bien, je serais très malheureuse. Qu'est-ce que tu veux que je fasse ?

Et cela était tout simplement divin.

Une fois Marius dit à Cosette :

— Figure-toi, j'ai cru un temps que tu t'appelais Ursule.

Ceci les fit rire toute la soirée.

Au milieu d'une autre causerie, il lui arriva de s'écrier :

— Oh ! un jour, au Luxembourg, j'ai eu envie d'achever de casser un invalide !

Mais il s'arrêta court et n'alla pas plus loin. Il aurait fallu parler à Cosette de sa jarretière, et cela lui était impossible. Il y avait là un côtoiement inconnu, la chair, devant lequel reculait, avec une sorte d'effroi sacré, cet immense amour innocent.

Marius se figurait la vie avec Cosette comme cela, sans autre chose ; venir tous les soirs rue Plumet, déranger le vieux barreau complaisant de la grille du président, s'asseoir coude à coude sur ce banc, regarder à travers les arbres la scintillation de la nuit commençante, faire cohabiter le pli du genou de son pantalon avec l'ampleur de la robe de Cosette, lui caresser l'ongle du pouce, lui dire tu, respirer l'un après l'autre la même fleur, à jamais, indéfiniment. Pendant ce temps-là les nuages passaient au-dessus de leur tête. Chaque fois que le vent souffle, il emporte plus de rêves de l'homme que de nuées du ciel.

Que ce chaste amour presque farouche fût absolument sans galanterie, non. « Faire des compliments » à celle qu'on aime est la première façon de faire des caresses, demi-audace qui s'essaye. Le compliment, c'est quelque chose comme le baiser à travers le voile. La volupté y met sa douce pointe, tout en se cachant. Devant la volupté le cœur recule, pour mieux aimer. Les cajoleries de Marius, toutes saturées de chimère, étaient, pour ainsi dire, azurées. Les oiseaux, quand ils volent là-haut du côté des anges, doivent entendre de ces paroles-là. Il s'y mêlait pourtant la vie, l'humanité, toute la quantité de positif dont Marius était capable. C'était ce qui se dit dans la grotte, prélude de ce qui se dira dans l'alcôve ; une effusion lyrique, la strophe et le sonnet mêlés, les gentilles hyperboles du roucoulement, tous les raffinements de l'adoration arrangés en bouquet et exhalant un subtil parfum céleste, un ineffable gazouillement de cœur à cœur.

— Oh ! murmurait Marius, que tu es belle ! Je n'ose pas te regarder. C'est ce qui fait que je te contemple. Tu es une grâce. Je ne sais pas ce que j'ai. Le bas de ta robe, quand le bout de ton soulier passe, me bouleverse. Et puis quelle lueur enchantée quand ta pensée s'entr'ouvre ! Tu parles raison étonnamment. Il me semble par moments que tu es un songe. Parle, je t'écoute, je t'admire. Ô Cosette ! comme c'est étrange et charmant, je suis vraiment fou. Vous êtes adorable, mademoiselle. J'étudie tes pieds au microscope et ton âme au télescope.

Et Cosette répondait :

— Je t'aime un peu plus de tout le temps qui s'est écoulé depuis ce matin.

Demandes et réponses allaient comme elles pouvaient dans ce dialogue, tombant toujours d'accord, sur l'amour, comme les figurines de sureau sur le clou.

Toute la personne de Cosette était naïveté, ingénuité,

transparence, blancheur, candeur, rayon. On eût pu dire de Cosette qu'elle était claire. Elle faisait à qui la voyait une sensation d'avril et de point du jour. Il y avait de la rosée dans ses yeux. Cosette était une condensation de lumière aurorale en forme de femme.

Il était tout simple que Marius, l'adorant, l'admirât. Mais la vérité est que cette petite pensionnaire, fraîche émoulue du couvent, causait avec une pénétration exquise et disait par moments toutes sortes de paroles vraies et délicates. Son babil était de la conversation. Elle ne se trompait sur rien, et voyait juste. La femme sent et parle avec le tendre instinct du cœur, cette infaillibilité. Personne ne sait comme une femme dire des choses à la fois douces et profondes. La douceur et la profondeur, c'est là toute la femme; c'est là tout le ciel.

En cette pleine félicité, il leur venait à chaque instant des larmes aux yeux. Une bête à bon Dieu écrasée, une plume tombée d'un nid, une branche d'aubépine cassée, les apitoyait, et leur extase, doucement noyée de mélancolie, semblait ne demander pas mieux que de pleurer. Le plus souverain symptôme de l'amour, c'est un attendrissement parfois presque insupportable.

Et, à côté de cela, — toutes ces contradictions sont le jeu d'éclairs de l'amour, — ils riaient volontiers, et avec une liberté ravissante, et si familièrement qu'ils avaient parfois presque l'air de deux garçons. Cependant, à l'insu même des cœurs ivres de chasteté, la nature inoubliable est toujours là. Elle est là, avec son but brutal et sublime; et, quelle que soit l'innocence des âmes, on sent, dans le tête-à-tête le plus pudique, l'adorable et mystérieuse nuance qui sépare un couple d'amants d'une paire d'amis.

Ils s'idolâtraient.

Le permanent et l'immuable subsistent. On s'aime, on se sourit, on se rit, on se fait des petites moues avec le bout des lèvres, on s'entrelace les doigts des mains, on se tutoie, et cela n'empêche pas l'éternité. Deux amants se cachent dans le soir, dans le crépuscule, dans l'invisible, avec les oiseaux, avec les roses, ils se fascinent l'un l'autre dans l'ombre avec leurs cœurs qu'ils mettent dans leurs yeux, ils murmurent, ils chuchotent, et pendant ce temps-là d'immenses balancements d'astres emplissent l'infini.

II

L'ÉTOURDISSEMENT DU BONHEUR COMPLET

Ils existaient vaguement, effarés de bonheur. Ils ne s'apercevaient pas du choléra qui décimait Paris précisément en ce mois-là. Ils s'étaient fait le plus de confidences qu'ils avaient pu, mais cela n'avait pas été bien loin au delà de leurs noms. Marius avait dit à Cosette qu'il était orphelin, qu'il s'appelait Marius Pontmercy, qu'il était avocat, qu'il vivait d'écrire des choses pour les libraires, que son père était colonel, que c'était un héros, et que lui Marius était brouillé avec son grand-père qui était riche. Il lui avait aussi un peu dit qu'il était baron; mais cela n'avait fait aucun effet à Cosette. Marius baron? elle n'avait pas compris. Elle ne savait pas ce que ce mot voulait dire. Marius était Marius. De son côté elle lui avait confié qu'elle avait été élevée au couvent du Petit-Picpus, que sa mère était morte comme à lui, que son père s'appelait M. Fauchelevent, qu'il était très bon, qu'il donnait beaucoup aux pauvres, mais qu'il était pauvre lui-même, et qu'il se privait de tout en ne la privant de rien.

Chose bizarre, dans l'espèce de symphonie où Marius vivait depuis qu'il voyait Cosette, le passé, même le plus récent, était devenu tellement confus et lointain pour lui que ce que Cosette lui conta le satisfit pleinement. Il ne songea même pas à lui parler de l'aventure nocturne de la masure, des Thénardier, de la brûlure, et de l'étrange attitude et de la singulière fuite de son père. Marius avait momentanément oublié tout cela; il ne savait même pas le soir ce qu'il avait fait le matin, ni où il avait déjeuné, ni qui lui avait parlé; il avait des chants dans l'oreille qui le rendaient sourd à toute autre pensée, il n'existait qu'aux heures où il voyait Cosette. Alors, comme il était dans le ciel, il était tout simple qu'il oubliât la terre. Tous deux portaient avec langueur le poids indéfinissable des voluptés immatérielles. Ainsi vivent ces somnambules qu'on appelle les amoureux.

Hélas! qui n'a éprouvé toutes ces choses? pourquoi vient-il une heure où l'on sort de cet azur, et pourquoi la vie continue-t-elle après?

Aimer remplace presque penser, l'amour est un ardent oubli du reste. Demandez donc de la logique à la passion. Il n'y a pas plus d'enchaînement logique absolu dans le cœur humain qu'il n'y a de figure géométrique parfaite dans la mécanique céleste. Pour Cosette et Marius rien n'existait plus que Marius et Cosette. L'univers autour d'eux était tombé dans un trou. Ils vivaient dans une minute d'or. Il n'y avait rien devant, rien derrière. C'est à peine si Marius songeait que Cosette avait un père. Il y avait dans son cerveau l'effacement de l'éblouissement. De quoi donc parlaient-ils, ces amants ? On l'a vu, des fleurs, des hirondelles, du soleil couchant, du lever de la lune, de toutes les choses importantes. Ils s'étaient dit tout, excepté tout. Le tout des amoureux, c'est le rien. Mais le père, les réalités, ce bouge, ces bandits, cette aventure, à quoi bon ? et était-il bien sûr que ce cauchemar eût existé ? On était deux, on s'adorait, il n'y avait que cela. Toute autre chose n'était pas. Il est probable que cet évanouissement de l'enfer derrière nous est inhérent à l'arrivée au paradis. Est-ce qu'on a vu des démons ? est-ce qu'il y en a ? est-ce qu'on a tremblé ? est-ce qu'on a souffert ? On n'en sait plus rien. Une nuée rose est là-dessus.

Donc ces deux êtres vivaient ainsi, très haut, avec toute l'invraisemblance qui est dans la nature ; ni au nadir, ni au zénith, entre l'homme et le séraphin, au-dessus de la fange, au-dessous de l'éther, dans le nuage ; à peine os et chair, âme et extase de la tête aux pieds ; déjà trop sublimés pour marcher à terre, encore trop chargés d'humanité pour disparaître dans le bleu, en suspension comme des atomes qui attendent le précipité ; en apparence hors du destin ; ignorant cette ornière, hier, aujourd'hui, demain ; émerveillés, pâmés, flottants ; par moments, assez allégés pour la fuite dans l'infini ; presque prêts à l'envolement éternel.

Ils dormaient éveillés dans ce bercement. Ô léthargie splendide du réel accablé d'idéal !

Quelquefois, si belle que fût Cosette, Marius fermait les yeux devant elle. Les yeux fermés, c'est la meilleure manière de regarder l'âme.

Marius et Cosette ne se demandaient pas où cela les

conduirait; ils se regardaient comme arrivés. C'est une étrange prétention des hommes de vouloir que l'amour conduise quelque part.

III

COMMENCEMENT D'OMBRE

Jean Valjean, lui, ne se doutait de rien.

Cosette, un peu moins rêveuse que Marius, était gaie, et cela suffisait à Jean Valjean pour être heureux. Les pensées que Cosette avait, ses préoccupations tendres, l'image de Marius qui lui remplissait l'âme, n'ôtaient rien à la pureté incomparable de son beau front chaste et souriant. Elle était dans l'âge où la vierge porte son amour comme l'ange porte son lys. Jean Valjean était donc tranquille. Et puis, quand deux amants s'entendent, cela va toujours très bien, le tiers quelconque qui pourrait troubler leur amour est maintenu dans un parfait aveuglement par un petit nombre de précautions toujours les mêmes pour tous les amoureux. Ainsi jamais d'objections de Cosette à Jean Valjean. Voulait-il promener? Oui, mon petit père. Voulait-il rester? Très bien. Voulait-il passer la soirée près de Cosette? Elle était ravie. Comme il se retirait toujours à dix heures du soir, ces fois-là Marius ne venait au jardin que passé cette heure, lorsqu'il entendait de la rue Cosette ouvrir la porte-fenêtre du perron. Il va sans dire que le jour on ne rencontrait jamais Marius. Jean Valjean ne songeait même plus que Marius existât. Une fois seulement, un matin, il lui arriva de dire à Cosette : — Tiens, comme tu as du blanc derrière le dos! La veille au soir, Marius, dans un transport, avait pressé Cosette contre le mur.

La vieille Toussaint, qui se couchait de bonne heure, ne songeait qu'à dormir une fois sa besogne faite, et ignorait tout comme Jean Valjean.

Jamais Marius ne mettait le pied dans la maison. Quand il était avec Cosette, ils se cachaient dans un enfoncement près du perron afin de ne pouvoir être vus ni entendus de la rue, et s'asseyaient là, se contentant souvent, pour toute conversation, de se presser les mains vingt fois par minute en regardant les branches des arbres. Dans ces instants-là, le tonnerre fût tombé à trente pas d'eux qu'ils ne s'en fussent pas doutés, tant la rêverie de l'un s'absorbait et plongeait profondément dans la rêverie de l'autre.

Puretés limpides. Heures toutes blanches; presque toutes pareilles. Ce genre d'amours-là est une collection de feuilles de lys et de plumes de colombe.

Tout le jardin était entre eux et la rue. Chaque fois que Marius entrait ou sortait, il rajustait soigneusement le barreau de la grille de manière qu'aucun dérangement ne fût visible.

Il s'en allait habituellement vers minuit, et s'en retournait chez Courfeyrac. Courfeyrac disait à Bahorel :

— Croirais-tu ? Marius rentre à présent à des une heure du matin !

Bahorel répondait :

— Que veux-tu ? il y a toujours un pétard dans un séminariste.

Par moments Courfeyrac croisait les bras, prenait un air sérieux, et disait à Marius :

— Vous vous dérangez, jeune homme !

Courfeyrac, homme pratique, ne prenait pas en bonne part ce reflet d'un paradis invisible sur Marius ; il avait peu l'habitude des passions inédites ; il s'en impatientait, et il faisait par instants à Marius des sommations de rentrer dans le réel.

Un matin, il lui jeta cette admonition :

— Mon cher, tu me fais l'effet pour le moment d'être situé dans la lune, royaume du rêve, province de l'illusion, capitale Bulle de Savon. Voyons, sois bon enfant, comment s'appelle-t-elle ?

Mais rien ne pouvait « faire parler » Marius. On lui eût arraché les ongles plutôt qu'une des trois syllabes sacrées dont se composait ce nom ineffable, *Cosette*. L'amour vrai est lumineux comme l'aurore et silencieux comme la tombe. Seulement il y avait, pour Courfeyrac, ceci de changé en Marius, qu'il avait une taciturnité rayonnante.

Pendant ce doux mois de mai Marius et Cosette connurent ces immenses bonheurs :

Se quereller et se dire vous, uniquement pour mieux se dire tu ensuite;

Se parler longuement, et dans les plus minutieux détails, de gens qui ne les intéressaient pas le moins du monde; preuve de plus que, dans ce ravissant opéra qu'on appelle l'amour, le libretto n'est presque rien;

Pour Marius, écouter Cosette parler chiffons;

Pour Cosette, écouter Marius parler politique;

Entendre, genou contre genou, rouler les voitures rue de Babylone;

Considérer la même planète dans l'espace ou le même ver luisant dans l'herbe;

Se taire ensemble; douceur plus grande encore que causer;

Etc., etc.

Cependant diverses complications approchaient.

Un soir, Marius s'acheminait au rendez-vous par le boulevard des Invalides; il marchait habituellement le front baissé; comme il allait tourner l'angle de la rue Plumet, il entendit qu'on disait tout près de lui:

— Bonsoir, monsieur Marius.

Il leva la tête, et reconnut Éponine.

Cela lui fit un effet singulier. Il n'avait pas songé une seule fois à cette fille depuis le jour où elle l'avait amené rue Plumet, il ne l'avait point revue, et elle lui était complètement sortie de l'esprit. Il n'avait que des motifs de reconnaissance pour elle, il lui devait son bonheur présent, et pourtant il lui était gênant de la rencontrer.

C'est une erreur de croire que la passion, quand elle est heureuse et pure, conduit l'homme à un état de perfection; elle le conduit simplement, nous l'avons constaté, à un état d'oubli. Dans cette situation, l'homme oublie d'être mauvais, mais il oublie aussi d'être bon. La reconnaissance, le devoir, les souvenirs essentiels et importuns, s'évanouissent. En tout autre temps Marius eût été bien autre pour Éponine. Absorbé par Cosette, il ne s'était même pas clairement rendu compte que cette Éponine s'appelait Éponine Thénardier, et qu'elle portait un nom écrit dans le testament de son père, ce nom pour lequel il se serait, quelques mois auparavant, si ardemment dévoué. Nous montrons Marius tel qu'il était. Son père lui-même disparaissait un peu dans son âme sous la splendeur de son amour.

Il répondit avec quelque embarras :

— Ah ! c'est vous, Éponine ?

— Pourquoi me dites-vous vous ? Est-ce que je vous ai fait quelque chose ?

— Non, répondit-il.

Certes, il n'avait rien contre elle. Loin de là. Seulement, il sentait qu'il ne pouvait faire autrement, maintenant qu'il disait tu à Cosette, que de dire vous à Éponine.

Comme il se taisait, elle s'écria :

— Dites donc...

Puis elle s'arrêta. Il semblait que les paroles manquaient à cette créature autrefois si insouciante et si hardie. Elle essaya de sourire et ne put. Elle reprit :

— Eh bien ?...

Puis elle se tut encore et resta les yeux baissés.

— Bonsoir, monsieur Marius, dit-elle tout à coup brusquement, et elle s'en alla.

IV

CAB ROULE EN ANGLAIS ET JAPPE EN ARGOT

Le lendemain, c'était le 3 juin, le 3 juin 1832, date qu'il faut indiquer à cause des événements graves qui étaient à cette époque suspendus sur l'horizon de Paris à l'état de nuages chargés, Marius à la nuit tombante suivait le même chemin que la veille avec les mêmes pensées de ravissement dans le cœur, lorsqu'il aperçut, entre les arbres du boulevard, Éponine qui venait à lui. Deux jours de suite, c'était trop. Il se détourna vivement, quitta le boulevard, changea de route, et s'en alla rue Plumet par la rue Monsieur.

Cela fit qu'Éponine le suivit jusqu'à la rue Plumet, chose qu'elle n'avait point faite encore. Elle s'était contentée jusque-là de l'apercevoir à son passage sur le boulevard sans même chercher à le rencontrer. La veille seulement, elle avait essayé de lui parler.

Éponine le suivit donc, sans qu'il s'en doutât. Elle le vit déranger le barreau de la grille, et se glisser dans le jardin.

— Tiens! dit-elle, il entre dans la maison!

Elle s'approcha de la grille, tâta les barreaux l'un après l'autre et reconnut facilement celui que Marius avait dérangé.

Elle murmura à demi-voix, avec un accent lugubre :
— Pas de ça, Lisette!

Elle s'assit sur le soubassement de la grille, tout à côté du barreau, comme si elle le gardait. C'était précisément le point où la grille venait toucher le mur voisin. Il y avait là un angle obscur où Éponine disparaissait entièrement.

Elle demeura ainsi plus d'une heure sans bouger et sans souffler, en proie à ses idées.

Vers dix heures du soir, un des deux ou trois passants de la rue Plumet, vieux bourgeois attardé qui se hâtait dans ce lieu désert et mal famé, côtoyant la grille du jardin, et arrivé à l'angle que la grille faisait avec le mur, entendit une voix sourde et menaçante qui disait :

— Je ne m'étonne plus s'il vient tous les soirs!

Le passant promena ses yeux autour de lui, ne vit personne, n'osa pas regarder dans ce coin noir, et eut grand'peur. Il doubla le pas.

Ce passant eut raison de se hâter, car, très peu d'instants après, six hommes qui marchaient séparés et à quelque distance les uns des autres, le long des murs, et qu'on eût pu prendre pour une patrouille grise, entrèrent dans la rue Plumet.

Le premier qui arriva à la grille du jardin s'arrêta, et attendit les autres; une seconde après, ils étaient tous les six réunis.

Ces hommes se mirent à parler à voix basse.

— C'est icicaille, dit l'un d'eux.

— Y a-t-il un cab dans le jardin? demanda un autre.

— Je ne sais pas. En tout cas j'ai levé une boulette que nous lui ferons morfiler.

— As-tu du mastic pour frangir la vanterne?

— Oui.

— La grille est vieille, reprit un cinquième qui avait une voix de ventriloque.

— Tant mieux, dit le second qui avait parlé. Elle ne criblera pas tant sous la bastringue et ne sera pas si dure à faucher.

Le sixième, qui n'avait pas encore ouvert la bouche, se mit à visiter la grille comme avait fait Éponine une heure auparavant, empoignant successivement chaque barreau et les ébranlant avec précaution. Il arriva ainsi au barreau que Marius avait descellé. Comme il allait saisir ce barreau, une main sortant brusquement de l'ombre s'abattit sur son bras, il se sentit vivement repoussé par le milieu de la poitrine, et une voix enrouée lui dit sans crier :

— Il y a un cab.

En même temps il vit une fille pâle debout devant lui.

L'homme eut cette commotion que donne toujours l'inattendu. Il se hérissa hideusement ; rien n'est formidable à voir comme les bêtes féroces inquiètes ; leur air effrayé est effrayant. Il recula, et bégaya :

— Quelle est cette drôlesse ?

— Votre fille.

C'était en effet Éponine qui parlait à Thénardier.

À l'apparition d'Éponine, les cinq autres, c'est-à-dire Claquesous, Gueulemer, Babet, Montparnasse et Brujon, s'étaient approchés sans bruit, sans précipitation, sans dire une parole, avec la lenteur sinistre propre à ces hommes de nuit.

On leur distinguait je ne sais quels hideux outils à la main. Gueulemer tenait une de ces pinces courbes que les rôdeurs appellent fanchons.

— Ah çà, qu'est-ce que tu fais là ? qu'est-ce que tu nous veux ? es-tu folle ? s'écria Thénardier, autant qu'on peut s'écrier en parlant bas. Qu'est-ce que tu viens nous empêcher de travailler ?

Éponine se mit à rire et lui sauta au cou.

— Je suis là, mon petit père, parce que je suis là. Est-ce qu'il n'est pas permis de s'asseoir sur les pierres, à présent ? C'est vous qui ne devriez pas y être. Qu'est-ce que vous venez y faire, puisque c'est un biscuit ? Je l'avais dit à Magnon. Il n'y a rien à faire ici. Mais embrassez-moi donc, mon bon petit père ! Comme il y a longtemps que je ne vous ai vu ! Vous êtes dehors, donc ?

Le Thénardier essaya de se débarrasser des bras d'Éponine et grommela :

— C'est bon. Tu m'as embrassé. Oui, je suis dehors. Je ne suis pas dedans. À présent, va-t'en.

Mais Éponine ne lâchait pas prise et redoublait ses caresses.

— Mon petit père, comment avez-vous donc fait? Il faut que vous ayez bien de l'esprit pour vous être tiré de là. Contez-moi ça! Et ma mère? où est ma mère? Donnez-moi donc des nouvelles de maman.

Thénardier répondit :

— Elle va bien, je ne sais pas, laisse-moi, je te dis, va-t'en.

— Je ne veux pas m'en aller justement, fit Éponine avec une minauderie d'enfant gâté, vous me renvoyez que voilà quatre mois que je ne vous ai vu et que j'ai à peine eu le temps de vous embrasser.

Et elle reprit son père par le cou.

— Ah çà mais, c'est bête! dit Babet.

— Dépêchons! dit Gueulemer, les coqueurs peuvent passer.

La voix du ventriloque scanda ce distique :

> Nous n'sommes pas le jour de l'an,
> À bécoter papa maman.

Éponine se tourna vers les cinq bandits.

— Tiens, c'est monsieur Brujon. — Bonjour, monsieur Babet. Bonjour, monsieur Claquesous. — Est-ce que vous ne me reconnaissez pas, monsieur Gueulemer? — Comment ça va, Montparnasse?

— Si, on te reconnaît! fit Thénardier. Mais bonjour, bonsoir, au large! laisse-nous tranquilles.

— C'est l'heure des renards, et pas des poules, dit Montparnasse.

— Tu vois bien que nous avons à goupiner icigo, ajouta Babet.

Éponine prit la main de Montparnasse.

— Prends garde! dit-il, tu vas te couper, j'ai un lingre ouvert.

— Mon petit Montparnasse, répondit Éponine très doucement, il faut avoir confiance dans les gens. Je suis la fille de mon père peut-être. Monsieur Babet, monsieur Gueulemer, c'est moi qu'on a chargée d'éclairer l'affaire.

Il est remarquable qu'Éponine ne parlait pas argot. Depuis qu'elle connaissait Marius, cette affreuse langue lui était devenue impossible.

Elle pressa dans sa petite main osseuse et faible comme la main d'un squelette les gros doigts rudes de Gueulemer et continua :

— Vous savez bien que je ne suis pas sotte. Ordinairement on me croit. Je vous ai rendu service dans les occasions. Eh bien, j'ai pris des renseignements, vous vous exposeriez inutilement, voyez-vous. Je vous jure qu'il n'y a rien à faire dans cette maison-ci.

— Il y a des femmes seules, dit Gueulemer.

— Non. Les personnes sont déménagées.

— Les chandelles ne le sont pas toujours ! fit Babet.

Et il montra à Éponine, à travers le haut des arbres, une lumière qui se promenait dans la mansarde du pavillon. C'était Toussaint qui avait veillé pour étendre du linge à sécher.

Éponine tenta un dernier effort.

— Eh bien, dit-elle, c'est du monde très pauvre, et une baraque où ils n'ont pas le sou.

— Va-t'en au diable ! cria Thénardier. Quand nous aurons retourné la maison, et que nous aurons mis la cave en haut et le grenier en bas, nous te dirons ce qu'il y a dedans, et si ce sont des balles, des ronds ou des broques.

Et il la poussa pour passer outre.

— Mon bon ami monsieur Montparnasse, dit Éponine, je vous en prie, vous qui êtes bon enfant, n'entrez pas !

— Prends donc garde, tu vas te couper ! répliqua Montparnasse.

Thénardier reprit avec l'accent décisif qu'il avait :

— Décampe, la fée, et laisse les hommes faire leurs affaires.

Éponine lâcha la main de Montparnasse qu'elle avait ressaisie, et dit :

— Vous voulez donc entrer dans cette maison ?

— Un peu ! fit le ventriloque en ricanant.

Alors elle s'adossa à la grille, fit face aux six bandits armés jusqu'aux dents et à qui la nuit donnait des visages de démons, et dit d'une voix ferme et basse :

L'idylle rue Plumet et l'épopée rue Saint-Denis 53

— Eh bien, moi, je ne veux pas.

Ils s'arrêtèrent stupéfaits. Le ventriloque pourtant acheva son ricanement. Elle reprit :

— Les amis ! écoutez bien. Ce n'est pas ça. Maintenant je parle. D'abord, si vous entrez dans ce jardin, si vous touchez à cette grille, je crie, je cogne aux portes, je réveille le monde, je vous fais empoigner tous les six, j'appelle les sergents de ville.

— Elle le ferait, dit Thénardier bas à Brujon et au ventriloque.

Elle secoua la tête et ajouta :

— À commencer par mon père !

Thénardier s'approcha.

— Pas si près, bonhomme ! dit-elle.

Il recula en grommelant dans ses dents : — Mais qu'est-ce qu'elle a donc ? Et il ajouta :

— Chienne !

Elle se mit à rire d'une façon terrible.

— Comme vous voudrez, vous n'entrerez pas. Je ne suis pas la fille au chien, puisque je suis la fille au loup. Vous êtes six, qu'est-ce que cela me fait ? Vous êtes des hommes. Eh bien, je suis une femme. Vous ne me faites pas peur, allez. Je vous dis que vous n'entrerez pas dans cette maison, parce que cela ne me plaît pas. Si vous approchez, j'aboie. Je vous l'ai dit, le cab, c'est moi. Je me fiche pas mal de vous. Passez votre chemin, vous m'ennuyez ! Allez où vous voudrez, mais ne venez pas ici, je vous le défends ! Vous à coups de couteau, moi à coups de savate, ça m'est égal, avancez donc !

Elle fit un pas vers les bandits, elle était effrayante, elle se remit à rire.

— Pardine ! je n'ai pas peur. Cet été, j'aurai faim, cet hiver, j'aurai froid. Sont-ils farces, ces bêtas d'hommes de croire qu'ils font peur à une fille ! De quoi ! peur ? Ah ouiche, joliment ! Parce que vous avez des chipies de maîtresses qui se cachent sous le lit quand vous faites la grosse voix, voilà-t-il pas ! Moi, je n'ai peur de rien !

Elle appuya sur Thénardier son regard fixe, et dit :

— Pas même de vous !

Puis elle poursuivit en promenant sur les bandits ses sanglantes prunelles de spectre :

— Qu'est-ce que ça me fait à moi qu'on me ramasse demain rue Plumet sur le pavé, tuée à coups de surin par mon père, ou bien qu'on me trouve dans un an dans les filets de Saint-Cloud ou à l'île des Cygnes au milieu des vieux bouchons pourris et des chiens noyés !

Force lui fut de s'interrompre, une toux sèche la prit, son souffle sortait comme un râle de sa poitrine étroite et débile.

Elle reprit :

— Je n'ai qu'à crier, on vient, patatras. Vous êtes six ; moi je suis tout le monde.

Thénardier fit un mouvement vers elle.

— Prochez pas ! cria-t-elle.

Il s'arrêta, et lui dit avec douceur :

— Eh bien non. Je n'approcherai pas, mais ne parle pas si haut. Ma fille, tu veux donc nous empêcher de travailler ? Il faut pourtant que nous gagnions notre vie. Tu n'as donc plus d'amitié pour ton père ?

— Vous m'embêtez, dit Éponine.

— Il faut pourtant que nous vivions, que nous mangions...

— Crevez.

Cela dit, elle s'assit sur le soubassement de la grille en chantonnant :

> Mon bras si dodu,
> Ma jambe bien faite,
> Et le temps perdu.

Elle avait le coude sur le genou et le menton dans sa main, et elle balançait son pied d'un air d'indifférence. Sa robe trouée laissait voir ses clavicules maigres. Le réverbère voisin éclairait son profil et son attitude. On ne pouvait rien voir de plus résolu et de plus surprenant.

Les six escarpes, interdits et sombres d'être tenus en échec par une fille, allèrent sous l'ombre portée de la lanterne, et tinrent conseil avec des haussements d'épaule humiliés et furieux.

Elle cependant les regardait d'un air paisible et farouche.

— Elle a quelque chose, dit Babet. Une raison. Est-ce qu'elle est amoureuse du cab ? C'est pourtant dommage de manquer ça. Deux femmes, un vieux qui loge dans une arrière-cour; il y a des rideaux pas mal aux fenêtres. Le vieux doit être un guinal. Je crois l'affaire bonne.

— Eh bien, entrez, vous autres, s'écria Montparnasse. Faites l'affaire. Je resterai là avec la fille, et si elle bronche...

Il fit reluire au réverbère le couteau qu'il tenait ouvert dans sa manche.

Thénardier ne disait mot et semblait prêt à ce qu'on voudrait.

Brujon, qui était un peu oracle et qui avait, comme on sait, « donné l'affaire », n'avait pas encore parlé. Il paraissait pensif. Il passait pour ne reculer devant rien, et l'on savait qu'il avait un jour dévalisé, rien que par bravade, un poste de sergents de ville. En outre il faisait des vers et des chansons, ce qui lui donnait une grande autorité.

Babet le questionna.

— Tu ne dis rien, Brujon?

Brujon resta encore un instant silencieux, puis il hocha la tête de plusieurs façons variées, et se décida enfin à élever la voix :

— Voici : j'ai rencontré ce matin deux moineaux qui se battaient; ce soir, je me cogne à une femme qui querelle. Tout ça est mauvais. Allons-nous-en.

Ils s'en allèrent.

Tout en s'en allant, Montparnasse murmura :

— C'est égal, si on avait voulu, j'aurais donné le coup de pouce.

Babet lui répondit :

— Moi pas. Je ne tape pas une dame.

Au coin de la rue, ils s'arrêtèrent et échangèrent à voix sourde ce dialogue énigmatique :

— Où irons-nous coucher ce soir?

— Sous Pantin.

— As-tu sur toi la clef de la grille, Thénardier?

— Pardi.

Éponine, qui ne les quittait pas des yeux, les vit reprendre le chemin par où ils étaient venus. Elle se leva et se mit à ramper derrière eux le long des murailles et des maisons. Elle les suivit ainsi jusqu'au boulevard. Là, ils se séparèrent, et elle vit ces six hommes s'enfoncer dans l'obscurité où ils semblèrent fondre.

V

CHOSES DE LA NUIT

Après le départ des bandits, la rue Plumet reprit son tranquille aspect nocturne.

Ce qui venait de se passer dans cette rue n'eût point étonné une forêt. Les futaies, les taillis, les bruyères, les branches âprement entre-croisées, les hautes herbes, existent d'une manière sombre; le fourmillement sauvage entrevoit là les subites apparitions de l'invisible; ce qui est au-dessous de l'homme y distingue à travers la brume ce qui est au-delà de l'homme; et les choses ignorées de nous vivants s'y confrontent dans la nuit. La nature hérissée et fauve s'effare à de certaines approches où elle croit sentir le surnaturel. Les forces de l'ombre se connaissent, et ont entre elles de mystérieux équilibres. Les dents et les griffes redoutent l'insaisissable. La bestialité buveuse de sang, les voraces appétits affamés en quête de la proie, les instincts armés d'ongles et de mâchoires qui n'ont pour source et pour but que le ventre, regardent et flairent avec inquiétude l'impassible linéament spectral rôdant sous un suaire, debout dans sa vague robe frissonnante, et qui leur semble vivre d'une vie morte et terrible. Ces brutalités, qui ne sont que matière, craignent confusément d'avoir affaire à l'immense obscurité condensée dans un être inconnu. Une figure noire barrant le passage arrête net la bête farouche. Ce qui sort du cimetière intimide et déconcerte ce qui sort de l'antre; le féroce a peur du sinistre; les loups reculent devant une goule rencontrée.

VI

MARIUS REDEVIENT RÉEL AU POINT DE DONNER SON ADRESSE À COSETTE

Pendant que cette espèce de chienne à figure humaine montait la garde contre la grille et que les six bandits lâchaient pied devant une fille, Marius était près de Cosette.

Jamais le ciel n'avait été plus constellé et plus charmant, les arbres plus tremblants, la senteur des herbes plus pénétrante; jamais les oiseaux ne s'étaient endormis dans les feuilles avec un bruit plus doux; jamais toutes les harmonies de la sérénité universelle n'avaient mieux répondu aux musiques intérieures de l'amour; jamais Marius n'avait été plus épris, plus heureux, plus extasié. Mais il avait trouvé Cosette triste. Cosette avait pleuré. Elle avait les yeux rouges.

C'était le premier nuage dans cet admirable rêve.

Le premier mot de Marius avait été :

— Qu'as-tu?

Et elle avait répondu :

— Voilà.

Puis elle s'était assise sur le banc près du perron, et pendant qu'il prenait place tout tremblant auprès d'elle, elle avait poursuivi :

— Mon père m'a dit ce matin de me tenir prête, qu'il avait des affaires, et que nous allions peut-être partir.

Marius frissonna de la tête aux pieds.

Quand on est à la fin de la vie, mourir, cela veut dire partir; quand on est au commencement, partir, cela veut dire mourir.

Depuis six semaines, Marius, peu à peu, lentement, par degrés, prenait chaque jour possession de Cosette. Possession toute idéale, mais profonde. Comme nous l'avons expliqué déjà, dans le premier amour, on prend l'âme bien avant le corps; plus tard on prend le corps bien avant l'âme, quelquefois on ne prend pas l'âme du tout; les Faublas et les Prudhomme ajoutent : parce qu'il n'y en a pas; mais ce sarcasme est par bonheur un blasphème. Marius donc possédait Cosette, comme les esprits possèdent; mais il l'enveloppait de toute son âme et la saisissait jalousement avec une incroyable conviction. Il possédait son sourire, son haleine, son parfum, le rayonnement profond de ses prunelles bleues, la douceur de sa peau quand il lui touchait la main, le charmant signe qu'elle avait au cou, toutes ses pensées. Ils étaient convenus de ne jamais dormir sans rêver l'un de l'autre, et ils s'étaient tenu parole. Il possédait donc tous les rêves de Cosette. Il regardait sans cesse et il effleurait quelquefois de son souffle les petits cheveux qu'elle avait à la nuque, et il se déclarait qu'il n'y avait pas un de ces petits cheveux qui ne lui appartînt à lui Marius. Il contemplait et il adorait les choses qu'elle mettait, son nœud de ruban, ses gants, ses manchettes, ses brodequins, comme des objets sacrés dont il était le maître. Il songeait qu'il était le seigneur de ces jolis peignes d'écaille qu'elle avait dans ses cheveux, et il se disait même, sourds et confus bégayements de la volupté qui se faisait jour, qu'il n'y avait pas un cordon de sa robe, pas une maille de ses bas, pas un pli de son corset, qui ne fût à lui. À côté de Cosette, il se sentait près de son bien, près de sa chose, près de son despote et de son esclave. Il semblait qu'ils eussent tellement mêlé leurs âmes que, s'ils eussent voulu les reprendre, il leur eût été impossible de les reconnaître. — Celle-ci est la mienne. — Non, c'est la mienne. — Je t'assure que tu te trompes. Voilà bien moi. — Ce que tu prends pour toi, c'est moi. — Marius était quelque chose qui faisait partie de Cosette et Cosette était quelque chose qui faisait partie de Marius. Marius sentait Cosette vivre en lui. Avoir Cosette, posséder Cosette, cela pour lui n'était pas distinct de respirer. Ce fut au milieu de cette foi, de cet enivrement, de cette possession virginale, inouïe et absolue, de cette souveraineté, que ces mots : « Nous allons partir », tombèrent tout à coup, et que la voix brusque de la réalité lui cria : Cosette n'est pas à toi !

Marius se réveilla. Depuis six semaines, Marius vivait, nous l'avons dit, hors de la vie ; ce mot, partir ! l'y fit rentrer durement.

Il ne trouva pas une parole. Cosette sentit seulement que sa main était très froide. Elle lui dit à son tour :

— Qu'as-tu ?

Il répondit, si bas que Cosette l'entendait à peine :

— Je ne comprends pas ce que tu as dit.

Elle reprit :

— Ce matin mon père m'a dit de préparer toutes mes petites affaires et de me tenir prête, qu'il me donnerait son linge pour le mettre dans une malle, qu'il était obligé de faire un voyage, que nous allions partir, qu'il faudrait avoir une grande malle pour moi et une petite pour lui, de préparer tout cela d'ici à une semaine, et que nous irions peut-être en Angleterre.

— Mais c'est monstrueux! s'écria Marius.

Il est certain qu'en ce moment, dans l'esprit de Marius, aucun abus de pouvoir, aucune violence, aucune abomination des tyrans les plus prodigieux, aucune action de Busiris, de Tibère ou de Henri VIII n'égalait en férocité celle-ci : M. Fauchelevent emmenant sa fille en Angleterre parce qu'il a des affaires.

Il demanda d'une voix faible :

— Et quand partirais-tu?
— Il n'a pas dit quand.
— Et quand reviendrais-tu?
— Il n'a pas dit quand.

Marius se leva, et dit froidement :

— Cosette, irez-vous?

Cosette tourna vers lui ses beaux yeux pleins d'angoisse et répondit avec une sorte d'égarement :

— Où?
— En Angleterre? irez-vous?
— Pourquoi me dis-tu vous?
— Je vous demande si vous irez?
— Comment veux-tu que je fasse? dit-elle en joignant les mains.
— Ainsi, vous irez?
— Si mon père y va?
— Ainsi, vous irez?

Cosette prit la main de Marius et l'étreignit sans répondre.

— C'est bon, dit Marius. Alors j'irai ailleurs.

Cosette sentit le sens de ce mot plus encore qu'elle ne le comprit. Elle pâlit tellement que sa figure devint blanche dans l'obscurité. Elle balbutia :

— Que veux-tu dire?

Marius la regarda, puis éleva lentement ses yeux vers le ciel et répondit :

— Rien.

Quand sa paupière s'abaissa, il vit Cosette qui lui souriait. Le sourire d'une femme qu'on aime a une clarté qu'on voit la nuit.

— Que nous sommes bêtes! Marius, j'ai une idée.
— Quoi?
— Pars si nous partons! Je te dirai où! Viens me rejoindre où je serai!

Marius était maintenant un homme tout à fait réveillé. Il était retombé dans la réalité. Il cria à Cosette :

— Partir avec vous ! es-tu folle ? Mais il faut de l'argent, et je n'en ai pas ! Aller en Angleterre ? Mais je dois maintenant, je ne sais pas, plus de dix louis à Courfeyrac, un de mes amis que tu ne connais pas ! Mais j'ai un vieux chapeau qui ne vaut pas trois francs, j'ai un habit où il manque des boutons par devant, ma chemise est toute déchirée, j'ai les coudes percés, mes bottes prennent l'eau ; depuis six semaines je n'y pense plus, et je ne te l'ai pas dit. Cosette ! je suis un misérable. Tu ne me vois que la nuit, et tu me donnes ton amour ; si tu me voyais le jour, tu me donnerais un sou ! Aller en Angleterre ! Eh ! je n'ai pas de quoi payer le passeport !

Il se jeta contre un arbre qui était là, debout, les deux bras au-dessus de sa tête, le front contre l'écorce, ne sentant ni le bois qui lui écorchait la peau ni la fièvre qui lui martelait les tempes, immobile, et prêt à tomber, comme la statue du désespoir.

Il demeura longtemps ainsi. On resterait l'éternité dans ces abîmes-là. Enfin il se retourna. Il entendait derrière lui un petit bruit étouffé, doux et triste.

C'était Cosette qui sanglotait.

Elle pleurait depuis plus de deux heures à côté de Marius qui songeait.

Il vint à elle, tomba à genoux, et, se prosternant lentement, il prit le bout de son pied qui passait sous sa robe et le baisa.

Elle le laissa faire en silence. Il y a des moments où la femme accepte, comme une déesse sombre et résignée, la religion de l'amour.

— Ne pleure pas, dit-il.

Elle murmura :

— Puisque je vais peut-être m'en aller, et que tu ne peux pas venir !

Lui reprit :

— M'aimes-tu ?

Elle lui répondit en sanglotant ce mot du paradis qui n'est jamais plus charmant qu'à travers les larmes :

— Je t'adore !

Il poursuivit avec un son de voix qui était une inexprimable caresse :

— Ne pleure pas. Dis, veux-tu faire cela pour moi de ne pas pleurer ?

— M'aimes-tu, toi ? dit-elle.

Il lui prit la main :

— Cosette, je n'ai jamais donné ma parole d'honneur à personne, parce que ma parole d'honneur me fait peur. Je sens que mon père est à côté. Eh bien, je te donne ma parole d'honneur la plus sacrée que, si tu t'en vas, je mourrai.

Il y eut dans l'accent dont il prononça ces paroles une mélancolie si solennelle et si tranquille que Cosette trembla. Elle sentit ce froid que donne une chose sombre et vraie qui passe. De saisissement elle cessa de pleurer.

— Maintenant écoute, dit-il. Ne m'attends pas demain.
— Pourquoi ?
— Ne m'attends qu'après-demain.
— Oh ! pourquoi ?
— Tu verras.
— Un jour sans te voir ! mais c'est impossible.
— Sacrifions un jour pour avoir peut-être toute la vie.

Et Marius ajouta à demi-voix et en aparté :

— C'est un homme qui ne change rien à ses habitudes, et il n'a jamais reçu personne que le soir.

— De quel homme parles-tu ? demanda Cosette.
— Moi ? je n'ai rien dit.
— Qu'est-ce que tu espères donc ?
— Attends jusqu'à après-demain.
— Tu le veux ?
— Oui, Cosette.

Elle lui prit la tête dans ses deux mains, se haussant sur la pointe des pieds pour être à sa taille, et cherchant à voir dans ses yeux son espérance.

Marius reprit :

— J'y songe, il faut que tu saches mon adresse, il peut arriver des choses, on ne sait pas, je demeure chez cet ami appelé Courfeyrac, rue de la Verrerie, numéro 16.

Il fouilla dans sa poche, en tira un couteau-canif, et avec la lame écrivit sur le plâtre du mur :

16, rue de la Verrerie.

Cosette cependant s'était remise à lui regarder dans les yeux.

— Dis-moi ta pensée. Marius, tu as une pensée. Dis-la-moi. Oh! dis-la-moi pour que je passe une bonne nuit!

— Ma pensée, la voici : c'est qu'il est impossible que Dieu veuille nous séparer. Attends-moi après-demain.

— Qu'est-ce que je ferai jusque-là? dit Cosette. Toi, tu es dehors, tu vas, tu viens. Comme c'est heureux, les hommes! Moi, je vais rester toute seule. Oh! que je vais être triste! Qu'est-ce que tu feras donc demain soir, dis?

— J'essayerai une chose.

— Alors je prierai Dieu et je penserai à toi d'ici là pour que tu réussisses. Je ne te questionne plus, puisque tu ne veux pas. Tu es mon maître. Je passerai ma soirée demain à chanter cette musique d'*Euryanthe* que tu aimes et que tu es venu entendre un soir derrière mon volet. Mais après-demain tu viendras de bonne heure. Je t'attendrai à la nuit, à neuf heures précises, je t'en préviens. Mon Dieu! que c'est triste que les jours soient longs! Tu entends, à neuf heures sonnant je serai dans le jardin.

— Et moi aussi.

Et sans se l'être dit, mus par la même pensée, entraînés par ces courants électriques qui mettent deux amants en communication continuelle, tous deux enivrés de volupté jusque dans leur douleur, ils tombèrent dans les bras l'un de l'autre, sans s'apercevoir que leurs lèvres s'étaient jointes pendant que leurs regards levés, débordant d'extase et pleins de larmes, contemplaient les étoiles.

Quand Marius sortit, la rue était déserte. C'était le moment où Éponine suivait les bandits jusque sur le boulevard.

Tandis que Marius rêvait, la tête appuyée contre l'arbre, une idée lui avait traversé l'esprit ; une idée, hélas! qu'il jugeait lui-même insensée et impossible. Il avait pris un parti violent.

VII

LE VIEUX CŒUR
ET LE JEUNE CŒUR EN PRÉSENCE

Le père Gillenormand avait à cette époque ses quatre-vingt-onze ans bien sonnés. Il demeurait toujours avec mademoiselle Gillenormand rue des Filles-du-Calvaire, n° 6, dans cette vieille maison qui était à lui. C'était, on s'en souvient, un de ces vieillards antiques qui attendent la mort tout droits, que l'âge charge sans les faire plier, et que le chagrin même ne courbe pas.

Cependant, depuis quelque temps, sa fille disait : mon père baisse. Il ne souffletait plus les servantes ; il ne frappait plus de sa canne avec autant de verve le palier de l'escalier quand Basque tardait à lui ouvrir. La révolution de Juillet l'avait à peine exaspéré pendant six mois. Il avait vu presque avec tranquillité dans le *Moniteur* cet accouplement de mots : M. Humblot-Conté, pair de France. Le fait est que le vieillard était rempli d'accablement. Il ne fléchissait pas, il ne se rendait pas, ce n'était pas plus dans sa nature physique que dans sa nature morale ; mais il se sentait intérieurement défaillir. Depuis quatre ans il attendait Marius, de pied ferme, c'est bien le mot, avec la conviction que ce mauvais petit garnement sonnerait à la porte un jour ou l'autre ; maintenant il en venait, dans de certaines heures mornes, à se dire que pour peu que Marius se fît encore attendre... — Ce n'était pas la mort qui lui était insupportable, c'était l'idée que peut-être il ne reverrait plus Marius. Ne plus revoir Marius, ceci n'était pas même entré un instant dans son cerveau jusqu'à ce jour ; à présent cette idée commençait à lui apparaître, et le glaçait. L'absence, comme il arrive toujours dans les sentiments naturels et vrais, n'avait fait qu'accroître son amour de grand-père pour l'enfant ingrat qui s'en était allé comme cela. C'est dans les nuits de décembre, par dix degrés de froid, qu'on pense le plus au soleil. M. Gillenormand était, ou se croyait, par-dessus tout incapable de faire un pas, lui l'aïeul, vers son petit-fils ; — je crèverais plutôt, disait-il. Il ne se trouvait aucun tort, mais il ne songeait à Marius qu'avec un attendrissement profond et le muet désespoir d'un vieux bonhomme qui s'en va dans les ténèbres.

Il commençait à perdre ses dents, ce qui s'ajoutait à sa tristesse.

M. Gillenormand, sans pourtant se l'avouer à lui-même, car il en eût été furieux et honteux, n'avait jamais aimé une maîtresse comme il aimait Marius.

Il avait fait placer dans sa chambre, devant le chevet de

son lit, comme la première chose qu'il voulait voir en s'éveillant, un ancien portrait de son autre fille, celle qui était morte, madame Pontmercy, portrait fait lorsqu'elle avait dix-huit ans. Il regardait sans cesse ce portrait. Il lui arriva un jour de dire en le considérant :

— Je trouve qu'il lui ressemble.

— À ma sœur? reprit mademoiselle Gillenormand. Mais oui.

Le vieillard ajouta :

— Et à lui aussi.

Une fois, comme il était assis, les deux genoux l'un contre l'autre et l'œil presque fermé, dans une posture d'abattement, sa fille se risqua à lui dire :

— Mon père, est-ce que vous en voulez toujours autant?...

Elle s'arrêta, n'osant aller plus loin.

— À qui? demanda-t-il.

— À ce pauvre Marius?

Il souleva sa vieille tête, posa son poing amaigri et ridé sur la table, et cria de son accent le plus irrité et le plus vibrant :

— Pauvre Marius, vous dites! Ce monsieur est un drôle, un mauvais gueux, un petit vaniteux ingrat, sans cœur, sans âme, un orgueilleux, un méchant homme!

Et il se détourna pour que sa fille ne vît pas une larme qu'il avait dans les yeux.

Trois jours après, il sortit d'un silence qui durait depuis quatre heures pour dire à sa fille à brûle-pourpoint :

— J'avais eu l'honneur de prier mademoiselle Gillenormand de ne jamais m'en parler.

La tante Gillenormand renonça à toute tentative et porta ce diagnostic profond : — Mon père n'a jamais beaucoup aimé ma sœur depuis sa sottise. Il est clair qu'il déteste Marius.

« Depuis sa sottise » signifiait : depuis qu'elle avait épousé le colonel.

Du reste, comme on a pu le conjecturer, mademoiselle Gillenormand avait échoué dans sa tentative de substituer son favori, l'officier de lanciers, à Marius. Le remplaçant Théodule n'avait point réussi. M. Gillenormand n'avait pas accepté le quiproquo. Le vide du cœur ne

s'accommode point d'un bouche-trou. Théodule, de son côté, tout en flairant l'héritage, répugnait à la corvée de plaire. Le bonhomme ennuyait le lancier, et le lancier choquait le bonhomme. Le lieutenant Théodule était gai sans doute, mais bavard; frivole, mais vulgaire; bon vivant, mais de mauvaise compagnie; il avait des maîtresses, c'est vrai, et il en parlait beaucoup, c'est vrai encore; mais il en parlait mal. Toutes ses qualités avaient un défaut. M. Gillenormand était excédé de l'entendre conter les bonnes fortunes quelconques qu'il avait autour de sa caserne, rue de Babylone. Et puis le lieutenant Gillenormand venait quelquefois en uniforme avec la cocarde tricolore. Ceci le rendait tout bonnement impossible. Le père Gillenormand avait fini par dire à sa fille :
— J'en ai assez, du Théodule. Reçois-le si tu veux. J'ai peu de goût pour les gens de guerre en temps de paix. Je ne sais pas si je n'aime pas mieux encore les sabreurs que les traîneurs de sabre. Le cliquetis des lames dans la bataille est moins misérable, après tout, que le tapage des fourreaux sur le pavé. Et puis, se cambrer comme un matamore et se sangler comme une femmelette, avoir un corset sous une cuirasse, c'est être ridicule deux fois. Quand on est un véritable homme, on se tient à égale distance de la fanfaronnade et de la mièvrerie. Ni fier-à-bras, ni joli cœur. Garde ton Théodule pour toi.

Sa fille eut beau lui dire : — C'est pourtant votre petit-neveu, — il se trouva que M. Gillenormand, qui était grand-père jusqu'au bout des ongles, n'était pas grand-oncle du tout.

Au fond, comme il avait de l'esprit et qu'il comparait, Théodule n'avait servi qu'à lui faire mieux regretter Marius.

Un soir, c'était le 4 juin, ce qui n'empêchait pas que le père Gillenormand n'eût un très bon feu dans sa cheminée, il avait congédié sa fille qui cousait dans la pièce voisine. Il était seul dans sa chambre à bergerades, les pieds sur ses chenets, à demi enveloppé dans son vaste paravent de coromandel à neuf feuilles, accoudé à sa table où brûlaient deux bougies sous un abat-jour vert, englouti dans son fauteuil de tapisserie, un livre à la main, mais ne lisant pas. Il était vêtu, selon sa mode, en *incroyable*, et ressemblait à un antique portrait de Garat. Cela l'eût fait suivre dans les rues, mais sa fille le couvrait toujours, lorsqu'il sortait, d'une vaste douillette d'évêque, qui cachait ses vêtements. Chez lui, excepté pour se lever et se coucher, il ne portait jamais de robe de chambre. — *Cela donne l'air vieux*, disait-il.

Le père Gillenormand songeait à Marius amoureusement et amèrement, et, comme d'ordinaire, l'amertume dominait. Sa tendresse aigrie finissait toujours par bouillonner et par tourner en indignation. Il en était à ce point où l'on cherche à prendre son parti et à accepter ce qui déchire. Il était en train de s'expliquer qu'il n'y avait maintenant plus de raison pour que Marius revînt, que s'il avait dû revenir, il l'aurait déjà fait, qu'il fallait y renoncer. Il essayait de s'habituer à l'idée que c'était fini, et qu'il mourrait sans revoir « ce monsieur ». Mais toute sa nature se révoltait; sa vieille paternité n'y pouvait consentir. — Quoi! disait-il, c'était son refrain douloureux, il ne reviendra pas! — Sa tête chauve était tombée sur sa poitrine, et il fixait vaguement sur la cendre de son foyer un regard lamentable et irrité.

Au plus profond de cette rêverie, son vieux domestique, Basque, entra et demanda :

— Monsieur peut-il recevoir monsieur Marius?

Le vieillard se dressa sur son séant, blême et pareil à un cadavre qui se lève sous une secousse galvanique. Tout son sang avait reflué à son cœur. Il bégaya :

— Monsieur Marius quoi?

— Je ne sais pas, répondit Basque intimidé et décontenancé par l'air du maître, je ne l'ai pas vu. C'est Nicolette qui vient de me dire : Il y a là un jeune homme, dites que c'est monsieur Marius.

Le père Gillenormand balbutia à voix basse :

— Faites entrer.

Et il resta dans la même attitude, la tête branlante, l'œil fixé sur la porte. Elle se rouvrit. Un jeune homme entra. C'était Marius.

Marius s'arrêta à la porte comme attendant qu'on lui dît d'entrer.

Son vêtement presque misérable ne s'apercevait pas dans l'obscurité que faisait l'abat-jour. On ne distinguait que son visage calme et grave, mais étrangement triste.

Le père Gillenormand, hébété de stupeur et de joie, resta quelques instants sans voir autre chose qu'une clarté comme lorsqu'on est devant une apparition. Il était prêt à défaillir; il apercevait Marius à travers un éblouissement. C'était bien lui, c'était bien Marius!

Enfin! après quatre ans! Il le saisit, pour ainsi dire, tout entier d'un coup d'œil. Il le trouva beau, noble, distingué, grandi, homme fait, l'attitude convenable, l'air charmant. Il eut envie d'ouvrir ses bras, de l'appeler, de se précipiter, ses entrailles se fondirent en ravissement, les paroles affectueuses le gonflaient et débordaient de sa poitrine; enfin toute cette tendresse se fit jour et lui arriva aux lèvres, et, par le contraste qui était le fond de sa nature, il en sortit une dureté. Il dit brusquement :

— Qu'est-ce que vous venez faire ici?

Marius répondit avec embarras :

— Monsieur...

M. Gillenormand eût voulu que Marius se jetât dans ses bras. Il fut mécontent de Marius et de lui-même. Il sentit qu'il était brusque et que Marius était froid. C'était pour le bonhomme une insupportable et irritante anxiété de se sentir si tendre et si éploré au dedans et de ne pouvoir être que dur au dehors. L'amertume lui revint. Il interrompit Marius avec un accent bourru :

— Alors pourquoi venez-vous?

Cet « alors » signifiait : *si vous ne venez pas m'embrasser.* Marius regarda son aïeul à qui la pâleur faisait un visage de marbre.

— Monsieur...

Le vieillard reprit d'une voix sévère :

— Venez-vous me demander pardon? avez-vous reconnu vos torts?

Il croyait mettre Marius sur la voie et que « l'enfant » allait fléchir. Marius frissonna; c'était le désaveu de son père qu'on lui demandait; il baissa les yeux et répondit :

— Non, monsieur.

— Et alors, s'écria impétueusement le vieillard avec une douleur poignante et pleine de colère, qu'est-ce que vous me voulez?

Marius joignit les mains, fit un pas et dit d'une voix faible et qui tremblait :

— Monsieur, ayez pitié de moi.

Ce mot remua M. Gillenormand; dit plus tôt, il l'eût attendri, mais il venait trop tard. L'aïeul se leva; il s'appuyait sur sa canne de ses deux mains, ses lèvres étaient blanches, son front vacillait, mais sa haute taille dominait Marius incliné.

— Pitié de vous, monsieur! C'est l'adolescent qui demande de la pitié au vieillard de quatrevingt-onze ans! Vous entrez dans la vie, j'en sors; vous allez au spectacle, au bal, au café, au billard, vous avez de l'esprit, vous plaisez aux femmes, vous êtes joli garçon; moi je crache en plein été sur mes tisons; vous êtes riche des seules richesses qu'il y ait, moi j'ai toutes les pauvretés de la vieillesse, l'infirmité, l'isolement! vous avez vos trente-deux dents, un bon estomac, l'œil vif, la force, l'appétit, la santé, la gaîté, une forêt de cheveux noirs; moi je n'ai même plus de cheveux blancs, j'ai perdu mes dents, je perds mes jambes, je perds la mémoire, il y a trois noms de rues que je confonds sans cesse, la rue Charlot, la rue du Chaume et la rue Saint-Claude, j'en suis là; vous avez devant vous tout l'avenir plein de soleil, moi je commence à n'y plus voir goutte, tant j'avance dans la nuit; vous êtes amoureux, ça va sans dire, moi je ne suis aimé de personne au monde, et vous me demandez de la pitié! Parbleu, Molière a oublié ceci. Si c'est comme cela que vous plaisantez au palais, messieurs les avocats, je vous fais mon sincère compliment. Vous êtes drôles.

Et l'octogénaire reprit d'une voix courroucée et grave :

— Ah çà, qu'est-ce que vous me voulez?

— Monsieur, dit Marius, je sais que ma présence vous déplaît, mais je viens seulement pour vous demander une chose, et puis je vais m'en aller tout de suite.

— Vous êtes un sot! dit le vieillard. Qui est-ce qui vous dit de vous en aller?

Ceci était la traduction de cette parole tendre qu'il avait au fond du cœur : *Mais demande-moi donc pardon! Jette-toi donc à mon cou!* M. Gillenormand sentait que Marius allait dans quelques instants le quitter, que son mauvais accueil le rebutait, que sa dureté le chassait, il se disait tout cela, et sa douleur s'en accroissait, et comme sa douleur se tournait immédiatement en colère, sa dureté en augmentait. Il eût voulu que Marius comprît, et Marius ne comprenait pas; ce qui rendait le bonhomme furieux. Il reprit :

— Comment! vous m'avez manqué, à moi, votre grand-père, vous avez quitté ma maison pour aller on ne sait où, vous avez désolé votre tante, vous avez été, cela se devine, c'est plus commode, mener la vie de garçon, faire le muscadin, rentrer à toutes les heures, vous amuser, vous ne m'avez pas donné signe de vie, vous avez fait des dettes sans même me dire de les payer, vous vous êtes fait casseur de vitres et tapageur, et, au bout de quatre ans, vous venez chez moi, et vous n'avez pas autre chose à me dire que cela!

Cette façon violente de pousser le petit-fils à la tendresse ne produisit que le silence de Marius. M. Gillenormand croisa les bras, geste qui, chez lui, était particulièrement impérieux, et apostropha Marius amèrement :

— Finissons. Vous venez me demander quelque chose, dites-vous? Eh bien quoi? qu'est-ce? Parlez.

— Monsieur, dit Marius avec le regard d'un homme qui sent qu'il va tomber dans un précipice, je viens vous demander la permission de me marier.

M. Gillenormand sonna. Basque entr'ouvrit la porte.

— Faites venir ma fille.

Une seconde après, la porte se rouvrit, mademoiselle Gillenormand n'entra pas, mais se montra; Marius était debout, muet, les bras pendants, avec une figure de criminel; M. Gillenormand allait et venait en long et en large dans la chambre. Il se tourna vers sa fille et lui dit :

— Rien. C'est monsieur Marius. Dites-lui bonjour. Monsieur veut se marier. Voilà. Allez-vous-en.

Le son de voix bref et rauque du vieillard annonçait une étrange plénitude d'emportement. La tante regarda Marius d'un air effaré, parut à peine le reconnaître, ne laissa pas échapper un geste ni une syllabe, et disparut au souffle de son père plus vite qu'un fétu devant l'ouragan.

Cependant le père Gillenormand était revenu s'adosser à la cheminée.

— Vous marier! à vingt et un ans! Vous avez arrangé cela! Vous n'avez plus qu'une permission à demander!

une formalité. Asseyez-vous, monsieur. Eh bien, vous avez eu une révolution depuis que je n'ai eu l'honneur de vous voir. Les jacobins ont eu le dessus. Vous avez dû être content. N'êtes-vous pas républicain depuis que vous êtes baron ? Vous accommodez cela. La république fait une sauce à la baronnie. Êtes-vous décoré de Juillet ? avez-vous un peu pris le Louvre, monsieur ? Il y a ici tout près, rue Saint-Antoine, vis-à-vis la rue des Nonnains-d'Hyères, un boulet incrusté dans le mur au troisième étage d'une maison avec cette inscription : 28 juillet 1830. Allez voir cela. Cela fait bon effet. Ah ! ils font de jolies choses, vos amis ! À propos, ne font-ils pas une fontaine à la place du monument de M. le duc de Berry ? Ainsi vous voulez vous marier ? à qui ? peut-on sans indiscrétion demander à qui ?

Il s'arrêta, et, avant que Marius eût eu le temps de répondre, il ajouta violemment :

— Ah çà, vous avez un état ? une fortune faite ? combien gagnez-vous dans votre métier d'avocat ?

— Rien, dit Marius avec une sorte de fermeté et de résolution presque farouche.

— Rien ? vous n'avez pour vivre que les douze cents livres que je vous fais ?

Marius ne répondit point. M. Gillenormand continua :

— Alors, je comprends, c'est que la fille est riche ?

— Comme moi.

— Quoi ! pas de dot ?

— Non.

— Des espérances ?

— Je ne crois pas.

— Toute nue ! et qu'est-ce que c'est que le père ?

— Je ne sais pas.

— Et comment s'appelle-t-elle ?

— Mademoiselle Fauchelevent.

— Fauchequoi ?

— Fauchelevent.

— Pttt ! fit le vieillard.

— Monsieur ! s'écria Marius.

M. Gillenormand l'interrompit du ton d'un homme qui se parle à lui-même.

— C'est cela, vingt et un ans, pas d'état, douze cents

livres par an, madame la baronne Pontmercy ira acheter deux sous de persil chez la fruitière.

— Monsieur, reprit Marius dans l'égarement de la dernière espérance qui s'évanouit, je vous en supplie! je vous en conjure, au nom du ciel, à mains jointes, monsieur, je me mets à vos pieds, permettez-moi de l'épouser.

Le vieillard poussa un éclat de rire strident et lugubre à travers lequel il toussait et parlait.

— Ah! ah! ah! vous vous êtes dit : Pardine! je vais aller trouver cette vieille perruque, cette absurde ganache! Quel dommage que je n'aie pas mes vingt-cinq ans! comme je te vous lui flanquerais une bonne sommation respectueuse! comme je me passerais de lui! C'est égal, je lui dirai : Vieux crétin, tu es trop heureux de me voir, j'ai envie de me marier, j'ai envie d'épouser mamselle n'importe qui, fille de monsieur n'importe quoi, je n'ai pas de souliers, elle n'a pas de chemise, ça va, j'ai envie de jeter à l'eau ma carrière, mon avenir, ma jeunesse, ma vie, j'ai envie de faire un plongeon dans la misère avec une femme au cou, c'est mon idée, il faut que tu y consentes! et le vieux fossile consentira. Va, mon garçon, comme tu voudras, attache-toi ton pavé, épouse ta Pousselevent, ta Coupelevent... — Jamais, monsieur! jamais!

— Mon père!

— Jamais!

À l'accent dont ce « jamais » fut prononcé, Marius perdit tout espoir. Il traversa la chambre à pas lents, la tête ployée, chancelant, plus semblable encore à quelqu'un qui se meurt qu'à quelqu'un qui s'en va. M. Gillenormand le suivait des yeux, et au moment où la porte s'ouvrait et où Marius allait sortir, il fit quatre pas avec cette vivacité sénile des vieillards impérieux et gâtés, saisit Marius au collet, le ramena énergiquement dans la chambre, le jeta dans un fauteuil, et lui dit :

— Conte-moi ça!

C'était ce seul mot, *mon père*, échappé à Marius, qui avait fait cette révolution.

Marius le regarda égaré. Le visage mobile de M. Gillenormand n'exprimait plus rien qu'une rude et ineffable bonhomie. L'aïeul avait fait place au grand-père.

— Allons, voyons, parle, conte-moi tes amourettes,

jabote, dis-moi tout ! Sapristi ! que les jeunes gens sont bêtes !

— Mon père ! reprit Marius.

Toute la face du vieillard s'illumina d'un indicible rayonnement.

— Oui, c'est ça ! appelle-moi ton père, et tu verras !

Il y avait maintenant quelque chose de si bon, de si doux, de si ouvert, de si paternel en cette brusquerie, que Marius, dans ce passage subit du découragement à l'espérance, en fut comme étourdi et enivré. Il était assis près de la table, la lumière des bougies faisait saillir le délabrement de son costume que le père Gillenormand considérait avec étonnement.

— Eh bien, mon père, dit Marius.

— Ah çà, interrompit M. Gillenormand, tu n'as donc vraiment pas le sou ? Tu es mis comme un voleur.

Il fouilla dans un tiroir, et y prit une bourse qu'il posa sur la table :

— Tiens, voilà cent louis, achète-toi un chapeau.

— Mon père, poursuivit Marius, mon bon père, si vous saviez ! je l'aime. Vous ne vous figurez pas, la première fois que je l'ai vue, c'était au Luxembourg, elle y venait ; au commencement je n'y faisais pas grande attention, et puis je ne sais pas comment cela s'est fait, j'en suis devenu amoureux. Oh ! comme cela m'a rendu malheureux ! Enfin je la vois maintenant, tous les jours, chez elle, son père ne sait pas, imaginez qu'ils vont partir, c'est dans le jardin que nous nous voyons, le soir, son père veut l'emmener en Angleterre, alors je me suis dit : je vais aller voir mon grand-père et lui conter la chose. Je deviendrais fou d'abord, je mourrais, je ferais une maladie, je me jetterais à l'eau. Il faut absolument que je l'épouse, puisque je deviendrais fou. Enfin voilà toute la vérité, je ne crois pas que j'aie oublié quelque chose. Elle demeure dans un jardin où il y a une grille, rue Plumet. C'est du côté des Invalides.

Le père Gillenormand s'était assis radieux près de Marius. Tout en l'écoutant et en savourant le son de sa voix, il savourait en même temps une longue prise de tabac. À ce mot, rue Plumet, il interrompit son aspiration et laissa tomber le reste de son tabac sur ses genoux.

— Rue Plumet! tu dis rue Plumet? — Voyons donc! — N'y a-t-il pas une caserne par là? — Mais oui, c'est ça. Ton cousin Théodule m'en a parlé. Le lancier, l'officier. — Une fillette, mon bon ami, une fillette! — Pardieu oui, rue Plumet. C'est ce qu'on appelait autrefois la rue Blomet. — Voilà que ça me revient. J'en ai entendu parler de cette petite de la grille de la rue Plumet. Dans un jardin. Une Paméla. Tu n'as pas mauvais goût. On la dit proprette. Entre nous, je crois que ce dadais de lancier lui a un peu fait la cour. Je ne sais pas jusqu'où cela a été. Enfin ça ne fait rien. D'ailleurs il ne faut pas le croire. Il se vante. Marius! je trouve ça très bien qu'un jeune homme comme toi soit amoureux. C'est de ton âge. Je t'aime mieux amoureux que jacobin. Je t'aime mieux épris d'un cotillon, sapristi! de vingt cotillons, que de monsieur de Robespierre. Pour ma part, je me rends cette justice qu'en fait de sans-culottes, je n'ai jamais aimé que les femmes. Les jolies filles sont les jolies filles, que diable! il n'y a pas d'objection à ça. Quant à la petite, elle te reçoit en cachette du papa. C'est dans l'ordre. J'ai eu des histoires comme ça, moi aussi. Plus d'une. Sais-tu ce qu'on fait? on ne prend pas la chose avec férocité; on ne se précipite pas dans le tragique; on ne conclut pas au mariage et à monsieur le maire avec son écharpe. On est tout bêtement un garçon d'esprit. On a du bon sens. Glissez, mortels, n'épousez pas. On vient trouver le grand-père qui est bonhomme au fond, et qui a bien toujours quelques rouleaux de louis dans un vieux tiroir; on lui dit: Grand-père, voilà. Et le grand-père dit: C'est tout simple. Il faut que jeunesse se passe et que vieillesse se casse. J'ai été jeune, tu seras vieux. Va, mon garçon, tu rendras ça à ton petit-fils. Voilà deux cents pistoles. Amuse-toi, mordi! Rien de mieux! C'est ainsi que l'affaire doit se passer. On n'épouse point, mais ça n'empêche pas. Tu me comprends?

Marius, pétrifié et hors d'état d'articuler une parole, fit de la tête signe que non.

Le bonhomme éclata de rire, cligna sa vieille paupière, lui donna une tape sur le genou, le regarda entre deux yeux d'un air mystérieux et rayonnant, et lui dit avec le plus tendre des haussements d'épaules:

— Bêta! fais-en ta maîtresse.

Marius pâlit. Il n'avait rien compris à tout ce que venait de dire son grand-père. Ce rabâchage de rue Blomet, de Paméla, de caserne, de lancier, avait passé devant Marius comme une fantasmagorie. Rien de tout cela ne pouvait se rapporter à Cosette, qui était un lys. Le bonhomme divaguait. Mais cette divagation avait abouti à un mot que Marius avait compris et qui était une mortelle injure à Cosette. Ce mot, *fais-en ta maîtresse*, entra dans le cœur du sévère jeune homme comme une épée.

Il se leva, ramassa son chapeau qui était à terre, et marcha vers la porte d'un pas assuré et ferme. Là il se retourna, s'inclina profondément devant son grand-père, redressa la tête, et dit :

— Il y a cinq ans, vous avez outragé mon père ; aujourd'hui vous outragez ma femme. Je ne vous demande plus rien, monsieur. Adieu.

Le père Gillenormand, stupéfait, ouvrit la bouche, étendit les bras, essaya de se lever, et avant qu'il eût pu prononcer un mot, la porte s'était refermée et Marius avait disparu.

Le vieillard resta quelques instants immobile et comme foudroyé, sans pouvoir parler ni respirer, comme si un poing fermé lui serrait le gosier. Enfin il s'arracha de son fauteuil, courut à la porte autant qu'on peut courir à quatre-vingt-onze ans, l'ouvrit, et cria :

— Au secours! au secours!

Sa fille parut, puis les domestiques. Il reprit avec un râle lamentable :

— Courez après lui! rattrapez-le! Qu'est-ce que je lui ai fait? Il est fou! il s'en va! Ah! mon Dieu! ah! mon Dieu! cette fois il ne reviendra plus!

Il alla à la fenêtre qui donnait sur la rue, l'ouvrit de ses vieilles mains chevrotantes, se pencha plus d'à mi-corps pendant que Basque et Nicolette le retenaient par derrière, et cria :

— Marius! Marius! Marius! Marius!

Mais Marius ne pouvais déjà plus entendre, et tournait en ce moment-là même l'angle de la rue Saint-Louis.

L'octogénaire porta deux ou trois fois ses deux mains à ses tempes avec une expression d'angoisse, recula en chanchelant et s'affaissa sur un fauteuil, sans pouls, sans voix, sans larmes, branlant la tête et agitant les lèvres d'un air stupide, n'ayant plus rien dans les yeux et dans le cœur que quelque chose de morne et de profond qui ressemblait à la nuit.

LIVRE NEUVIÈME

OÙ VONT-ILS ?

I

JEAN VALJEAN

Ce même jour, vers quatre heures de l'après-midi, Jean Valjean était assis seul sur le revers de l'un des talus les plus solitaires du Champ de Mars. Soit prudence, soit désir de se recueillir, soit tout simplement par suite d'un de ces insensibles changements d'habitudes qui s'introduisent peu à peu dans toutes les existences, il sortait maintenant assez rarement avec Cosette. Il avait sa veste d'ouvrier et un pantalon de toile grise, et sa casquette à longue visière lui cachait le visage. Il était à présent calme et heureux du côté de Cosette ; ce qui l'avait quelque temps effrayé et troublé s'était dissipé ; mais, depuis une semaine ou deux, des anxiétés d'une autre nature lui étaient venues. Un jour, en se promenant sur le boulevard, il avait aperçu Thénardier ; grâce à son déguisement, Thénardier ne l'avait point reconnu ; mais depuis lors Jean Valjean l'avait revu plusieurs fois, et il avait maintenant la certitude que Thénardier rôdait dans le quartier. Ceci avait suffi pour lui faire prendre un grand parti. Thénardier là, c'étaient tous les périls à la fois.

En outre Paris n'était pas tranquille ; les troubles politiques offraient cet inconvénient pour quiconque avait quelque chose à cacher dans sa vie que la police était devenue très inquiète et très ombrageuse, et qu'en cherchant à dépister un homme comme Pépin ou Morey, elle pouvait fort bien découvrir un homme comme Jean Valjean.

À tous ces points de vue, il était soucieux.

Enfin, un fait inexplicable qui venait de le frapper, et dont il était encore tout chaud, avait ajouté à son éveil. Le matin de ce même jour, seul levé dans la maison, et se promenant dans le jardin avant que les volets de Cosette fussent ouverts, il avait aperçu tout à coup cette ligne gravée sur la muraille, probablement avec un clou :

16, rue de la Verrerie.

Cela était tout récent, les entailles étaient blanches dans le vieux mortier noir, une touffe d'ortie au pied du mur était poudrée de fin plâtre frais. Cela probablement avait été écrit là dans la nuit. Qu'était-ce? une adresse? un signal pour d'autres? un avertissement pour lui? Dans tous les cas, il était évident que le jardin était violé, et que des inconnus y pénétraient. Il se rappela les incidents bizarres qui avaient déjà alarmé la maison. Son esprit travailla sur ce canevas. Il se garda bien de parler à Cosette de la ligne écrite au clou sur le mur, de peur de l'effrayer.

Tout cela considéré et pesé, Jean Valjean s'était décidé à quitter Paris, et même la France, et à passer en Angleterre. Il avait prévenu Cosette. Avant huit jours il voulait être parti. Il s'était assis sur le talus du Champ de Mars, roulant dans son esprit toutes sortes de pensées, Thénardier, la police, cette ligne étrange écrite sur le mur, ce voyage, et la difficulté de se procurer un passeport.

Au milieu de ces préoccupations, il s'aperçut, à une ombre que le soleil projetait, que quelqu'un venait de s'arrêter sur la crête du talus immédiatement derrière lui. Il allait se retourner, lorsqu'un papier plié en quatre tomba sur ses genoux, comme si une main l'eût lâché au-dessus de sa tête. Il prit le papier, le déplia, et y lut ce mot écrit en grosses lettres au crayon :

DÉMÉNAGEZ.

Jean Valjean se leva vivement, il n'y avait plus personne sur le talus; il chercha autour de lui et aperçut une espèce d'être plus grand qu'un enfant, plus petit qu'un homme, vêtu d'une blouse grise et d'un pantalon de velours de coton couleur poussière, qui enjambait le parapet et se laissait glisser dans le fossé du Champ de Mars.

Jean Valjean rentra chez lui sur-le-champ, tout pensif.

II

MARIUS

Marius était parti désolé de chez M. Gillenormand. Il y était entré avec une espérance bien petite; il en sortait avec un désespoir immense.

Du reste, et ceux qui ont observé les commencements du cœur humain le comprendront, le lancier, l'officier, le dadais, le cousin Théodule, n'avait laissé aucune ombre dans son esprit. Pas la moindre. Le poëte dramatique pourrait en apparence espérer quelques complications de cette révélation faite à brûle-pourpoint au petit-fils par le grand-père. Mais ce que le drame y gagnerait, la vérité le perdrait. Marius était dans l'âge où, en fait de mal, on ne croit rien; plus tard vient l'âge où l'on croit tout. Les soupçons ne sont autre chose que des rides. La première jeunesse n'en a pas. Ce qui bouleverse Othello, glisse sur Candide. Soupçonner Cosette! il y a une foule de crimes que Marius eût faits plus aisément.

Il se mit à marcher dans les rues, ressource de ceux qui souffrent. Il ne pensa à rien dont il pût se souvenir. À deux heures du matin il rentra chez Courfeyrac et se jeta tout habillé sur son matelas. Il faisait grand soleil lorsqu'il s'endormit de cet affreux sommeil pesant qui laisse aller et venir les idées dans le cerveau. Quand il se réveilla, il vit debout dans la chambre, le chapeau sur la tête, tout prêts à sortir et très affairés, Courfeyrac, Enjolras, Feuilly et Combeferre.

Courfeyrac lui dit:

— Viens-tu à l'enterrement du général Lamarque?

Il lui sembla que Courfeyrac parlait chinois.

Il sortit quelque temps après eux. Il mit dans sa poche les pistolets que Javert lui avait confiés lors de l'aventure du 3 février et qui étaient restés entre ses mains. Ces pistolets étaient encore chargés. Il serait difficile de dire quelle pensée obscure il avait dans l'esprit en les emportant.

Toute la journée il rôda sans savoir où ; il pleuvait par instants, il ne s'en apercevait point ; il acheta pour son dîner une flûte d'un sou chez un boulanger, la mit dans sa poche et l'oublia. Il paraît qu'il prit un bain dans la Seine sans en avoir conscience. Il y a des moments où l'on a une fournaise sous le crâne. Marius était dans un de ces moments-là. Il n'espérait plus rien, il ne craignait plus rien ; il avait fait ce pas depuis la veille. Il attendait le soir avec une impatience fiévreuse, il n'avait plus qu'une idée claire, — c'est qu'à neuf heures il verrait Cosette. Ce dernier bonheur était maintenant tout son avenir ; après, l'ombre. Par intervalles, tout en marchant sur les boulevards les plus déserts, il lui semblait entendre dans Paris des bruits étranges. Il sortait la tête hors de sa rêverie et disait : Est-ce qu'on se bat ?

À la nuit tombante, à neuf heures précises, comme il l'avait promis à Cosette, il était rue Plumet. Quand il approcha de la grille, il oublia tout. Il y avait quarante-huit heures qu'il n'avait vu Cosette, il allait la revoir, toute autre pensée s'effaça et il n'eut plus qu'une joie inouïe et profonde. Ces minutes où l'on vit des siècles ont toujours cela de souverain et d'admirable qu'au moment où elles passent elles emplissent entièrement le cœur.

Marius dérangea la grille et se précipita dans le jardin. Cosette n'était pas à la place où elle l'attendait d'ordinaire. Il traversa le fourré et alla à l'enfoncement près du perron. — Elle m'attend là, dit-il. — Cosette n'y était pas. Il leva les yeux, et vit que les volets de la maison étaient fermés. Il fit le tour du jardin, le jardin était désert. Alors il revint à la maison, et, insensé d'amour, ivre, épouvanté, exaspéré de douleur et d'inquiétude, comme un maître qui rentre chez lui à une mauvaise heure, il frappa aux volets. Il frappa, il frappa encore, au risque de voir la fenêtre s'ouvrir et la face sombre du père apparaître et lui demander : Que voulez-vous ? Ceci n'était plus rien auprès de ce qu'il entrevoyait. Quand il eut frappé, il éleva la voix et appela Cosette. — Cosette ! cria-t-il. Cosette ! répéta-t-il impérieusement. On ne répondit pas. C'était fini. Personne dans le jardin ; personne dans la maison.

Marius fixa ses yeux désespérés sur cette maison lugubre, aussi noire, aussi silencieuse et plus vide qu'une tombe. Il regarda le banc de pierre où il avait passé tant d'adorables heures près de Cosette. Alors il s'assit sur les marches du perron, le cœur plein de douceur et de résolution, il bénit son amour dans le fond de sa pensée, et il se dit que, puisque Cosette était partie, il n'avait plus qu'à mourir.

Tout à coup il entendit une voix qui paraissait venir de la rue et qui criait à travers les arbres :

— Monsieur Marius!

Il se dressa.

— Hein? dit-il.

— Monsieur Marius, êtes-vous là?

— Oui.

— Monsieur Marius, reprit la voix, vos amis vous attendent à la barricade de la rue de la Chanvrerie.

Cette voix ne lui était pas entièrement inconnue. Elle ressemblait à la voix enrouée et rude d'Éponine. Marius courut à la grille, écarta le barreau mobile, passa sa tête au travers et vit quelqu'un, qui lui parut être un jeune homme, s'enfoncer en courant dans le crépuscule.

III

M. MABEUF

La bourse de Jean Valjean fut inutile à M. Mabeuf. M. Mabeuf, dans sa vénérable austérité enfantine, n'avait point accepté le cadeau des astres; il n'avait point admis qu'une étoile pût se monnayer en louis d'or. Il n'avait pas deviné que ce qui tombait du ciel venait de Gavroche. Il avait porté la bourse au commissaire de police du quartier, comme objet perdu mis par le trouveur à la disposition des réclamants. La bourse fut perdue en effet. Il va sans dire que personne ne la réclama, et elle ne secourut point M. Mabeuf.

Du reste, M. Mabeuf avait continué de descendre.

Les expériences sur l'indigo n'avaient pas mieux réussi au Jardin des plantes que dans son jardin d'Austerlitz. L'année d'auparavant, il devait les gages de sa gouvernante; maintenant, on l'a vu, il devait les termes de son loyer. Le mont-de-piété, au bout des treize mois écoulés, avait vendu les cuivres de sa *Flore*. Quelque chaudronnier en avait fait des casseroles. Ses cuivres disparus, ne pouvant plus compléter même les exemplaires dépareillés de sa *Flore* qu'il possédait encore, il avait cédé à vil prix à un libraire-brocanteur planches et texte, comme *défets*. Il ne lui était plus rien resté de l'œuvre de toute sa vie. Il se mit à manger l'argent de ces exemplaires. Quand il vit que cette chétive ressource s'épuisait, il renonça à son jardin et le laissa en friche. Auparavant, et longtemps auparavant, il avait renoncé aux deux œufs et au morceau de bœuf qu'il mangeait de temps en temps. Il dînait avec du pain et des pommes de terre. Il avait vendu ses derniers meubles, puis tout ce qu'il avait en double en fait de literie, de vêtements et de couvertures, puis ses herbiers et ses estampes; mais il avait encore ses livres les plus précieux, parmi lesquels plusieurs d'une haute rareté, entre autres *les Quadrains historiques de la Bible*, édition de 1560, *la Concordance des Bibles* de Pierre de Besse, *les Marguerites de la Marguerite* de Jean de La Haye avec dédicace à la reine de Navarre, le livre *de la Charge et dignité de l'ambassadeur* par le sieur de Villiers-Hotman, un *Florilegium rabbinicum* de 1644, un Tibulle de 1567 avec cette splendide inscription : *Venetiis, in ædibus Manutianis*; enfin un Diogène Laërce, imprimé à Lyon en 1644, et où se trouvaient les fameuses variantes du manuscrit 411, treizième siècle, du Vatican, et celles des deux manuscrits de Venise, 393 et 394, si fructueusement consultés par Henri Estienne, et tous les passages en dialecte dorique qui ne se trouvent que dans le célèbre manuscrit du douzième siècle de la bibliothèque de Naples. M. Mabeuf ne faisait jamais de feu dans sa chambre et se couchait avec le jour pour ne pas brûler de chandelle. Il semblait qu'il n'eût plus de voisins, on l'évitait quand il sortait, il s'en apercevait. La misère d'un enfant intéresse une mère, la misère d'un jeune homme intéresse une jeune fille, la misère d'un vieillard n'intéresse personne. C'est de toutes les détresses la plus froide. Cependant le père Mabeuf n'avait pas entièrement perdu sa sérénité d'enfant. Sa prunelle prenait quelque vivacité lorsqu'elle se fixait sur ses livres, et il souriait lorsqu'il considérait le Diogène Laërce, qui était un exemplaire unique. Son armoire vitrée était le seul meuble qu'il eût conservé en dehors de l'indispensable.

Un jour la mère Plutarque lui dit :

— Je n'ai pas de quoi acheter le dîner.

Ce qu'elle appelait le dîner, c'était un pain et quatre ou cinq pommes de terre.

— À crédit? fit M. Mabeuf.

— Vous savez bien qu'on me refuse.

M. Mabeuf ouvrit sa bibliothèque, regarda longtemps tous ses livres l'un après l'autre, comme un père obligé de décimer ses enfants les regarderait avant de choisir, puis en prit un vivement, le mit sous son bras, et sortit. Il rentra deux heures après n'ayant plus rien sous le bras, posa trente sous sur la table et dit :

— Vous ferez à dîner.

À partir de ce moment, la mère Plutarque vit s'abaisser sur le candide visage du vieillard un voile sombre qui ne se releva plus.

Le lendemain, le surlendemain, tous les jours, il fallut recommencer. M. Mabeuf sortait avec un livre et rentrait avec une pièce d'argent. Comme les libraires-brocanteurs le voyaient forcé de vendre, ils lui rachetaient vingt sous ce qu'il avait payé vingt francs. Quelquefois aux mêmes libraires. Volume à volume, toute la bibliothèque y passait. Il disait par moments : J'ai pourtant quatrevingts ans, comme s'il avait je ne sais quelle arrière-espérance d'arriver à la fin de ses jours avant d'arriver à la fin de ses livres. Sa tristesse croissait. Une fois pourtant il eut une joie. Il sortit avec un Robert Estienne qu'il vendit trente-cinq sous quai Malaquais et revint avec un Alde qu'il avait acheté quarante sous rue des Grès. — Je dois cinq sous, dit-il tout rayonnant à la mère Plutarque. Ce jour-là il ne dîna point.

Il était de la Société d'horticulture. On y savait son dénuement. Le président de cette société le vint voir, lui promit de parler de lui au ministre de l'agriculture et du commerce, et le fit. — Mais comment donc ! s'écria le ministre. Je crois bien! Un vieux savant! un botaniste! un bonhomme inoffensif! Il faut faire quelque chose pour lui! Le lendemain M. Mabeuf reçut une invitation à dîner chez le ministre. Il montra en tremblant de joie la lettre à la mère Plutarque. — Nous sommes sauvés! dit-il. Au jour fixé, il alla chez le ministre. Il s'aperçut que sa cravate chiffonnée, son grand vieil habit carré et ses souliers cirés à l'œuf étonnaient les huissiers. Personne ne lui parla, pas même le ministre. Vers dix heures du soir, comme il attendait toujours une parole, il entendit la femme du ministre, belle dame décolletée dont il n'avait osé s'approcher, qui demandait : Quel est donc ce vieux monsieur? Il s'en retourna chez lui à pied, à minuit, par une pluie battante. Il avait vendu un Elzévir pour payer son fiacre en allant.

Tous les soirs avant de se coucher il avait pris l'habitude de lire quelques pages de son Diogène Laërce. Il savait assez de grec pour jouir des particularités du texte qu'il possédait. Il n'avait plus maintenant d'autre joie. Quelques semaines s'écoulèrent. Tout à coup la mère Plutarque tomba malade. Il est une chose plus triste que de n'avoir pas de quoi acheter du pain chez le boulanger, c'est de n'avoir pas de quoi acheter des drogues chez l'apothicaire. Un soir, le médecin avait ordonné une potion fort chère. Et puis, la maladie s'aggravait, il fallait une garde. M. Mabeuf ouvrit sa bibliothèque, il n'y avait plus rien. Le dernier volume était parti. Il ne lui restait que le Diogène Laërce.

Il mit l'exemplaire unique sous son bras et sortit, c'était le 4 juin 1832 ; il alla porte Saint-Jacques chez le successeur de Royol, et revint avec cent francs. Il posa la pile de pièces de cinq francs sur la table de nuit de la vieille servante et rentra dans sa chambre sans dire une parole.

Le lendemain, dès l'aube, il s'assit sur la borne renversée dans son jardin, et par-dessus la haie on put le voir toute la matinée immobile, le front baissé, l'œil vaguement fixé sur ses plates-bandes flétries. Il pleuvait par instants, le vieillard ne semblait pas s'en apercevoir. Dans l'après-midi, des bruits extraordinaires éclatèrent dans Paris. Cela ressemblait à des coups de fusil et aux clameurs d'une multitude.

Le père Mabeuf leva la tête. Il aperçut un jardinier qui passait, et demanda :

— Qu'est-ce que c'est ?

Le jardinier répondit, sa bêche sur le dos, et de l'accent le plus paisible :

— Ce sont des émeutes.

— Comment ! des émeutes ?

— Oui. On se bat.

— Pourquoi se bat-on ?

— Ah ! dame ! fit le jardinier.

— De quel côté ? reprit M. Mabeuf.

— Du côté de l'Arsenal.

Le père Mabeuf rentra chez lui, prit son chapeau, chercha machinalement un livre pour le mettre sous son bras, n'en trouva point, dit : Ah ! c'est vrai ! et s'en alla d'un air égaré.

LIVRE DIXIÈME
LE 5 JUIN 1832

I

LA SURFACE DE LA QUESTION

De quoi se compose l'émeute? De rien et de tout. D'une électricité dégagée peu à peu, d'une flamme subitement jaillie, d'une force qui erre, d'un souffle qui passe. Ce souffle rencontre des têtes qui pensent, des cerveaux qui rêvent, des âmes qui souffrent, des passions qui brûlent, des misères qui hurlent, et les emporte.

Où?

Au hasard. À travers l'État, à travers les lois, à travers la prospérité et l'insolence des autres.

Les convictions irritées, les enthousiasmes aigris, les indignations émues, les instincts de guerre comprimés, les jeunes courages exaltés, les aveuglements généreux, la curiosité, le goût du changement, la soif de l'inattendu, le sentiment qui fait qu'on se plaît à lire l'affiche d'un nouveau spectacle et qu'on aime au théâtre le coup de sifflet du machiniste; les haines vagues, les rancunes, les désappointements, toute vanité qui croit que la destinée lui a fait faillite; les malaises, les songes creux, les ambitions entourées d'escarpements; quiconque espère d'un écroulement une issue; enfin, au plus bas, la tourbe, cette boue qui prend feu, tels sont les éléments de l'émeute.

Ce qu'il y a de plus grand et ce qu'il y a de plus infime;

les êtres qui rôdent en dehors de tout, attendant une occasion, bohèmes, gens sans aveu, vagabonds de carrefours, ceux qui dorment la nuit dans un désert de maisons sans autre toit que les froides nuées du ciel, ceux qui demandent chaque jour leur pain au hasard et non au travail, les inconnus de la misère et du néant, les bras nus, les pieds nus, appartiennent à l'émeute.

Quiconque a dans l'âme une révolte secrète contre un fait quelconque de l'état, de la vie ou du sort, confine à l'émeute, et, dès qu'elle paraît, commence à frissonner et à se sentir soulevé par le tourbillon.

L'émeute est une sorte de trombe de l'atmosphère sociale qui se forme brusquement dans de certaines conditions de température, et qui, dans son tournoiement, monte, court tonne, arrache, rase, écrase, démolit, déracine, entraînant avec elle les grandes natures et les chétives, l'homme fort et l'esprit faible, le tronc d'arbre et le brin de paille.

Malheur à celui qu'elle emporte comme à celui qu'elle vient heurter ! Elle les brise l'un contre l'autre.

Elle communique à ceux qu'elle saisit on ne sait quelle puissance extraordinaire. Elle emplit le premier venu de la force des événements ; elle fait de tout des projectiles. Elle fait d'un moellon un boulet et d'un portefaix un général.

Si l'on en croit de certains oracles de la politique sournoise, au point de vue du pouvoir, un peu d'émeute est souhaitable. Système : l'émeute raffermit les gouvernements qu'elle ne renverse pas. Elle éprouve l'armée ; elle concentre la bourgeoisie ; elle étire les muscles de la police ; elle constate la force de l'ossature sociale. C'est une gymnastique ; c'est presque de l'hygiène. Le pouvoir se porte mieux après une émeute comme l'homme après une friction.

L'émeute, il y a trente ans, était envisagée à un autre point de vue encore.

Il y a pour toute chose une théorie qui se proclame elle-même « le bon sens » ; Philinte contre Alceste ; médiation offerte entre le vrai et le faux ; explication, admonition, atténuation un peu hautaine qui, parce qu'elle est mélangée de blâme et d'excuse, se croit la sagesse et n'est souvent que la pédanterie. Toute une école politique, appelée juste milieu, est sortie de là. Entre l'eau froide et l'eau chaude, c'est le parti de l'eau tiède. Cette école, avec sa fausse profondeur, toute de surface, qui dissèque les effets sans remonter aux causes, gourmande, du haut d'une demi-science, les agitations de la place publique.

À entendre cette école : « Les émeutes qui compliquèrent le fait de 1830 ôtèrent à ce grand événement une partie de sa pureté. La révolution de Juillet avait été un beau coup de vent populaire, brusquement suivi du ciel bleu. Elles firent reparaître le ciel nébuleux. Elles firent dégénérer en querelle cette révolution d'abord si remarquable par l'unanimité. Dans la révolution de Juillet, comme dans tout progrès par saccades, il y avait eu des fractures secrètes ; l'émeute les rendit sensibles. On peut dire : Ah ! ceci est cassé. Après la révolution de Juillet, on ne sentait que la délivrance ; après les émeutes, on sentit la catastrophe.

« Toute émeute ferme les boutiques, déprime les fonds, consterne la bourse, suspend le commerce, entrave les affaires, précipite les faillites ; plus d'argent ; les fortunes privées inquiètes, le crédit public ébranlé, l'industrie déconcertée, les capitaux reculant, le travail au rabais, partout la peur ; des contre-coups dans toutes les villes. De là des gouffres. On a calculé que le premier jour d'émeute coûte à la France vingt millions, le deuxième quarante, le troisième soixante. Une émeute de trois jours coûte cent vingt millions, c'est-à-dire, à ne voir que le résultat financier, équivaut à un désastre, naufrage ou bataille perdue, qui anéantirait une flotte de soixante vaisseaux de ligne.

« Sans doute, historiquement, les émeutes eurent leur beauté ; la guerre des pavés n'est pas moins grandiose et pas moins pathétique que la guerre des buissons ; dans l'une il y a l'âme des forêts, dans l'autre le cœur des villes ; l'une a Jean Chouan, l'autre a Jeanne. Les émeutes éclairèrent en rouge, mais splendidement, toutes les saillies les plus originales du caractère parisien, la générosité, le dévouement, la gaîté orageuse, les étudiants prouvant que la bravoure fait partie de l'intelligence, la garde nationale inébranlable, des bivouacs de boutiquiers, des forteresses de gamins, le mépris de la mort chez des passants. École et légions se heurtaient. Après tout, entre les combattants, il n'y avait qu'une différence d'âge ; c'est la même race ; ce sont les mêmes hommes stoïques qui meurent à vingt ans pour leurs idées, à quarante ans pour leurs familles. L'armée, toujours triste dans les guerres civiles, opposait la prudence à l'audace. Les émeutes, en même temps qu'elles manifestèrent l'intrépidité populaire, firent l'éducation du courage bourgeois.

« C'est bien. Mais tout cela vaut-il le sang versé ? Et au sang versé ajoutez l'avenir assombri, le progrès compromis, l'inquiétude parmi les meilleurs, les libéraux honnêtes désespérant, l'absolutisme étranger heureux de ces blessures faites à la révolution par elle-même, les vaincus de 1830 triomphant, et disant : Nous l'avions bien dit ! Ajoutez Paris grandi peut-être, mais à coup sûr la France diminuée. Ajoutez, car il faut tout dire, les massacres qui déshonoraient trop souvent la victoire de l'ordre devenu féroce sur la liberté devenue folle. Somme toute, les émeutes ont été funestes. »

Ainsi parle cet à peu près de sagesse dont la bourgeoisie, cet à peu près de peuple, se contente si volontiers.

Quant à nous, nous rejetons ce mot trop large et par conséquent trop commode : les émeutes. Entre un mouvement populaire et un mouvement populaire, nous distinguons. Nous ne nous demandons pas si une émeute coûte autant qu'une bataille. D'abord pourquoi une bataille ? Ici la question de la guerre surgit. La guerre est-elle moins fléau que l'émeute n'est calamité ? Et puis, toutes les émeutes sont-elles calamités ? Et quand le 14 juillet coûterait cent vingt millions ? L'établissement de Philippe V en Espagne a coûté à la France deux milliards. Même à prix égal, nous préférerions le 14 juillet. D'ailleurs nous repoussons ces chiffres, qui semblent des raisons et qui ne sont que des mots. Une émeute étant donnée, nous l'examinons en elle-même. Dans tout ce que dit l'objection doctrinaire exposée plus haut, il n'est question que de l'effet, nous cherchons la cause.

Nous précisons.

II

LE FOND DE LA QUESTION

Il y a l'émeute, et il y a l'insurrection ; ce sont deux colères ; l'une a tort, l'autre a droit. Dans les états démocratiques, les seuls fondés en justice, il arrive quelquefois que la fraction usurpe ; alors le tout se lève, et la nécessaire revendication de son droit peut aller jusqu'à la prise d'armes. Dans toutes les questions qui ressortissent à la souveraineté collective, la guerre du tout contre la fraction est insurrection, l'attaque de la fraction contre le tout est émeute ; selon que les Tuileries contiennent le roi ou contiennent la Convention, elles sont justement ou injustement attaquées. Le même canon braqué contre la foule a tort le 10 août et raison le 14 vendémiaire. Apparence semblable, fond différent ; les suisses défendent le faux, Bonaparte défend le vrai. Ce que le suffrage universel a fait dans sa liberté et dans sa souveraineté, ne peut être défait par la rue. De même dans les choses de pure civilisation ; l'instinct des masses, hier clairvoyant, peut demain être trouble. La même furie est légitime contre Terray et absurde contre Turgot. Les bris de machines, les pillages d'entrepôts, les ruptures de rails, les démolitions de docks, les fausses routes des multitudes, les dénis de justice du peuple au progrès, Ramus assassiné par les écoliers, Rousseau chassé de Suisse à coups de pierres, c'est l'émeute. Israël contre Moïse, Athènes contre Phocion, Rome contre Scipion, c'est l'émeute ; Paris contre la Bastille, c'est l'insurrection. Les soldats contre Alexandre, les matelots contre Christophe Colomb, c'est la même révolte ; révolte impie ; pourquoi ? C'est qu'Alexandre fait pour l'Asie avec l'épée ce que Christophe Colomb fait pour l'Amérique avec la boussole ; Alexandre, comme Colomb, trouve un monde. Ces dons d'un monde à la civilisation sont de tels accroissements de lumière que toute résistance, là, est coupable. Quelquefois le peuple se fausse fidélité à lui-même. La foule est traître au peuple. Est-il, par exemple, rien de plus étrange que cette longue et sanglante protestation des faux sauniers, légitime révolte chronique, qui, au moment décisif, au jour du salut, à l'heure de la victoire populaire, épouse le trône, tourne chouannerie, et d'insurrection contre se fait émeute pour ! Sombres chefs-d'œuvre de l'ignorance ! Le faux saulnier échappe aux potences royales, et, un reste de corde au cou, arbore la cocarde blanche. Mort aux gabelles accouche de Vive le roi. Tueurs de la Saint-Barthélemy, égorgeurs de Septembre, massacreurs d'Avignon, assassins de Coligny, assassins de madame de Lamballe, assassins de Brune, miquelets, verdets, cadenettes, compagnons de Jéhu, chevaliers du brassard, voilà l'émeute. La Vendée est une grande émeute catholique.

Le bruit du droit en mouvement se reconnaît, et il ne sort pas toujours du tremblement des masses bouleversées ; il y a des rages folles, il y a des cloches fêlées ; tous les tocsins ne sonnent pas le son du bronze. Le branle des passions et des ignorances est autre que la secousse du progrès. Levez-vous, soit, mais pour grandir. Montrez-moi de quel côté vous allez. Il n'y a d'insurrection qu'en avant. Toute autre levée est mauvaise. Tout pas violent en arrière est émeute ; reculer est une voie de fait contre le genre humain. L'insurrection est l'accès de fureur de la vérité ; les pavés que l'insurrection remue jettent l'étincelle du droit. Ces pavés ne laissent à l'émeute que leur boue. Danton contre Louis XVI, c'est l'insurrection ; Hébert contre Danton, c'est l'émeute.

De là vient que, si l'insurrection, dans des cas donnés, peut être, comme a dit Lafayette, le plus saint des devoirs, l'émeute peut être le plus fatal des attentats.

Il y a aussi quelque différence dans l'intensité de calorique ; l'insurrection est souvent volcan, l'émeute est souvent feu de paille.

La révolte, nous l'avons dit, est quelquefois dans le pouvoir. Polignac est un émeutier ; Camille Desmoulins est un gouvernant.

Parfois, insurrection, c'est résurrection.

La solution de tout par le suffrage universel étant un fait absolument moderne, et toute l'histoire antérieure à ce fait étant, depuis quatre mille ans, remplie du droit violé et de la souffrance des peuples, chaque époque de l'histoire apporte avec elle la protestation qui lui est possible. Sous les Césars, il n'y avait pas d'insurrection, mais il y avait Juvénal.

Le *facit indignatio* remplace les Gracques.

Sous les Césars il y a l'exilé de Syène ; il y a aussi l'homme des *Annales*.

Nous ne parlons pas de l'immense exilé de Pathmos qui, lui aussi, accable le monde réel d'une protestation au nom du monde idéal, fait de la vision une satire énorme, et jette sur Rome-Ninive, sur Rome-Babylone, sur Rome-Sodome, la flamboyante réverbération de l'Apocalypse.

Jean sur son rocher, c'est le sphinx sur son piédestal ; on peut ne pas le comprendre ; c'est un juif, et c'est de l'hébreu ; mais l'homme qui écrit les *Annales* est un latin ; disons mieux, c'est un romain.

Comme les Nérons règnent à la manière noire, ils doivent être peints de même. Le travail au burin tout seul serait pâle ; il faut verser dans l'entaille une prose concentrée qui morde.

Les despotes sont pour quelque chose dans les penseurs. Parole enchaînée, c'est parole terrible. L'écrivain double et triple son style quand le silence est imposé par un maître au peuple. Il sort de ce silence une certaine plénitude mystérieuse qui filtre et se fige en airain dans la pensée. La compression dans l'histoire produit la concision dans l'historien. La solidité granitique de telle prose célèbre n'est autre chose qu'un tassement fait par le tyran.

La tyrannie contraint l'écrivain à des rétrécissements de diamètre qui sont des accroissements de force. La période cicéronienne, à peine suffisante sur Verrès, s'émousserait sur Caligula. Moins d'envergure dans la phrase, plus d'intensité dans le coup. Tacite pense à bras raccourci.

L'honnêteté d'un grand cœur, condensée en justice et en vérité, foudroie.

Soit dit en passant, il est à remarquer que Tacite n'est pas historiquement superposé à César. Les Tibères lui sont réservés. César et Tacite sont deux phénomènes successifs dont la rencontre semble mystérieusement évitée par celui qui, dans la mise en scène des siècles, règle les entrées et les sorties. César est grand, Tacite est grand ; Dieu épargne ces deux grandeurs en ne les heurtant pas l'une contre l'autre. Le justicier, frappant César, pourrait frapper trop, et être injuste. Dieu ne veut pas. Les grandes guerres d'Afrique et d'Espagne, les pirates de Cilicie détruits, la civilisation introduite en Gaule, en Bretagne, en Germanie, toute cette gloire couvre le Rubicon. Il y a là une sorte de délicatesse de la justice divine, hésitant à lâcher sur l'usurpateur illustre l'historien formidable, faisant à César grâce de Tacite, et accordant les circonstances atténuantes au génie.

Certes, le despotisme reste le despotisme, même sous le despote de génie. Il y a corruption sous les tyrans illustres, mais la peste morale est plus hideuse encore sous les tyrans infâmes. Dans ces règnes-là rien ne voile la honte ; et les faiseurs d'exemples, Tacite comme Juvénal, soufflettent plus utilement, en présence du genre humain, cette ignominie sans réplique.

Rome sent plus mauvais sous Vitellius que sous Sylla. Sous Claude et sous Domitien, il y a une difformité de bassesse correspondante à la laideur du tyran. La vilenie des esclaves est un produit direct du despote ; un miasme s'exhale de ces consciences croupies où se reflète le maître ; les pouvoirs publics sont immondes ; les cœurs sont petits, les consciences sont plates, les âmes sont punaises ; cela est ainsi sous Caracalla, cela est ainsi sous Commode, cela est ainsi sous Héliogabale, tandis qu'il ne sort du sénat romain sous César que l'odeur de fiente propre aux aires d'aigle.

De là la venue, en apparence tardive, des Tacite et des Juvénal ; c'est à l'heure de l'évidence que le démonstrateur paraît.

Mais Juvénal et Tacite, de même qu'Isaïe aux temps bibliques, de même que Dante au moyen-âge c'est l'homme ; l'émeute et l'insurrection, c'est la multitude, qui tantôt a tort, tantôt a raison.

Dans les cas les plus généraux, l'émeute sort d'un fait matériel ; l'insurrection est toujours un phénomène moral. L'émeute, c'est Masaniello ; l'insurrection, c'est Spartacus. L'insurrection confine à l'esprit, l'émeute à l'estomac. Gaster s'irrite ; mais Gaster, certes, n'a pas toujours tort. Dans les questions de famine, l'émeute, Buzançais, par exemple, a un point de départ vrai, pathétique et juste. Pourtant elle reste émeute. Pourquoi ? c'est qu'ayant raison au fond, elle a eu tort dans la forme. Farouche, quoique ayant droit, violente, quoique forte, elle a frappé au hasard; elle a marché comme l'éléphant aveugle, en écrasant; elle a laissé derrière elle des cadavres de vieillards, de femmes et d'enfants; elle a versé, sans savoir pourquoi, le sang des inoffensifs et des innocents. Nourrir le peuple est un bon but, le massacre est un mauvais moyen.

Toutes les protestations armées, même les plus légitimes, même le 10 août, même le 14 juillet, débutent par le même trouble. Avant que le droit se dégage, il y a tumulte et écume. Au commencement l'insurrection est émeute, de même que le fleuve est torrent. Ordinairement elle aboutit à cet océan : révolution. Quelquefois pourtant, venue de ces hautes montagnes qui dominent l'horizon moral, la justice, la sagesse, la raison, le droit, faite de la plus pure neige de l'idéal, après une longue chute de roche en roche, après avoir reflété le ciel dans sa transparence et s'être grossie de cent affluents dans la majestueuse allure du triomphe, l'insurrection se perd tout à coup dans quelque fondrière bourgeoise, comme le Rhin dans un marais.

Tout ceci est du passé, l'avenir est autre. Le suffrage universel a cela d'admirable qu'il dissout l'émeute dans son principe, et qu'en donnant le vote à l'insurrection, il lui ôte l'arme. L'évanouissement des guerres, de la guerre des rues comme de la guerre des frontières, tel est l'inévitable progrès. Quel que soit aujourd'hui, la paix, c'est Demain.

Du reste, insurrection, émeute, en quoi la première diffère de la seconde, le bourgeois, proprement dit, connaît peu ces nuances. Pour lui tout est sédition, rébellion pure et simple, révolte du dogue contre le maître, essai de morsure qu'il faut punir de la chaîne et de la niche, aboiement, jappement; jusqu'au jour où la tête du chien, grossie tout à coup, s'ébauche vaguement dans l'ombre en face de lion.

Alors le bourgeois crie : Vive le peuple!

Cette explication donnée, qu'est-ce pour l'histoire que le mouvement de juin 1832? est-ce une émeute? est-ce une insurrection?

C'est une insurrection.

Il pourra nous arriver, dans cette mise en scène d'un événement redoutable, de dire parfois l'émeute, mais seulement pour qualifier les faits de surface, et en maintenant toujours la distinction entre la forme émeute et le fond insurrection.

Ce mouvement de 1832 a eu, dans son explosion rapide et dans son extinction lugubre, tant de grandeur que ceux-là mêmes qui n'y voient qu'une émeute n'en parlent pas sans respect. Pour eux, c'est comme un reste de 1830. Les imaginations émues, disent-ils, ne se calment pas en un jour. Une révolution ne se coupe pas à pic. Elle a toujours nécessairement quelques ondulations avant de revenir à l'état de paix comme une montagne en redescendant vers la plaine. Il n'y a point d'Alpes sans Jura, ni de Pyrénées sans Asturies.

Cette crise pathétique de l'histoire contemporaine que la mémoire des parisiens appelle *l'époque des émeutes*, est à coup sûr une heure caractéristique parmi les heures orageuses de ce siècle.

Un dernier mot avant d'entrer dans le récit.

Les faits qui vont être racontés appartiennent à cette réalité dramatique et vivante que l'historien néglige quelquefois, faute de temps et d'espace. Là pourtant, nous y insistons, là est la vie, la palpitation, le frémissement humain. Les petits détails, nous croyons l'avoir dit, sont, pour ainsi parler, le feuillage des grands événements et se perdent dans les lointains de l'histoire. L'époque dite *des émeutes* abonde en détails de ce genre. Les instructions judiciaires, par d'autres raisons que l'histoire, n'ont pas tout révélé, ni peut-être tout approfondi. Nous allons donc mettre en lumière, parmi les particularités connues et publiées, des choses qu'on n'a point sues, des faits sur lesquels a passé l'oubli des uns, la mort des autres. La plupart des acteurs de ces scènes gigantesques ont disparu ; dès le lendemain ils se taisaient ; mais ce que nous raconterons, nous pourrons dire : nous l'avons vu. Nous changerons quelques noms, car l'histoire raconte et ne dénonce pas, mais nous peindrons des choses vraies. Dans les conditions du livre que nous écrivons, nous ne montrerons qu'un côté et qu'un épisode, et à coup sûr le moins connu, des journées des 5 et 6 juin 1832 ; mais nous ferons en sorte que le lecteur entrevoie, sous le sombre voile que nous allons soulever, la figure réelle de cette effrayante aventure publique.

III

UN ENTERREMENT : OCCASION DE RENAÎTRE

Au printemps de 1832, quoique depuis trois mois le choléra eût glacé les esprits et jeté sur leur agitation je ne sais quel morne apaisement, Paris était dès longtemps prêt pour une commotion. Ainsi que nous l'avons dit, la grande ville ressemble à une pièce de canon; quand elle est chargée, il suffit d'une étincelle qui tombe, le coup part. En juin 1832, l'étincelle fut la mort du général Lamarque.

Lamarque était un homme de renommée et d'action. Il avait eu successivement, sous l'empire et sous la restauration, les deux bravoures nécessaires aux deux époques, la bravoure des champs de bataille et la bravoure de la tribune. Il était éloquent comme il avait été vaillant; on sentait une épée dans sa parole. Comme Foy, son devancier, après avoir tenu haut le commandement, il tenait haut la liberté. Il siégeait entre la gauche et l'extrême gauche, aimé du peuple parce qu'il acceptait les chances de l'avenir, aimé de la foule parce qu'il avait bien servi l'empereur. Il était, avec les comtes Gérard et Drouet, un des maréchaux *in petto* de Napoléon. Les traités de 1815 le soulevaient comme une offense personnelle. Il haïssait Wellington d'une haine directe qui plaisait à la multitude; et depuis dix-sept ans, à peine attentif aux événements intermédiaires, il avait majestueusement gardé la tristesse de Waterloo. Dans son agonie, à sa dernière heure, il avait serré contre sa poitrine une épée que lui avaient décernée les officiers des Cent-Jours. Napoléon était mort en prononçant le mot *armée*, Lamarque en prononçant le mot *patrie*.

Sa mort, prévue, était redoutée du peuple comme une

perte et du gouvernement comme une occasion. Cette mort fut un deuil. Comme tout ce qui est amer, le deuil peut se tourner en révolte. C'est ce qui arriva.

La veille et le matin du 5 juin, jour fixé pour l'enterrement de Lamarque, le faubourg Saint-Antoine, que le convoi devait venir toucher, prit un aspect redoutable. Ce tumultueux réseau de rues s'emplit de rumeurs. On s'y armait comme on pouvait. Des menuisiers emportaient le valet de leur établi « pour enfoncer les portes ». Un d'eux s'était fait un poignard d'un crochet de chaussonnier en cassant le crochet et en aiguisant le tronçon. Un autre, dans la fièvre « d'attaquer », couchait depuis trois jours tout habillé. Un charpentier nommé Lombier rencontrait un camarade qui lui demandait : Où vas-tu ? — Eh bien ! je n'ai pas d'armes. — Et puis ? — Je vais à mon chantier chercher mon compas. — Pourquoi faire ? — Je ne sais pas, disait Lombier. Un nommé Jacqueline, homme d'expédition, abordait les ouvriers quelconques qui passaient : — Viens, toi ! — Il payait dix sous de vin, et disait : — As-tu de l'ouvrage ? — Non. — Va chez Filspierre, entre la barrière Montreuil et la barrière Charonne, tu trouveras de l'ouvrage. — On trouvait chez Filspierre des cartouches et des armes. Certains chefs connus *faisaient la poste*, c'est-à-dire couraient chez l'un et chez l'autre pour rassembler leur monde. Chez Barthélemy, près la barrière du Trône, chez Capel, au Petit-Chapeau, les buveurs s'accostaient d'un air grave. On les entendait se dire : — *Où as-tu ton pistolet ? — Sous ma blouse. Et toi ? — Sous ma chemise.* Rue Traversière, devant l'atelier Roland, et cour de la Maison-Brûlée, devant l'atelier de l'outilleur Bernier, des groupes chuchotaient. On y remarquait, comme le plus ardent, un certain Mavot, qui ne faisait jamais plus d'une semaine dans un atelier, les maîtres le renvoyant « parce qu'il fallait tous les jours se disputer avec lui ». Mavot fut tué le lendemain dans la barricade de la rue Ménilmontant. Pretot, qui devait mourir aussi dans la lutte, secondait Mavot, et à cette question : Quel est ton but ? répondait : — *L'insurrection.* Des ouvriers rassemblés au coin de la rue de Bercy attendaient un nommé Lemarin, agent révolutionnaire pour le faubourg Saint-Marceau. Des mots d'ordre s'échangeaient presque publiquement.

L'idylle rue Plumet et l'épopée rue Saint-Denis 99

Le 5 juin donc, par une journée mêlée de pluie et de soleil, le convoi du général Lamarque traversa Paris avec la pompe militaire officielle, un peu accrue par les précautions. Deux bataillons, tambours drapés, fusils renversés, dix mille gardes nationaux, le sabre au côté, les batteries de l'artillerie de la garde nationale, escortaient le cercueil. Le corbillard était traîné par des jeunes gens. Les officiers des invalides le suivaient immédiatement, portant des branches de laurier. Puis venait une multitude innombrable, agitée, étrange, les sectionnaires des Amis du Peuple, l'école de droit, l'école de médecine, les réfugiés de toutes les nations, drapeaux espagnols, italiens, allemands, polonais, drapeaux tricolores horizontaux, toutes les bannières possibles, des enfants agitant des branches vertes, des tailleurs de pierre et des charpentiers qui faisaient grève en ce moment-là même, des imprimeurs reconnaissables à leurs bonnets de papier, marchant deux par deux, trois par trois, poussant des cris, agitant presque tous des bâtons, quelques-uns des sabres, sans ordre et pourtant avec une seule âme, tantôt une cohue, tantôt une colonne. Des pelotons se choisissaient des chefs ; un homme, armé d'une paire de pistolets parfaitement visible, semblait en passer d'autres en revue dont les files s'écartaient devant lui. Sur les contre-allées des boulevards, dans les branches des arbres, aux balcons, aux fenêtres, sur les toits, les têtes fourmillaient, hommes, femmes, enfants ; les yeux étaient plein d'anxiété. Une foule armée passait, une foule effarée regardait.

De son côté le gouvernement observait. Il observait, la main sur la poignée de l'épée. On pouvait voir, tout prêts à marcher, gibernes pleines, fusils et mousquetons chargés, place Louis XV, quatre escadrons de carabiniers, en selle et clairons en tête ; dans le pays latin et au Jardin des plantes, la garde municipale, échelonnée de rue en rue ; à la Halle-aux-Vins un escadron de dragons, à la Grève une moitié du 12e léger, l'autre moitié à la Bastille, le 6e dragon aux Célestins, de l'artillerie plein la cour du Louvre. Le reste des troupes était consigné dans les casernes, sans compter les régiments des environs de Paris. Le pouvoir inquiet tenait suspendus sur la multitude menaçante vingt-quatre mille soldats dans la ville et trente mille dans la banlieue.

Divers bruits circulaient dans le cortège. On parlait de menées légitimistes; on parlait du duc de Reichstadt, que Dieu marquait pour la mort à cette minute même où la foule le désignait pour l'empire. Un personnage resté inconnu annonçait qu'à l'heure dite deux contre-maîtres gagnés ouvriraient au peuple les portes d'une fabrique d'armes. Ce qui dominait sur les fronts découverts de la plupart des assistants, c'était un enthousiasme mêlé d'accablement. On voyait aussi çà et là dans cette multitude en proie à tant d'émotions violentes, mais nobles, de vrais visages de malfaiteurs et des bouches ignobles qui disaient : pillons! Il y a de certaines agitations qui remuent le fond des marais et qui font monter dans l'eau des nuages de boue. Phénomène auquel ne sont point étrangères les polices « bien faites ».

Le cortège chemina, avec une lenteur fébrile, de la maison mortuaire par les boulevards jusqu'à la Bastille. Il pleuvait de temps en temps; la pluie ne faisait rien à cette foule. Plusieurs incidents, le cercueil promené autour de la colonne Vendôme, des pierres jetées au duc de Fitz-James aperçu à un balcon le chapeau sur la tête, le coq gaulois arraché d'un drapeau populaire et traîné dans la boue, un sergent de ville blessé d'un coup d'épée à la Porte Saint-Martin, un officier du 12ᵉ léger disant tout haut : Je suis républicain, l'école polytechnique survenant après sa consigne forcée, les cris : vive l'école polytechnique! vive la république! marquèrent le trajet du convoi. À la Bastille, les longues files de curieux redoutables qui descendaient du faubourg Saint-Antoine firent leur jonction avec le cortège et un certain bouillonnement terrible commença à soulever la foule.

On entendit un homme qui disait à un autre : — Tu vois bien celui-là avec sa barbiche rouge, c'est lui qui dira quand il faudra tirer. Il paraît que cette même barbiche rouge s'est retrouvée plus tard avec la même fonction dans une autre émeute, l'affaire Quénisset.

Le corbillard dépassa la Bastille, suivit le canal, traversa le petit pont et atteignit l'esplanade du pont d'Austerlitz. Là il s'arrêta. En ce moment cette foule vue à vol d'oiseau eût offert l'aspect d'une comète dont la tête était à l'esplanade et dont la queue développée sur le quai Bourdon couvrait la Bastille et se prolongeait sur le boulevard jusqu'à la Porte Saint-Martin. Un cercle se traça autour du corbillard. La vaste cohue fit silence. Lafayette parla et dit adieu à Lamarque. Ce fut un instant touchant et auguste, toutes les têtes se découvrirent, tous les cœurs battaient. Tout à coup un homme à cheval, vêtu de noir, parut au milieu du groupe avec un drapeau rouge, d'autres disent avec une pique surmontée d'un bonnet rouge. Lafayette détourna la tête. Exelmans quitta le cortège.

Ce drapeau rouge souleva un orage et y disparut. Du boulevard Bourdon au pont d'Austerlitz une de ces clameurs qui ressemblent à des houles remua la multitude. Deux cris prodigieux s'élevèrent : — *Lamarque au Panthéon !* — *Lafayette à l'hôtel de ville !* — Des jeunes gens, aux acclamations de la foule, s'attelèrent et se mirent à traîner Lamarque dans le corbillard par le pont d'Austerlitz et Lafayette dans un fiacre par le quai Morland.

Dans la foule qui entourait et acclamait Lafayette, on remarquait et l'on se montrait un allemand nommé Ludwig Snyder, mort centenaire depuis, qui avait fait lui aussi la guerre de 1776, et qui avait combattu à Trenton sous Washington, et sous Lafayette à Brandywine.

Cependant sur la rive gauche la cavalerie municipale s'ébranlait et venait barrer le pont, sur la rive droite les dragons sortaient des Célestins et se déployaient le long du quai Morland. Le peuple qui traînait Lafayette les aperçut brusquement au coude du quai et cria : les dragons ! les dragons ! Les dragons s'avançaient au pas, en silence, pistolets dans les fontes, sabres aux fourreaux, mousquetons aux porte-crosse, avec un air d'attente sombre.

À deux cents pas du petit pont, ils firent halte. Le fiacre où était Lafayette chemina jusqu'à eux, ils ouvrirent les rangs, le laissèrent passer, et se refermèrent sur lui. En ce moment les dragons et la foule se touchaient. Les femmes s'enfuyaient avec terreur.

Que se passa-t-il dans cette minute fatale ? personne ne saurait le dire. C'est le moment ténébreux où deux nuées se mêlent. Les uns racontent qu'une fanfare sonnant la charge fut entendue du côté de l'Arsenal, les autres qu'un coup de poignard fut donné par un enfant à un dragon. Le fait est que trois coups de feu partirent subitement, le premier tua le chef d'escadron Cholet, le second tua une vieille sourde qui fermait sa fenêtre rue Contrescarpe, le troisième brûla l'épaulette d'un officier; une femme cria : *On commence trop tôt!* et tout à coup on vit du côté opposé au quai Morland un escadron de dragons qui était resté dans la caserne déboucher au galop, le sabre nu, par la rue Bassompierre et le boulevard Bourdon, et balayer tout devant lui.

Alors tout est dit, la tempête se déchaîne, les pierres pleuvent, la fusillade éclate, beaucoup se précipitent au bas de la berge et passent le petit bras de la Seine aujourd'hui comblé; les chantiers de l'île Louviers, cette vaste citadelle toute faite, se hérissent de combattants; on arrache des pieux, on tire des coups de pistolet, une barricade s'ébauche, les jeunes gens refoulés passent le pont d'Austerlitz avec le corbillard au pas de course et chargent la garde municipale, les carabiniers accourent, les dragons sabrent, la foule se disperse dans tous les sens, une rumeur de guerre vole aux quatre coins de Paris, on crie : aux armes! on court, on culbute, on fuit, on résiste. La colère emporte l'émeute comme le vent emporte le feu.

IV

LES BOUILLONNEMENTS D'AUTREFOIS

Rien n'est plus extraordinaire que le premier fourmillement d'une émeute. Tout éclate partout à la fois. Était-ce prévu? oui. Était-ce préparé? non. D'où cela sort-il? des pavés. D'où cela tombe-t-il? des nues. Ici l'insurrection a le caractère d'un complot; là d'une improvisation. Le premier venu s'empare d'un courant de la foule et le mène où il veut. Début plein d'épouvante où se mêle une sorte de gaîté formidable. Ce sont d'abord des clameurs, les magasins se ferment, les étalages des marchands disparaissent; puis des coups de feu isolés; des gens s'enfuient; des coups de crosse heurtent les portes cochères; on entend les servantes rire dans les cours des maisons et dire : *Il va y avoir du train!*

Un quart d'heure n'était pas écoulé, voici ce qui se passait presque en même temps sur vingt points de Paris différents.

Rue Sainte-Croix-de-la-Bretonnerie, une vingtaine de jeunes gens, à barbes et à cheveux longs, entraient dans un estaminet et en ressortaient un moment après, portant un drapeau tricolore horizontal couvert d'un crêpe et avant à leur tête trois hommes armés, l'un d'un sabre, l'autre d'un fusil, le troisième d'une pique.

Rue des Nonnains-d'Hyères, un bourgeois bien vêtu, qui avait du ventre, la voix sonore, le crâne chauve, le front élevé, la barbe noire et une de ces moustaches rudes qui ne peuvent se rabattre, offrait publiquement des cartouches aux passants.

Rue Saint-Pierre-Montmartre, des hommes aux bras nus promenaient un drapeau noir où on lisait ces mots en lettres blanches : *République ou la mort*. Rue des Jeûneurs, rue du Cadran, rue Montorgueil, rue Mandar, apparaissaient des groupes agitant des drapeaux sur lesquels on distinguait des lettres d'or, le mot *section* avec un numéro. Un de ces drapeaux était rouge et bleu avec un imperceptible entre-deux blanc.

On pillait une fabrique d'armes, boulevard Saint-Martin, et trois boutiques d'armuriers, la première rue Beaubourg, la deuxième rue Michel-le-Comte, l'autre, rue du Temple. En quelques minutes les mille mains de la foule saisissaient et emportaient deux cent trente fusils, presque tous à deux coups, soixante-quatre sabres, quatrevingt-trois pistolets. Afin d'armer plus de monde, l'un prenait le fusil, l'autre la bayonnette.

Vis-à-vis le quai de la Grève, des jeunes gens armés de mousquets s'installaient chez des femmes pour tirer. L'un d'eux avait un mousquet à rouet. Ils sonnaient, entraient, et se mettaient à faire des cartouches. Une de ces femmes a raconté : *Je ne savais pas ce que c'était que des cartouches, c'est mon mari qui me l'a dit.*

Un rassemblement enfonçait une boutique de curiosités rue des Vieilles-Haudriettes et y prenait des yatagans et des armes turques.

Le cadavre d'un maçon tué d'un coup de fusil gisait rue de la Perle.

Et puis, rive droite, rive gauche, sur les quais, sur les boulevards, dans le pays latin, dans le quartier des halles, des hommes haletants, ouvriers, étudiants, sectionnaires, lisaient des proclamations, criaient : aux armes! brisaient les réverbères, dételaient les voitures, dépavaient les rues, enfonçaient les portes des maisons, déracinaient les arbres, fouillaient les caves, roulaient des tonneaux, entassaient pavés, moellons, meubles, planches, faisaient des barricades.

On forçait les bourgeois d'y aider. On entrait chez les femmes, on leur faisait donner le sabre et le fusil des maris absents, et l'on écrivait avec du blanc d'Espagne sur la porte : *les armes sont livrées*. Quelques-uns signaient « de leurs noms » des reçus du fusil et du sabre, et disaient : *envoyez-les chercher demain à la mairie*. On désarmait dans les rues les sentinelles isolées et les gardes nationaux allant à leur municipalité. On arrachait les épaulettes aux officiers. Rue du Cimetière-Saint-Nicolas, un officier de la garde nationale, poursuivi par une troupe armée de bâtons et de fleurets, se réfugia à grand peine dans une maison d'où il ne put sortir qu'à la nuit, et déguisé.

Dans le quartier Saint-Jacques, les étudiants sortaient par essaims de leurs hôtels, et montaient rue Saint-Hyacinthe au café du Progrès ou descendaient au café des Sept-Billards, rue des Mathurins. Là, devant les portes, des jeunes gens debout sur des bornes distribuaient des armes. On pillait le chantier de la rue Transnonain pour faire des barricades. Sur un seul point, les habitants résistaient, à l'angle des rues Sainte-Avoye et Simon-le-Franc où ils détruisaient eux-mêmes la barricade. Sur un seul point, les insurgés pliaient; ils abandonnaient une barricade commencée rue du Temple après avoir fait feu sur un détachement de garde nationale, et s'enfuyaient par la rue de la Corderie. Le détachement ramassa dans la barricade un drapeau rouge, un paquet de cartouches et trois cents balles de pistolet. Les gardes nationaux déchirèrent le drapeau et en remportèrent les lambeaux à la pointe de leurs bayonnettes.

Tout ce que nous racontons ici lentement et successivement se faisait à la fois sur tous les points de la ville au milieu d'un vaste tumulte, comme une foule d'éclairs dans un seul roulement de tonnerre.

En moins d'une heure, vingt-sept barricades sortirent de terre dans le seul quartier des halles. Au centre était cette fameuse maison n° 50, qui fut la forteresse de Jeanne et de ses cent six compagnons, et qui, flanquée d'un côté par une barricade à Saint-Merry et de l'autre par une barricade à la rue Maubuée, commandait trois rues, la rue des Arcis, la rue Saint-Martin, et la rue Aubry-le-Boucher qu'elle prenait de front. Deux barricades en équerre se repliaient l'une de la rue Montorgueil sur la Grande-Truanderie, l'autre de la rue Geoffroy-Langevin sur la rue Sainte-Avoye. Sans compter d'innombrables barricades dans vingt autres quartiers de Paris, au Marais, à la montagne Sainte-Geneviève ; une, rue Ménilmontant, où l'on voyait une porte cochère arrachée de ses gonds ; une autre près du petit pont de l'Hôtel-Dieu faite avec une écossaise dételée et renversée, à trois cents pas de la préfecture de police.

À la barricade de la rue des Ménétriers, un homme bien mis distribuait de l'argent aux travailleurs. À la barricade de la rue Grenéta, un cavalier parut et remit à celui qui paraissait le chef de la barricade un rouleau qui avait l'air d'un rouleau d'argent. — *Voilà*, dit-il, *pour payer les dépenses, le vin, et cætera.* Un jeune homme blond, sans cravate, allait d'une barricade à l'autre portant des mots d'ordre. Un autre, le sabre nu, un bonnet de police bleu sur la tête, posait des sentinelles. Dans l'intérieur des barricades, les cabarets et les loges de portiers étaient convertis en corps de garde. Du reste l'émeute se comportait selon la plus savante tactique militaire. Les rues étroites, inégales, sinueuses, pleines d'angles et de tournants, étaient admirablement choisies ; les environs des halles en particulier, réseau de rues plus embrouillé qu'une forêt. La société des Amis du Peuple avait, disait-on, pris la direction de l'insurrection dans le quartier Sainte-Avoye. Un homme tué rue du Ponceau qu'on fouilla avait sur lui un plan de Paris.

Ce qui avait réellement pris la direction de l'émeute,

c'était une sorte d'impétuosité inconnue qui était dans l'air. L'insurrection, brusquement, avait bâti les barricades d'une main et de l'autre saisi presque tous les postes de la garnison. En moins de trois heures, comme une traînée de poudre qui s'allume, les insurgés avaient envahi et occupé, sur la rive droite, l'Arsenal, la mairie de la place Royale, tout le Marais, la fabrique d'armes Popincourt, la Galiote, le Château-d'Eau, toutes les rues près les halles ; sur la rive gauche, la caserne des Vétérans, Sainte-Pélagie, la place Maubert, la poudrière des Deux-Moulins, toutes les barrières. À cinq heures du soir ils étaient maîtres de la Bastille, de la Lingerie, des Blancs-Manteaux ; leurs éclaireurs touchaient la place des Victoires, et menaçaient la Banque, la caserne des Petits-Pères, l'hôtel des Postes. Le tiers de Paris était à l'émeute.

Sur tous les points la lutte était gigantesquement engagée ; et, des désarmements, des visites domiciliaires, des boutiques d'armuriers vivement envahies, il résultait ceci que le combat commencé à coups de pierres continuait à coups de fusil.

Vers six heures du soir, le passage du Saumon devenait champ de bataille. L'émeute était à un bout, la troupe au bout opposé. On se fusillait d'une grille à l'autre. Un observateur, un rêveur, l'auteur de ce livre, qui était allé voir le volcan de près, se trouva dans le passage pris entre les deux feux. Il n'avait pour se garantir des balles que le renflement des demi-colonnes qui séparent les boutiques ; il fut près d'une demi-heure dans cette situation délicate.

Cependant le rappel battait, les gardes nationaux s'habillaient et s'armaient en hâte, les légions sortaient des mairies, les régiments sortaient des casernes. Vis-à-vis le passage de l'Ancre un tambour recevait un coup de poignard. Un autre, rue du Cygne, était assailli par une trentaine de jeunes gens qui lui crevaient sa caisse et lui prenaient son sabre. Un autre était tué rue Grenier-Saint-Lazare. Rue Michel-le-Comte, trois officiers tombaient morts l'un après l'autre. Plusieurs gardes municipaux, blessés rue des Lombards, rétrogradaient.

Devant la Cour-Batave, un détachement de gardes nationaux trouvait un drapeau rouge portant cette inscription : *Révolution républicaine, n° 127.* Était-ce une révolution en effet ?

L'insurrection s'était fait du centre de Paris une sorte de citadelle inextricable, tortueuse, colossale.

Là était le foyer, là était évidemment la question. Tout le reste n'était qu'escarmouches. Ce qui prouvait que tout se déciderait là, c'est qu'on ne s'y battait pas encore.

Dans quelques régiments, les soldats étaient incertains, ce qui ajoutait à l'obscurité effrayante de la crise. Ils se rappelaient l'ovation populaire qui avait accueilli en juillet 1830 la neutralité du 53e de ligne. Deux hommes intrépides et éprouvés par les grandes guerres, le maréchal de Lobau et le général Bugeaud, commandaient, Bugeaud sous Lobau. D'énormes patrouilles, composées de bataillons de la ligne enfermés dans des compagnies entières de garde nationale, et précédées d'un commissaire de police en écharpe, allaient reconnaître les rues insurgées. De leur côté, les insurgés posaient des vedettes au coin des carrefours et envoyaient audacieusement des patrouilles hors des barricades. On s'observait des deux parts. Le gouvernement, avec une armée dans la main, hésitait; la nuit allait venir, et l'on commençait à entendre le tocsin de Saint-Merry. Le ministre de la guerre d'alors, le maréchal Soult, qui avait vu Austerlitz, regardait cela d'un air sombre.

Ces vieux matelots-là, habitués à la manœuvre correcte et n'ayant pour ressource et pour guide que la tactique, cette boussole des batailles, sont tout désorientés en présence de cette immense écume qu'on appelle la colère publique. Le vent des révolutions n'est pas maniable.

Les gardes nationales de la banlieue accouraient en hâte et en désordre. Un bataillon du 12e léger venait au pas de course de Saint-Denis; le 14e de ligne arrivait de Courbevoie; les batteries de l'école militaire avaient pris position au Carrousel; des canons descendaient de Vincennes.

La solitude se faisait aux Tuileries. Louis-Philippe était plein de sérénité.

V

ORIGINALITÉ DE PARIS

Depuis deux ans, nous l'avons dit. Paris avait vu plus d'une insurrection. Hors des quartiers insurgés, rien n'est d'ordinaire plus étrangement calme que la physionomie de Paris pendant une émeute. Paris s'accoutume très vite à tout, — ce n'est qu'une émeute, — et Paris a tant d'affaires qu'il ne se dérange pas pour si peu. Ces villes colossales peuvent seules donner de tels spectacles. Ces enceintes immenses peuvent seules contenir en même temps la guerre civile et on ne sait quelle bizarre tranquillité. D'habitude, quand l'insurrection commence, quand on entend le tambour, le rappel, la générale, le boutiquier se borne à dire :

— Il paraît qu'il y a du grabuge rue Saint-Martin.

Ou :

— Faubourg Saint-Antoine.

Souvent il ajoute avec insouciance :

— Quelque part par là.

Plus tard, quand on distingue le vacarme déchirant et lugubre de la mousqueterie et des feux de peloton, le boutiquier dit :

— Ça chauffe donc ? Tiens, ça chauffe !

Un moment après, si l'émeute approche et gagne, il ferme précipitamment sa boutique et endosse rapidement son uniforme, c'est-à-dire met ses marchandises en sûreté et risque sa personne.

On se fusille dans un carrefour, dans un passage, dans un cul-de-sac ; on prend, perd et reprend des barricades ; le sang coule, la mitraille crible les façades des maisons, les balles tuent les gens dans leur alcôve, les cadavres encombrent le pavé. À quelques rues de là, on entend le choc des billes de billard dans les cafés.

Les curieux causent et rient à deux pas de ces rues pleines de guerre ; les théâtres ouvrent leurs portes et jouent des vaudevilles. Les fiacres cheminent ; les passants vont dîner en ville. Quelquefois dans le quartier même où l'on se bat. En 1831, une fusillade s'interrompit pour laisser passer une noce.

Lors de l'insurrection du 12 mai 1839, rue Saint-Martin, un petit vieux homme infirme traînant une charrette à bras surmontée d'un chiffon tricolore dans laquelle il y avait des carafes emplies d'un liquide quelconque, allait et venait de la barricade à la troupe et de la troupe à la barricade, offrant impartialement des verres de coco tantôt au gouvernement, tantôt à l'anarchie.

Rien n'est plus étrange ; et c'est là le caractère propre des émeutes de Paris qui ne se retrouve dans aucune autre capitale. Il faut pour cela deux choses, la grandeur de Paris, et sa gaîté. Il faut la ville de Voltaire et de Napoléon.

Cette fois cependant, dans la prise d'armes du 5 juin 1832, la grande ville sentit quelque chose qui était peut-être plus fort qu'elle. Elle eut peur. On vit partout, dans les quartiers les plus lointains et les plus « désintéressés », les portes, les fenêtres et les volets fermés en plein jour. Les courageux s'armèrent, les poltrons se cachèrent. Le passant insouciant et affairé disparut. Beaucoup de rues étaient vides comme à quatre heures du matin. On colportait des détails alarmants, on répandait des nouvelles fatales. — Qu'*ils* étaient maîtres de la Banque ; — que, rien qu'au cloître de Saint-Merry, ils étaient six cents, retranchés et crénelés dans l'église ; — que la ligne n'était pas sûre ; — qu'Armand Carrel avait été voir le maréchal Clauzel et que le maréchal avait dit : *Ayez d'abord un régiment* ; — que Lafayette était malade, mais qu'il leur avait dit pourtant : *Je suis à vous. Je vous suivrai partout où il y aura place pour une chaise* ; — qu'il fallait se tenir sur ses gardes ; qu'à la nuit il y aurait des gens qui pilleraient les maisons isolées dans les coins déserts de Paris (ici on reconnaissait l'imagination de la police, cette Anne Radcliffe mêlée au gouvernement) ; — qu'une batterie avait été établie rue Aubry-le-Boucher ; — que Lobau et Bugeaud se concertaient, et qu'à minuit, ou au point du jour au plus tard, quatre colonnes marcheraient à la fois sur le centre de l'émeute, la première venant de la Bastille, la deuxième de la Porte Saint-Martin, la troisième de la Grève, la quatrième des halles ; — que peut-être aussi les troupes évacueraient Paris et se retireraient au Champ de Mars ; — qu'on ne savait ce qui arriverait, mais qu'à coup sûr, cette fois, c'était grave. — On se préoccupait des hésitations du maréchal Soult. — Pourquoi n'attaquait-il pas tout de suite ? — Il est certain qu'il était profondément absorbé. Le vieux lion semblait flairer dans cette ombre un monstre inconnu.

Le soir vint, les théâtres n'ouvrirent pas; les patrouilles circulaient d'un air irrité; on fouillait les passants; on arrêtait les suspects. Il y avait à neuf heures plus de huit cents personnes arrêtées; la préfecture de police était encombrée, la Conciergerie encombrée, la Force encombrée. À la Conciergerie, en particulier, le long souterrain qu'on nomme la rue de Paris était jonché de bottes de paille sur lesquelles gisait un entassement de prisonniers, que l'homme de Lyon, Lagrange, haranguait avec vaillance. Toute cette paille, remuée par tous ces hommes, faisait le bruit d'une averse. Ailleurs les prisonniers couchaient en plein air dans les préaux les uns sur les autres. L'anxiété était partout, et un certain tremblement, peu habituel à Paris.

On se barricadait dans les maisons; les femmes et les mères s'inquiétaient; on n'entendait que ceci : *Ah mon Dieu ! il n'est pas rentré !* Il y avait à peine au loin quelques rares roulements de voitures. On écoutait, sur le pas des portes, les rumeurs, les cris, les tumultes, les bruits sourds et indistincts, des choses dont on disait : *C'est la cavalerie*, ou : *Ce sont des caissons qui galopent*, les clairons, les tambours, la fusillade, et surtout ce lamentable tocsin de Saint-Merry. On attendait le premier coup de canon. Des hommes armés surgissaient au coin des rues et disparaissaient en criant : Rentrez chez vous ! Et l'on se hâtait de verrouiller les portes. On disait : Comment cela finira-t-il ? D'instant en instant, à mesure que la nuit tombait, Paris semblait se colorer plus lugubrement du flamboiement formidable de l'émeute.

LIVRE ONZIÈME

L'ATOME FRATERNISE AVEC L'OURAGAN

I

QUELQUES ÉCLAIRCISSEMENTS
SUR LES ORIGINES DE LA POÉSIE DE GAVROCHE
INFLUENCE D'UN ACADÉMICIEN
SUR CETTE POÉSIE

À l'instant où l'insurrection, surgissant du choc du peuple et de la troupe devant l'Arsenal, détermina un mouvement d'avant en arrière dans la multitude qui suivait le corbillard et qui, de toute la longueur des boulevards, pesait, pour ainsi dire, sur la tête du convoi, ce fut un effrayant reflux. La cohue s'ébranla, les rangs se rompirent, tous coururent, partirent, s'échappèrent, les uns avec les cris de l'attaque, les autres avec la pâleur de la fuite. Le grand fleuve qui couvrait les boulevards se divisa en un clin d'œil, déborda à droite et à gauche et se répandit en torrents dans deux cents rues à la fois avec le ruissellement d'une écluse lâchée. En ce moment un enfant déguenillé qui descendait par la rue Ménilmontant, tenant à la main une branche de faux-ébénier en fleurs qu'il venait de cueillir sur les hauteurs de Belleville, avisa dans la devanture de boutique d'une marchande de bric-à-brac un vieux pistolet d'arçon. Il jeta sa branche fleurie sur le pavé, et cria :

— Mère chose, je vous emprunte votre machin.

Et il se sauva avec le pistolet.

Deux minutes après, un flot de bourgeois épouvantés qui s'enfuyait par la rue Amelot et la rue Basse, rencontra l'enfant qui brandissait son pistolet et qui chantait :

> La nuit on ne voit rien,
> Le jour on voit très bien,
> D'un écrit apocryphe
> Le bourgeois s'ébouriffe,
> Pratiquez la vertu,
> Tutu chapeau pointu !

C'était le petit Gavroche qui s'en allait en guerre.

Sur le boulevard il s'aperçut que le pistolet n'avait pas de chien.

De qui était ce couplet qui lui servait à ponctuer sa marche, et toutes les autres chansons que, dans l'occasion, il chantait volontiers ? nous l'ignorons. Qui sait ? de lui peut-être. Gavroche d'ailleurs était au courant de tout le fredonnement populaire en circulation, et il y mêlait son propre gazouillement. Farfadet et galopin, il faisait un pot-pourri des voix de la nature et des voix de Paris. Il combinait le répertoire des oiseaux avec le répertoire des ateliers. Il connaissait des rapins, tribu contiguë à la sienne. Il avait, à ce qu'il paraît, été trois mois apprenti imprimeur. Il avait fait un jour une commission pour monsieur Baour-Lormian, l'un des quarante. Gavroche était un gamin de lettres.

Gavroche du reste ne se doutait pas que dans cette vilaine nuit pluvieuse où il avait offert à deux mioches l'hospitalité de son éléphant, c'était pour ses propres frères qu'il avait fait office de providence. Ses frères le soir, son père le matin ; voilà quelle avait été sa nuit. En quittant la rue des Ballets au petit jour, il était retourné en hâte à l'éléphant, en avait artistement extrait les deux mômes, avait partagé avec eux le déjeuner quelconque qu'il avait inventé, puis s'en était allé, les confiant à cette bonne mère la rue qui l'avait à peu près élevé lui-même. En les quittant, il leur avait donné rendez-vous pour le soir au même endroit, et leur avait laissé pour adieu ce discours : —*Je casse une canne, autrement dit je m'esbigne, ou, comme on dit à la cour, je file. Les mioches, si vous ne retrouvez pas papa maman, revenez ici ce soir. Je vous ficherai à souper et je vous coucherai.* Les deux enfants, ramassés par quelque sergent de ville et mis au dépôt, ou volés par quelque saltimbanque, ou simplement égarés dans l'immense casse-tête chinois parisien, n'étaient pas revenus. Les bas-fonds du monde social actuel sont pleins de ces traces perdues. Gavroche ne les avait pas revus. Dix ou douze semaines s'étaient écoulées depuis cette nuit-là. Il lui était arrivé plus d'une fois de se gratter le dessus de la tête et de dire : Où diable sont mes deux enfants ?

Cependant, il était parvenu, son pistolet au poing, rue du Pont-aux-Choux. Il remarqua qu'il n'y avait plus, dans cette rue, qu'une boutique ouverte, et, chose digne de réflexion, une boutique de pâtissier. C'était une occasion providentielle de manger encore un chausson aux pommes avant d'entrer dans l'inconnu. Gavroche s'arrêta, tâta ses flancs, fouilla son gousset, retourna ses poches, n'y trouva rien, pas un sou, et se mit à crier : Au secours !

Il est dur de manquer le gâteau suprême.

Gavroche n'en continua pas moins son chemin.

Deux minutes après, il était rue Saint-Louis. En traversant la rue du Parc-Royal il sentit le besoin de se dédommager du chausson de pommes impossible, et il se donna l'immense volupté de déchirer en plein jour les affiches de spectacles.

Un peu plus loin, voyant passer un groupe d'êtres bien portants qui lui parurent des propriétaires, il haussa les épaules et cracha au hasard devant lui cette gorgée de bile philosophique :

— Ces rentiers, comme c'est gras ! Ça se gave. Ça patauge dans les bons dîners. Demandez-leur ce qu'ils font de leur argent. Ils n'en savent rien. Ils le mangent, quoi ! Autant en emporte le ventre.

II

GAVROCHE EN MARCHE

L'agitation d'un pistolet sans chien qu'on tient à la main en pleine rue est une telle fonction publique que Gavroche sentait croître sa verve à chaque pas. Il criait, parmi des bribes de la Marseillaise qu'il chantait :

— Tout va bien. Je souffre beaucoup de la patte gauche, je me suis cassé mon rhumatisme, mais je suis content, citoyens. Les bourgeois n'ont qu'à se bien tenir, je vais leur éternuer des couplets subversifs. Qu'est-ce que c'est que les mouchards? c'est des chiens. Nom d'unch! ne manquons pas de respect aux chiens. Avec ça que je voudrais bien en avoir un à mon pistolet. Je viens du boulevard, mes amis, ça chauffe, ça jette un petit bouillon, ça mijote. Il est temps d'écumer le pot. En avant les hommes! qu'un sang impur inonde les sillons! Je donne mes jours pour la patrie, je ne verrai plus ma concubine, n-i-ni, fini, oui, Nini! mais c'est égal, vive la joie! Battons-nous, crebleu! j'en ai assez du despotisme.

En cet instant, le cheval d'un garde national lancier qui passait s'étant abattu, Gavroche posa son pistolet sur le pavé, et releva l'homme, puis il aida à relever le cheval. Après quoi il ramassa son pistolet et reprit son chemin.

Rue de Thorigny, tout était paix et silence. Cette apathie, propre au Marais, contrastait avec la vaste rumeur environnante. Quatre commères causaient sur le pas d'une porte. L'Écosse a des trios de sorcières, mais Paris a des quatuor de commères; et le « tu sera roi » serait tout aussi lugubrement jeté à Bonaparte dans le carrefour Baudoyer qu'à Macbeth dans la bruyère d'Armuyr. Ce serait à peu près le même croassement.

Les commères de la rue de Thorigny ne s'occupaient que de leurs affaires. C'étaient trois portières et une chiffonnière avec sa hotte et son crochet.

Elles semblaient debout toutes les quatre aux quatre coins de la vieillesse qui sont la caducité, la décrépitude, la ruine et la tristesse.

La chiffonnière était humble. Dans ce monde en plein vent, la chiffonnière salue, la portière protège. Cela tient au coin de la borne qui est ce que veulent les concierges, gras ou maigre, selon la fantaisie de celui qui fait le tas. Il peut y avoir de la bonté dans le balai.

Cette chiffonnière était une hotte reconnaissante, et elle souriait, quel sourire! aux trois portières. Il se disait des choses comme ceci:

— Ah çà, votre chat est donc toujours méchant?

— Mon Dieu, les chats, vous le savez, naturellement sont l'ennemi des chiens. C'est les chiens qui se plaignent.

— Et le monde aussi.

— Pourtant les puces de chat ne vont pas après le monde.

— Ce n'est pas l'embarras, les chiens, c'est dangereux. Je me rappelle une année où il y avait tant de chiens qu'on a été obligé de le mettre dans les journaux. C'était du temps qu'il y avait aux Tuileries de grands moutons qui traînaient la petite voiture du roi de Rome. Vous rappelez-vous le roi de Rome ?

— Moi, j'aimais bien le duc de Bordeaux.

— Moi, j'ai connu Louis XVII. J'aime mieux Louis XVII.

— C'est la viande qui est chère, mame Patagon !

— Ah ! ne m'en parlez pas, la boucherie est une horreur. Une horreur horrible. On n'a plus que de la réjouissance.

Ici la chiffonnière intervint :

— Mesdames, le commerce ne va pas. Les tas d'ordures sont minables. On ne jette plus rien. On mange tout.

— Il y en a de plus pauvres que vous, la Vargoulême.

— Ah, ça c'est vrai, répondit la chiffonnière avec déférence, moi j'ai un état.

Il y eut une pause, et la chiffonnière, cédant à ce besoin d'étalage qui est le fond de l'homme, ajouta :

— Le matin en rentrant, j'épluche l'hotte, je fais mon treillage (probablement triage). Ça fait des tas dans ma chambre. Je mets les chiffons dans un panier, les trognons dans un baquet, les linges dans mon placard, les lainages dans ma commode, les vieux papiers dans le coin de la fenêtre, les choses bonnes à manger dans mon écuelle, les morceaux de verre dans la cheminée, les savates derrière la porte, et les os sous mon lit.

Gavroche, arrêté derrière, écoutait :

— Les vieilles, dit-il, qu'est-ce que vous avez donc à parler politique ?

Une bordée l'assaillit, composée d'une huée quadruple.

— En voilà encore un scélérat !

— Qu'est-ce qu'il a donc à son moignon ? Un pistolet !

— Je vous demande un peu, ce gueux de môme !

— Ça n'est pas tranquille si ça ne renverse pas l'autorité.

Gavroche, dédaigneux, se borna, pour toute représaille,

à soulever le bout de son nez avec son pouce en ouvrant sa main toute grande.

La chiffonnière cria :

— Méchant va-nu-pattes !

Celle qui répondait au nom de mame Patagon frappa ses deux mains l'une contre l'autre avec scandale :

— Il va y avoir des malheurs, c'est sûr. Le galopin d'à côté qui a une barbiche, je le voyais passer tous les matins avec une jeunesse en bonnet rose sous le bras, aujourd'hui je l'ai vu passer, il donnait le bras à un fusil. Mame Bacheux dit qu'il y a eu la semaine passée une révolution à... à... à... — où est le veau ! — à Pontoise. Et puis le voyez-vous là avec son pistolet, cette horreur de polisson ! Il paraît qu'il y a des canons tout plein les Célestins. Comment voulez-vous que fasse le gouvernement avec des garnements qui ne savent qu'inventer pour déranger le monde, quand on commençait à être un peu tranquille après tous les malheurs qu'il y a eu, bon Dieu Seigneur, cette pauvre reine que j'ai vue passer dans la charrette ! Et tout ça va encore faire renchérir le tabac. C'est une infamie ! Et certainement, j'irai te voir guillotiner, malfaiteur !

— Tu renifles, mon ancienne, dit Gavroche. Mouche ton promontoire.

Et il passa outre.

Quand il fut rue Pavée, la chiffonnière lui revint à l'esprit, et il eut ce soliloque :

— Tu as tort d'insulter les révolutionnaires, mère Coin-de-la-Borne. Ce pistolet-là, c'est dans ton intérêt. C'est pour que tu aies dans ta hotte plus de choses bonnes à manger.

Tout à coup il entendit du bruit derrière lui ; c'était la portière Patagon qui l'avait suivi, et qui, de loin, lui montrait le poing en criant :

— Tu n'es qu'un bâtard !

— Ça, dit Gavroche, je m'en fiche d'une manière profonde.

Peu après, il passait devant l'hôtel Lamoignon. Là il poussa cet appel :

— En route pour la bataille !

Et il fut pris d'un accès de mélancolie. Il regarda son pistolet d'un air de reproche qui semblait essayer de l'attendrir.

— Je pars, lui dit-il, mais toi tu ne pars pas.

Un chien peut distraire d'un autre. Un caniche très maigre vint à passer. Gavroche s'apitoya.

— Mon pauvre toutou, lui dit-il, tu as donc avalé un tonneau qu'on te voit tous les cerveaux.

Puis il se dirigea vers l'Orme-Saint-Gervais.

III

JUSTE INDIGNATION D'UN PERRUQUIER

Le digne perruquier qui avait chassé les deux petits auxquels Gavroche avait ouvert l'intestin paternel de l'éléphant, était en ce moment dans sa boutique occupé à raser un vieux soldat légionnaire qui avait servi sous l'empire. On causait. Le perruquier avait naturellement parlé au vétéran de l'émeute, puis du général Lamarque, et de Lamarque on était venu à l'empereur. De là une conversation de barbier à soldat, que Prudhomme, s'il eût été présent, eût enrichie d'arabesques, et qu'il eût intitulée : *Dialogue du rasoir et du sabre*.

— Monsieur, disait le perruquier, comment l'empereur montait-il à cheval ?

— Mal. Il ne savait pas tomber. Aussi il ne tombait jamais.

— Avait-il de beaux chevaux ? il devait avoir de beaux chevaux ?

— Le jour où il m'a donné la croix, j'ai remarqué sa bête. C'était une jument coureuse, toute blanche. Elle avait les oreilles très écartées, la selle profonde, une fine tête marquée d'une étoile noire, le cou très long, les genoux fortement articulés, les côtes saillantes, les épaules obliques, l'arrière-main puissante. Un peu plus de quinze palmes de haut.

— Joli cheval, fit le perruquier.

— C'était la bête de sa majesté.

Le perruquier sentit qu'après ce mot, un peu de silence était convenable, il s'y conforma, puis reprit :

— L'empereur n'a été blessé qu'une fois, n'est-ce pas, monsieur?

Le vieux soldat répondit avec l'accent calme et souverain de l'homme qui y a été:

— Au talon. A Ratisbonne. Je ne l'ai jamais vu si bien mis que ce jour-là. Il était propre comme un sou.

— Et vous, monsieur le vétéran, vous avez dû être souvent blessé?

— Moi? dit le soldat, ah! pas grand'chose. J'ai reçu à Marengo deux coups de sabre sur la nuque, une balle dans le bras droit à Austerlitz, une autre dans la hanche gauche à Iéna, à Friedland un coup de bayonnette — là, — à la Moskowa sept ou huit coups de lance n'importe où, à Lutzen un éclat d'obus qui m'a écrasé un doigt... — Ah! et puis à Waterloo un biscayen dans la cuisse. Voilà tout.

— Comme c'est beau, s'écria le perruquier avec un accent pindarique, de mourir sur le champ de bataille! Moi, parole d'honneur, plutôt que de crever sur le grabat, de maladie, lentement, un peu tous les jours, avec les drogues, les cataplasmes, la seringue et le médecin, j'aimerais mieux recevoir dans le ventre un boulet de canon!

— Vous n'êtes pas dégoûté, fit le soldat.

Il achevait à peine qu'un effroyable fracas ébranla la boutique. Une vitre de la devanture venait de s'étoiler brusquement.

Le perruquier devint blême.

— Ah Dieu! cria-t-il, c'en est un.

— Quoi?

— Un boulet de canon.

— Le voici, dit le soldat.

Et il ramassa quelque chose qui roulait à terre. C'était un caillou.

Le perruquier courut à la vitre brisée et vit Gavroche qui s'enfuyait à toutes jambes vers le marché Saint-Jean. En passant devant la boutique du perruquier, Gavroche, qui avait les deux mômes sur le cœur, n'avait pu résister au désir de lui dire bonjour, et lui avait jeté une pierre dans ses carreaux.

— Voyez-vous! hurla le perruquier qui de blanc était devenu bleu, cela fait le mal pour le mal. Qu'est-ce qu'on lui a fait à ce gamin-là?

IV

L'ENFANT S'ÉTONNE DU VIEILLARD

Cependant Gavroche, au marché Saint-Jean, dont le poste était déjà désarmé, venait — d'opérer sa jonction — avec une bande conduite par Enjolras, Courfeyrac, Combeferre et Feuilly. Ils étaient à peu près armés. Bahorel et Jean Prouvaire les avaient retrouvés et grossissaient le groupe. Enjolras avait un fusil de chasse à deux coups, Combeferre un fusil de garde national portant un numéro de légion, et dans sa ceinture deux pistolets que sa redingote déboutonnée laissait voir, Jean Prouvaire un vieux mousqueton de cavalerie, Bahorel une carabine, Courfeyrac agitait une canne à épée dégainée. Feuilly, un sabre nu au poing, marchait en avant en criant : « Vive la Pologne ! »

Ils arrivaient du quai Morland, sans cravates, sans chapeaux, essoufflés, mouillés par la pluie, l'éclair dans les yeux. Gavroche les aborda avec calme.

— Où allons-nous ?

— Viens, dit Courfeyrac.

Derrière Feuilly marchait, ou plutôt bondissait Bahorel, poisson dans l'eau de l'émeute. Il avait un gilet cramoisi et de ces mots qui cassent tout. Son gilet bouleversa un passant qui cria tout éperdu :

— Voilà les rouges !

— Le rouge, les rouges ! répliqua Bahorel. Drôle de peur, bourgeois. Quant à moi, je ne tremble point devant un coquelicot, le petit chaperon rouge ne m'inspire aucune épouvante. Bourgeois, croyez-moi, laissons la peur du rouge aux bêtes à cornes.

Il avisa un coin de mur où était placardée la plus pacifique feuille de papier du monde, une permission de manger des œufs, un mandement de carême adressé par l'archevêque de Paris à ses « ouailles ».

Bahorel s'écria :

— Ouailles, manière polie de dire oies.

Et il arracha du mur le mandement. Ceci conquit Gavroche. À partir de cet instant, Gavroche se mit à étudier Bahorel.

— Bahorel, observa Enjolras, tu as tort. Tu aurais dû laisser ce mandement tranquille, ce n'est pas à lui que nous avons affaire, tu dépenses inutilement de la colère. Garde ta provision. On ne fait pas feu hors des rangs, pas plus avec l'âme qu'avec le fusil.

— Chacun son genre, Enjolras, riposta Bahorel. Cette prose d'évêque me choque, je veux manger des œufs sans qu'on me le permette. Toi tu as le genre froid brûlant ; moi je m'amuse. D'ailleurs je ne me dépense pas, je prends de l'élan ; et si j'ai déchiré ce mandement, Hercle ! c'est pour me mettre en appétit.

Ce mot, *Hercle*, frappa Gavroche. Il cherchait toutes les occasions de s'instruire, et ce déchireur d'affiches-là avait son estime. Il lui demanda :

— Qu'est-ce que cela veut dire, *Hercle* ?

Bahorel répondit :

— Cela veut dire sacré nom d'un chien en latin.

Ici Bahorel reconnut à une fenêtre un jeune homme pâle à barbe noire qui les regardait passer, probablement un ami de l'A B C. Il lui cria :

— Vite, des cartouches ! *para bellum*.

— Bel homme ! c'est vrai, dit Gavroche qui maintenant comprenait le latin.

Un cortège tumultueux les accompagnait, étudiants, artistes, jeunes gens affiliés à la Cougourde d'Aix, ouvriers, gens du port, armés de bâtons et de bayonnettes, quelques-uns comme Combeferre, avec des pistolets entrés dans leurs pantalons. Un vieillard, qui paraissait très vieux, marchait dans cette bande. Il n'avait point d'arme, et se hâtait pour ne point rester en arrière, quoiqu'il eût l'air pensif. Gavroche l'aperçut :

— Keksekça ? dit-il à Courfeyrac.

— C'est un vieux.

C'était M. Mabeuf.

V

LE VIEILLARD

Disons ce qui s'était passé :

Enjolras et ses amis étaient sur le boulevard Bourdon près des greniers d'abondance au moment où les dragons avaient chargé. Enjolras, Courfeyrac et Combeferre étaient de ceux qui avaient pris par la rue Bassompierre en criant : Aux barricades! Rue Lesdiguières ils avaient rencontré un vieillard qui cheminait.

Ce qui avait appelé leur attention, c'est que ce bonhomme marchait en zigzag comme s'il était ivre. En outre il avait son chapeau à la main, quoiqu'il eût plu toute la matinée et qu'il plût assez fort en ce moment-là même. Courfeyrac avait reconnu le père Mabeuf. Il le connaissait pour avoir maintes fois accompagné Marius jusqu'à sa porte. Sachant les habitudes paisibles et plus que timides du vieux marguillier bouquiniste, et stupéfait de le voir au milieu de ce tumulte, à deux pas des charges de cavalerie, presque au milieu d'une fusillade, décoiffé sous la pluie et se promenant parmi les balles, il l'avait abordé, et l'émeutier de vingt-cinq ans et l'octogénaire avaient échangé ce dialogue :

— Monsieur Mabeuf, rentrez chez vous.
— Pourquoi?
— Il va y avoir du tapage.
— C'est bon.
— Des coups de sabre, des coups de fusil, monsieur Mabeuf.
— C'est bon.
— Des coups de canon.
— C'est bon. Où allez-vous, vous autres?
— Nous allons flanquer le gouvernement par terre.
— C'est bon.

Et il s'était mis à les suivre. Depuis ce moment-là, il n'avait pas prononcé une parole. Son pas était devenu ferme tout à coup, des ouvriers lui avaient offert le bras, il avait refusé d'un signe de tête. Il s'avançait presque au premier rang de la colonne, ayant tout à la fois le mouvement d'un homme qui marche et le visage d'un homme qui dort.

— Quel bonhomme enragé! murmuraient les étudiants. Le bruit courait dans l'attroupement que c'était — un ancien conventionnel, — un vieux régicide.

Le rassemblement avait pris par la rue de la Verrerie. Le petit Gavroche marchait en avant avec ce chant à tue-tête qui faisait de lui une espèce de clairon. Il chantait :

Voici la lune qui paraît,
Quand irons-nous dans la forêt ?
Demandait Charlot à Charlotte.

Tou tou tou
Pour Chatou.
Je n'ai qu'un Dieu, qu'un roi, qu'un liard et qu'une botte.

Pour avoir bu de grand matin
La rosée à même le thym,
Deux moineaux étaient en ribote.

Zi zi zi
Pour Passy.
Je n'ai qu'un Dieu, qu'un roi, qu'un liard et qu'une botte.

Et ces deux pauvres petits loups
Comme deux grives étaient soûls ;
Un tigre en riait dans sa grotte.

Don don don
Pour Meudon.
Je n'ai qu'un Dieu, qu'un roi, qu'n liard et qu'une botte.

L'un jurait et l'autre sacrait.
Quand irons-nous dans la forêt ?
Demandait Charlot à Charlotte.

Tin tin tin
Pour Pantin.
Je n'ai qu'un Dieu, qu'un roi, qu'un liard et qu'une botte.

Ils se dirigeaient vers Saint-Merry.

VI

RECRUES

La bande grossissait à chaque instant. Vers la rue des Billettes, un homme de haute taille, grisonnant, dont Courfeyrac, Enjolras et Combeferre remarquèrent la mine rude et hardie, mais qu'aucun d'eux ne connaissait, se joignit à eux. Gavroche occupé de chanter, de siffler, de bourdonner, d'aller en avant, et de cogner aux volets des boutiques avec la crosse du pistolet sans chien, ne fit pas attention à cet homme.

Il se trouva que, rue de la Verrerie, ils passèrent devant la porte de Courfeyrac.

— Cela se trouve bien, dit Courfeyrac, j'ai oublié ma bourse, et j'ai perdu mon chapeau. Il quitta l'attroupement et monta chez lui quatre à quatre. Il prit un vieux chapeau et sa bourse. Il prit aussi un assez grand coffre carré de la dimension d'une grosse valise qui était caché dans son linge sale. Comme il redescendait en courant, la portière le héla.

— Monsieur de Courfeyrac!

— Portière, comment vous appelez-vous? riposta Courfeyrac.

La portière demeura ebahie.

— Mais vous le savez bien, je suis la concierge, je me nomme la mère Veuvain.

— Eh bien, si vous m'appelez encore monsieur de Courfeyrac, je vous appelle mère de Veuvain. Maintenant, parlez, qu'y a-t-il? qu'est-ce?

— Il y a là quelqu'un qui veut vous parler.

— Qui ça?

— Je ne sais pas.

— Où ça?

— Dans ma loge.

— Au diable! fit Courfeyrac.

— Mais ça attend depuis plus d'une heure que vous rentriez! reprit la portière.

En même temps, une espèce de jeune ouvrier, maigre, blême, petit, marqué de taches de rousseur, vêtu d'une blouse trouée et d'un pantalon de velours à côtes rapiécé, et qui avait plutôt l'air d'une fille accoutrée en garçon que d'un homme, sortit de la loge et dit à Courfeyrac d'une voix qui, par exemple, n'était pas le moins du monde une voix de femme:

— Monsieur Marius, s'il vous plaît?

— Il n'y est pas.

— Rentrera-t-il ce soir?

— Je n'en sais rien.

Et Courfeyrac ajouta: — Quant à moi, je ne rentrerai pas.

Le jeune homme le regarda fixement et lui demanda:

— Pourquoi cela?

— Parce que.
— Où allez-vous donc ?
— Qu'est-ce que cela te fait ?
— Voulez-vous que je vous porte votre coffre ?
— Je vais aux barricades.
— Voulez-vous que j'aille avec vous ?
— Si tu veux ! répondit Courfeyrac. La rue est libre, les pavés sont à tout le monde.

Et il s'échappa en courant pour rejoindre ses amis. Quand il les eut rejoint, il donna le coffre à porter à l'un d'eux. Ce ne fut qu'un grand quart d'heure après qu'il s'aperçut que le jeune homme les avait en effet suivis.

Un attroupement ne va pas précisément où il veut. Nous avons expliqué que c'est un coup de vent qui l'emporte. Ils dépassèrent Saint-Merry et se trouvèrent, sans trop savoir comment, rue Saint-Denis.

LIVRE DOUZIÈME
CORINTHE

I

HISTOIRE DE CORINTHE DEPUIS SA FONDATION

Les parisiens qui, aujourd'hui, en entrant dans la rue Rambuteau du côté des halles, remarquent à leur droite, vis-à-vis la rue Mondétour, une boutique de vannier ayant pour enseigne un panier qui a la forme de l'empereur Napoléon le Grand avec cette inscription :

NAPOLÉON EST FAIT
TOUT EN OSIER

ne se doutent guère des scènes terribles que ce même emplacement a vues il y a à peine trente ans.

C'est là qu'étaient la rue de la Chanvrerie, que les anciens titres écrivent Chanverrerie, et le cabaret célèbre appelé Corinthe.

On se rappelle tout ce qui a été dit sur la barricade élevée en cet endroit et éclipsée d'ailleurs par la barricade Saint-Merry. C'est sur cette fameuse barricade de la rue de la Chanvrerie, aujourd'hui tombée dans une nuit profonde, que nous allons jeter un peu de lumière.

Qu'on nous permette de recourir, pour la clarté du récit, au moyen simple déjà employé par nous pour Waterloo. Les personnes qui voudront se représenter, d'une manière assez exacte, les pâtés de maisons qui se dressaient à cette époque, près la pointe Saint-Eustache, à l'angle nord-est des halles de Paris, où est aujourd'hui l'embouchure de la rue Rambuteau, n'ont qu'à se figurer, touchant la rue Saint-Denis par le sommet et par la base les halles, une N dont les deux jambages verticaux seraient la rue de la Grande-Truanderie et la rue de la Chanvrerie et dont la rue de la Petite-Truanderie ferait le jambage transversal. La vieille rue Mondétour coupait les trois jambages selon les angles les plus tortus. Si bien que l'enchevêtrement dédaléen de ces quatre rues suffisait pour faire, sur un espace de cent toises carrées, entre les halles et la rue Saint-Denis d'une part, entre la rue du Cygne et la rue des Prêcheurs d'autre part, sept îlots de maisons, bizarrement taillés, de grandeurs diverses, posés de travers et comme au hasard et séparés à peine, ainsi que les blocs de pierre dans le chantier, par des fentes étroites.

Nous disons fentes étroites, et nous ne pouvons pas donner une plus juste idée de ces ruelles obscures, resserrées, anguleuses, bordées de masures à huit étages. Ces masures étaient si décrépites que, dans les rues de la Chanvrerie et de la Petite-Truanderie, les façades s'étayaient de poutres allant d'une maison à l'autre. La rue était étroite et le ruisseau large, le passant y cheminait sur le pavé toujours mouillé, côtoyant des boutiques pareilles à des caves, de grosses bornes cerclées de fer, des tas d'ordures excessifs, des portes d'allées armées d'énormes grilles séculaires. La rue Rambuteau a dévasté tout cela.

Ce nom, Mondétour, peint à merveille les sinuosités de toute cette voirie. Un peu plus loin, on les trouvait encore mieux exprimées par la *rue Pirouelle* qui se jetait dans la rue Mondétour.

Le passant qui s'engageait de la rue Saint-Denis dans la rue de la Chanvrerie la voyait peu à peu se rétrécir devant lui comme s'il fût entré dans un entonnoir allongé. Au bout de la rue, qui était fort courte, il trouvait le passage barré du côté des halles par une haute rangée de maisons, et il se fût cru dans un cul-de-sac, s'il n'eût aperçu à droite et à gauche deux tranchées noires par où il pouvait s'échapper. C'était la rue Mondétour, laquelle allait rejoindre d'un côté la rue des Prêcheurs, de l'autre la rue du Cygne et la Petite-Truanderie. Au fond de cette espèce de cul-de-sac, à l'angle de la tranchée de droite, on remarquait une maison moins élevée que les autres et formant une sorte de cap sur la rue.

C'est dans cette maison, de deux étages seulement, qu'était allégrement installé depuis trois cents ans un cabaret illustre. Ce cabaret faisait un bruit de joie au lieu même que le vieux Théophile a signalé dans ces deux vers :

> Là branle le squelette horrible
> D'un pauvre amant qui se pendit.

L'endroit étant bon, les cabaretiers s'y succédaient de père en fils.

Du temps de Mathurin Régnier, ce cabaret s'appelait le *Pol-aux-Roses*, et comme la mode était aux rebus, il avait pour enseigne un poteau peint en rose. Au siècle dernier, le digne Natoire, l'un des maîtres fantasques aujourd'hui dédaignés par l'école roide, s'étant grisé plusieurs fois dans ce cabaret à la table même où s'était soûlé Régnier, avait peint par reconnaissance une grappe de raisin de Corinthe sur le poteau rose. Le cabaretier, de joie, en avait changé son enseigne et avait fait dorer au-dessous de la grappe ces mots : *au Raisin de Corinthe*. De là ce nom, *Corinthe*. Rien n'est plus naturel aux ivrognes que les ellipses. L'ellipse est le zigzag de la phrase. Corinthe avait peu à peu détrôné le Pot-aux-Roses. Le dernier cabaretier de la dynastie, le père Hucheloup, ne sachant même plus la tradition, avait fait peindre le poteau en bleu.

Une salle en bas où était le comptoir, une salle au premier où était le billard, un escalier de bois en spirale perçant le plafond, le vin sur les tables, la fumée sur les murs, des chandelles en plein jour, voilà quel était le cabaret. Un escalier à trappe dans la salle d'en bas conduisait à la cave. Au second était le logis des Hucheloup. On y montait par un escalier, échelle plutôt qu'escalier, n'ayant pour entrée qu'une porte dérobée dans la grande salle du premier. Sous le toit, deux greniers mansardes, nids de servantes. La cuisine partageait le rez-de-chaussée avec la salle du comptoir.

Le père Hucheloup était peut-être né chimiste, le fait est

qu'il fut cuisinier; on ne buvait pas seulement dans son cabaret, on y mangeait. Hucheloup avait inventé une chose excellente qu'on ne mangeait que chez lui, c'étaient des carpes farcies qu'il appelait *carpes au gras*. On mangeait cela à la lueur d'une chandelle de suif ou d'un quinquet du temps de Louis XVI sur des tables où était clouée une toile cirée en guise de nappe. On y venait de loin. Hucheloup, un beau matin, avait jugé à propos d'avertir les passants de sa « spécialité »; il avait trempé un pinceau dans un pot de noir, et comme il avait une orthographe à lui de même qu'une cuisine à lui, il avait improvisé sur son mur cette inscription remarquable :

CARPES HOGRAS

Un hiver, les averses et les giboulées avaient eu la fantaisie d'effacer l'S qui terminait le premier mot et le G qui commençait le troisième, et il était resté ceci :

CARPE HO RAS

Le temps et la pluie aidant, une humble annonce gastronomique était devenue un conseil profond.

De la sorte il s'était trouvé que, ne sachant pas le français, le père Hucheloup avait su le latin, qu'il avait fait sortir de la cuisine la philosophie, et que, voulant simplement effacer Carême, il avait égalé Horace. Et ce qui était frappant, c'est que cela aussi voulait dire : entrez dans mon cabaret.

Rien de tout cela n'existe aujourd'hui. Le dédale Mondétour était éventré et largement ouvert dès 1847, et probablement n'est plus à l'heure qu'il est. La rue de la Chanvrerie et Corinthe ont disparu sous le pavé de la rue Rambuteau.

Comme nous l'avons dit, Corinthe était un des lieux de réunion, sinon de ralliement, de Courfeyrac et de ses amis. C'est Grantaire qui avait découvert Corinthe. Il y était entré à cause de *Carpe Horas* et y était retourné à cause des *Carpes au Gras*. On y buvait, on y mangeait, on y criait; on y payait peu, on y payait mal, on n'y payait pas, on était toujours bienvenu. Le père Hucheloup était un bon homme.

Hucheloup, bon homme, nous venons de le dire, était un gargotier à moustaches; variété amusante. Il avait toujours la mine de mauvaise humeur, semblait vouloir intimider ses pratiques, bougonnait les gens qui entraient chez lui, et avait l'air plus disposé à leur chercher querelle qu'à leur servir la soupe. Et pourtant, nous maintenons le mot, on était toujours bienvenu. Cette bizarrerie avait achalandé sa boutique, et lui amenait des jeunes gens se disant : Viens donc voir *marronner* le père Hucheloup. Il avait été maître d'armes. Tout à coup il éclatait de rire. Grosse voix, bon diable. C'était un fond comique avec une apparence tragique; il ne demandait pas mieux que de vous faire peur; à peu près comme ces tabatières qui ont la forme d'un pistolet. La détonation éternue.

Il avait pour femme la mère Hucheloup, un être barbu, fort laid.

Vers 1830, le père Hucheloup mourut. Avec lui disparut le secret des carpes au gras. Sa veuve, peu consolable, continua le cabaret. Mais la cuisine dégénéra et devint exécrable, le vin, qui avait toujours été mauvais, fut affreux. Courfeyrac et ses amis continuèrent pourtant d'aller à Corinthe, — par pitié, disait Bossuet.

La veuve Hucheloup était essoufflée et difforme avec des souvenirs champêtres. Elle leur ôtait la fadeur par la prononciation. Elle avait une façon à elle de dire les choses qui assaisonnait ses réminiscences villageoises et printanières. Ç'avait été jadis son bonheur, affirmait-elle, d'entendre « les loups-de-gorge chanter dans les ogrépines ».

La salle du premier, où était « le restaurant », était une grande longue pièce encombrée de tabourets, d'escabeaux, de chaises, de bancs et de tables, et d'un vieux billard boiteux. On y arrivait par l'escalier en spirale qui aboutissait dans l'angle de la salle à un trou pareil à une écoutille de navire.

Cette salle, éclairée d'une seule fenêtre étroite et d'un quinquet toujours allumé, avait un air de galetas. Tous les meubles à quatre pieds se comportaient comme s'ils en avaient trois. Les murs blanchis à la chaux n'avaient pour tout ornement que ce quatrain en l'honneur de mame Hucheloup :

> Elle étonne à dix pas, elle épouvante à deux.
> Une verrue habite en son nez hasardeux ;
> On tremble à chaque instant qu'elle ne vous la mouche,
> Et qu'un beau jour son nez ne tombe dans sa bouche.

Cela était charbonné sur la muraille.

Mame Hucheloup, ressemblante, allait et venait du matin au soir devant ce quatrain avec une parfaite tranquillité. Deux servantes, appelées Matelote et Gibelotte, et auxquelles on n'a jamais connu d'autres noms, aidaient mame Hucheloup à poser sur les tables les cruchons de vin bleu et les brouets variés qu'on servait aux affamés dans les écuelles de poterie. Matelote, grosse, ronde, rousse et criarde, ancienne sultane favorite du défunt Hucheloup, était laide, plus que n'importe quel monstre mythologique ; pourtant, comme il sied que la servante se tienne toujours en arrière de la maîtresse, elle était moins laide que mame Hucheloup. Gibelotte, longue, délicate, blanche d'une blancheur lymphatique, les yeux cernés, les paupières tombantes, toujours épuisée et accablée, atteinte de ce qu'on pourrait appeler la lassitude chronique, levée la première, couchée la dernière, servait tout le monde, même l'autre servante, en silence et avec douceur, en souriant sous la fatigue d'une sorte de vague sourire endormi.

Il y avait un miroir au-dessus du comptoir.

Avant d'entrer dans la salle-restaurant, on lisait sur la porte ce vers écrit à la craie par Courfeyrac :

> Régale si tu peux et mange si tu l'oses.

II

GAÎTÉS PRÉALABLES

Laigle de Meaux, on le sait, demeurait plutôt chez Joly qu'ailleurs. Il avait un logis comme l'oiseau a une branche. Les deux amis vivaient ensemble, mangeaient ensemble, dormaient ensemble. Tout leur était commun, même un peu Musichetta. Ils étaient ce que chez les frères chapeaux, on appelle *bini*. Le matin du 5 juin, ils s'en allèrent déjeuner à Corinthe. Joly, enchifrené, avait un fort coryza que Laigle commençait à partager. L'habit de Laigle était râpé, mais Joly était bien mis.

Il était environ neuf heures du matin quand ils poussèrent la porte de Corinthe.

Ils montèrent au premier.

Matelote et Gibelotte les reçurent.

— Huîtres, fromage et jambon, dit Laigle.

Et ils s'attablèrent.

Le cabaret était vide; il n'y avait qu'eux deux.

Gibelotte, reconnaissant Joly et Laigle, mit une bouteille de vin sur la table.

Comme ils étaient aux premières huîtres, une tête apparut à l'écoutille de l'escalier, et une voix dit :

— Je passais. J'ai senti, de la rue, une délicieuse odeur de fromage de Brie. J'entre.

C'était Grantaire.

Grantaire prit un tabouret et s'attabla.

Gibelotte, voyant Grantaire, mit deux bouteilles de vin sur la table.

Cela fit trois.

— Est-ce que tu vas boire ces deux bouteilles? demanda Laigle à Grantaire.

Grantaire répondit :

— Tous sont ingénieux, toi seul es ingénu. Deux bouteilles n'ont jamais étonné un homme.

Les autres avaient commencé par manger, Grantaire commença par boire. Une demi-bouteille fut vivement engloutie.

— Tu as donc un trou à l'estomac? reprit Laigle.

— Tu en as bien un au coude, dit Grantaire.

Et, après avoir vidé son verre, il ajouta :

— Ah çà, Laigle des oraisons funèbres, ton habit est vieux.

— Je l'espère, repartit Laigle. Cela fait que nous faisons bon ménage, mon habit et moi. Il a pris tous mes plis, il ne me gêne en rien, il s'est moulé sur mes difformités, il est complaisant à tous mes mouvements; je ne le sens que parce qu'il me tient chaud. Les vieux habits, c'est la même chose que les vieux amis.

— C'est vrai, s'écria Joly entrant dans le dialogue, un vieil habit est un vieil abi.

— Surtout, dit Grantaire, dans la bouche d'un homme enchifrené.

— Grantaire, demanda Laigle, viens-tu du boulevard ?
— Non.
— Nous venons de voir passer la tête du cortège, Joly et moi.
— C'est un spectacle berveilleux, dit Joly.
— Comme cette rue est tranquille ! s'écria Laigle. Qui est-ce qui se douterait que Paris est sens dessus dessous ? Comme on voit que c'était jadis tout couvents par ici ! Du Breul et Sauval en donnent la liste, et l'abbé Lebeuf. Il y en avait tout autour, ça fourmillait, des chaussés, des déchaussés, des tondus, des barbus, des gris, des noirs, des blancs, des franciscains, des minimes, des capucins, des carmes, des petits augustins, des grands augustins, des vieux augustins... — Ça pullulait.

— Ne parlons pas de moines, interrompit Grantaire, cela donne envie de se gratter.

Puis il s'exclama :

— Bouh ! je viens d'avaler une mauvaise huître. Voilà l'hypocondrie qui me reprend. Les huîtres sont gâtées, les servantes sont laides. Je hais l'espèce humaine. J'ai passé tout à l'heure rue Richelieu devant la grosse librairie publique. Ce tas d'écailles d'huîtres qu'on appelle une bibliothèque me dégoûte de penser. Que de papier ! que d'encre ! que de griffonnage ! On a écrit tout ça ! Quel maroufle a donc dit que l'homme était un bipède sans plume ? Et puis, j'ai rencontré une jolie fille que je connais, belle comme le printemps, digne de s'appeler Floréal, et ravie, transportée, heureuse, aux anges, la misérable, parce que hier un épouvantable banquier tigré de petite vérole a daigné vouloir d'elle ! Hélas ! la femme guette le traitant non moins que le muguet ; les chattes chassent aux souris comme aux oiseaux. Cette donzelle, il n'y a pas deux mois qu'elle était sage dans une mansarde, elle ajustait des petits ronds de cuivre à des œillets de corset, comment appelez-vous ça ? elle cousait, elle avait un lit de sangle, elle demeurait auprès d'un pot de fleurs, elle était contente. La voilà banquière. Cette transformation s'est faite cette nuit. J'ai rencontré cette victime ce matin, toute joyeuse. Ce qui est hideux, c'est que la drôlesse était tout aussi jolie aujourd'hui qu'hier. Son financier ne paraissait pas sur sa figure. Les roses ont ceci de plus ou de moins que les femmes, que les traces que leur laissent les chenilles sont visibles. Ah ! il n'y a pas de morale sur la terre, j'en atteste le myrte, symbole de l'amour, le laurier, symbole de la guerre, l'olivier, ce bêta, symbole de la paix, le pommier, qui a failli étrangler Adam avec son pépin, et le figuier, grand-père des jupons. Quant au droit, voulez-vous savoir ce que c'est que le droit ? Les gaulois convoitent Cluse, Rome protège Cluse, et leur demande quel tort Cluse leur a fait. Brennus répond : — Le tort que vous a fait Albe, le tort que vous a fait Fidène, le tort que vous ont fait les éques, les volsques et les sabins. Ils étaient vos voisins. Les clusiens sont les nôtres. Nous entendons le voisinage comme vous. Vous avez volé Albe, nous prenons Cluse. Rome dit : Vous ne prendrez pas Cluse. Brennus prit Rome. Puis il cria : *Væ Victis !* Voilà ce qu'est le droit. Ah ! dans ce monde, que de bêtes de proie ! que d'aigles ! que d'aigles ! J'en ai la chair de poule.

Il tendit son verre à Joly qui le remplit, puis il but, et poursuivit, sans presque avoir été interrompu par ce verre de vin dont personne ne s'aperçut, pas même lui :

— Brennus, qui prend Rome, est un aigle ; le banquier, qui prend la grisette, est un aigle. Pas plus de pudeur ici que là. Donc ne croyons à rien. Il n'y a qu'une réalité : boire. Quelle que soit votre opinion, soyez pour le coq maigre comme le canton d'Uri ou pour le coq gras comme le canton de Glaris, peu importe, buvez. Vous me parlez du boulevard, du cortège, et cætera. Ah çà, il va donc encore y avoir une révolution ? Cette indigence de moyens m'étonne de la part du bon Dieu. Il faut qu'à tout moment il se remette à suiffer la rainure des événements. Ça accroche, ça ne marche pas. Vite une révolution. Le bon Dieu a toujours les mains noires de ce vilain cambouis-là. À sa place, je serais plus simple, je ne remonterais pas à chaque instant ma mécanique, je mènerais le genre humain rondement, je tricoterais les faits maille à maille sans casser le fil, je n'aurais point d'en-cas, je n'aurais pas de répertoire extraordinaire. Ce que vous autres appelez le progrès marche par deux moteurs, les hommes et les événements. Mais, chose triste, de temps en temps, l'exceptionnel est nécessaire. Pour les événements comme pour les hommes, la troupe ordinaire ne suffit pas; il faut parmi les hommes des génies, et parmi les événements des révolutions. Les grands accidents sont la loi; l'ordre des choses ne peut s'en passer; et, à voir les apparitions de comètes, on serait tenté de croire que le ciel lui-même a besoin d'acteurs en représentation. Au moment où l'on s'y attend le moins, Dieu placarde un météore sur la muraille du firmament. Quelque étoile bizarre survient, soulignée par une queue énorme. Et cela fait mourir César. Brutus lui donne un coup de couteau, et Dieu un coup de comète. Crac, voilà une aurore boréale, voilà une révolution, voilà un grand homme; 93 en grosses lettres, Napoléon en vedette, la comète de 1811 au haut de l'affiche. Ah! la belle affiche bleue, toute constellée de flamboiements inattendus! Boum! boum! spectacle extraordinaire. Levez les yeux, badauds. Tout est échevelé, l'astre comme le drame. Bon Dieu, c'est trop, et ce n'est pas assez. Ces ressources, prises dans l'exception, semblent magnificence et sont pauvreté. Mes amis, la providence en est aux expédients. Une révolution, qu'est-ce que cela prouve? Que Dieu est à court. Il fait un coup d'état, parce qu'il y a solution de continuité entre le présent et l'avenir, et parce que, lui Dieu, il n'a pas pu joindre les deux bouts. Au fait, cela me confirme dans mes conjectures sur la situation de fortune de Jéhovah; et à voir tant de malaise en haut et en bas, tant de mesquinerie et de pingrerie et de ladrerie et de détresse au ciel et sur la terre, depuis l'oiseau qui n'a pas un grain de mil jusqu'à moi qui n'ai pas cent mille livres de rente, à voir la destinée humaine, qui est fort usée, et même la destinée royale, qui montre la corde, témoin le prince de Condé pendu, à voir l'hiver, qui n'est pas autre chose qu'une déchirure au zénith par où le vent souffle, à voir tant de haillons dans la pourpre toute neuve du matin au sommet des collines, à voir les gouttes de rosée, ces perles fausses, à voir le givre, ce strass, à voir l'humanité décousue et les événements rapiécés, et tant de taches au soleil, et tant de trous à la lune, à voir tant de misère partout, je soupçonne que Dieu n'est pas riche. Il a de l'apparence, c'est vrai, mais je sens la gêne. Il donne une révolution, comme un négociant dont la caisse est vide donne un bal. Il ne faut pas juger des dieux sur l'apparence. Sous la dorure du ciel j'entrevois un univers pauvre. Dans la création il y a de la faillite. C'est pourquoi je suis mécontent. Voyez, c'est le cinq juin, il fait presque nuit; depuis ce matin j'attends que le jour vienne. Il n'est pas venu, et je gage qu'il ne viendra pas de la journée. C'est une inexactitude de commis mal payé. Oui, tout est mal arrangé, rien ne s'ajuste à rien, ce vieux monde est tout déjeté, je me range dans l'opposition. Tout va de guingois; l'univers est taquinant. C'est comme les enfants, ceux qui en désirent n'en ont pas, ceux qui n'en désirent pas en ont. Total : je bisque. En outre, Laigle de Meaux, ce chauve, m'afflige à voir. Cela m'humilie de penser que je suis du même âge que ce genou. Du reste, je critique, mais je n'insulte pas. L'univers est ce qu'il est. Je parle ici sans méchante intention et pour l'acquit de ma conscience. Recevez, Père éternel, l'assurance de ma considération distinguée. Ah! par tous les saints de l'olympe et par tous les dieux du paradis, je n'étais pas fait pour être parisien, c'est-à-dire pour ricocher à jamais, comme un volant entre deux raquettes, du groupe des flâneurs au groupe des tapageurs! J'étais fait pour être turc, regardant toute la journée des péronnelles orientales exécuter ces exquises danses d'Égypte lubriques comme les songes d'un homme chaste, ou paysan beauceron, ou gentilhomme vénitien entouré de gentillesdonnes, ou petit prince allemand fournissant la moitié d'un fantassin à la confédération germanique, et occupant ses loisirs à faire sécher ses chaussettes sur sa haie, c'està-dire sur sa frontière! Voilà pour quels destins j'étais né! Oui, j'ai dit turc, et je ne m'en dédis point. Je ne comprends pas qu'on prenne habituellement les turcs en mauvaise part; Mahom a du bon; respect à l'inventeur des sérails à houris et des paradis à odalisques! N'insultons pas le mahométisme, la seule religion qui soit ornée d'un poulailler! Sur ce, j'insiste pour boire. La terre est une grosse bêtise. Et il paraît qu'ils vont se battre, tous ces imbéciles, se faire casser le profil, se massacrer, en plein été, au mois de prairial, quand ils pourraient s'en aller, avec une créature sous le bras, respirer dans les champs l'immense tasse de thé des foins coupés! Vraiment, on fait trop de sottises. Une vieille lanterne cassée que j'ai vue tout à l'heure chez un marchand de bric-à-brac me suggère une réflexion : Il serait temps d'éclairer le genre humain. Oui, me revoilà triste! Ce que c'est que d'avaler une huître et une révolution de travers! Je redeviens lugubre. Oh! l'affreux vieux monde! On s'y évertue, on s'y destitue, on s'y prostitue, on s'y tue, on s'y habitue!

Et Grantaire, après cette quinte d'éloquence, eut une quinte de toux, méritée.

— À propos de révolution, dit Joly, il paraît que décidébent Barius est aboureux.

— Sait-on de qui? demanda Laigle.

— Don.

— Non?

— Don, je te dis!

— Les amours de Marius! s'écria Grantaire. Je vois ça d'ici. Marius est un brouillard, et il aura trouvé une vapeur. Marius est de la race poëte. Qui dit poëte dit fou. *Timbrœus Apollo*, Marius et sa Marie, ou sa Maria, ou sa Mariette, ou sa Marion, cela doit faire de drôles d'amants. Je me rends compte de ce que cela est. Des extases où l'on oublie le baiser. Chastes sur la terre, mais s'accouplant dans l'infini. Ce sont des âmes qui ont des sens. Ils couchent ensemble dans les étoiles.

Grantaire entamait sa seconde bouteille et peut-être sa seconde harangue quand un nouvel être émergea du trou carré de l'escalier. C'était un garçon de moins de dix ans, déguenillé, très petit, jaune, le visage en museau, l'œil vif, énormément chevelu, mouillé de pluie, l'air content.

L'enfant, choisissant sans hésiter parmi les trois, quoiqu'il n'en connût évidemment aucun, s'adressa à Laigle de Meaux.

— Est-ce vous qui êtes monsieur Bossuet? demanda-t-il.

— C'est mon petit nom, répondit Laigle. Que me veux-tu?

— Voilà. Un grand blond sur le boulevard m'a dit : Connais-tu la mère Hucheloup? J'ai dit : Oui, rue Chanvrerie, la veuve au vieux. Il m'a dit : Vas-y. Tu y trouveras monsieur Bossuet, et tu lui diras de ma part : A B C. C'est une farce qu'on vous fait, n'est-ce pas? Il m'a donné dix sous.

— Joly, prête-moi dix sous, dit Laigle; et se tournant vers Grantaire : Grantaire, prête-moi dix sous.

Cela fit vingt sous que Laigle donna à l'enfant.

— Merci, monsieur, dit le petit garçon.

— Comment t'appelles-tu? demanda Laigle.

— Navet, l'ami à Gavroche.

— Reste avec nous, dit Laigle.

— Déjeune avec nous, dit Grantaire.

L'enfant répondit :

— Je ne peux pas, je suis du cortège, c'est moi qui crie à bas Polignac.

Et tirant le pied longuement derrière lui, ce qui est le plus respectueux des saluts possibles, il s'en alla.

L'enfant parti, Grantaire prit la parole :

— Ceci est le gamin pur. Il y a beaucoup de variétés dans le genre gamin. Le gamin notaire s'appelle saute-ruisseau, le gamin cuisinier s'appelle marmiton, le gamin boulanger s'appelle mitron, le gamin laquais s'appelle groom, le gamin marin s'appelle mousse, le gamin soldat s'appelle tapin, le gamin peintre s'appelle rapin, le gamin négociant s'appelle trottin, le gamin courtisan s'appelle menin, le gamin roi s'appelle dauphin, le gamin dieu s'appelle bambino.

Cependant Laigle méditait; il dit à demi-voix :

— A B C, c'est-à-dire : Enterrement de Lamarque.

— Le grand blond, observa Grantaire, c'est Enjolras qui te fait avertir.

— Irons-nous? fit Bossuet.

— Il pleut, dit Joly. J'ai juré d'aller au feu, pas à l'eau. Je de veux pas b'enrhuber.

— Je reste ici, dit Grantaire. Je préfère un déjeuner à un corbillard.

— Conclusion : nous restons, reprit Laigle. Eh bien, buvons alors. D'ailleurs on peut manquer l'enterrement sans manquer l'émeute.

— Ah! l'éboute, j'en suis, s'écria Joly.

Laigle se frotta les mains :

— Voilà donc qu'on va retoucher à la révolution de 1830. Au fait elle gêne le peuple aux entournures.

— Cela m'est à peu près égal, votre révolution, dit Grantaire. Je n'exècre pas ce gouvernement-ci. C'est la couronne tempérée par le bonnet de coton. C'est un sceptre terminé en parapluie. Au fait, aujourd'hui, j'y songe, par le temps qu'il fait, Louis-Philippe pourra utiliser sa royauté à deux fins, étendre le bout sceptre contre le peuple et ouvrir le bout parapluie contre le ciel.

La salle était obscure, de grosses nuées achevaient de supprimer le jour. Il n'y avait personne dans le cabaret, ni dans la rue, tout le monde étant allé « voir les événements ».

— Est-il midi ou minuit ? cria Bossuet. On n'y voit goutte. Gibelotte, de la lumière.

Grantaire, triste, buvait.

— Enjolras me dédaigne, murmura-t-il. Enjolras a dit : Joly est malade. Grantaire est ivre. C'est à Bossuet qu'il a envoyé Navet. S'il était venu me prendre, je l'aurais suivi. Tant pis pour Enjolras ! je n'irai pas à son enterrement.

Cette résolution prise, Bossuet, Joly et Grantaire ne bougèrent plus du cabaret. Vers deux heures de l'après-midi, la table où ils s'accoudaient était couverte de bouteilles vides. Deux chandelles y brûlaient, l'une dans un bougeoir de cuivre parfaitement vert, l'autre dans le goulot d'une carafe fêlée. Grantaire avait entraîné Joly et Bossuet vers le vin ; Bossuet et Joly avaient ramené Grantaire vers la joie.

Quant à Grantaire, depuis midi, il avait dépassé le vin, médiocre source de rêves. Le vin, près des ivrognes sérieux, n'a qu'un succès d'estime. Il y a, en fait d'ébriété, la magie noire et la magie blanche ; le vin n'est que la magie blanche. Grantaire était un aventureux buveur de songes. La noirceur d'une ivresse redoutable entr'ouverte devant lui, loin de l'arrêter, l'attirait. Il avait laissé là les bouteilles et pris la chope. La chope, c'est le gouffre. N'ayant sous la main ni opium, ni haschisch, et voulant s'emplir le cerveau de crépuscule, il avait eu recours à cet effrayant mélange d'eau-de-vie, de stout et d'absinthe qui produit des léthargies si terribles. C'est de ces trois vapeurs, bière, eau-de-vie, absinthe, qu'est fait le plomb de l'âme. Ce sont trois ténèbres, le papillon céleste s'y noie ; et il s'y forme, dans une fumée membraneuse vaguement condensée en aile de chauve-souris, trois furies muettes, le Cauchemar, la Nuit, la Mort, voletant au-dessus de Psyché endormie.

Grantaire n'en était point encore à cette phase lugubre; loin de là. Il était prodigieusement gai, et Bossuet et Joly lui donnaient la réplique. Ils trinquaient. Grantaire ajoutait à l'accentuation excentrique des mots et des idées la divagation du geste; il appuyait avec dignité son poing gauche sur son genou, son bras faisant l'équerre, et, la cravate défaite, à cheval sur un tabouret, son verre plein dans sa main droite, il jetait à la grosse servante Matelote ces paroles solennelles :

— Qu'on ouvre les portes du palais! que tout le monde soit de l'académie française, et ait le droit d'embrasser madame Hucheloup! Buvons.

Et se tournant vers mame Hucheloup, il ajoutait :

— Femme antique et consacrée par l'usage, approche, que je te contemple!

Et Joly s'écriait :

— Batelote et Gibelotte, de doddez plus à boire à Grantaire. Il bange des argents fous. Il a déjà dévoré depuis ce batin en prodigalités éperdues deux francs quatrevingt-quinze centibes.

Et Grantaire reprenait :

— Qui donc a décroché les étoiles sans ma permission pour les mettre sur la table en guise de chandelles?

Bossuet, fort ivre, avait conservé son calme.

Il s'était assis sur l'appui de la fenêtre ouverte, mouillant son dos à la pluie qui tombait, et il contemplait ses deux amis.

Tout à coup il entendit derrière lui un tumulte, des pas précipités, des cris *aux armes!* Il se retourna, et aperçut, rue Saint-Denis, au bout de la rue de la Chanvrerie, Enjolras qui passait, le fusil à la main, et Gavroche avec son pistolet, Feuilly avec son sabre, Courfeyrac avec son épée, Jean Prouvaire avec son mousqueton, Combeferre avec son fusil, Bahorel avec sa carabine, et tout le rassemblement armé et orageux qui les suivait.

La rue de la Chanvrerie n'était guère longue que d'une portée de carabine. Bossuet improvisa avec ses deux mains un porte-voix autour de sa bouche, et cria :

— Courfeyrac ! Courfeyrac ! hohée !

Courfeyrac entendit l'appel, aperçut Bossuet, et fit quelques pas dans la rue de la Chanvrerie, en criant un : que veux-tu ? qui se croisa avec un : où vas-tu ?

— Faire une barricade, répondit Courfeyrac.

— Eh bien, ici ! la place est bonne ! fais-la ici !

— C'est vrai, Aigle, dit Courfeyrac.

Et sur un signe de Courfeyrac, l'attroupement se précipita rue de la Chanvrerie.

III

LA NUIT COMMENCE À SE FAIRE SUR GRANTAIRE

La place était en effet admirablement indiquée, l'entrée de la rue évasée, le fond rétréci et en cul-de-sac, Corinthe y faisant un étranglement, la rue Mondétour facile à barrer à droite et à gauche, aucune attaque possible que par la rue Saint-Denis, c'est-à-dire de front et à découvert. Bossuet gris avait eu le coup d'œil d'Annibal à jeun.

À l'irruption du rassemblement, l'épouvante avait pris toute la rue. Pas un passant qui ne se fût éclipsé. Le temps d'un éclair, au fond, à droite, à gauche, boutiques, établis, portes d'allées, fenêtres, persiennes, mansardes, volets de toute dimension, s'étaient fermés depuis les rez-de-chaussée jusque sur les toits. Une vieille femme effrayée avait fixé un matelas devant sa fenêtre à deux perches à sécher le linge, afin d'amortir la mousqueterie. La maison du cabaret était seule restée ouverte ; et cela par une bonne raison, c'est que l'attroupement s'y était rué. — Ah mon Dieu ! ah mon Dieu ! soupirait mame Hucheloup.

Bossuet était descendu au-devant de Courfeyrac.

Joly, qui s'était mis à la fenêtre, cria :

— Courfeyrac, tu aurais dû prendre un parapluie. Tu vas t'enrhuber.

Cependant, en quelques minutes, vingt barres de fer avaient été arrachées de la devanture grillée du cabaret, dix toises de rue avaient été dépavées ; Gavroche et Bahorel avaient saisi au passage et renversé le haquet d'un fabricant de chaux appelé Anceau, ce haquet contenait trois barriques pleines de chaux qu'ils avaient placées sous des piles de pavés ; Enjolras avait levé la trappe de la cave, et toutes les futailles vides de la veuve Hucheloup étaient allées flanquer les barriques de chaux ; Feuilly, avec ses doigts habitués à enluminer les lames délicates des éventails, avait contre-buté les barriques et le haquet de deux massives piles de moellons. Moellons improvisés comme le reste, et pris on ne sait où. Des poutres d'étai avaient été arrachées à la façade d'une maison voisine et couchées sur les futailles. Quand Bossuet et Courfeyrac se retournèrent, la moitié de la rue était déjà barrée d'un rempart plus haut qu'un homme. Rien n'est tel que la main populaire pour bâtir tout ce qui se bâtit en démolissant.

Matelote et Gibelotte s'étaient mêlées aux travailleurs. Gibelotte allait et venait chargée de gravats. Sa lassitude aidait à la barricade. Elle servait des pavés comme elle eût servi du vin, l'air endormi.

Un omnibus qui avait deux chevaux blancs passa au bout de la rue.

Bossuet enjamba les pavés, courut, arrêta le cocher, fit descendre les voyageurs, donna la main « aux dames », congédia le conducteur et revint ramenant voiture et chevaux par la bride.

— Les omnibus, dit-il, ne passent pas devant Corinthe. *Non licet omnibus adire Corinthum.*

Un instant après, les chevaux dételés s'en allaient au hasard par la rue Mondétour, et l'omnibus couché sur le flanc complétait le barrage de la rue.

Madame Hucheloup, bouleversée, s'était réfugiée au premier étage.

Elle avait l'œil vague et regardait sans voir, criant tout bas. Ses cris épouvantés n'osaient sortir de son gosier.

— C'est la fin du monde, murmurait-elle.

Joly déposait un baiser sur le gros cou rouge et ridé de mame Hucheloup et disait à Grantaire : — Mon cher, j'ai toujours considéré le cou d'une femme comme une chose infiniment délicate.

Mais Grantaire atteignait les plus hautes régions du

dithyrambe. Matelote étant remontée au premier, Grantaire l'avait saisie par la taille et poussait à la fenêtre de longs éclats de rire.

— Matelote est laide ! criait-il, Matelote est la laideur rêve ! Matelote est une chimère. Voici le secret de sa naissance : un pygmalion gothique qui faisait des gargouilles de cathédrales tomba un beau matin amoureux de l'une d'elles, la plus horrible. Il supplia l'amour de l'animer, et cela fit Matelote. Regardez-la, citoyens ! elle a les cheveux couleur chromate de plomb comme la maîtresse du Titien, et c'est une bonne fille. Je vous réponds qu'elle se battra bien. Toute bonne fille contient un héros. Quant à la mère Hucheloup, c'est une vieille brave. Voyez les moustaches qu'elle a ! elle les a héritées de son mari. Une housarde, quoi ! Elle se battra aussi. À elles deux elles feront peur à la banlieue. Camarades, nous renverserons le gouvernement, vrai comme il est vrai qu'il existe quinze acides intermédiaires entre l'acide margarique et l'acide formique. Du reste cela m'est parfaitement égal. Messieurs, mon père m'a toujours détesté parce que je ne pouvais comprendre les mathématiques. Je ne comprends que l'amour et la liberté. Je suis Grantaire le bon enfant ! N'ayant jamais eu d'argent, je n'en ai pas pris l'habitude, ce qui fait que je n'en ai jamais manqué ; mais si j'avais été riche, il n'y aurait plus eu de pauvres ! on aurait vu ! Oh ! si les bons cœurs avaient les grosses bourses ! comme tout irait mieux ! Je me figure Jésus-Christ avec la fortune de Rothschild ! Que de bien il ferait ! Matelote, embrassez-moi ! Vous êtes voluptueuse et timide ! vous avez des joues qui appellent le baiser d'une sœur, et des lèvres qui réclament le baiser d'un amant !

— Tais-toi, futaille ! dit Courfeyrac.

Grantaire répondit :

— Je suis capitoul et maître ès jeux floraux !

Enjolras qui était debout sur la crête du barrage, le fusil au poing, leva son beau visage austère. Enjolras, on le sait, tenait du spartiate et du puritain. Il fût mort aux Thermopyles avec Léonidas et eût brûlé Drogheda avec Cromwell.

— Grantaire ! cria-t-il, va-t'en cuver ton vin hors d'ici. C'est la place de l'ivresse et non de l'ivrognerie. Ne déshonore pas la barricade !

Cette parole irritée produisit sur Grantaire un effet singulier. On eût dit qu'il recevait un verre d'eau froide à travers le visage. Il parut subitement dégrisé. Il s'assit, s'accouda sur une table près de la croisée, regarda Enjolras avec une inexprimable douceur, et lui dit :

— Tu sais que je crois en toi.
— Va-t'en.
— Laisse-moi dormir ici
— Va dormir ailleurs, cria Enjolras.

Mais Grantaire, fixant toujours sur lui ses yeux tendres et troubles, répondit :

— Laisse-moi y dormir — jusqu'à ce que j'y meure.

Enjolras le considéra d'un œil dédaigneux :

— Grantaire, tu es incapable de croire, de penser, de vouloir, de vivre, et de mourir.

Grantaire répliqua d'une voix grave :

— Tu verras.

Il bégaya encore quelques mots inintelligibles, puis sa tête tomba pesamment sur la table, et, ce qui est un effet assez habituel de la seconde période de l'ébriété où Enjolras l'avait rudement et brusquement poussé, un instant après il était endormi.

IV

ESSAI DE CONSOLATION
SUR LA VEUVE HUCHELOUP

Bahorel, extasié de la barricade, criait :

— Voilà la rue décolletée ! comme cela fait bien !

Courfeyrac, tout en démolissant un peu le cabaret, cherchait à consoler la veuve cabaretière.

— Mère Hucheloup, ne vous plaigniez-vous pas l'autre jour qu'on vous avait signifié procès-verbal et mise en contravention parce que Gibelotte avait secoué un tapis de lit par votre fenêtre ?

— Oui, mon bon monsieur Courfeyrac. Ah ! mon Dieu, est-ce que vous allez me mettre aussi cette table-là dans votre horreur ? Et même que, pour le tapis, et aussi pour un pot de fleurs qui était tombé de la mansarde dans la rue, le gouvernement m'a pris cent francs d'amende. Si ce n'est pas une abomination.

— Eh bien ! mère Hucheloup, nous vous vengeons.

La mère Hucheloup, dans cette réparation qu'on lui faisait, ne semblait pas comprendre beaucoup son bénéfice. Elle était satisfaite à la manière de cette femme arabe qui, ayant reçu un soufflet de son mari, s'alla plaindre à son père, criant vengeance et disant : — Père, tu dois à mon mari affront pour affront. Le père demanda : — Sur quelle joue as-tu reçu le soufflet ? — Sur la joue gauche. Le père souffleta la joue droite et dit : — Te voilà contente. Va dire à ton mari qu'il a souffleté ma fille, mais que j'ai souffleté sa femme.

La pluie avait cessé. Des recrues étaient arrivées. Des ouvriers avaient apporté sous leurs blouses un baril de poudre, un panier contenant des bouteilles de vitriol, deux ou trois torches de carnaval et une bourriche pleine de lampions « restés de la fête du roi ». Laquelle fête était toute récente, ayant eu lieu le 1er mai. On disait que ces munitions venaient de la part d'un épicier du faubourg Saint-Antoine nommé Pépin. On brisait l'unique réverbère de la rue de la Chanvrerie, la lanterne correspondante de la rue Saint-Denis, et toutes les lanternes des rues circonvoisines, de Mondétour, du Cygne, des Prêcheurs, et de la Grande et de la Petite-Truanderie.

Enjolras, Combeferre et Courleyrac dirigeaient tout. Maintenant deux barricades se construisaient en même temps, toutes deux appuyées à la maison de Corinthe et faisant équerre ; la plus grande fermait la rue de la Chanvrerie, l'autre fermait la rue Mondétour du côté de la rue du Cygne. Cette dernière barricade, très étroite, n'était construite que de tonneaux et de pavés. Ils étaient là environ cinquante travailleurs ; une trentaine armés de fusils ; car, chemin faisant, ils avaient fait un emprunt en bloc à une boutique d'armurier.

Rien de plus bizarre et de plus bigarré que cette troupe. L'un avait un habit veste, un sabre de cavalerie et deux pistolets d'arçon, un autre était en manches de chemise avec un chapeau rond et une poire à poudre pendue au côté, un troisième était plastronné de neuf feuilles de papier gris et armé d'une alêne de sellier. Il y en avait un qui criait : *Exterminons jusqu'au dernier et mourons au bout de notre bayonnette!* Celui-là n'avait pas de bayonnette. Un autre étalait par-dessus sa redingote une buffleterie et une giberne de garde national avec le couvre-giberne orné de cette inscription en laine rouge : *Ordre public.* Force fusils portant des numéros de légions, peu de chapeaux, point de cravates, beaucoup de bras nus, quelques piques. Ajoutez à cela tous les âges, tous les visages, de petits jeunes gens pâles, des ouvriers du port bronzés. Tous se hâtaient, et, tout en s'entr'aidant, on causait des chances possibles, — qu'on aurait des secours vers trois heures du matin, — qu'on était sûr d'un régiment, — que Paris se soulèverait. Propos terribles auxquels se mêlait une sorte de jovialité cordiale. On eût dit des frères; ils ne savaient pas les noms les uns des autres. Les grands périls ont cela de beau qu'ils mettent en lumière la fraternité des inconnus.

Un feu avait été allumé dans la cuisine, et l'on y fondait dans un moule à balles brocs, cuillers, fourchettes, toute l'argenterie d'étain du cabaret. On buvait à travers tout cela. Les capsules et les chevrotines traînaient pêle-mêle sur les tables avec les verres de vin. Dans la salle de billard, mame Hucheloup, Matelote et Gibelotte, diversement modifiées par la terreur, dont l'une était abrutie, l'autre essoufflée, l'autre éveillée, déchiraient de vieux torchons et faisaient de la charpie; trois insurgés les assistaient, trois gaillards chevelus, barbus et moustachus, qui épluchaient la toile avec des doigts de lingère et qui les faisaient trembler.

L'homme de haute stature que Courfeyrac, Combeferre et Enjolras avaient remarqué à l'instant où il abordait l'attroupement au coin de la rue des Billettes, travaillait à la petite barricade et s'y rendait utile. Gavroche travaillait à la grande. Quant au jeune homme qui avait attendu Courfeyrac chez lui et lui avait demandé monsieur Marius, il avait disparu à peu près vers le moment où l'on avait renversé l'omnibus.

Gavroche, complètement envolé et radieux, s'était chargé de la mise en train. Il allait, venait, montait, descendait, remontait, bruissait, étincelait. Il semblait être là pour l'encouragement de tous. Avait-il un aiguillon ? oui, certes, sa misère ; avait-il des ailes ? oui, certes, sa joie. Gavroche était un tourbillonnement. On le voyait sans cesse, on l'entendait toujours, il remplissait l'air, étant partout à la fois. C'était une espèce d'ubiquité presque irritante ; pas d'arrêt possible avec lui. L'énorme barricade le sentait sur sa croupe. Il gênait les flâneurs, il excitait les paresseux, il ranimait les fatigués, il impatientait les pensifs, mettait les uns en gaîté, les autres en haleine, les autres en colère, tous en mouvement, piquait un étudiant, mordait un ouvrier, se posait, s'arrêtait, repartait, volait au-dessus du tumulte et de l'effort, sautait de ceux-ci à ceux-là, murmurait, bourdonnait, et harcelait tout l'attelage ; mouche de l'immense Coche révolutionnaire.

Le mouvement perpétuel était dans ses petits bras et la clameur perpétuelle dans ses petits poumons :

— Hardi ! encore des pavés ! encore des tonneaux ! encore des machins ! où y en a-t-il ? Une hottée de plâtras pour me boucher ce trou-là. C'est tout petit, votre barricade. Il faut que ça monte. Mettez-y tout, flanquez-y tout, fichez-y tout. Cassez la maison. Une barricade, c'est le thé de la mère Gibou. Tenez, voilà une porte vitrée.

Ceci fit exclamer les travailleurs.

— Une porte vitrée ! qu'est-ce que tu veux qu'on fasse d'une porte vitrée, tubercule ?

— Hercules vous-mêmes ! riposta Gavroche. Une porte vitrée dans une barricade, c'est excellent. Ça n'empêche pas de l'attaquer, mais ça gêne pour la prendre. Vous n'avez donc jamais chipé des pommes par-dessus un mur où il y avait des culs de bouteilles ? Une porte vitrée, ça coupe les cors aux pieds de la garde nationale quand elle veut monter sur la barricade. Pardi ! le verre est traître. Ah çà, vous n'avez pas une imagination effrénée, mes camarades !

Du reste, il était furieux de son pistolet sans chien. Il allait de l'un à l'autre, réclamant : — Un fusil ! je veux un fusil ! Pourquoi ne me donne-t-on pas un fusil ?

— Un fusil à toi ! dit Combeferre.

— Tiens ! répliqua Gavroche, pourquoi pas ? J'en ai bien eu un en 1880 quand on s'est disputé avec Charles X !

Enjolras haussa les épaules.

— Quand il y en aura pour les hommes, on en donnera aux enfants.

Gavroche se tourna fièrement, et lui répondit :
— Si tu es tué avant moi, je te prends le tien.
— Gamin ! dit Enjolras.
— Blanc-bec ! dit Gavroche.

Un élégant fourvoyé qui flânait au bout de la rue, fit diversion.

Gavroche lui cria :
— Venez avec nous, jeune homme ! Eh bien, cette vieille patrie, on ne fait donc rien pour elle ?

L'élégant s'enfuit.

v

LES PRÉPARATIFS

Les journaux du temps qui ont dit que la barricade de la rue de la Chanvrerie, cette *construction presque inexpugnable*, comme ils l'appellent, atteignait au niveau d'un premier étage, se sont trompés. Le fait est qu'elle ne dépassait pas une hauteur moyenne de six ou sept pieds. Elle était bâtie de manière que les combattants pouvaient, à volonté, ou disparaître derrière, ou dominer le barrage et même en escalader la crête au moyen d'une quadruple rangée de pavés superposés et arrangés en gradins à l'intérieur. Au dehors le front de la barricade, composé de piles de pavés et de tonneaux reliés par des poutres et des planches qui s'enchevêtraient dans les roues de la charrette Anceau et de l'omnibus renversé, avait un aspect hérissé et inextricable. Une coupure suffisante pour qu'un homme y pût passer avait été ménagée entre le mur des maisons et l'extrémité de la barricade la plus éloignée du cabaret, de façon qu'une sortie était possible. La flèche de l'omnibus était dressée droite et maintenue avec des cordes, et un drapeau rouge, fixé à cette flèche, flottait sur la barricade.

La petite barricade Mondétour, cachée derrière la maison du cabaret, ne s'apercevait pas. Les deux barricades réunies formaient une véritable redoute. Enjolras et Courfeyrac n'avaient pas jugé à propos de barricader l'autre tronçon de la rue Mondétour qui ouvre par la rue des Prêcheurs une issue sur les halles, voulant sans doute conserver une communication possible avec le dehors et redoutant peu d'être attaqués par la dangereuse et difficile ruelle des Prêcheurs.

À cela près de cette issue libre, qui constituait ce que Folard, dans son style stratégique, eût appelé un boyau, et en tenant compte aussi de la coupure exiguë ménagée sur la rue de la Chanvrerie, l'intérieur de la barricade, où le cabaret faisait un angle saillant, présentait un quadrilatère irrégulier fermé de toutes parts. Il y avait une vingtaine de pas d'intervalle entre le grand barrage et les hautes maisons qui formaient le fond de la rue, en sorte qu'on pouvait dire que la barricade était adossée à ces maisons, toutes habitées, mais closes du haut en bas.

Tout ce travail se fit sans empêchement en moins d'une heure et sans que cette poignée d'hommes hardis vît surgir un bonnet à poil ni une bayonnette. Les bourgeois peu fréquents qui se hasardaient encore à ce moment de l'émeute dans la rue Saint-Denis jetaient un coup d'œil rue de la Chanvrerie, apercevaient la barricade, et doublaient le pas.

Les deux barricades terminées, le drapeau arboré, on traîna une table hors du cabaret; et Courfeyrac monta sur la table. Enjolras apporta le coffre carré et Courfeyrac l'ouvrit. Ce coffre était rempli de cartouches. Quand on vit les cartouches, il y eut un tressaillement parmi les plus braves et un moment de silence.

Courfeyrac les distribua en souriant.

Chacun reçut trente cartouches. Beaucoup avaient de la poudre et se mirent à en faire d'autres avec les balles qu'on fondait. Quant au baril de poudre, il était sur une table à part, près de la porte, et on le réserva.

Le rappel, qui parcourait tout Paris, ne discontinuait pas, mais cela avait fini par ne plus être qu'un bruit monotone auquel ils ne faisaient plus attention. Ce bruit tantôt s'éloignait, tantôt s'approchait, avec des ondulations lugubres.

On chargea les fusils et les carabines, tous ensemble, sans précipitation, avec une gravité solennelle. Enjolras alla placer trois sentinelles hors des barricades, l'une rue de la Chanvrerie, la seconde rue des Prêcheurs, la troisième au coin de la Petite-Truanderie.

Puis, les barricades bâties, les postes assignés, les fusils chargés, les vedettes posées, seuls dans ces rues redoutables où personne ne passait plus, entourés de ces maisons muettes et comme mortes où ne palpitait aucun mouvement humain, enveloppés des ombres croissantes du crépuscule qui commençait, au milieu de cette obscurité et de ce silence où l'on sentait s'avancer quelque chose et qui avaient je ne sais quoi de tragique et de terrifiant, isolés, armés, déterminés, tranquilles, ils attendirent.

VI

EN ATTENDANT

Dans ces heures d'attente, que firent-ils ?

Il faut bien que nous le disions, puisque ceci est de l'histoire.

Tandis que les hommes faisaient des cartouches et les femmes de la charpie, tandis qu'une large casserole, pleine d'étain et de plomb fondu destiné au moule à balles, fumait sur un réchaud ardent, pendant que les vedettes veillaient l'arme au bras sur la barricade, pendant qu'Enjolras, impossible à distraire, veillait sur les vedettes, Combeferre, Courfeyrac, Jean Prouvaire, Feuilly, Bossuet, Joly, Bahorel, quelques autres encore, se cherchèrent et se réunirent, comme aux plus paisibles jours de leurs causeries d'écoliers, et dans un coin de ce cabaret changé en casemate, à deux pas de la redoute qu'ils avaient élevée, leurs carabines amorcées et chargées appuyées au dossier de leur chaise, ces beaux jeunes gens, si voisins d'une heure suprême, se mirent à dire des vers d'amour.

Quels vers ? Les voici :

> Vous rappelez-vous notre douce vie,
> Lorsque nous étions si jeunes tous deux,
> Et que nous n'avions au cœur d'autre envie
> Que d'être bien mis et d'être amoureux !
>
> Lorsqu'en ajoutant votre âge à mon âge,
> Nous ne comptions pas à deux quarante ans,
> Et que, dans notre humble et petit ménage,
> Tout, même l'hiver, nous était printemps !
>
> Beaux jours ! Manuel était fier et sage,
> Paris s'asseyait à de saints banquets,
> Foy lançait la foudre, et votre corsage
> Avait une épingle où je me piquais.
>
> Tout vous contemplait. Avocat sans causes,
> Quand je vous menais au Prado dîner,
> Vous étiez jolie au point que les roses
> Me faisaient l'effet de se retourner.
>
> Je les entendais dire : Est-elle belle !
> Comme elle sent bon ! quels cheveux à flots !
> Sous son mantelet elle cache une aile ;
> Son bonnet charmant est à peine éclos.
>
> J'errais avec toi, pressant ton bras souple.
> Les passants croyaient que l'amour charmé
> Avait marié, dans notre heureux couple,
> Le doux mois d'avril au beau mois de mai.
>
> Nous vivions cachés, contents, porte close,
> Dévorant l'amour, bon fruit défendu ;
> Ma bouche n'avait pas dit une chose
> Que déjà ton cœur avait répondu.
>
> La Sorbonne était l'endroit bucolique
> Où je t'adorais du soir au matin.
> C'est ainsi qu'une âme amoureuse applique
> La carte du Tendre au pays latin.
>
> Ô place Maubert ! ô place Dauphine !
> Quand, dans le taudis frais et printanier,
> Tu tirais ton bas sur ta jambe fine,
> Je voyais un astre au fond du grenier.
>
> J'ai fort lu Platon, mais rien ne m'en reste ;
> Mieux que Malebranche et que Lamennais,
> Tu me démontrais la bonté céleste
> Avec une fleur que tu me donnais.

L'idylle rue Plumet et l'épopée rue Saint-Denis 151

> Je t'obéissais, tu m'étais soumise.
> Ô grenier doré! te lacer! te voir
> Aller et venir dès l'aube en chemise,
> Mirant ton front jeune à ton vieux miroir!
>
> Et qui donc pourrait perdre la mémoire
> De ces temps d'aurore et de firmament,
> De rubans, de fleurs, de gaze et de moire,
> Où l'amour bégaye un argot charmant!
>
> Nos jardins étaient un pot de tulipe;
> Tu masquais la vitre avec un jupon;
> Je prenais le bol de terre de pipe,
> Et je te donnais la tasse en japon.
>
> Et ces grands malheurs qui nous faisaient rire!
> Ton manchon brûlé, ton boa perdu!
> Et ce cher portrait du divin Shakspeare
> Qu'un soir pour souper nous avons vendu!
>
> J'étais mendiant, et toi charitable.
> Je baisais au vol tes bras frais et ronds.
> Dante in-folio nous servait de table
> Pour manger gaîment un cent de marrons.
>
> La première fois qu'en mon joyeux bouge
> Je pris un baiser à ta lèvre en feu,
> Quand tu t'en allas décoiffée et rouge,
> Je restai tout pâle et je crus en Dieu!
>
> Te rappelles-tu nos bonheurs sans nombre,
> Et tous ces fichus changés en chiffons!
> Oh! que de soupirs, de nos cœurs pleins d'ombre,
> Se sont envolés dans les cieux profonds!

L'heure, le lieu, ces souvenirs de jeunesse rappelés, quelques étoiles qui commençaient à briller au ciel, le repos funèbre de ces rues désertes, l'imminence de l'aventure inexorable qui se préparait, donnaient un charme pathétique à ces vers murmurés à demi-voix dans le crépuscule par Jean Prouvaire qui, nous l'avons dit, était un doux poëte.

Cependant on avait allumé un lampion dans la petite barricade, et, dans la grande, une de ces torches de cire comme on en rencontre le mardi gras en avant des voitures chargées de masques qui vont à la Courtille. Ces torches, on l'a vu, venaient du faubourg Saint-Antoine.

La torche avait été placée dans une espèce de cage de pavés fermée de trois côtés pour l'abriter du vent, et disposée de façon que toute la lumière tombait sur le drapeau. La rue et la barricade restaient plongées dans l'obscurité, et l'on ne voyait rien que le drapeau rouge formidablement éclairé comme par une énorme lanterne sourde.

Cette lumière ajoutait à l'écarlate du drapeau je ne sais quelle pourpre terrible.

VII

L'HOMME RECRUTÉ RUE DES BILLETTES

La nuit était tout à fait tombée, rien ne venait. On n'entendait que des rumeurs confuses, et par instants des fusillades, mais rares, peu nourries et lointaines. Ce répit, qui se prolongeait, était signe que le gouvernement prenait son temps et ramassait ses forces. Ces cinquante hommes en attendaient soixante mille.

Enjolras se sentit pris de cette impatience qui saisit les âmes fortes au seuil des événements redoutables. Il alla trouver Gavroche qui s'était mis à fabriquer des cartouches dans la salle basse à la clarté douteuse de deux chandelles, posées sur le comptoir par précaution à cause de la poudre répandue sur les tables. Ces deux chandelles ne jetaient aucun rayonnement au dehors. Les insurgés en outre avaient eu soin de ne point allumer de lumière dans les étages supérieurs.

Gavroche en ce moment était fort préoccupé, non pas précisément de ses cartouches.

L'homme de la rue des Billettes venait d'entrer dans la salle basse et était allé s'asseoir à la table la moins éclairée. Il lui était échu un fusil de munition grand modèle, qu'il tenait entre ses jambes. Gavroche jusqu'à cet instant, distrait par cent choses « amusantes », n'avait pas même vu cet homme.

Lorsqu'il entra, Gavroche le suivit machinalement des yeux, admirant son fusil, puis, brusquement, quand l'homme fut assis, le gamin se leva. Ceux qui auraient épié l'homme jusqu'à ce moment l'auraient vu tout observer dans la barricade et dans la bande des insurgés avec une attention singulière; mais depuis qu'il était entré dans la salle, il avait été pris d'une sorte de recueillement et semblait ne plus rien voir de ce qui se passait. Le gamin s'approcha de ce personnage pensif et se mit à tourner autour de lui sur la pointe du pied comme on marche auprès de quelqu'un qu'on craint de réveiller. En même temps, sur son visage enfantin, à la fois si effronté et si sérieux, si évaporé et si profond, si gai et si navrant, passaient toutes ces grimaces de vieux qui signifient : — Ah bah! — pas possible! — j'ai la berlue! — je rêve! — est-ce que ce serait?... — non, ce n'est pas! — mais si! — mais non! etc. Gavroche se balançait sur ses talons, crispait ses deux poings dans ses poches, remuait le cou comme un oiseau, dépensait en une lippe démesurée toute la sagacité de sa lèvre inférieure. Il était stupéfait, incertain, incrédule, convaincu, ébloui. Il avait la mine du chef des eunuques au marché des esclaves découvrant une Vénus parmi des dondons, et l'air d'un amateur reconnaissant un Raphaël dans un tas de croûtes. Tout chez lui était en travail, l'instinct qui flaire et l'intelligence qui combine. Il était évident qu'il arrivait un événement à Gavroche.

C'est au plus fort de cette préoccupation qu'Enjolras l'aborda.

— Tu es petit, dit Enjolras, on ne te verra pas. Sors des barricades, glisse-toi le long des maisons, va un peu partout par les rues, et reviens me dire ce qui se passe.

Gavroche se haussa sur ses hanches.

— Les petits sont donc bons à quelque chose! c'est bien heureux! J'y vas. En attendant fiez-vous aux petits, méfiez-vous des grands... — Et Gavroche, levant la tête et baissant la voix, ajouta, en désignant l'homme de la rue des Billettes :

— Vous voyez bien ce grand-là?
— Eh bien?
— C'est un mouchard.
— Tu es sûr?
— Il n'y a pas quinze jours qu'il m'a enlevé par l'oreille de la corniche du pont Royal où je prenais l'air.

Enjolras quitta vivement le gamin et murmura quelques mots très bas à un ouvrier du port aux vins qui se trouvait là. L'ouvrier sortit de la salle et y rentra presque tout de suite accompagné de trois autres. Ces quatre hommes, quatre portefaix aux larges épaules, allèrent se placer, sans rien faire qui pût attirer son attention, derrière la table où était accoudé l'homme de la rue des Billettes. Ils étaient visiblement prêts à se jeter sur lui.

Alors Enjolras s'approcha de l'homme et lui demanda :
— Qui êtes-vous ?

À cette question brusque, l'homme eut un soubresaut. Il plongea son regard jusqu'au fond de la prunelle candide d'Enjolras et parut y saisir sa pensée. Il sourit d'un sourire qui était tout ce qu'on peut voir au monde de plus dédaigneux, de plus énergique et de plus résolu, et répondit avec une gravité hautaine :
— Je vois ce que c'est... Eh bien oui !
— Vous êtes mouchard ?
— Je suis agent de l'autorité.
— Vous vous appelez ?
— Javert.

Enjolras fit signe aux quatre hommes. En un clin d'œil, avant que Javert eût eu le temps de se retourner, il fut colleté, terrassé, garrotté, fouillé.

On trouva sur lui une petite carte ronde collée entre deux verres et portant d'un côté les armes de France gravées, avec cette légende : *Surveillance et vigilance*, et de l'autre cette mention : JAVERT, inspecteur de police, âgé de cinquante-deux ans ; et la signature du préfet de police d'alors, M. Gisquet.

Il avait en outre sa montre et sa bourse, qui contenait quelques pièces d'or. On lui laissa la bourse et la montre. Derrière la montre, au fond du gousset, on tâta et l'on saisit un papier sous enveloppe qu'Enjolras déplia et où il lut ces cinq lignes écrites de la main même du préfet de police :

« Sitôt sa mission politique remplie, l'inspecteur Javert
« s'assurera, par une surveillance spéciale, s'il est vrai que
« des malfaiteurs aient des allures sur la berge de la rive
« droite de la Seine, près le pont d'Iéna. »

Le fouillage terminé, on redressa Javert, on lui noua les bras derrière le dos et on l'attacha au milieu de la salle basse à ce poteau célèbre qui avait jadis donné son nom au cabaret.

Gavroche, qui avait assisté à toute la scène et tout approuvé d'un hochement de tête silencieux, s'approcha de Javert et lui dit :

— C'est la souris qui a pris le chat.

Tout cela s'était exécuté si rapidement que c'était fini quand on s'en aperçut autour du cabaret. Javert n'avait pas jeté un cri. En voyant Javert lié au poteau, Coufeyrac, Bossuet, Joly, Combeferre, et les hommes dispersés dans les deux barricades, accoururent.

Javert, adossé au poteau, et si entouré de cordes qu'il ne pouvait faire un mouvement, levait la tête avec la sérénité intrépide de l'homme qui n'a jamais menti.

— C'est un mouchard, dit Enjolras.

Et se tournant vers Javert :

— Vous serez fusillé deux minutes avant que la barricade soit prise.

Javert répliqua de son accent le plus impérieux :

— Pourquoi pas tout de suite ?

— Nous ménageons la poudre.

— Alors finissez-en d'un coup de couteau.

— Mouchard, dit le bel Enjolras, nous sommes des juges et non des assassins.

Puis il appela Gavroche.

— Toi ! va à ton affaire ! Fais ce que je t'ai dit.

— J'y vas, cria Gavroche.

Et s'arrêtant au moment de partir :

— À propos, vous me donnerez son fusil ! Et il ajouta : Je vous laisse le musicien, mais je veux la clarinette.

Le gamin fit le salut militaire et franchit gaîment la coupure de la grande barricade.

VIII

PLUSIEURS POINTS D'INTERROGATION À PROPOS D'UN NOMMÉ LE CABUC QUI NE SE NOMMAIT PEUT-ÊTRE PAS LE CABUC

La peinture tragique que nous avons entreprise ne serait pas complète, le lecteur ne verrait pas dans leur relief exact et réel ces grandes minutes de gésine sociale et d'enfantement révolutionnaire où il y a de la convulsion mêlée à l'effort, si nous omettions, dans l'esquisse ébauchée ici, un incident plein d'une horreur épique et farouche qui survint presque aussitôt après le départ de Gavroche.

Les attroupements, comme on sait, font boule de neige et agglomèrent en roulant un tas d'hommes tumultueux. Ces hommes ne se demandent pas entre eux d'où ils viennent. Parmi les passants qui s'étaient réunis au rassemblement conduit par Enjolras, Combeferre et Courfeyrac, il y avait un être portant la veste du portefaix usée aux épaules, qui gesticulait et vociférait et avait la mine d'une espèce d'ivrogne sauvage. Cet homme, un nommé ou surnommé Le Cabuc, et du reste tout à fait inconnu de ceux qui prétendaient le connaître, très ivre, ou faisant semblant, s'était attablé avec quelques autres à une table qu'ils avaient tirée en dehors du cabaret. Ce Cabuc, tout en faisant boire ceux qui lui tenaient tête, semblait considérer d'un air de réflexion la grande maison du fond de la barricade dont les cinq étages dominaient toute la rue et faisaient face à la rue Saint-Denis. Tout à coup il s'écria :

— Camarades, savez-vous ? c'est de cette maison-là qu'il faudrait tirer. Quand nous serons là aux croisées, du diable si quelqu'un avance dans la rue !

— Oui, mais la maison est fermée, dit un des buveurs.
— Cognons !
— On n'ouvrira pas.
— Enfonçons la porte !

Le Cabuc court à la porte qui avait un marteau fort massif, et frappe. La porte ne s'ouvre pas. Il frappe un second coup. Personne ne répond. Un troisième coup. Même silence.

— Y a-t-il quelqu'un ici ? crie Le Cabuc.

Rien ne bouge.

Alors il saisit un fusil et commence à battre la porte à coups de crosse. C'était une vieille porte d'allée, cintrée, basse, étroite, solide, toute en chêne, doublée à l'intérieur d'une feuille de tôle et d'une armature de fer, une vraie poterne de bastille. Les coups de crosse faisaient trembler la maison, mais n'ébranlaient pas la porte.

Toutefois il est probable que les habitants s'étaient

émus, car on vit enfin s'éclairer et s'ouvrir une petite lucarne carrée au troisième étage, et apparaître à cette lucarne une chandelle et la tête béate et effrayée d'un bonhomme en cheveux gris qui était le portier.

L'homme qui cognait s'interrompit.

— Messieurs, demanda le portier, que désirez-vous ?
— Ouvre ! dit Le Cabuc.
— Messieurs, cela ne se peut pas.
— Ouvre toujours !
— Impossible, messieurs !

Le Cabuc prit son fusil et coucha en joue le portier, mais comme il était en bas, et qu'il faisait très noir, le portier ne le vit point.

— Oui ou non, veux-tu ouvrir ?
— Non, messieurs !
— Tu dis non ?
— Je dis non, mes bons...

Le portier n'acheva pas. Le coup de fusil était lâché, la balle lui était entrée sous le menton et était sortie par la nuque après avoir traversé la jugulaire. Le vieillard s'affaissa sur lui-même sans pousser un soupir. La chandelle tomba et s'éteignit, et l'on ne vit plus rien qu'une tête immobile posée au bord de la lucarne et un peu de fumée blanchâtre qui s'en allait vers le toit.

— Voilà ! dit Le Cabuc en laissant retomber sur le pavé la crosse de son fusil.

Il avait à peine prononcé ce mot qu'il sentit une main qui se posait sur son épaule avec la pesanteur d'une serre d'aigle, et il entendit une voix qui lui disait :

— À genoux.

Le meurtrier se retourna et vit devant lui la figure blanche et froide d'Enjolras. Enjolras avait un pistolet à la main.

À la détonation, il était arrivé.

Il avait empoigné de sa main gauche le collet, la blouse, la chemise et la bretelle du Cabuc.

— À genoux, répéta-t-il.

Et d'un mouvement souverain le frêle jeune homme de vingt ans plia comme un roseau le crocheteur trapu et robuste et l'agenouilla dans la boue. Le Cabuc essaya de résister, mais il semblait qu'il eût été saisi par un poing surhumain.

Pâle, le col nu, les cheveux épars, Enjolras, avec son visage de femme, avait en ce moment je ne sais quoi de la Thémis antique. Ses narines gonflées, ses yeux baissés donnaient à son implacable profil grec cette expression de colère et cette expression de chasteté qui, au point de vue de l'ancien monde, conviennent à la justice.

Toute la barricade était accourue, puis tous s'étaient rangés en cercle à distance, sentant qu'il était impossible de prononcer une parole devant la chose qu'ils allaient voir.

Le Cabuc, vaincu, n'essayait plus de se débattre et tremblait de tous ses membres. Enjolras le lâcha et tira sa montre.

— Recueille-toi, dit-il. Prie ou pense. Tu as une minute.
— Grâce! murmura le meurtrier; puis il baissa la tête et balbutia quelques jurements inarticulés.

Enjolras ne quitta pas la montre des yeux; il laissa passer la minute, puis il remit la montre dans son gousset. Cela fait, il prit par les cheveux Le Cabuc qui se pelotonnait contre ses genoux en hurlant et lui appuya sur l'oreille le canon de son pistolet. Beaucoup de ces hommes intrépides, qui étaient si tranquillement entrés dans la plus effrayante des aventures, détournèrent la tête.

On entendit l'explosion, l'assassin tomba sur le pavé le front en avant, et Enjolras se redressa et promena autour de lui son regard convaincu et sévère.

Puis il poussa du pied le cadavre et dit :
— Jetez cela dehors.

Trois hommes soulevèrent le corps du misérable qu'agitaient les dernières convulsions machinales de la vie expirée, et le jetèrent par-dessus la petite barricade dans la ruelle Mondétour.

Enjolras était demeuré pensif. On ne sait quelles ténèbres grandioses se répandaient lentement sur sa redoutable sérénité. Tout à coup il éleva la voix. On fit silence.

— Citoyens, dit Enjolras, ce que cet homme a fait est effroyable et ce que j'ai fait est horrible. Il a tué, c'est pourquoi je l'ai tué. J'ai dû le faire, car l'insurrection doit avoir sa discipline. L'assassinat est encore plus un crime ici qu'ailleurs; nous sommes sous le regard de la révolution, nous sommes les prêtres de la république, nous sommes les hosties du devoir, et il ne faut pas qu'on puisse calomnier notre combat. J'ai donc jugé et condamné à mort cet homme. Quant à moi, contraint de faire ce que j'ai fait, mais l'abhorrant, je me suis jugé aussi, et vous verrez tout à l'heure à quoi je me suis condamné.

Ceux qui écoutaient tressaillirent.

— Nous partagerons ton sort, cria Combeferre.

— Soit, reprit Enjolras. Encore un mot. En exécutant cet homme, j'ai obéi à la nécessité; mais la nécessité est un monstre du vieux monde; la nécessité s'appelle Fatalité. Or, la loi du progrès, c'est que les monstres disparaissent devant les anges, et que la Fatalité s'évanouisse devant la fraternité. C'est un mauvais moment pour prononcer le mot amour. N'importe, je le prononce, et je le glorifie. Amour, tu as l'avenir. Mort, je me sers de toi, mais je te hais. Citoyens, il n'y aura dans l'avenir ni ténèbres, ni coups de foudre, ni ignorance féroce, ni talion sanglant. Comme il n'y aura plus de Satan, il n'y aura plus de Michel. Dans l'avenir personne ne tuera personne, la terre rayonnera, le genre humain aimera. Il viendra, citoyens, ce jour où tout sera concorde, harmonie, lumière, joie et vie, il viendra. Et c'est pour qu'il vienne que nous allons mourir.

Enjolras se tut. Ses lèvres de vierge se refermèrent; et il resta quelque temps debout à l'endroit où il avait versé le sang, dans une immobilité de marbre. Son œil fixe faisait qu'on parlait bas autour de lui.

Jean Prouvaire et Combeferre se serraient la main silencieusement, et, appuyés l'un sur l'autre à l'angle de la barricade, considérant avec une admiration où il y avait de la compassion ce grave jeune homme, bourreau et prêtre, de lumière comme le cristal, et de roche aussi.

Disons tout de suite que plus tard, après l'action, quand les cadavres furent portés à la morgue et fouillés, on trouva sur Le Cabuc une carte d'agent de police. L'auteur de ce livre a eu entre les mains, en 1848, le rapport spécial fait à ce sujet au préfet de police de 1832.

Ajoutons que, s'il faut en croire une tradition de police étrange, mais probablement fondée, Le Cabuc, c'était Claquesous. Le fait est qu'à partir de la mort du Cabuc, il ne fut plus question de Claquesous. Claquesous n'a laissé nulle trace de sa disparition ; il semblerait s'être amalgamé à l'invisible. Sa vie avait été ténèbres ; sa fin fut nuit.

Tout le groupe insurgé était encore dans l'émotion de ce procès tragique si vite instruit et si vite terminé, quand Courfeyrac revit dans la barricade le petit jeune homme qui le matin avait demandé chez lui Marius.

Ce garçon, qui avait l'air hardi et insouciant, était venu à la nuit rejoindre les insurgés.

LIVRE TREIZIÈME
MARIUS ENTRE DANS L'OMBRE

I

DE LA RUE PLUMET AU QUARTIER SAINT-DENIS

Cette voix qui à travers le crépuscule avait appelé Marius à la barricade de la rue de la Chanvrerie lui avait fait l'effet de la voix de la destinée. Il voulait mourir, l'occasion s'offrait ; il frappait à la porte du tombeau, une main dans l'ombre lui en tendait la clef. Ces lugubres ouvertures qui se font dans les ténèbres devant le désespoir sont tentantes. Marius écarta la grille qui l'avait tant de fois laissé passer, sortit du jardin et dit : allons !

Fou de douleur, ne se sentant plus rien de fixe et de solide dans le cerveau, incapable de rien accepter désormais du sort après ces deux mois passés dans les enivrements de la jeunesse et de l'amour, accablé à la fois par toutes les rêveries du désespoir, il n'avait plus qu'un désir : en finir bien vite.

Il se mit à marcher rapidement. Il se trouvait précisément qu'il était armé, ayant sur lui les pistolets de Javert.

Le jeune homme qu'il avait cru apercevoir s'était perdu à ses yeux dans les rues.

Marius, qui était sorti de la rue Plumet par le boulevard, traversa l'Esplanade et le pont des Invalides, les Champs-Élysées, la place Louis XV, et gagna la rue de Rivoli. Les magasins y étaient ouverts, le gaz y brûlait sous les arcades, les femmes achetaient dans les boutiques, on prenait des glaces au café Laiter, on mangeait des petits gâteaux à la pâtisserie anglaise. Seulement quelques chaises de poste partaient au galop de l'hôtel des Princes et de l'hôtel Meurice.

Marius entra par le passage Delorme dans la rue Saint-Honoré. Les boutiques y étaient fermées, les marchands causaient devant leurs portes entr'ouvertes, les passants circulaient, les réverbères étaient allumés, à partir du premier étage toutes les croisées étaient éclairées comme à l'ordinaire. Il y avait de la cavalerie sur la place du Palais-Royal.

Marius suivit la rue Saint-Honoré. À mesure qu'il s'éloignait du Palais-Royal il y avait moins de fenêtres éclairées; les boutiques étaient tout à fait closes, personne ne causait sur les seuils, la rue s'assombrissait et en même temps la foule s'épaississait. Car les passants maintenant étaient une foule. On ne voyait personne parler dans cette foule, et pourtant il en sortait un bourdonnement sourd et profond.

Vers la fontaine de l'Arbre-Sec, il y avait « des rassemblements », espèces de groupes immobiles et sombres qui étaient parmi les allants et venant comme des pierres au milieu d'une eau courante.

À l'entrée de la rue des Prouvaires, la foule ne marchait plus. C'était un bloc resistant, massif, solide, compact, presque impénétrable, de gens entassés qui s'entretenaient tout bas. Il n'y avait là presque plus d'habits noirs ni de chapeaux ronds. Des sarraus, des blouses, des casquettes, des têtes hérissées et terreuses. Cette multitude ondulait confusément dans la brume nocturne. Son chuchotement avait l'accent rauque d'un frémissement. Quoique pas un ne marchât, on entendait un piétinement dans la boue. Audelà de cette épaisseur de foule, dans la rue du Roule, dans la rue des Prouvaires et dans le prolongement de la rue Saint-Honoré, il n'y avait plus une seule vitre où brillât une chandelle. On voyait s'enfoncer dans ces rues les files solitaires et décroissantes des lanternes. Les lanternes de ce temps-là ressemblaient à de grosses étoiles rouges pendues à des cordes et jetaient sur le pavé une ombre qui avait la forme d'une grande araignée. Ces rues n'étaient pas désertes. On y distinguait des fusils en faisceaux, des bayonnettes remuées et des troupes bivouaquant. Aucun curieux ne dépassait cette limite. Là cessait la circulation. Là finissait la foule et commençait l'année.

Marius voulait avec la volonté de l'homme qui n'espère plus. On l'avait appelé, il fallait qu'il allât. Il trouva le moyen de traverser la foule et de traverser le bivouac des troupes, il se déroba aux patrouilles, il évita les sentinelles. Il fit un détour, gagna la rue de Béthisy, et se dirigea vers les halles. Au coin de la rue des Bourdonnais il n'y avait plus de lanternes.

Après avoir franchi la zone de la foule, il avait dépassé la lisière des troupes; il se trouvait dans quelque chose d'effrayant. Plus un passant, plus un soldat, plus une lumière; personne. La solitude, le silence, la nuit; je ne sais quel froid qui saisissait. Entrer dans une rue, c'était entrer dans une cave.

Il continua d'avancer.

Il fit quelques pas. Quelqu'un passa près de lui en courant. Était-ce un homme? une femme? étaient-ils plusieurs? Il n'eût pu le dire. Cela avait passé et s'était évanoui.

De circuit en circuit, il arriva dans une ruelle qu'il jugea être la rue de la Poterie; vers le milieu de cette ruelle il se heurta à un obstacle. Il étendit les mains. C'était une charrette renversée, son pied reconnut des flaques d'eau, des fondrières, des pavés épars et amoncelés. Il y avait là une barricade ébauchée et abandonnée. Il escalada les pavés et se trouva de l'autre côté du barrage. Il marchait très près des bornes et se guidait sur le mur des maisons. Un peu au delà de la barricade, il lui sembla entrevoir devant lui quelque chose de blanc. Il approcha, cela prit une forme. C'étaient deux chevaux blancs; les chevaux de l'omnibus dételé le matin par Bossuet, qui avaient erré au hasard de rue en rue toute la journée et avaient fini par s'arrêter là, avec cette patience accablée des brutes qui ne comprennent pas plus les actions de l'homme que l'homme ne comprend les actions de la providence.

Marius laissa les chevaux derrière lui. Comme il abordait une rue qui lui faisait l'effet d'être la rue du Contrat-

Social, un coup de fusil, venu on ne sait d'où et qui traversait l'obscurité au hasard, siffla tout près de lui, et la balle perça au-dessus de sa tête un plat à barbe de cuivre suspendu à la boutique d'un coiffeur. On voyait encore, en 1846, rue du Contrat-Social, au coin des piliers des halles, ce plat à barbe troué.

Ce coup de fusil, c'était encore de la vie. À partir de cet instant, il ne rencontra plus rien.

Tout cet itinéraire ressemblait à une descente de marches noires.

Marius n'en alla pas moins en avant.

II

PARIS À VOL DE HIBOU

Un être qui eût plané sur Paris en ce moment avec l'aile de la chauve-souris ou de la chouette, eût eu sous les yeux un spectacle morne.

Tout ce vieux quartier des halles, qui est comme une ville dans la ville, que traversent les rues Saint-Denis et Saint-Martin, où se croisent mille ruelles et dont les insurgés avaient fait leur redoute et leur place d'armes, lui eût apparu comme un énorme trou sombre creusé au centre de Paris. Là le regard tombait dans un abîme. Grâce aux réverbères brisés, grâce aux fenêtres fermées, là cessait tout rayonnement, toute vie, toute rumeur, tout mouvement. L'invisible police de l'émeute veillait partout, et maintenait l'ordre, c'est-à-dire la nuit. Noyer le petit nombre dans une vaste obscurité, multiplier chaque combattant par les possibilités que cette obscurité contient, c'est la tactique nécessaire de l'insurrection. À la chute du jour, toute croisée où une chandelle s'allumait avait reçu une balle. La lumière était éteinte, quelquefois l'habitant tué. Aussi rien ne bougeait. Il n'y avait rien là que l'effroi, le deuil, la stupeur dans les maisons; dans les rues une sorte d'horreur sacrée. On n'y apercevait même pas les longues rangées de fenêtres et d'étages, les dentelures des cheminées et des toits, les reflets vagues qui luisent sur le pavé boueux et mouillé. L'œil qui eût regardé d'en haut dans cet amas d'ombre eût entrevu peut-être çà et là, de distance en distance, des clartés indistinctes faisant saillir des lignes brisées et bizarres, des profils de constructions singulières, quelque chose de pareil à des lueurs allant et venant dans des ruines ; c'est là qu'étaient les barricades. Le reste était un lac d'obscurité, brumeux, pesant, funèbre, au-dessus duquel se dressaient, silhouettes immobiles et lugubres, la tour Saint-Jacques, l'église Saint Merry, et deux ou trois autres de ces grands édifices dont l'homme fait des géants et dont la nuit fait des fantômes.

Tout autour de ce labyrinthe désert et inquiétant, dans les quartiers où la circulation parisienne n'était pas anéantie et où quelques rares réverbères brillaient, l'observateur aérien eût pu distinguer la scintillation métallique des sabres et des bayonnettes, le roulement sourd de l'artillerie, et le fourmillement des bataillons silencieux grossissant de minute en minute ; ceinture formidable qui se serrait et se fermait lentement autour de l'émeute.

Le quartier investi n'était plus qu'une sorte de monstrueuse caverne ; tout y paraissait endormi ou immobile, et, comme on vient de le voir, chacune des rues où l'on pouvait arriver n'offrait rien que de l'ombre.

Ombre farouche, pleine de pièges, pleine de chocs inconnus et redoutables, où il était effrayant de pénétrer et épouvantable de séjourner, où ceux qui entraient frissonnaient devant ceux qui les attendaient, où ceux qui attendaient tressaillaient devant ceux qui allaient venir. Des combattants invisibles retranchés à chaque coin de rue ; les embûches du sépulcre cachées dans les épaisseurs de la nuit. C'était fini. Plus d'autre clarté à espérer là désormais que l'éclair des fusils, plus d'autre rencontre que l'apparition brusque et rapide de la mort. Où ? comment ? quand ? On ne savait, mais c'était certain et inévitable. Là, dans ce lieu marqué pour la lutte, le gouvernement et l'insurrection, la garde nationale et les sociétés populaires, la bourgeoisie et l'émeute, allaient s'aborder à tâtons. Pour les uns comme pour les autres, la nécessité était la même. Sortir de là tués ou vainqueurs, seule issue possible désormais. Situation tellement extrême, obscurité tellement puissante, que les plus timides s'y sentaient pris de résolution et les plus hardis de terreur.

Du reste, des deux côtés, furie, acharnement, détermination égale. Pour les uns, avancer, c'était mourir, et personne ne songeait à reculer; pour les autres, c'était mourir, et personne ne songeait à fuir.

Il était nécessaire que le lendemain tout fût terminé, que le triomphe fût ici ou là, que l'insurrection fût une révolution ou une échauffourée. Le gouvernement le comprenait comme les partis; le moindre bourgeois le sentait. De là une pensée d'angoisse qui se mêlait à l'ombre impénétrable de ce quartier où tout allait se décider; de là un redoublement d'anxiété autour de ce silence d'où allait sortir une catastrophe. On n'y entendait qu'un seul bruit, bruit déchirant comme un râle, menaçant comme une malédiction, le tocsin de Saint-Merry. Rien n'était glaçant comme la clameur de cette cloche éperdue et désespérée se lamentant dans les ténèbres.

Comme il arrive souvent, la nature semblait s'être mise d'accord avec ce que les hommes allaient faire. Rien ne dérangeait les funestes harmonies de cet ensemble. Les étoiles avaient disparu; des nuages lourds emplissaient tout l'horizon de leurs plis mélancoliques. Il y avait un ciel noir sur ces rues mortes, comme si un immense linceul se déployait sur cet immense tombeau.

Tandis qu'une bataille encore toute politique se préparait dans ce même emplacement qui avait vu déjà tant d'événements révolutionnaires, tandis que la jeunesse, les associations secrètes, les écoles, au nom des principes, et la classe moyenne, au nom des intérêts, s'approchaient pour se heurter, s'étreindre et se terrasser, tandis que chacun hâtait et appelait l'heure dernière et décisive de la crise, au loin et en dehors de ce quartier fatal, au plus profond des cavités insondables de ce vieux Paris misérable qui disparaît sous la splendeur du Paris heureux et opulent, on entendait gronder sourdement la sombre voix du peuple.

Voix effrayante et sacrée qui se compose du rugissement de la brute et de la parole de Dieu, qui terrifie les faibles et qui avertit les sages, qui vient tout à la fois d'en bas comme la voix du lion et d'en haut comme la voix du tonnerre.

III

L'EXTRÊME BORD

Marius était arrivé aux halles.

Là tout était plus calme, plus obscur et plus immobile encore que dans les rues voisines. On eût dit que la paix glaciale du sépulcre était sortie de terre et s'était répandue sous le ciel.

Une rougeur pourtant découpait sur ce fond noir la haute toiture des maisons qui barraient la rue de la Chanvrerie du côté de Saint-Eustache. C'était le reflet de la torche qui brûlait dans la barricade de Corinthe. Marius s'était dirigé sur cette rougeur. Elle l'avait amené au Marché-aux-Poirées, et il entrevoyait l'embouchure ténébreuse de la rue des Prêcheurs. Il y entra. La vedette des insurgés qui guettait à l'autre bout ne l'aperçut pas. Il se sentait tout près de ce qu'il était venu chercher, et il marchait sur la pointe du pied. Il arriva ainsi au coude de ce court tronçon de la ruelle Mondétour qui était, on s'en souvient, la seule communication conservée par Enjolras avec le dehors. Au coin de la dernière maison, à sa gauche, il avança la tête, et regarda dans le tronçon Mondétour.

Un peu au delà de l'angle noir de la ruelle et de la rue de la Chanvrerie qui jetait une large nappe d'ombre où il était lui-même enseveli, il aperçut quelque lueur sur les pavés, un peu du cabaret, et, derrière, un lampion clignotant dans une espèce de muraille informe, et des hommes accroupis ayant des fusils sur leurs genoux. Tout cela était à dix toises de lui. C'était l'intérieur de la barricade.

Les maisons qui bordaient la ruelle à droite lui cachaient le reste du cabaret, la grande barricade et le drapeau.

Marius n'avait plus qu'un pas à faire.

Alors le malheureux jeune homme s'assit sur une borne, croisa les bras, et songea à son père.

Il songea à cet héroïque colonel Pontmercy qui avait été un si fier soldat, qui avait gardé sous la république la frontière de France et touché sous l'empereur la frontière d'Asie, qui avait vu Gênes, Alexandrie, Milan, Turin, Madrid, Vienne, Dresde, Berlin, Moscou, qui avait laissé sur tous les champs de victoire de l'Europe des gouttes de ce même sang que lui Marius avait dans les veines, qui avait blanchi avant l'âge dans la discipline et le commandement, qui avait vécu le ceinturon bouclé, les épaulettes tombant sur la poitrine, la cocarde noircie par la poudre, le front plissé par le casque, sous la baraque, au camp, au bivouac, aux ambulances, et qui au bout de vingt ans était revenu des grandes guerres la joue balafrée, le visage souriant, simple, tranquille, admirable, pur comme un enfant, ayant tout fait pour la France et rien contre elle.

Il se dit que son jour à lui était venu aussi, que son heure avait enfin sonné, qu'après son père il allait, lui aussi, être brave, intrépide, hardi, courir au-devant des balles, offrir sa poitrine aux bayonnettes, verser son sang, chercher l'ennemi, chercher la mort, qu'il allait faire la guerre à son tour et descendre sur le champ de bataille, et que ce champ de bataille où il allait descendre, c'était la rue, et que cette guerre qu'il allait faire, c'était la guerre civile !

Il vit la guerre civile ouverte comme un gouffre devant lui et que c'était là qu'il allait tomber.

Alors il frissonna.

Il songea à cette épée de son père que son aïeul avait vendue à un brocanteur, et qu'il avait, lui, si douloureusement regrettée. Il se dit qu'elle avait bien fait, cette vaillante et chaste épée, de lui échapper et de s'en aller irritée dans les ténèbres ; que si elle s'était enfuie ainsi, c'est qu'elle était intelligente et qu'elle prévoyait l'avenir ; c'est qu'elle pressentait l'émeute, la guerre des ruisseaux, la guerre des pavés, les fusillades par les soupiraux des caves, les coups donnés et reçus par derrière ; c'est que, venant de Marengo et de Friedland, elle ne voulait pas aller rue de la Chanvrerie, c'est qu'après ce qu'elle avait fait avec le père, elle ne voulait pas faire cela avec le fils ! Il se dit que si cette épée était là, si, l'ayant recueillie au chevet de son père mort, il avait osé la prendre et l'emporter pour ce combat de nuit entre français dans un carrefour, à coup sûr elle lui brûlerait les mains et se mettrait à flamboyer devant lui comme l'épée de l'ange ! Il se dit qu'il était heureux qu'elle n'y fût pas et qu'elle eût disparu, que cela était bien, que cela était juste, que son aïeul avait été le vrai gardien de la gloire de son père, et qu'il valait mieux que l'épée du colonel eût été criée à l'encan, vendue au fripier, jetée aux ferrailles, que de faire aujourd'hui saigner le flanc de la patrie.

Et puis il se mit à pleurer amèrement.

Cela était horrible. Mais que faire ? Vivre sans Cosette, il ne le pouvait. Puisqu'elle était partie, il fallait bien qu'il mourût. Ne lui avait-il pas donné sa parole d'honneur qu'il mourrait ? Elle était partie sachant cela ; c'est qu'il lui plaisait que Marius mourût. Et puis il était clair qu'elle ne l'aimait plus, puisqu'elle s'en était allée ainsi, sans l'avertir, sans un mot, sans une lettre, et elle savait son adresse ! À quoi bon vivre et pourquoi vivre à présent ? Et puis, quoi ! être venu jusque-là, et reculer ! s'être approché du danger, et s'enfuir ! être venu regarder dans la barricade, et s'esquiver ! s'esquiver tout tremblant en disant : au fait, j'en ai assez comme cela, j'ai vu, cela suffit, c'est la guerre civile, je m'en vais ! Abandonner ses amis qui l'attendaient ! qui avaient peut-être besoin de lui ! qui étaient une poignée contre une armée ! Manquer à tout à la fois, à l'amour, à l'amitié, à sa parole ! Donner à sa poltronnerie le prétexte du patriotisme ! Mais cela était impossible, et si le fantôme de son père était là dans l'ombre et le voyait reculer, il lui fouetterait les reins du plat de son épée et lui crierait : Marche donc, lâche !

En proie au va-et-vient de ses pensées, il baissait la tête.

Tout à coup il la redressa. Une sorte de rectification splendide venait de se faire dans son esprit. Il y a une dilatation de pensée propre au voisinage de la tombe ; être près de la mort, cela fait voir vrai. La vision de l'action dans laquelle il se sentait peut-être sur le point d'entrer lui apparut, non plus lamentable, mais superbe. La guerre de la rue se transfigura subitement, par on ne sait quel travail d'âme intérieur, devant l'œil de sa pensée. Tous les tumultueux points d'interrogation de la rêverie lui revinrent en foule, mais sans le troubler. Il n'en laissa aucun sans réponse.

Voyons, pourquoi son père s'indignerait-il ? est-ce qu'il n'y a point des cas où l'insurrection monte à la dignité de devoir ? qu'y aurait-il donc de diminuant pour le fils du colonel Pontmercy dans le combat qui s'engage ? Ce n'est plus Montmirail ni Champaubert ; c'est autre chose. Il ne s'agit plus d'un territoire sacré, mais d'une idée sainte. La patrie se plaint, soit ; mais l'humanité applaudit. Est-il vrai d'ailleurs que la patrie se plaigne ? La France saigne, mais la liberté sourit ; et devant le sourire de la liberté, la France oublie sa plaie. Et puis, à voir les choses de plus haut encore, que viendrait-on parler de guerre civile ?

La guerre civile ? qu'est-ce à dire ? Est-ce qu'il y a une guerre étrangère ? Est-ce que toute guerre entre hommes n'est pas la guerre entre frères ? La guerre ne se qualifie que par son but. Il n'y a ni guerre étrangère, ni guerre civile ; il n'y a que la guerre injuste et la guerre juste. Jusqu'au jour où le grand concordat humain sera conclu, la guerre, celle du moins qui est l'effort de l'avenir qui se hâte contre le passé qui s'attarde, peut être nécessaire. Qu'a-t-on à reprocher à cette guerre-là ? la guerre ne devient honte, l'épée ne devient poignard que lorsqu'elle assassine le droit, le progrès, la raison, la civilisation, la vérité. Alors, guerre civile ou guerre étrangère, elle est inique ; elle s'appelle le crime. En dehors de cette chose sainte, la justice, de quel droit une forme de guerre en mépriserait-elle une autre ? de quel droit l'épée de Washington renierait-elle la pique de Camille Desmoulins ? Léonidas contre l'étranger, Timoléon contre le tyran, lequel est le plus grand ? l'un est le défenseur, l'autre est le libérateur. Flétrira-t-on, sans s'inquiéter du but, toute prise d'armes dans l'intérieur de la cité ? alors notez d'infamie Brutus, Marcel, Arnould de Blankenheim, Coligny. Guerre de buissons ? guerre de rues ? Pourquoi pas ? c'était la guerre d'Ambiorix, d'Artevelde, de Marnix, de Pélage. Mais Ambiorix luttait contre Rome, Artevelde contre la France, Marnix contre l'Espagne, Pélage contre les Maures ; tous contre l'étranger. Eh bien, la monarchie, c'est l'étranger ; l'oppression, c'est l'étranger ; le droit divin, c'est l'étranger. Le despotisme viole la frontière morale comme l'invasion viole la frontière géographique. Chasser le tyran ou chasser l'anglais, c'est, dans les deux cas, reprendre son territoire. Il vient une heure où protester ne suffit plus; après la philosophie il faut l'action; la vive force achève ce que l'idée a ébauché; *Prométhée enchaîné* commence, Aristogiton finit; l'Encyclopédie éclaire les âmes, le 10 août les électrise. Après Eschyle, Thrasybule; après Diderot, Danton. Les multitudes ont une tendance à accepter le maître. Leur masse dépose de l'apathie. Une foule se totalise aisément en obéissance. Il faut les remuer, les pousser, rudoyer les hommes par le bienfait même de leur délivrance, leur blesser les yeux par le vrai, leur jeter la lumière à poignées terribles. Il faut qu'ils soient eux-mêmes un peu foudroyés par leur propre salut; cet éblouissement les réveille. De là la nécessité des tocsins et des guerres. Il faut que de grands combattants se lèvent, illuminent les nations par l'audace, et secouent cette triste humanité que couvrent d'ombre le droit divin, la gloire césarienne, la force, le fanatisme, le pouvoir irresponsable et les majestés absolues; cohue stupidement occupée à contempler, dans leur splendeur crépusculaire, ces sombres triomphes de la nuit. À bas le tyran! Mais quoi? de qui parlez-vous? appelez-vous Louis-Philippe tyran? Non; pas plus que Louis XVI. Ils sont tous deux ce que l'histoire a coutume de nommer de bons rois; mais les principes ne se morcellent pas, la logique du vrai est rectiligne, le propre de la vérité, c'est de manquer de complaisance; pas de concession donc; tout empiétement sur l'homme doit être réprimé; il y a le droit divin dans Louis XVI, il y a le *parce que Bourbon* dans Louis-Philippe; tous deux représentent dans une certaine mesure la confiscation du droit, et pour déblayer l'usurpation universelle, il faut les combattre; il le faut, la France étant toujours ce qui commence. Quand le maître tombe en France, il tombe partout. En somme, rétablir la vérité sociale, rendre son trône à la liberté, rendre le peuple au peuple, rendre à l'homme la souveraineté, replacer la pourpre sur la tête de la France, restaurer dans leur plénitude la raison et l'équité, supprimer tout germe d'antagonisme en restituant chacun à lui-même, anéantir l'obstacle que la royauté fait à l'immense concorde universelle, remettre le genre humain de niveau avec le droit, quelle cause plus juste, et, par conséquent, quelle guerre plus grande ? Ces guerres-là construisent la paix. Une énorme forteresse de préjugés, de privilèges, de superstitions, de mensonges, d'exactions, d'abus, de violences, d'iniquités, de ténèbres, est encore debout sur le monde avec ses tours de haine. Il faut la jeter bas. Il faut faire crouler cette masse monstrueuse. Vaincre à Austerlitz, c'est grand, prendre la Bastille, c'est immense.

Il n'est personne qui ne l'ait remarqué sur soi-même, l'âme, et c'est là la merveille de son unité compliquée d'ubiquité, a cette aptitude étrange de raisonner presque froidement dans les extrémités les plus violentes, et il arrive souvent que la passion désolée et le profond désespoir, dans l'agonie même de leurs monologues les plus noirs, traitent des sujets et discutent des thèses. La logique se mêle à la convulsion, et le fil du syllogisme flotte sans se casser dans l'orage lugubre de la pensée. C'était là la situation d'esprit de Marius.

Tout en songeant ainsi, accablé, mais résolu, hésitant pourtant, et, en somme, frémissant devant ce qu'il allait faire, son regard errait dans l'intérieur de la barricade. Les insurgés y causaient à demi-voix, sans remuer, et l'on y sentait ce quasi-silence qui marque la dernière phase de l'attente. Au-dessus d'eux, à une lucarne d'un troisième étage, Marius distinguait une espèce de spectateur ou de témoin qui lui semblait singulièrement attentif. C'était le portier tué par Le Cabuc. D'en bas, à la réverbération de la torche enfouie dans les pavés, on apercevait cette tête vaguement. Rien n'était plus étrange, à cette clarté sombre et incertaine, que cette face livide, immobile, étonnée, avec ses cheveux hérissés, ses yeux ouverts et fixes et sa bouche béante, penchée sur la rue dans une attitude de curiosité. On eût dit que celui qui était mort considérait ceux qui allaient mourir. Une longue traînée de sang qui avait coulé de cette tête descendait en filets rougeâtres de la lucarne jusqu'à la hauteur du premier étage où elle s'arrêtait.

LIVRE QUATORZIÈME
LES GRANDEURS DU DÉSESPOIR

I

LE DRAPEAU — PREMIER ACTE

Rien ne venait encore. Dix heures avaient sonné à Saint-Merry, Enjolras et Combeferre étaient allés s'asseoir, la carabine à la main, près de la coupure de la grande barricade. Ils ne se parlaient pas ; ils écoutaient, cherchant à saisir même le bruit de marche le plus sourd et le plus lointain.

Subitement, au milieu de ce calme lugubre, une voix claire, jeune, gaie, qui semblait venir de la rue Saint-Denis, s'éleva et se mit à chanter distinctement sur le vieil air populaire *Au clair de la lune* cette poésie terminée par une sorte de cri pareil au chant du coq :

> Mon nez est en larmes.
> Mon ami Bugeaud,
> Prêt'-moi tes gendarmes
> Pour leur dire un mot.
> En capote bleue,
> La poule au shako,
> Voici la banlieue !
> Co-cocorico !

Ils se serrèrent la main.
— C'est Gavroche, dit Enjolras.

— Il nous avertit, dit Combeferre.

Une course précipitée troubla la rue déserte, on vit un être plus agile qu'un clown grimper par-dessus l'omnibus, et Gavroche bondit dans la barricade en disant :

— Mon fusil ! Les voici.

Un frisson électrique parcourut toute la barricade, et l'on entendit le mouvement des mains cherchant les fusils.

— Veux-tu ma carabine ? dit Enjolras au gamin.

— Je veux le grand fusil, répondit Gavroche.

Et il prit le fusil de Javert.

Deux sentinelles s'étaient repliées et étaient rentrées presque en même temps que Gavroche. C'était la sentinelle du bout de la rue et la vedette de la Petite-Truanderie. La vedette de la ruelle des Prêcheurs était restée à son poste, ce qui indiquait que rien ne venait du côté des ponts et des halles.

La rue de la Chanvrerie, dont quelques pavés à peine étaient visibles au reflet de la lumière qui se projetait sur le drapeau ; offrait aux insurgés l'aspect d'un grand porche noir vaguement ouvert dans une fumée.

Chacun avait pris son poste de combat.

Quarante-trois insurgés, parmi lesquels Enjolras, Combeferre, Courfeyrac, Bossuet, Joly, Bahorel et Gavroche, étaient agenouillés dans la grande barricade, les têtes à fleur de la crête du barrage, les canons des fusils et des carabines braqués sur les pavés comme à des meurtrières, attentifs, muets, prêts à faire feu. Six, commandés par Feuilly, s'étaient installés, le fusil en joue, aux fenêtres des deux étages de Corinthe.

Quelques instants s'écoulèrent encore ; puis un bruit de pas, mesuré, pesant, nombreux, se fit entendre distinctement du côté de Saint-Leu. Ce bruit, d'abord faible, puis précis, puis lourd et sonore, s'approchait lentement, sans halte, sans interruption, avec une continuité tranquille et terrible. On n'entendait rien que cela. C'était tout ensemble le silence et le bruit de la statue du commandeur, mais ce pas de pierre avait on ne sait quoi d'énorme et de multiple qui éveillait l'idée d'une foule en même temps que l'idée d'un spectre. On croyait entendre marcher l'effrayante statue Légion. Ce pas approcha ; il approcha encore, et s'arrêta. Il sembla qu'on entendît au bout de la rue le souffle de beaucoup d'hommes. On ne voyait rien pourtant, seulement on distinguait tout au fond, dans cette épaisse obscurité, une multitude de fils métalliques, fins comme des aiguilles et presque imperceptibles, qui s'agitaient, pareils à ces indescriptibles réseaux phosphoriques qu'au moment de s'endormir on aperçoit, sous ses paupières fermées, dans les premiers brouillards du sommeil. C'étaient les bayonnettes et les canons de fusils confusément éclairés par la réverbération lointaine de la torche.

Il y eut encore une pause, comme si des deux côtés on attendait. Tout à coup, du fond de cette ombre, une voix, d'autant plus sinistre qu'on ne voyait personne, et qu'il semblait que c'était l'obscurité elle-même qui parlait, cria :
— Qui vive ?

En même temps on entendit le cliquetis des fusils qui s'abattent.

Enjolras répondit d'un accent vibrant et altier :
— Révolution française.
— Feu ! dit la voix.

Un éclair empourpra toutes les façades de la rue comme si la porte d'une fournaise s'ouvrait et se fermait brusquement.

Une effroyable détonation éclata sur la barricade. Le drapeau rouge tomba. La décharge avait été si violente et si dense qu'elle en avait coupé la hampe ; c'est-à-dire la pointe même du timon de l'omnibus. Des balles, qui avaient ricoché sur les corniches des maisons, pénétrèrent dans la barricade et blessèrent plusieurs hommes.

L'impression de cette première décharge fut glaçante. L'attaque était rude, et de nature à faire songer les plus hardis. Il était évident qu'on avait au moins affaire à un régiment tout entier.

— Camarades, cria Courfeyrac, ne perdons pas la poudre. Attendons pour riposter qu'ils soient engagés dans la rue.

— Et, avant tout, dit Enjolras, relevons le drapeau !

Il ramassa le drapeau qui était précisément tombé à ses pieds.

On entendait au dehors le choc des baguettes dans les fusils ; la troupe rechargeait les armes.

Enjolras reprit :

— Qui est-ce qui a du cœur ici ? qui est-ce qui replante le drapeau sur la barricade ?

Pas un ne répondit. Monter sur la barricade au moment où sans doute elle était couchée en joue de nouveau, c'était simplement la mort. Le plus brave hésite à se condamner. Enjolras lui-même avait un frémissement. Il répéta :

— Personne ne se présente ?

II

LE DRAPEAU — DEUXIÈME ACTE

Depuis qu'on était arrivé à Corinthe et qu'on avait commencé à construire la barricade, on n'avait plus guère fait attention au père Mabeuf. M. Mabeuf pourtant n'avait pas quitté l'attroupement. Il était entré dans le rez-de-chaussée du cabaret et s'était assis derrière le comptoir. Là, il s'était pour ainsi dire anéanti en lui-même. Il semblait ne plus regarder et ne plus penser. Courfeyrac et d'autres l'avaient deux ou trois fois accosté, l'avertissant du péril, l'engageant à se retirer, sans qu'il parût les entendre. Quand on ne lui parlait pas, sa bouche remuait comme s'il répondait à quelqu'un, et dès qu'on lui adressait la parole, ses lèvres devenaient immobiles et ses yeux n'avaient plus l'air vivants. Quelques heures avant que la barricade fût attaquée, il avait pris une posture qu'il n'avait plus quittée, les deux poings sur ses deux genoux et la tête penchée en avant comme s'il regardait dans un précipice. Rien n'avait pu le tirer de cette attitude ; il ne paraissait pas que son esprit fût dans la barricade. Quand chacun était allé prendre sa place de combat, il n'était plus resté dans la salle basse que Javert lié au poteau, un insurgé, le sabre nu, veillant sur Javert, et lui Mabeuf. Au moment de l'attaque, à la détonation, la secousse physique l'avait atteint et comme éveillé, il s'était levé brusquement, il avait traversé la salle, et à l'instant où Enjolras répéta son appel : — Personne ne se présente ? on vit le vieillard apparaître sur le seuil du cabaret.

Sa présence fit une sorte de commotion dans les groupes. Un cri s'éleva :

— C'est le votant ! c'est le conventionnel ! c'est le représentant du peuple !

Il est probable qu'il n'entendait pas.

Il marcha droit à Enjolras, les insurgés s'écartaient devant lui avec une crainte religieuse, il arracha le drapeau à Enjolras qui reculait pétrifié, et alors, sans que personne osât ni l'arrêter ni l'aider, ce vieillard de quatrevingts ans, la tête branlante, le pied ferme, se mit à gravir lentement l'escalier de pavés pratiqué dans la barricade. Cela était si sombre et si grand que tous autour de lui crièrent : Chapeau bas ! À chaque marche qu'il montait, c'était effrayant ; ses cheveux blancs, sa face décrépite, son grand front chauve et ridé, ses yeux caves, sa bouche étonnée et ouverte, son vieux bras levant la bannière rouge, surgissaient de l'ombre et grandissaient dans la clarté sanglante de la torche ; et l'on croyait voir le spectre de 93 sortir de terre, le drapeau de la terreur à la main.

Quand il fut au haut de la dernière marche, quand ce fantôme tremblant et terrible, debout sur ce monceau de décombres en présence de douze cents fusils invisibles, se dressa, en face de la mort et comme s'il était plus fort qu'elle, toute la barricade eut dans les ténèbres une figure surnaturelle et colossale.

Il y eut un de ces silences qui ne se font qu'autour des prodiges.

Au milieu de ce silence le vieillard agita le drapeau rouge et cria :

— Vive la révolution ! vive la république ! fraternité ! égalité ! et la mort !

On entendit de la barricade un chuchotement bas et rapide pareil au murmure d'un prêtre pressé qui dépêche une prière. C'était probablement le commissaire de police qui faisait les sommations légales à l'autre bout de la rue.

Puis la même voix éclatante qui avait crié : qui vive ? cria :

— Retirez-vous !

M. Mabeuf, blême, hagard, les prunelles illuminées des lugubres flammes de l'égarement, leva le drapeau au-dessus de son front et répéta :

— Vive la république !
— Feu ! dit la voix.

Une seconde décharge, pareille à une mitraille, s'abattit sur la barricade.

Le vieillard fléchit sur ses genoux, puis se redressa, laissa échapper le drapeau et tomba en arrière à la renverse sur le pavé, comme une planche, tout de son long et les bras en croix.

Des ruisseaux de sang coulèrent de dessous lui. Sa vieille tête, pâle et triste, semblait regarder le ciel.

Une de ces émotions supérieures à l'homme qui font qu'on oublie même de se défendre, saisit les insurgés, et ils s'approchèrent du cadavre avec une épouvante respectueuse.

— Quels hommes que ces régicides ! dit Enjolras.

Courfeyrac se pencha à l'oreille d'Enjolras :

— Ceci n'est que pour toi, et je ne veux pas diminuer l'enthousiasme. Mais ce n'était rien moins qu'un régicide. Je l'ai connu. Il s'appelait le père Mabeuf. Je ne sais pas ce qu'il avait aujourd'hui. Mais c'était une brave ganache. Regarde-moi sa tête.

— Tête de ganache et cœur de Brutus, répondit Enjolras.

Puis il éleva la voix :

— Citoyens ! ceci est l'exemple que les vieux donnent aux jeunes. Nous hésitions, il est venu ! nous reculions, il a avancé ! Voilà ce que ceux qui tremblent de vieillesse enseignent à ceux qui tremblent de peur ! Cet aïeul est auguste devant la patrie. Il a eu une longue vie et une magnifique mort ! Maintenant abritons le cadavre, que chacun de nous défende ce vieillard mort comme il défendrait son père vivant, et que sa présence au milieu de nous fasse la barricade imprenable !

Un murmure d'adhésion morne et énergique suivit ces paroles.

Enjolras se courba, souleva la tête du vieillard, et, farouche, le baisa au front, puis, lui écartant les bras, et maniant ce mort avec une précaution tendre, comme s'il eût craint de lui faire du mal, il lui ôta son habit, en montra à tous les trous sanglants, et dit :

— Voilà maintenant notre drapeau.

III

GAVROCHE AURAIT MIEUX FAIT D'ACCEPTER LA CARABINE D'ENJOLRAS

On jeta sur le père Mabeuf un long châle noir de la veuve Hucheloup. Six hommes firent de leurs fusils une civière, on y posa le cadavre, et on le porta, têtes nues, avec une lenteur solennelle, sur la grande table de la salle basse.

Ces hommes, tout entiers à la chose grave et sacrée qu'ils faisaient, ne songeaient plus à la situation périlleuse où ils étaient.

Quand le cadavre passa près de Javert toujours impassible. Enjolras dit à l'espion :

— Toi ! tout à l'heure.

Pendant ce temps-là, le petit Gavroche, qui seul n'avait pas quitté son poste et était resté en observation, croyait voir des hommes s'approcher à pas de loup de la barricade. Tout à coup il cria :

— Méfiez-vous !

Courfeyrac, Enjolras, Jean Prouvaire, Combeferre, Joly, Bahorel, Bossuet, tous sortirent en tumulte du cabaret. Il n'était déjà presque plus temps. On apercevait une étincelante épaisseur de bayonnettes ondulant au-dessus de la barricade. Des gardes municipaux de haute taille pénétraient, les uns en enjambant l'omnibus, les autres par la coupure, poussant devant eux le gamin qui reculait, mais ne fuyait pas.

L'instant était critique. C'était cette première redoutable minute de l'inondation, quand le fleuve se soulève au niveau de la levée et que l'eau commence à s'infiltrer par les fissures de la digue. Une seconde encore, et la barricade était prise.

Bahorel s'élança sur le premier garde municipal qui entrait et le tua à bout portant d'un coup de carabine ; le second tua Bahorel d'un coup de bayonnette. Un autre avait déjà terrassé Courfeyrac qui criait : À moi ! Le plus grand de tous, une espèce de colosse, marchait sur Gavroche la bayonnette en avant. Le gamin prit dans ses petits bras l'énorme fusil de Javert, coucha résolument en joue le géant, et lâcha son coup. Rien ne partit. Javert n'avait pas chargé son fusil. Le garde municipal éclata de rire et leva la bayonnette sur l'enfant.

Avant que la bayonnette eût touché Gavroche, le fusil échappait des mains du soldat, une balle avait frappé le garde municipal au milieu du front et il tombait sur le dos. Une seconde balle frappait en pleine poitrine l'autre garde qui avait assailli Courfeyrac, et le jetait sur le pavé.

C'était Marius qui venait d'entrer dans la barricade.

IV

LE BARIL DE POUDRE

Marius, toujours caché dans le coude de la rue Mondétour, avait assisté à la première phase du combat, irrésolu et frissonnant. Cependant il n'avait pu résister longtemps à ce vertige mystérieux et souverain qu'on pourrait nommer l'appel de l'abîme. Devant l'imminence du péril, devant la mort de M. Mabeuf, cette funèbre énigme, devant Bahorel tué, Courfeyrac criant : à moi ! cet enfant menacé, ses amis à secourir ou à venger, toute hésitation s'était évanouie, et il s'était rué dans la mêlée ses deux pistolets à la main. Du premier coup il avait sauvé Gavroche et du second délivré Courfeyrac.

Aux coups de feu, aux cris des gardes frappés, les assaillants avaient gravi le retranchement, sur le sommet duquel on voyait maintenant se dresser plus d'à mi-corps, et en foule, des gardes municipaux, des soldats de la ligne, des gardes nationaux de la banlieue, le fusil au poing. Ils couvraient déjà plus des deux tiers du barrage, mais ils ne sautaient pas dans l'enceinte, comme s'ils balançaient, craignant quelque piège. Ils regardaient dans la barricade obscure comme on regarderait dans une tanière de lions. La lueur de la torche n'éclairait que les bayonnettes, les bonnets à poil et le haut des visages inquiets et irrités.

Marius n'avait plus d'armes, il avait jeté ses pistolets déchargés, mais il avait aperçu le baril de poudre dans la salle basse près de la porte.

Comme il se tournait à demi, regardant de ce côté, un soldat le coucha en joue. Au moment où le soldat ajustait Marius, une main se posa sur le bout du canon du fusil et le boucha. C'était quelqu'un qui s'était élancé, le jeune ouvrier au pantalon de velours. Le coup partit, traversa la main, et peut-être aussi l'ouvrier, car il tomba, mais la balle n'atteignit pas Marius. Tout cela dans la fumée, plutôt entrevu que vu. Marius, qui entrait dans la salle basse, s'en aperçut à peine. Cependant il avait confusément vu ce canon de fusil dirigé sur lui et cette main qui l'avait bouché, et il avait entendu le coup. Mais dans des minutes comme celle-là, les choses qu'on voit vacillent et se précipitent, et l'on ne s'arrête à rien. On se sent obscurément poussé vers plus d'ombre encore, et tout est nuage.

Les insurgés, surpris, mais non effrayés, s'étaient ralliés. Enjolras avait crié : Attendez ! ne tirez pas au hasard ! Dans la première confusion en effet ils pouvaient se blesser les uns les autres. La plupart étaient montés à la fenêtre du premier étage et aux mansardes d'où ils dominaient les assaillants. Les plus déterminés, avec Enjolras, Courfeyrac, Jean Prouvaire et Combeferre, s'étaient fièrement adossés aux maisons du fond, à découvert et faisant face aux rangées de soldats et de gardes qui couronnaient la barricade.

Tout cela s'accomplit sans précipitation, avec cette gravité étrange et menaçante qui précède les mêlées. Des deux parts on se couchait en joue, à bout portant, on était si près qu'on pouvait se parler à portée de voix. Quand on fut à ce point où l'étincelle va jaillir, un officier en hausse-col et à grosses épaulettes étendit son épée et dit :

— Bas les armes !

— Feu ! dit Enjolras.

Les deux détonations partirent en même temps, et tout disparut dans la fumée.

Fumée âcre et étouffante où se traînaient, avec des gémissements faibles et sourds, des mourants et des blessés.

Quand la fumée se dissipa, on vit des deux côtés les combattants, éclaircis, mais toujours aux mêmes places, qui rechargeaient les armes en silence.

Tout à coup, on entendit une voix tonnante qui criait :

— Allez-vous-en, ou je fais sauter la barricade !

Tous se retournèrent du côté d'où venait la voix.

Marius était entré dans la salle basse, y avait pris le baril de poudre, puis il avait profité de la fumée et de l'espèce de brouillard obscur qui emplissait l'enceinte retranchée, pour se glisser le long de la barricade jusqu'à cette cage de pavés où était fixée la torche. En arracher la torche, y mettre le baril de poudre, pousser la pile de pavés sous le baril, qui s'était sur-le-champ défoncé, avec une sorte d'obéissance terrible, tout cela avait été pour Marius le temps de se baisser et de se relever ; et maintenant tous, gardes nationaux, gardes municipaux, officiers, soldats, pelotonnés à l'autre extrémité de la barricade, le regardaient avec stupeur le pied sur les pavés, la torche à la main, son fier visage éclairé par une résolution fatale, penchant la flamme de la torche vers ce monceau redoutable où l'on distinguait le baril de poudre brisé, et poussant ce cri terrifiant :

— Allez-vous-en, ou je fais sauter la barricade !

Marius sur cette barricade après l'octogénaire, c'était la vision de la jeune révolution après l'apparition de la vieille.

— Sauter la barricade ! dit un sergent, et toi aussi !

Marius répondit :

— Et moi aussi.

Et il approcha la torche du baril de poudre.

Mais il n'y avait déjà plus personne sur le barrage. Les assaillants, laissant leurs morts et leurs blessés, refluaient pêle-mêle et en désordre vers l'extrémité de la rue et s'y perdaient de nouveau dans la nuit. Ce fut un sauve-qui-peut.

La barricade était dégagée.

v

FIN DES VERS DE JEAN PROUVAIRE

Tous entourèrent Marius. Courfeyrac lui sauta au cou.

— Te voilà !
— Quel bonheur ! dit Combeferre.

— Tu es venu à propos! fit Bossuet.
— Sans toi j'étais mort! reprit Courfeyrac.
— Sans vous j'étais gobé! ajouta Gavroche.
Marius demanda :
— Où est le chef?
— C'est toi, dit Enjolras.

Marius avait eu toute la journée une fournaise dans le cerveau, maintenant c'était un tourbillon. Ce tourbillon qui était en lui lui faisait l'effet d'être hors de lui et de l'emporter. Il lui semblait qu'il était déjà à une distance immense de la vie. Ses deux lumineux mois de joie et d'amour aboutissant brusquement à cet effroyable précipice, Cosette perdue pour lui, cette barricade, M. Mabeuf se faisant tuer pour la république, lui-même chef d'insurgés, toutes ces choses lui paraissaient un cauchemar monstrueux. Il était obligé de faire un effort d'esprit pour se rappeler que tout ce qui l'entourait était réel. Marius avait trop peu vécu encore pour savoir que rien n'est plus imminent que l'impossible, et que ce qu'il faut toujours prévoir, c'est l'imprévu. Il assistait à son propre drame comme à une pièce qu'on ne comprend pas.

Dans cette brume où était sa pensée, il ne reconnut pas Javert qui, lié à son poteau, n'avait pas fait un mouvement de tête pendant l'attaque de la barricade et qui regardait s'agiter autour de lui la révolte avec la résignation d'un martyr et la majesté d'un juge. Marius ne l'aperçut même pas.

Cependant les assaillants ne bougeaient plus, on les entendait marcher et fourmiller au bout de la rue, mais ils ne s'y aventuraient pas, soit qu'ils attendissent des ordres, soit qu'avant de se ruer de nouveau sur cette imprenable redoute, ils attendissent des renforts. Les insurgés avaient posé des sentinelles, et quelques-uns qui étaient étudiants en médecine s'étaient mis à panser les blessés.

On avait jeté les tables hors du cabaret à l'exception de deux tables réservées à la charpie et aux cartouches, et de la table où gisait le père Mabeuf, on les avait ajoutées à la barricade, et on les avait remplacées dans la salle basse par les matelas des lits de la veuve Hucheloup et des servantes. Sur ces matelas on avait étendu les blessés. Quant aux trois pauvres créatures qui habitaient Corinthe, on ne savait ce qu'elles étaient devenues. On finit pourtant par les retrouver cachées dans la cave.

Une émotion poignante vint assombrir la joie de la barricade dégagée. On fit l'appel. Un des insurgés manquait. Et qui ? Un des plus chers, un des plus vaillants. Jean Prouvaire. On le chercha parmi les blessés, il n'y était pas. On le chercha parmi les morts, il n'y était pas. Il était évidemment prisonnier.

Combeferre dit à Enjolras :

— Ils ont notre ami ; mais nous avons leur agent. Tiens-tu à la mort de ce mouchard ?

— Oui, répondit Enjolras ; mais moins qu'à la vie de Jean Prouvaire.

Ceci se passait dans la salle basse près du poteau de Javert.

— Eh bien, reprit Combeferre, je vais attacher mon mouchoir à ma canne, et aller en parlementaire leur offrir de leur donner leur homme pour le nôtre.

— Écoute, dit Enjolras en posant sa main sur le bras de Combeferre.

Il y avait au bout de la rue un cliquetis d'armes significatif.

On entendit une voix mâle crier :

— Vive la France ! vive l'avenir !

On reconnut la voix de Prouvaire.

Un éclair passa et une détonation éclata.

Le silence se refit.

— Ils l'ont tué, s'écria Combeferre.

Enjolras regarda Javert et lui dit :

— Tes amis viennent de te fusiller.

VI

L'AGONIE DE LA MORT
APRÈS L'AGONIE DE LA VIE

Une singularité de ce genre de guerre, c'est que l'attaque des barricades se fait presque toujours de front, et qu'en général les assaillants s'abstiennent de tourner les positions, soit qu'ils redoutent des embuscades, soit qu'ils craignent de s'engager dans des rues tortueuses. Toute l'attention des insurgés se portait donc du côté de la grande barricade qui était évidemment le point toujours menacé et où devait recommencer infailliblement la lutte. Marius pourtant songea à la petite barricade et y alla. Elle était déserte et n'était gardée que par le lampion qui tremblait entre les pavés. Du reste la ruelle Mondétour et les embranchements de la Petite-Truanderie et du Cygne étaient profondément calmes.

Comme Marius, l'inspection faite, se retirait, il entendit son nom prononcé faiblement dans l'obscurité :

— Monsieur Marius !

Il tressaillit, car il reconnut la voix qui l'avait appelé deux heures auparavant à travers la grille de la rue Plumet.

Seulement cette voix maintenant semblait n'être plus qu'un souffle.

Il regarda autour de lui et ne vit personne.

Marius crut s'être trompé, et que c'était une hallucination ajoutée par son esprit aux réalités extraordinaires qui se heurtaient autour de lui. Il fit un pas pour sortir de l'enfoncement reculé où était la barricade.

— Monsieur Marius ! répéta la voix.

Cette fois il ne pouvait douter, il avait distinctement entendu ; il regarda, et ne vit rien.

— À vos pieds, dit la voix.

Il se courba et vit dans l'ombre une forme qui se traînait vers lui. Cela rampait sur le pavé. C'était cela qui lui parlait.

Le lampion permettait de distinguer une blouse, un pantalon de gros velours déchiré, des pieds nus, et quelque chose qui ressemblait à une mare de sang. Marius entrevit une tête pâle qui se dressait vers lui et qui lui dit :

— Vous ne me reconnaissez pas ?

— Non.

— Éponine.

Marius se baissa vivement. C'était en effet cette malheureuse enfant. Elle était habillée en homme.

— Comment êtes-vous ici ? que faites-vous là ?

— Je meurs, lui dit-elle.

Il y a des mots et des incidents qui réveillent les êtres accablés. Marius s'écria comme en sursaut :

— Vous êtes blessée ! Attendez, je vais vous porter dans la salle. On va vous panser. Est-ce grave ? comment faut-il vous prendre pour ne pas vous faire mal ? où souffrez-vous ? Du secours ! mon Dieu ! Mais qu'êtes-vous venue faire ici ?

Et il essaya de passer son bras sous elle pour la soulever.

En la soulevant il rencontra sa main.

Elle poussa un cri faible.

— Vous ai-je fait mal ? demanda Marius.

— Un peu.

— Mais je n'ai touché que votre main.

Elle leva sa main vers le regard de Marius, et Marius au milieu de cette main vit un trou noir.

— Qu'avez-vous donc à la main ? dit-il.

— Elle est percée.

— Percée !

— Oui.

— De quoi ?

— D'une balle.

— Comment ?

— Avez-vous vu un fusil qui vous couchait en joue ?

— Oui, et une main qui l'a bouché.

— C'était la mienne.

Marius eut un frémissement.

— Quelle folie ! Pauvre enfant ! Mais tant mieux, si c'est cela, ce n'est rien. Laissez-moi vous porter sur un lit. On va vous panser, on ne meurt pas d'une main percée.

Elle murmura :

— La balle a traversé la main, mais elle est sortie par le dos. C'est inutile de m'ôter d'ici. Je vais vous dire comment vous pouvez me panser, mieux qu'un chirurgien. Asseyez-vous près de moi sur cette pierre.

Il obéit ; elle posa sa tête sur les genoux de Marius, et, sans le regarder, elle dit :

— Oh ! que c'est bon ! Comme on est bien ! Voilà ! Je ne souffre plus.

Elle demeura un moment en silence, puis elle tourna son visage avec effort et regarda Marius.

— Savez-vous, monsieur Marius ? Cela me taquinait que vous entriez dans ce jardin, c'était bête, puisque c'était moi qui vous avais montré la maison, et puis enfin je devais bien me dire qu'un jeune homme comme vous...

Elle s'interrompit, et, franchissant les sombres transitions qui étaient sans doute dans son esprit, elle reprit avec un déchirant sourire :

— Vous me trouviez laide, n'est-ce pas ?

Elle continua :

— Voyez-vous, vous êtes perdu ! Maintenant personne ne sortira de la barricade. C'est moi qui vous ai amené ici, tiens ! Vous allez mourir. J'y compte bien. Et pourtant, quand j'ai vu qu'on vous visait, j'ai mis la main sur la bouche du canon de fusil. Comme c'est drôle ! Mais c'est que je voulais mourir avant vous. Quand j'ai reçu cette balle, je me suis traînée ici, on ne m'a pas vue, on ne m'a pas ramassée. Je vous attendais, je disais : Il ne viendra donc pas ? Oh ! si vous saviez, je mordais ma blouse, je souffrais tant ! Maintenant je suis bien. Vous rappelez-vous le jour où je suis entrée dans votre chambre et où je me suis mirée dans votre miroir, et le jour où je vous ai rencontré sur le boulevard près des femmes en journée ? Comme les oiseaux chantaient ! Il n'y a pas bien longtemps. Vous m'avez donné cent sous, et je vous ai dit : Je ne veux pas de votre argent. Avez-vous ramassé votre pièce au moins ? Vous n'êtes pas riche. Je n'ai pas pensé à vous dire de la ramasser. Il faisait beau soleil, on n'avait pas froid. Vous souvenez-vous, monsieur Marius ? Oh ! je suis heureuse ! Tout le monde va mourir.

Elle avait un air insensé, grave et navrant. Sa blouse déchirée montrait sa gorge nue. Elle appuyait en parlant sa main percée sur sa poitrine où il y avait un autre trou, et d'où il sortait par instants un flot de sang comme le jet de vin d'une bonde ouverte.

Marius considérait cette créature infortunée avec une profonde compassion.

— Oh ! reprit-elle tout à coup, cela revient. J'étouffe !

Elle prit sa blouse et la mordit, et ses jambes se raidissaient sur le pavé.

En ce moment la voix de jeune coq du petit Gavroche retentit dans la barricade. L'enfant était monté sur une table pour charger son fusil et chantait gaîment la chanson alors si populaire :

>   En voyant Lafayette,
>   Le gendarme répète :
> Sauvons-nous! sauvons-nous! sauvons-nous!

Éponine se souleva, et écouta, puis elle murmura :

— C'est lui.

Et se tournant vers Marius :

— Mon frère est là. Il ne faut pas qu'il me voie. Il me gronderait.

— Votre frère? demanda Marius qui songeait dans le plus amer et le plus douloureux de son cœur aux devoirs que son père lui avait légués envers les Thénardier, qui est votre frère?

— Le petit.

— Celui qui chante?

— Oui.

Marius fit un mouvement.

— Oh! ne vous en allez pas! dit-elle, cela ne sera pas long à présent!

Elle était presque sur son séant, mais sa voix était très basse et coupée de hoquets. Par intervalles le râle l'interrompait. Elle approchait le plus qu'elle pouvait son visage du visage de Marius. Elle ajouta avec une expression étrange :

— Écoutez, je ne veux pas vous faire une farce. J'ai dans ma poche une lettre pour vous. Depuis hier. On m'avait dit de la mettre à la poste. Je l'ai gardée. Je ne voulais pas qu'elle vous parvînt. Mais vous m'en voudriez peut-être quand nous allons nous revoir tout à l'heure. On se revoit, n'est-ce pas? Prenez votre lettre.

Elle saisit convulsivement la main de Marius avec sa main trouée, mais elle semblait ne plus percevoir la souffrance. Elle mit la main de Marius dans la poche de sa blouse. Marius y sentit en effet un papier.

— Prenez, dit-elle.

Marius prit la lettre.

Elle fit un signe de satisfaction et de consentement.

— Maintenant pour ma peine, promettez-moi...

Et elle s'arrêta.

— Quoi? demanda Marius.

— Promettez-moi!

— Je vous promets.

— Promettez-moi de me donner un baiser sur le front quand je serai morte. — Je le sentirai.

Elle laissa retomber sa tête sur les genoux de Marius et ses paupières se fermèrent. Il crut cette pauvre âme partie. Éponine restait immobile; tout à coup, à l'instant où Marius la croyait à jamais endormie, elle ouvrit lentement ses yeux où apparaissait la sombre profondeur de la mort, et lui dit avec un accent dont la douceur semblait déjà venir d'un autre monde :

— Et puis, tenez, monsieur Marius, je crois que j'étais un peu amoureuse de vous.

Elle essaya encore de sourire et expira.

VII

GAVROCHE
PROFOND CALCULATEUR DES DISTANCES

Marius tint sa promesse. Il déposa un baiser sur ce front livide où perlait une sueur glacée. Ce n'était pas une infidélité à Cosette; c'était un adieu pensif et doux à une malheureuse âme.

Il n'avait pas pris sans un tressaillement la lettre qu'Éponine lui avait donnée. Il avait tout de suite senti là un événement. Il était impatient de la lire. Le cœur de l'homme est ainsi fait, l'infortunée enfant avait à peine fermé les yeux que Marius songeait à déplier ce papier. Il la reposa doucement sur la terre et s'en alla. Quelque chose lui disait qu'il ne pouvait lire cette lettre devant ce cadavre.

Il s'approcha d'une chandelle dans la salle basse. C'était un petit billet plié et cacheté avec ce soin élégant des femmes. L'adresse était d'une écriture de femme et portait :

— À monsieur, monsieur Marius Pontmercy, chez M. Courfeyrac, rue de la Verrerie, n° 16.

Il défit le cachet, et lut :

« Mon bien-aimé, hélas! mon père veut que nous par-
« tions tout de suite. Nous serons ce soir rue de l'Homme-
« Armé, n° 7. Dans huit jours nous serons en Angleterre.
« COSETTE. 4 juin. »

Telle était l'innocence de ces amours que Marius ne connaissait même pas l'écriture de Cosette.

Ce qui s'était passé peut être dit en quelques mots. Éponine avait tout fait. Après la soirée du 3 juin, elle avait eu une double pensée, déjouer les projets de son père et des bandits sur la maison de la rue Plumet, et séparer Marius de Cosette. Elle avait changé de guenilles avec le premier jeune drôle venu qui avait trouvé amusant de s'habiller en femme pendant qu'Éponine se déguisait en homme. C'était elle qui au Champ de Mars avait donné à Jean Valjean l'avertissement expressif : *Déménagez*. Jean Valjean était rentré en effet et avait dit à Cosette : *Nous partons ce soir et nous allons rue de l'Homme-Armé avec Toussaint. La semaine prochaine nous serons à Londres*. Cosette, atterrée de ce coup inattendu, avait écrit en hâte deux lignes à Marius. Mais comment faire mettre la lettre à la poste ? Elle ne sortait pas seule, et Toussaint, surprise d'une telle commission, eût à coup sûr montré la lettre à M. Fauchelevent. Dans cette anxiété, Cosette avait aperçu à travers la grille Éponine en habits d'homme, qui rôdait maintenant sans cesse autour du jardin. Cosette avait appelé « ce jeune ouvrier » et lui avait remis cinq francs et la lettre, en lui disant : Portez cette lettre tout de suite à son adresse. Éponine avait mis la lettre dans sa poche. Le lendemain 5 juin, elle était allée chez Courfeyrac demander Marius, non pour lui remettre la lettre, mais, chose que toute âme jalouse et aimante comprendra, « pour voir ». Là elle avait attendu Marius, ou au moins Courfeyrac, — toujours pour voir. — Quand Courfeyrac lui avait dit : nous allons aux barricades, une idée lui avait traversé l'esprit. Se jeter dans cette mort-là comme elle se serait jetée dans toute autre, et y pousser Marius. Elle avait suivi Courfeyrac, s'était assurée de l'endroit où l'on construisait la barricade, et bien sûre, puisque Marius n'avait reçu aucun avis et qu'elle avait intercepté la lettre, qu'il serait à la nuit tombante au rendez-vous de tous les soirs, elle était allée rue Plumet, y avait attendu Marius, et lui avait envoyé, au nom de ses amis, cet appel qui devait, pensait-elle, l'amener à la barricade. Elle comptait sur le désespoir de Marius quand il ne trouverait pas Cosette ; elle ne se trompait pas. Elle était retournée de son côté rue de la Chanvrerie. On vient de voir ce qu'elle y avait fait. Elle était morte avec cette joie tragique des cœurs jaloux qui entraînent l'être aimé dans leur mort, et qui disent : personne ne l'aura!

Marius couvrit de baisers la lettre de Cosette. Elle l'aimait donc! Il eut un instant l'idée qu'il ne devait plus mourir. Puis il se dit : Elle part. Son père l'emmène en Angleterre et mon grand-père se refuse au mariage. Rien n'est changé dans la fatalité. Les rêveurs comme Marius ont de ces accablements suprêmes, et il en sort des partis pris désespérés. La fatigue de vivre est insupportable; la mort, c'est plus tôt fait.

Alors il songea qu'il lui restait deux devoirs à accomplir : informer Cosette de sa mort et lui envoyer un suprême adieu, et sauver de la catastrophe imminente qui se préparait ce pauvre enfant, frère d'Éponine et fils de Thénardier.

Il avait sur lui un portefeuille; le même qui avait contenu le cahier où il avait écrit tant de pensées d'amour pour Cosette. Il en arracha une feuille et écrivit au crayon ces quelques lignes :

« Notre mariage était impossible. J'ai demandé à mon
« grand-père, il a refusé; je suis sans fortune, et toi aussi.
« J'ai couru chez toi, je ne t'ai plus trouvée, tu sais la parole
« que je t'avais donnée, je la tiens. Je meurs. Je t'aime.
« Quand tu liras ceci, mon âme sera près de toi, et te sou-
« rira. »

N'ayant rien pour cacheter cette lettre, il se borna à plier le papier en quatre et y mit cette adresse :

À Mademoiselle Cosette Fauchelevent, chez M. Fauchelevent, rue de l'Homme-Armé, n° 7.

La lettre pliée, il demeura un moment pensif, reprit son portefeuille, l'ouvrit, et écrivit avec le même crayon sur la première page ces quatre lignes :

« Je m'appelle Marius Pontmercy. Porter mon cadavre
« chez mon grand-père, M. Gillenormand, rue des Filles-
« du-Calvaire, n° 6, au Marais. »

Il remit le portefeuille dans la poche de son habit, puis il appela Gavroche. Le gamin, à la voix de Marius, accourut avec sa mine joyeuse et dévouée.

— Veux-tu faire quelque chose pour moi?

— Tout, dit Gavroche. Dieu du bon Dieu! sans vous, vrai, j'étais cuit.

— Tu vois bien cette lettre ?
— Oui.
— Prends-la. Sors de la barricade sur-le-champ (Gavroche, inquiet, commença à se gratter l'oreille), et demain matin tu la remettras à son adresse, à mademoiselle Cosette, chez M. Fauchelevent, rue de l'Homme-Armé, n° 7.

L'héroïque enfant répondit :
— Ah bien mais ! pendant ce temps-là, on prendra la barricade, et je n'y serai pas.
— La barricade ne sera plus attaquée qu'au point du jour selon toute apparence et ne sera pas prise avant demain midi.

Le nouveau répit que les assaillants laissaient à la barricade se prolongeait en effet. C'était une de ces intermittences, fréquentes dans les combats nocturnes, qui sont toujours suivies d'un redoublement d'acharnement.

— Eh bien, fit Gavroche, si j'allais porter votre lettre demain matin ?
— Il sera trop tard. La barricade sera probablement bloquée, toutes les rues seront gardées, et tu ne pourras sortir. Va tout de suite.

Gavroche ne trouva rien à répliquer, il restait là, indécis, et se grattant l'oreille tristement. Tout à coup, avec un de ces mouvements d'oiseau qu'il avait, il prit la lettre.

— C'est bon, dit-il.

Et il partit en courant par la ruelle Mondétour.

Gavroche avait eu une idée qui l'avait déterminé, mais qu'il n'avait pas dite, de peur que Marius n'y fît quelque objection.

Cette idée, la voici :

Il est à peine minuit, la rue de l'Homme-Armé n'est pas loin, je vais porter la lettre tout de suite, et je serai revenu à temps.

LIVRE QUINZIÈME
LA RUE DE L'HOMME-ARMÉ

I

BUVARD, BAVARD

Qu'est-ce que les convulsions d'une ville auprès des émeutes de l'âme? L'homme est une profondeur plus grande encore que le peuple. Jean Valjean, en ce moment-là même, était en proie à un soulèvement effrayant. Tous les gouffres s'étaient rouverts en lui. Lui aussi frissonnait, comme Paris, au seuil d'une révolution formidable et obscure. Quelques heures avaient suffi. Sa destinée et sa conscience s'étaient brusquement couvertes d'ombre. De lui aussi, comme de Paris, on pouvait dire : les deux principes sont en présence. L'ange blanc et l'ange noir vont se saisir corps à corps sur le pont de l'abîme. Lequel des deux précipitera l'autre? Qui l'emportera?

La veille de ce même jour 5 juin, Jean Valjean, accompagné de Cosette et de Toussaint, s'était installé rue de l'Homme-Armé. Une péripétie l'y attendait.

Cosette n'avait pas quitté la rue Plumet sans un essai de résistance. Pour la première fois depuis qu'ils existaient côte à côte, la volonté de Cosette et la volonté de Jean Valjean s'étaient montrées distinctes, et s'étaient, sinon heurtées, du moins contredites. Il y avait eu objection d'un côté et inflexibilité de l'autre. Le brusque conseil : *déménagez*, jeté par un inconnu à Jean Valjean, l'avait alarmé au point de le rendre absolu. Il se croyait dépisté et poursuivi. Cosette avait dû céder.

Tous deux étaient arrivés rue de l'Homme-Armé sans desserrer les dents et sans dire un mot, absorbés chacun dans leur préoccupation personnelle; Jean Valjean si inquiet qu'il ne voyait pas la tristesse de Cosette, Cosette si triste qu'elle ne voyait pas l'inquiétude de Jean Valjean.

Jean Valjean avait emmené Toussaint, ce qu'il n'avait jamais fait dans ses précédentes absences. Il entrevoyait qu'il ne reviendrait peut-être pas rue Plumet, et il ne pouvait ni laisser Toussaint derrière lui, ni lui dire son secret. D'ailleurs il la sentait dévouée et sûre. De domestique à maître, la trahison commence par la curiosité. Or, Toussaint, comme si elle eût été prédestinée à être la servante de Jean Valjean, n'était pas curieuse. Elle disait à travers son bégayement, dans son parler de paysanne de Barneville : Je suis de même de même ; je chose mon fait ; le demeurant n'est pas mon travail. (Je suis ainsi; je fais ma besogne ; le reste n'est pas mon affaire.)

Dans ce départ de la rue Plumet, qui avait été presque une fuite, Jean Valjean n'avait rien emporté que la petite valise embaumée baptisée par Cosette l'*inséparable*. Des malles pleines eussent exigé des commissionnaires, et des commissionnaires sont des témoins. On avait fait venir un fiacre à la porte de la rue de Babylone, et l'on s'en était allé.

C'est à grand'peine que Toussaint avait obtenu la permission d'empaqueter un peu de linge et de vêtements et quelques objets de toilette. Cosette, elle, n'avait emporté que sa papeterie et son buvard.

Jean Valjean, pour accroître la solitude et l'ombre de cette disparition, s'était arrangé de façon à ne quitter le pavillon de la rue Plumet qu'à la chute du jour, ce qui avait laissé à Cosette le temps d'écrire son billet à Marius. On était arrivé rue de l'Homme-Armé à la nuit close.

On s'était couché silencieusement.

Le logement de la rue de l'Homme-Armé était situé dans une arrière-cour, à un deuxième étage, et composé de deux chambres à coucher, d'une salle à manger et d'une cuisine attenante à la salle à manger, avec soupente où il y avait un lit de sangle qui échut à Toussaint. La salle à manger était en même temps l'antichambre et séparait les deux chambres à coucher. L'appartement était pourvu des ustensiles nécessaires.

On se rassure presque aussi follement qu'on s'inquiète ; la nature humaine est ainsi. À peine Jean Valjean fut-il rue de l'Homme-Armé que son anxiété s'éclaircit, et, par degrés, se dissipa. Il y a des lieux calmants qui agissent en quelque sorte mécaniquement sur l'esprit. Rue obscure, habitants paisibles, Jean Valjean sentit on ne sait quelle contagion de tranquillité dans cette ruelle de l'ancien Paris, si étroite qu'elle est barrée aux voitures par un madrier transversal posé sur deux poteaux, muette et sourde au milieu de la ville en rumeur, crépusculaire en plein jour, et, pour ainsi dire, incapable d'émotions entre ses deux rangées de hautes maisons centenaires qui se taisent comme des vieillards qu'elles sont. Il y a dans cette rue de l'oubli stagnant. Jean Valjean y respira. Le moyen qu'on pût le trouver là ?

Son premier soin fut de mettre l'*inséparable* à côté de lui.

Il dormit bien. La nuit conseille, on peut ajouter : la nuit apaise. Le lendemain matin, il s'éveilla presque gai. Il trouva charmante la salle à manger qui était hideuse, meublée d'une vieille table ronde, d'un buffet bas que surmontait un miroir penché, d'un fauteuil vermoulu et de quelques chaises encombrées des paquets de Toussaint. Dans un de ces paquets, on apercevait par un hiatus l'uniforme de garde national de Jean Valjean.

Quant à Cosette, elle s'était fait apporter par Toussaint un bouillon dans sa chambre, et ne parut que le soir.

Vers cinq heures, Toussaint, qui allait et venait, très occupée de ce petit emménagement, avait mis sur la table de la salle à manger une volaille froide que Cosette, par déférence pour son père, avait consenti à regarder.

Cela fait, Cosette, prétextant une migraine persistante, avait dit bonsoir à Jean Valjean et s'était enfermée dans sa chambre à coucher. Jean Valjean avait mangé une aile de poulet avec appétit, et, accoudé sur la table, rasséréné peu à peu, rentrait en possession de sa sécurité.

Pendant qu'il faisait ce sobre dîner, il avait perçu confusément, à deux ou trois reprises, le bégayement de Toussaint qui lui disait : — Monsieur, il y a du train, on se bat dans Paris. Mais, absorbé dans une foule de combinaisons intérieures, il n'y avait point pris garde. À vrai dire, il n'avait pas entendu.

Il se leva, et se mit à marcher de la fenêtre à la porte et de la porte à la fenêtre, de plus en plus apaisé.

Avec le calme, Cosette, sa préoccupation unique, revenait dans sa pensée. Non qu'il s'émût de cette migraine, petite crise de nerfs, bouderie de jeune fille, nuage d'un moment, il n'y paraîtrait pas dans un jour ou deux; mais il songeait à l'avenir, et, comme d'habitude, il y songeait avec douceur. Après tout, il ne voyait aucun obstacle à ce que la vie heureuse reprît son cours. À de certaines heures, tout semble impossible; à d'autres heures, tout paraît aisé; Jean Valjean était dans une de ces bonnes heures. Elles viennent d'ordinaire après les mauvaises, comme le jour après la nuit, par cette loi de succession et de contraste qui est le fond même de la nature et que les esprits superficiels appellent antithèse. Dans cette paisible rue où il se réfugiait, Jean Valjean se dégageait de tout ce qui l'avait troublé depuis quelque temps. Par cela même qu'il avait vu beaucoup de ténèbres, il commençait à apercevoir un peu d'azur. Avoir quitté la rue Plumet sans complication et sans accident, c'était déjà un bon pas de fait. Peut-être serait-il sage de se dépayser, ne fût-ce que pour quelques mois, et d'aller à Londres. Eh bien, on irait. Être en France, être en Angleterre, qu'est-ce que cela faisait, pourvu qu'il eût près de lui Cosette ? Cosette était sa nation. Cosette suffisait à son bonheur; l'idée qu'il ne suffisait peut-être pas, lui, au bonheur de Cosette, cette idée, qui avait été autrefois sa fièvre et son insomnie, ne se présentait même pas à son esprit. Il était dans le collapsus de toutes ses douleurs passées, et en plein optimisme. Cosette, étant près de lui, lui semblait à lui; effet d'optique que tout le monde a éprouvé. Il arrangeait en lui-même, et avec toutes sortes de facilités, le départ pour l'Angleterre avec Cosette, et il voyait sa félicité se reconstruire n'importe où dans les perspectives de sa rêverie.

Tout en marchant de long en large à pas lents, son regard rencontra tout à coup quelque chose d'étrange.

Il aperçut en face de lui, dans un miroir incliné qui surmontait le buffet, et il lut distinctement les quatre lignes que voici :

« Mon bien-aimé, hélas! mon père veut que nous par-
« tions tout de suite. Nous serons ce soir rue de l'Homme-
« Armé, n° 7. Dans huit jours nous serons à Londres. —
« Cosette 4 juin. »

Jean Valjean s'arrêta hagard.

Cosette en arrivant avait posé son buvard sur le buffet devant le miroir, et, toute à sa douloureuse angoisse, l'avait oublié là, sans même remarquer qu'elle le laissait tout ouvert, et ouvert précisément à la page sur laquelle elle avait appuyé, pour les sécher, les quatre lignes écrites par elle et dont elle avait chargé le jeune ouvrier passant rue Plumet. L'écriture s'était imprimé sur le buvard.

Le miroir reflétait l'écriture.

Il en résultait ce qu'on appelle en géométrie l'image symétrique ; de telle sorte que l'écriture renversée sur le buvard s'offrait redressée dans le miroir et présentait son sens naturel ; et Jean Valjean avait sous les yeux la lettre écrite la veille par Cosette à Marius.

C'était simple et foudroyant.

Jean Valjean alla au miroir. Il relut les quatre lignes, mais il n'y crut point. Elles lui faisaient l'effet d'apparaître dans de la lueur d'éclair. C'était une hallucination. Cela était impossible. Cela n'était pas.

Peu à peu sa perception devint plus précise ; il regarda le buvard de Cosette, et le sentiment du fait réel lui revint. Il prit le buvard et dit : Cela vient de là. Il examina fiévreusement les quatre lignes imprimées sur le buvard, le renversement des lettres en faisait un griffonnage bizarre, et il n'y vit aucun sens. Alors il se dit : Mais cela ne signifie rien, il n'y a rien d'écrit là. Et il respira à pleine poitrine avec un inexprimable soulagement. Qui n'a pas eu de ces joies bêtes dans les instants horribles? L'âme ne se rend pas au désespoir sans avoir épuisé toutes les illusions.

Il tenait le buvard à la main et le contemplait, stupidement heureux, presque prêt à rire de l'hallucination dont il avait été dupe. Tout à coup ses yeux retombèrent sur le miroir, et il revit la vision. Les quatre lignes s'y dessinaient avec une netteté inexorable. Cette fois ce n'était pas un mirage. La récidive d'une vision est une réalité, c'était palpable, c'était l'écriture redressée dans le miroir. Il comprit.

Jean Valjean chancela, laissa échapper le buvard, et s'affaissa dans le vieux fauteuil à côté du buffet, la tête tombante, la prunelle vitreuse, égaré. Il se dit que c'était évident, et que la lumière du monde était à jamais éclipsée, et que Cosette avait écrit cela à quelqu'un. Alors il entendit son âme, redevenue terrible, pousser dans les ténèbres un sourd rugissement. Allez donc ôter au lion le chien qu'il a dans sa cage!

Chose bizarre et triste, en ce moment-là, Marius n'avait pas encore la lettre de Cosette; le hasard l'avait portée en traître à Jean Valjean avant de la remettre à Marius.

Jean Valjean jusqu'à ce jour n'avait pas été vaincu par l'épreuve. Il avait été soumis à des essais affreux; pas une voie de fait de la mauvaise fortune ne lui avait été épargnée; la férocité du sort, armée de toutes les vindictes et de toutes les méprises sociales, l'avait pris pour sujet et s'était acharnée sur lui. Il n'avait reculé ni fléchi devant rien. Il avait accepté, quand il l'avait fallu, toutes les extrémités; il avait sacrifié son inviolabilité d'homme reconquise, livré sa liberté, risqué sa tête, tout perdu, tout souffert, et il était resté désintéressé et stoïque, au point que par moments on aurait pu le croire absent de lui-même comme un martyr. Sa conscience, aguerrie à tous les assauts possibles de l'adversité, pouvait sembler à jamais imprenable. Eh bien, quelqu'un qui eût vu son for intérieur eût été forcé de constater qu'à cette heure elle faiblissait.

C'est que de toutes les tortures qu'il avait subies dans cette longue question que lui donnait la destinée, celle-ci était la plus redoutable. Jamais pareille tenaille ne l'avait saisi. Il sentit le remuement mystérieux de toutes les sensibilités latentes. Il sentit le pincement de la fibre inconnue. Hélas, l'épreuve suprême, disons mieux, l'épreuve unique, c'est la perte de l'être aimé.

Le pauvre vieux Jean Valjean n'aimait, certes, pas Cosette autrement que comme un père; mais, nous l'avons fait remarquer plus haut, dans cette paternité la viduité même de sa vie avait introduit tous les amours; il aimait Cosette comme sa fille, et il l'aimait comme sa mère, et il l'aimait comme sa sœur ; et, comme il n'avait jamais eu ni amante ni épouse, comme la nature est un créancier qui n'accepte aucun protêt, ce sentiment-là aussi, le plus imperdable de tous, était mêlé aux autres, vague, ignorant, pur de la pureté de l'aveuglement, inconscient, céleste, angélique, divin ; moins comme un sentiment que comme un instinct, moins comme un instinct que comme un attrait, imperceptible et invisible, mais réel ; et l'amour proprement dit était dans sa tendresse énorme pour Cosette comme le filon d'or est dans la montagne, ténébreux et vierge.

Qu'on se rappelle cette situation de cœur que nous avons indiquée déjà. Aucun mariage n'était possible entre eux ; pas même celui des âmes ; et cependant il est certain que leurs destinées s'étaient épousées. Excepté Cosette, c'est-à-dire excepté une enfance, Jean Valjean n'avait, dans toute sa longue vie, rien connu de ce qu'on peut aimer. Les passions et les amours qui se succèdent n'avaient point fait en lui de ces verts successifs, vert tendre sur vert sombre, qu'on remarque sur les feuillages qui passent l'hiver et sur les hommes qui passent la cinquantaine. En somme, et nous y avons plus d'une fois insisté, toute cette fusion intérieure, tout cet ensemble, dont la résultante était une haute vertu, aboutissait à faire de Jean Valjean un père pour Cosette. Père étrange forgé de l'aïeul, du fils, du frère et du mari qu'il y avait dans Jean Valjean ; père dans lequel il y avait même une mère ; père qui aimait Cosette et qui l'adorait, et qui avait cette enfant pour lumière, pour demeure, pour famille, pour patrie, pour paradis.

Aussi, quand il vit que c'était décidément fini, qu'elle lui échappait, qu'elle glissait de ses mains, qu'elle se dérobait, que c'était du nuage, que c'était de l'eau, quand il eut devant les yeux cette évidence écrasante : un autre est le but de son cœur, un autre est le souhait de sa vie ; il y a le bien-aimé, je ne suis que le père ; je n'existe plus ; quand il ne put plus douter, quand il se dit : Elle s'en va hors de moi ! la douleur qu'il éprouva dépassa le possible. Avoir fait tout ce qu'il avait fait pour en venir là ! et, quoi donc ! n'être rien ! Alors, comme nous venons de le dire, il eut de la tête aux pieds un frémissement de révolte. Il sentit jusque dans la racine de ses cheveux l'immense réveil de l'égoïsme, et le moi hurla dans l'abîme de cet homme.

Il y a des effondrements intérieurs. La pénétration d'une certitude désespérante dans l'homme ne se fait point sans écarter et rompre de certains éléments profonds qui sont quelquefois l'homme lui-même. La douleur, quand elle arrive à ce degré, est un sauve-qui-peut de toutes les forces de la conscience. Ce sont-là des crises fatales. Peu d'entre nous en sortent semblables à eux-mêmes et fermes dans le devoir. Quand la limite de la souffrance est débordée, la vertu la plus imperturbable se déconcerte. Jean Valjean reprit le buvard, et se convainquit de nouveau ; il resta penché et comme pétrifié sur les quatre lignes irrécusables, l'œil fixe ; et il se fit en lui un tel nuage qu'on eût pu croire que tout le dedans de cette âme s'écroulait.

Il examina cette révélation, à travers les grossissements de la rêverie, avec un calme apparent, et effrayant, car c'est une chose redoutable quand le calme de l'homme arrive à la froideur de la statue.

Il mesura le pas épouvantable que sa destinée avait fait sans qu'il s'en doutât ; il se rappela ses craintes de l'autre été, si follement dissipées ; il reconnut le précipice ; c'était toujours le même ; seulement Jean Valjean n'était plus au seuil, il était au fond.

Chose inouïe et poignante, il y était tombé sans s'en apercevoir. Toute la lumière de sa vie s'en était allée, lui croyant voir toujours le soleil.

Son instinct n'hésita point. Il rapprocha certaines circonstances, certaines dates, certaines rougeurs et certaines pâleurs de Cosette, et il se dit : C'est lui. La divination du désespoir est une sorte d'arc mystérieux qui ne manque jamais son coup. Dès sa première conjecture, il atteignit Marius. Il ne savait pas le nom, mais il trouva tout de suite l'homme. Il aperçut distinctement, au fond de l'implacable évocation du souvenir, le rôdeur inconnu du Luxembourg, ce misérable chercheur d'amourettes, ce fainéant de romance, cet imbécile, ce lâche, car c'est une lâcheté de venir faire les yeux doux à des filles qui ont à côté d'elles leur père qui les aime.

Après qu'il eut bien constaté qu'au fond de cette situation il y avait ce jeune homme, et que tout venait de là, lui, Jean Valjean, l'homme régénéré, l'homme qui avait tant travaillé à son âme, l'homme qui avait fait tant d'efforts pour résoudre toute la vie, toute la misère et tout le malheur en amour, il regarda en lui-même et il y vit un spectre, la Haine!

Les grandes douleurs contiennent de l'accablement. Elles découragent d'être. L'homme chez lequel elles entrent sent quelque chose se retirer de lui. Dans la jeunesse leur visite est lugubre; plus tard, elle est sinistre. Hélas, quand le sang est chaud, quand les cheveux sont noirs, quand la tête est droite sur le corps comme la flamme sur le flambeau, quand le rouleau de la destinée a encore presque toute son épaisseur, quand le cœur, plein d'un amour désirable, a encore des battements qu'on peut lui rendre, quand on a devant soi le temps de réparer, quand toutes les femmes sont là, et tous les sourires, et tout l'avenir, et tout l'horizon, quand la force de la vie est complète, si c'est une chose effroyable que le désespoir, qu'est-ce donc dans la vieillesse, quand les années se précipitent de plus en plus blêmissantes, à cette heure crépusculaire où l'on commence à voir les étoiles de la tombe!

Tandis qu'il songeait, Toussaint entra. Jean Valjean se leva, et lui demanda :

— De quel côté est-ce? savez-vous?

Toussaint, stupéfaite, ne put que lui répondre :

— Plaît-il?

Jean Valjean reprit :

— Ne m'avez-vous pas dit tout à l'heure qu'on se bat?

— Ah! oui, monsieur, répondit Toussaint. C'est du côté de Saint-Merry.

Il y a tel mouvement machinal qui nous vient, à notre insu même, de notre pensée la plus profonde. Ce fut sans doute sous l'impulsion d'un mouvement de ce genre, et dont il avait à peine conscience, que Jean Valjean se trouva cinq minutes après dans la rue.

Il était nu-tête, assis sur la borne de la porte de sa maison. Il semblait écouter.

La nuit était venue.

II

LE GAMIN ENNEMI DES LUMIÈRES

Combien de temps passa-t-il ainsi ? Quels furent les flux et les reflux de cette méditation tragique ? se redressa-t-il ? resta-t-il ployé ? avait-il été courbé jusqu'à être brisé ? pouvait-il se redresser encore et reprendre pied dans sa conscience sur quelque chose de solide ? Il n'aurait probablement pu le dire lui-même.

La rue était déserte. Quelques bourgeois inquiets qui rentraient rapidement chez eux l'aperçurent à peine. Chacun pour soi dans les temps de péril. L'allumeur de nuit vint comme à l'ordinaire allumer le réverbère qui était précisément placé en face du n° 7, et s'en alla. Jean Valjean, à qui l'eût examiné dans cette ombre, n'eût pas semblé un homme vivant. Il était là, assis sur la borne de sa porte, immobile comme une larve de glace. Il y a de la congélation dans le désespoir. On entendait le tocsin et de vagues rumeurs orageuses. Au milieu de toutes ces convulsions de la cloche mêlée à l'émeute, l'horloge de Saint-Paul sonna onze heures, gravement et sans se hâter ; car le tocsin, c'est l'homme ; l'heure, c'est Dieu. Le passage de l'heure ne fit rien à Jean Valjean ; Jean Valjean ne remua pas. Cependant, à peu près vers ce moment-là, une brusque détonation éclata du côté des halles, une seconde la suivit, plus violente encore ; c'était probablement cette attaque de la barricade de la rue de la Chanvrerie que nous venons de voir repoussée par Marius. À cette double décharge, dont la furie semblait accrue par la stupeur de la nuit, Jean Valjean tressaillit ; il se dressa du côté d'où le bruit venait ; puis il retomba sur la borne, il croisa les bras, et sa tête revint lentement se poser sur sa poitrine.

Il reprit son ténébreux dialogue avec lui-même.

Tout à coup il leva les yeux, on marchait dans la rue, il entendait des pas près de lui, il regarda, et, à la lueur du réverbère, du côté de la rue qui aboutit aux Archives, il aperçut une figure livide, jeune et radieuse.

Gavroche venait d'arriver rue de l'Homme-Armé.

Gavroche regardait en l'air, et paraissait chercher. Il

voyait parfaitement Jean Valjean, mais il ne s'en apercevait pas.

Gavroche, après avoir regardé en l'air, regardait en bas ; il se haussait sur la pointe des pieds et tâtait les portes et les fenêtres des rez-de-chaussée ; elles étaient toutes fermées, verrouillées et cadenassées. Après avoir constaté cinq ou six devantures de maisons barricadées de la sorte, le gamin haussa les épaules, et entra en matière avec lui-même en ces termes :

— Pardi !

Puis il se remit à regarder en l'air.

Jean Valjean, qui, l'instant d'auparavant, dans la situation d'âme où il était, n'eût parlé ni même répondu à personne, se sentit irrésistiblement poussé à adresser la parole à cet enfant.

— Petit, dit-il, qu'est-ce que tu as ?

— J'ai que j'ai faim, répondit Gavroche nettement. Et il ajouta : Petit vous-même.

Jean Valjean fouilla dans son gousset et en tira une pièce de cinq francs.

Mais Gavroche, qui était de l'espèce du hoche-queue et qui passait vite d'un geste à l'autre, venait de ramasser une pierre. Il avait aperçu le réverbère.

— Tiens, dit-il, vous avez encore vos lanternes ici. Vous n'êtes pas en règle, mes amis. C'est du désordre. Cassez-moi ça.

Et il jeta la pierre dans le réverbère dont la vitre tomba avec un tel fracas que des bourgeois, blottis sous leurs rideaux dans la maison d'en face, crièrent : Voilà Quatre-vingt-treize !

Le réverbère oscilla violemment et s'éteignit. La rue devint brusquement noire.

— C'est ça, la vieille rue, fit Gavroche, mets ton bonnet de nuit.

Et se tournant vers Jean Valjean :

— Comment est-ce que vous appelez ce monument gigantesque que vous avez là au bout de la rue ? C'est les Archives, pas vrai ? Il faudrait me chiffonner un peu ces grosses bêtes de colonnes-là, et en faire gentiment une barricade.

Jean Valjean s'approcha de Gavroche.

— Pauvre être, dit-il à demi-voix et se parlant à lui-même, il a faim.

Et il lui mit la pièce de cent sous dans la main.

Gavroche leva le nez, étonné de la grandeur de ce gros sou; il le regarda dans l'obscurité, et la blancheur du gros sou l'éblouit. Il connaissait les pièces de cinq francs par ouï-dire; leur réputation lui était agréable; il fut charmé d'en voir une de près. Il dit : contemplons le tigre.

Il le considéra quelques instants avec extase; puis, se retournant vers Jean Valjean, il lui tendit la pièce et lui dit majestueusement :

— Bourgeois, j'aime mieux casser les lanternes. Reprenez votre bête féroce. On ne me corrompt point. Ça a cinq griffes; mais ça ne m'égratigne pas.

— As-tu une mère? demanda Jean Valjean.

Gavroche répondit :

— Peut-être plus que vous.

— Eh bien, reprit Jean Valjean, garde cet argent pour ta mère.

Gavroche se sentit remué. D'ailleurs il venait de remarquer que l'homme qui lui parlait n'avait pas de chapeau, et cela lui inspirait confiance.

— Vrai, dit-il, ce n'est pas pour m'empêcher de casser les réverbères?

— Casse tout ce que tu voudras.

— Vous êtes un brave homme, dit Gavroche.

Et il mit la pièce de cinq francs dans une de ses poches.

Sa confiance croissant, il ajouta :

— Êtes-vous de la rue?

— Oui, pourquoi?

— Pourriez-vous m'indiquer le numéro 7?

— Pourquoi faire le numéro 7?

Ici l'enfant s'arrêta, il craignit d'en avoir trop dit, il plongea énergiquement ses ongles dans ses cheveux, et se borna à répondre :

— Ah! voilà.

Une idée traversa l'esprit de Jean Valjean. L'angoisse a de ces lucidités-là. Il dit à l'enfant :

— Est-ce que c'est toi qui m'apportes la lettre que j'attends?

— Vous? dit Gavroche. Vous n'êtes pas une femme.

— La lettre est pour mademoiselle Cosette, n'est-ce pas?

— Cosette? grommela Gavroche. Oui, je crois que c'est ce drôle de nom-là.

— Eh bien, reprit Jean Valjean, c'est moi qui dois lui remettre la lettre. Donne.

— En ce cas, vous devez savoir que je suis envoyé de la barricade?

— Sans doute, dit Jean Valjean.

Gavroche engloutit son poing dans une autre de ses poches et en tira un papier plié en quatre.

Puis il fit le salut militaire.

— Respect à la dépêche, dit-il. Elle vient du gouvernement provisoire.

— Donne, dit Jean Valjean.

Gavroche tenait le papier élevé au-dessus de sa tête.

— Ne vous imaginez pas que c'est là un billet doux. C'est pour une femme, mais c'est pour le peuple. Nous autres, nous nous battons, et nous respectons le sexe. Nous ne sommes pas comme dans le grand monde où il y a des lions qui envoient des poulets à des chameaux.

— Donne.

— Au fait, continua Gavroche, vous m'avez l'air d'un brave homme.

— Donne vite.

— Tenez.

Et il remit le papier à Jean Valjean.

— Et dépêchez-vous, monsieur Chose, puisque mamselle Chosette attend.

Gavroche fut satisfait d'avoir produit ce mot.

Jean Valjean reprit :

— Est-ce à Saint-Merry qu'il faudra porter la réponse?

— Vous feriez là, s'écria Gavroche, une de ces pâtisseries vulgairement nommées brioches. Cette lettre vient de la barricade de la rue de la Chanvrerie, et j'y retourne. Bonsoir, citoyen.

Cela dit, Gavroche s'en alla, ou, pour mieux dire, reprit vers le lieu d'où il venait son vol d'oiseau échappé. Il se replongea dans l'obscurité comme s'il y faisait un trou, avec la rapidité rigide d'un projectile; la ruelle de l'Homme-Armé redevint silencieuse et solitaire; en un clin d'œil, cet étrange enfant, qui avait de l'ombre et du rêve en lui, s'était enfoncé dans la brume de ces rangées de maisons noires, et s'y était perdu comme de la fumée dans des ténèbres ; et l'on eût pu le croire dissipé et évanoui, si, quelques minutes après sa disparition, une éclatante cassure de vitre et le patatras splendide d'un réverbère croulant sur le pavé n'eussent brusquement réveillé de nouveau les bourgeois indignés. C'était Gavroche qui passait rue du Chaume.

III

PENDANT QUE COSETTE ET TOUSSAINT DORMENT

Jean Valjean rentra avec la lettre de Marius.

Il monta l'escalier à tâtons, satisfait des ténèbres comme le hibou qui tient sa proie, ouvrit et referma doucement sa porte, écouta s'il n'entendait aucun bruit, constata que, selon toute apparence, Cosette et Toussaint dormaient, plongea dans la bouteille du briquet Fumade trois ou quatre allumettes avant de pouvoir faire jaillir l'étincelle, tant sa main tremblait ; il y avait du vol dans ce qu'il venait de faire. Enfin, sa chandelle fut allumée, il s'accouda sur la table, déplia le papier, et lut.

Dans les émotions violentes, on ne lit pas, on terrasse pour ainsi dire le papier qu'on tient, on l'étreint comme une victime, on le froisse, on enfonce dedans les ongles de sa colère ou de son allégresse ; on court à la fin, on saute au commencement ; l'attention a la fièvre ; elle comprend en gros, à peu près, l'essentiel ; elle saisit un point, et tout le reste disparaît. Dans le billet de Marius à Cosette, Jean Valjean ne vit que ces mots :

« ... Je meurs. Quand tu liras ceci, mon âme sera près de toi. »

En présence de ces deux lignes, il eut un éblouissement horrible ; il resta un moment comme écrasé du changement d'émotion qui se faisait en lui, il regardait le billet de Marius avec une sorte d'étonnement ivre ; il avait devant les yeux cette splendeur, la mort de l'être haï.

Il poussa un affreux cri de joie intérieure. — Ainsi, c'était fini. Le dénouement arrivait plus vite qu'on n'eût osé l'espérer. L'être qui encombrait sa destinée disparaissait. Il s'en allait de lui-même, librement, de bonne volonté. Sans que lui, Jean Valjean, eût rien fait pour cela, sans qu'il y eût de sa faute, « cet homme » allait mourir. Peut-être même était-il déjà mort. — Ici sa fièvre fit des calculs. — Non. Il n'est pas encore mort. La lettre a été visiblement écrite pour être lue par Cosette le lendemain matin ; depuis ces deux décharges qu'on a entendues entre onze heures et minuit, il n'y a rien eu ; la barricade ne sera sérieusement attaquée qu'au point du jour ; mais c'est égal, du moment où « cet homme » est mêlé à cette guerre, il est perdu ; il est pris dans l'engrenage. — Jean Valjean se sentait délivré. Il allait donc, lui, se retrouver seul avec Cosette. La concurrence cessait ; l'avenir recommençait. Il n'avait qu'à garder ce billet dans sa poche. Cosette ne saurait jamais ce que « cet homme » était devenu. « Il n'y a qu'à laisser les choses s'accomplir. « Cet homme ne peut échapper. S'il n'est pas mort encore, « il est sûr qu'il va mourir. Quel bonheur ! »

Tout cela dit en lui-même, il devint sombre.

Puis il descendit et réveilla le portier.

Environ une heure après, Jean Valjean sortait en habit complet de garde national et en armes. Le portier lui avait aisément trouvé dans le voisinage de quoi compléter son équipement. Il avait un fusil chargé et une giberne pleine de cartouches. Il se dirigea du côté des halles.

IV

LES EXCÈS DE ZÈLE DE GAVROCHE

Cependant il venait d'arriver une aventure à Gavroche.

Gavroche, après avoir consciencieusement lapidé le réverbère de la rue du Chaume, aborda la rue des Vieilles-Haudriettes, et n'y voyant pas « un chat », trouva l'occasion bonne pour entonner toute la chanson dont il était capable. Sa marche, loin de se ralentir par le chant, s'en accélérait. Il se mit à semer le long des maisons endormies ou terrifiées ces couplets incendiaires :

> L'oiseau médit dans les charmilles
> Et prétend qu'hier Atala
> Avec un russe s'en alla.
>
> > Où vont les belles filles,
> > Lon la.
>
> Mon ami pierrot, tu babilles,
> Parce que l'autre jour Mila
> Cogna sa vitre, et m'appela.
>
> > Où vont les belles filles,
> > Lon la.
>
> Les drôlesses sont fort gentilles ;
> Leur poison qui m'ensorcela
> Griserait monsieur Orfila.
>
> > Où vont les belles filles,
> > Lon la.
>
> J'aime l'amour et ses bisbilles,
> J'aime Agnès, j'aime Paméla,
> Lise en m'allumant se brûla.
> > Où vont les belles filles,
> > Lon la.
>
> Jadis, quand je vis les mantilles
> De Suzette et de Zéila,
> Mon âme à leurs plis se mêla.
>
> > Où vont les belles filles,
> > Lon la.
>
> Amour, quand, dans l'ombre où tu brilles,
> Tu coiffes de roses Lola,
> Je me damnerais pour cela.
>
> > Où vont les belles filles,
> > Lon la.
>
> Jeanne, à ton miroir tu t'habilles !
> Mon cœur un beau jour s'envola ;
> Je crois que c'est Jeanne qui l'a.
>
> > Où vont les belles filles,
> > Lon la.

> Le soir, en sortant des quadrilles,
> Je montre aux étoiles Stella
> Et je leur dis : regardez-la.
>
>> Où vont les belles filles,
>> Lon la.

Gavroche, tout en chantant, prodiguait la pantomime. Le geste est le point d'appui du refrain. Son visage, inépuisable répertoire de masques, faisait des grimaces plus convulsives et plus fantasques que les bouches d'un linge troué dans un grand vent. Malheureusement, comme il était seul et dans la nuit, cela n'était ni vu, ni visible. Il y a de ces richesses perdues.

Soudain il s'arrêta court.

— Interrompons la romance, dit-il.

Sa prunelle féline venait de distinguer dans le renfoncement d'une porte cochère ce qu'on appelle en peinture un ensemble ; c'est-à-dire un être et une chose ; la chose était une charrette à bras, l'être était un auvergnat qui dormait dedans.

Les bras de la charrette s'appuyaient sur le pavé et la tête de l'auvergnat s'appuyait sur le tablier de la charrette. Son corps se pelotonnait sur ce plan incliné et ses pieds touchaient la terre.

Gavroche, avec son expérience des choses de ce monde, reconnut un ivrogne.

C'était quelque commissionnaire du coin qui avait trop bu et qui dormait trop.

— Voilà, pensa Gavroche, à quoi servent les nuits d'été. L'auvergnat s'endort dans sa charrette. On prend la charrette pour la république et on laisse l'auvergnat à la monarchie.

Son esprit venait d'être illuminé par la clarté que voici :

— Cette charrette ferait joliment bien sur notre barricade.

L'auvergnat ronflait.

Gavroche tira doucement la charrette par l'arrière et l'auvergnat par l'avant, c'est-à-dire par les pieds ; et, au bout d'une minute, l'auvergnat, imperturbable, reposait à plat sur le pavé.

La charrette était délivrée.

Gavroche, habitué à faire face de toutes parts à

l'imprévu, avait toujours tout sur lui. Il fouilla dans une des ses poches, et en tira un chiffon de papier et un bout de crayon rouge chipé à quelque charpentier.

Il écrivit :

« *République française.*
« Reçu ta charrette. »

Et il signa : « Gavroche. »

Cela fait, il mit le papier dans la poche du gilet de velours de l'auvergnat toujours ronflant, saisit le brancard dans ses deux poings, et partit, dans la direction des halles, poussant devant lui la charrette au grand galop avec un glorieux tapage triomphal.

Ceci était périlleux. Il y avait un poste à l'Imprimerie royale. Gavroche n'y songeait pas. Ce poste était occupé par des gardes nationaux de la banlieue. Un certain éveil commençait à émouvoir l'escouade, et les têtes se soulevaient sur les lits de camp. Deux réverbères brisés coup sur coup, cette chanson chantée à tue-tête, cela était beaucoup pour des rues si poltronnes, qui ont envie de dormir au coucher du soleil, et qui mettent de si bonne heure leur éteignoir sur leur chandelle. Depuis une heure le gamin faisait dans cet arrondissement paisible le vacarme d'un moucheron dans une bouteille. Le sergent de la banlieue écoutait. Il attendait. C'était un homme prudent.

Le roulement forcené de la charrette combla la mesure de l'attente possible, et détermina le sergent à tenter une reconnaissance.

— Ils sont là toute une bande ! dit-il, allons doucement.

Il était clair que l'Hydre de l'Anarchie était sortie de sa boîte et qu'elle se démenait dans le quartier.

Et le sergent se hasarda hors du poste à pas sourds.

Tout à coup, Gavroche, poussant sa charrette, au moment où il allait déboucher de la rue des Vieilles-Haudriettes, se trouva face à face avec un uniforme, un shako, un plumet et un fusil.

Pour la seconde fois, il s'arrêta net.

— Tiens, dit-il, c'est lui. Bonjour, l'ordre public.

Les étonnements de Gavroche étaient courts et dégelaient vite.

— Où vas-tu, voyou ? cria le sergent.

— Citoyen, dit Gavroche, je ne vous ai pas encore appelé bourgeois. Pourquoi m'insultez-vous ?

— Où vas-tu, drôle ?

— Monsieur, reprit Gavroche, vous étiez peut-être hier un homme d'esprit, mais vous avez été destitué ce matin.

— Je te demande où tu vas, gredin ?

Gavroche répondit :

— Vous parlez gentiment. Vrai, on ne vous donnerait pas votre âge. Vous devriez vendre tous vos cheveux cent francs la pièce. Cela vous ferait cinq cents francs.

— Où vas-tu ? où vas-tu ? où vas-tu, bandit ?

Gavroche repartit :

— Voilà de vilains mots. La première fois qu'on vous donnera à téter, il faudra qu'on vous essuie mieux la bouche.

Le sergent croisa la bayonnette.

— Me diras-tu où tu vas, à la fin, misérable ?

— Mon général, dit Gavroche, je vas chercher le médecin pour mon épouse qui est en couches.

— Aux armes ! cria le sergent.

Se sauver par ce qui vous a perdu, c'est là le chef-d'œuvre des hommes forts ; Gavroche mesura d'un coup d'œil toute la situation. C'était la charrette qui l'avait compromis, c'était à la charrette de le protéger.

Au moment où le sergent allait fondre sur Gavroche, la charrette, devenue projectile et lancée à tour de bras, roulait sur lui avec furie, et le sergent, atteint en plein ventre, tombait à la renverse dans le ruisseau pendant que son fusil partait en l'air.

Au cri du sergent, les hommes du poste étaient sortis pêle-mêle ; le coup de fusil détermina une décharge générale au hasard, après laquelle on rechargea les armes et l'on recommença.

Cette mousquetade à colin-maillard dura un bon quart d'heure, et tua quelques carreaux de vitre.

Cependant Gavroche, qui avait éperdument rebroussé chemin, s'arrêtait à cinq ou six rues de là, et s'asseyait haletant sur la borne qui fait le coin des Enfants-Rouges.

Il prêtait l'oreille.

Après avoir soufflé quelques instants, il se tourna du

côté où la fusillade faisait rage, éleva sa main gauche à la hauteur de son nez, et la lança trois fois en avant en se frappant de la main droite le derrière de la tête ; geste souverain dans lequel la gaminerie parisienne a condensé l'ironie française, et qui est évidemment efficace, puisqu'il a déjà duré un demi-siècle.

Cette gaîté fut troublée par une réflexion amère.

— Oui, dit-il, je pouffe, je me tords, j'abonde en joie, mais je perds ma route, il va falloir faire un détour. Pourvu que j'arrive à temps à la barricade !

Là-dessus, il reprit sa course.

Et tout en courant :

— Ah çà, où en étais-je donc ? dit-il.

Il se remit à chanter sa chanson en s'enfonçant rapidement dans les rues, et ceci décrut dans les ténèbres :

> Mais il reste encor des bastilles,
> Et je vais mettre le holà
> Dans l'ordre public que voilà.
>
> > Où vont les belles filles,
> > Lon la.
>
> Quelqu'un veut-il jouer aux quilles ?
> Tout l'ancien monde s'écroula
> Quand la grosse boule roula.
>
> > Où vont les belles filles,
> > Lon la.
>
> Vieux bon peuple, à coups de béquilles,
> Cassons ce Louvre où s'étala
> La monarchie en falbala.
>
> > Où vont les belles filles,
> > Lon la.
>
> Nous en avons forcé les grilles ;
> Le roi Charles Dix ce jour-là
> Tenait mal et se décolla.
>
> > Où vont les belles filles,
> > Lon la.

La prise d'armes du poste ne fut point sans résultat. La charrette fut conquise, l'ivrogne fut fait prisonnier. L'une fut mise en fourrière ; l'autre fut plus tard un peu poursuivi devant les conseils de guerre comme complice. Le ministère public d'alors fit preuve en cette circonstance de son zèle infatigable pour la défense de la société.

L'aventure de Gavroche, restée dans la tradition du quartier du Temple, est un des souvenirs les plus terribles des vieux bourgeois du Marais, et est intitulée dans leur mémoire : Attaque nocturne du poste de l'Imprimerie royale.

CINQUIÈME PARTIE
JEAN VALJEAN

LIVRE PREMIER
LA GUERRE ENTRE QUATRE MURS

I

LA CHARYBDE DU FAUBOURG SAINT-ANTOINE ET LA SCYLLA DU FAUBOURG DU TEMPLE

Les deux plus mémorables barricades que l'observateur des maladies sociales puisse mentionner n'appartiennent point à la période où est placée l'action de ce livre. Ces deux barricades, symboles toutes les deux, sous deux aspects différents, d'une situation redoutable, sortirent de terre lors de la fatale insurrection de juin 1848, la plus grande guerre des rues qu'ait vue l'histoire.

Il arrive quelquefois que, même contre les principes, même contre la liberté, l'égalité et la fraternité, même contre le vote universel, même contre le gouvernement de tous par tous, du fond de ses angoisses, de ses découragements, de ses dénûments, de ses fièvres, de ses détresses, de ses miasmes, de ses ignorances, de ses ténèbres, cette grande désespérée, la canaille, proteste, et que la populace livre bataille au peuple.

Les gueux attaquent le droit commun; l'ochlocratie s'insurge contre le démos.

Ce sont des journées lugubres; car il y a toujours une certaine quantité de droit même dans cette démence, il y a du suicide dans ce duel; et ces mots, qui veulent être des injures, gueux, canaille, ochlocratie, populace, constatent, hélas! plutôt la faute de ceux qui règnent que la faute de ceux qui souffrent; plutôt la faute des privilégiés que la faute des déshérités.

Quant à nous, ces mots-là, nous ne les prononçons jamais sans douleur et sans respect, car, lorsque la philosophie sonde les faits auxquels ils correspondent, elle y trouve souvent bien des grandeurs à côté des misères. Athènes était une ochlocratie; les gueux ont fait la Hollande; la populace a plus d'une fois sauvé Rome; et la canaille suivait Jésus-Christ.

Il n'est pas de penseur qui n'ait parfois contemplé les magnificences d'en bas.

C'est à cette canaille que songeait sans doute saint-Jérôme, et à tous ces pauvres gens, et à tous ces vagabonds, et à tous ces misérables d'où sont sortis les apôtres et les martyrs, quand il disait cette parole mystérieuse : *Fex urbis, lex orbis.*

Les exaspérations de cette foule qui souffre et qui saigne, ses violences à contre-sens sur les principes qui sont sa vie, ses voies de fait contre le droit, sont des coups d'état populaires, et doivent être réprimés. L'homme probe s'y dévoue, et, par amour même pour cette foule, il la combat. Mais comme il la sent excusable tout en lui tenant tête! comme il la vénère tout en lui résistant! C'est là un de ces moments rares où, en faisant ce qu'on doit faire, on sent quelque chose qui déconcerte et qui déconseillerait presque d'aller plus loin; on persiste, il le faut; mais la conscience satisfaite est triste, et l'accomplissement du devoir se complique d'un serrement de cœur.

Juin 1848 fut, hâtons-nous de le dire, un fait à part, et presque impossible à classer dans la philosophie de l'histoire. Tous les mots que nous venons de prononcer doivent être écartés quand il s'agit de cette émeute extraordinaire où l'on sentit la sainte anxiété du travail réclamant ses droits. Il fallut la combattre, et c'était le devoir, car elle attaquait la République. Mais, au fond, que fut juin 1848? Une révolte du peuple contre lui-même.

Là où le sujet n'est point perdu de vue, il n'y a point de digression; qu'il nous soit donc permis d'arrêter un moment l'attention du lecteur sur les deux barricades absolument uniques dont nous venons de parler et qui ont caractérisé cette insurrection.

L'une encombrait l'entrée du faubourg Saint-Antoine ; l'autre défendait l'approche du faubourg du Temple ; ceux devant qui se sont dressés, sous l'éclatant ciel bleu de juin, ces deux effrayants chefs-d'œuvre de la guerre civile, ne les oublieront jamais.

La barricade Saint-Antoine était monstrueuse ; elle était haute de trois étages et large de sept cents pieds. Elle barrait d'un angle à l'autre la vaste embouchure du faubourg, c'est-à-dire trois rues ; ravinée, déchiquetée, dentelée, hachée, crénelée d'une immense déchirure, contre-butée de monceaux qui étaient eux-mêmes des bastions, poussant des caps çà et là, puissamment adossée aux deux grands promontoires de maisons du faubourg, elle surgissait comme une levée cyclopéenne au fond de la redoutable place qui a vu le 14 juillet. Dix-neuf barricades s'étageaient dans la profondeur des rues derrière cette barricade mère. Rien qu'à la voir, on sentait dans le faubourg l'immense souffrance agonisante arrivée à cette minute extrême où une détresse veut devenir une catastrophe. De quoi était faite cette barricade ? De l'écroulement de trois maisons à six étages, démolies exprès, disaient les uns. Du prodige de toutes les colères, disaient les autres. Elle avait l'aspect lamentable de toutes les constructions de la haine : la ruine. On pouvait dire : qui a bâti cela ? On pouvait dire aussi : qui a détruit cela ? C'était l'improvisation du bouillonnement. Tiens ! cette porte ! cette grille ! cet auvent ! ce chambranle ! ce réchaud brisé ! cette marmite fêlée ! Donnez tout ! jetez tout ! poussez, roulez, piochez, démantelez, bouleversez, écroulez tout ! C'était la collaboration du pavé, du moellon, de la poutre, de la barre de fer, du chiffon, du carreau défoncé, de la chaise dépaillée, du trognon de chou, de la loque, de la guenille, et de la malédiction. C'était grand et c'était petit. C'était l'abîme parodié sur place par le tohu-bohu. La masse près de l'atome ; le pan de mur arraché et l'écuelle cassée ; une fraternisation menaçante de tous les débris ; Sisyphe avait jeté là son rocher et Job son tesson. En somme, terrible. C'était l'acropole des va-nu-pieds. Des charrettes renversées accidentaient le talus ; un immense haquet y était étalé en travers, l'essieu vers le ciel, et semblait une balafre sur cette façade tumultueuse ; un omnibus, hissé gaîment à force de bras tout au sommet de l'entassement, comme si les architectes de cette sauvagerie eussent voulu ajouter la gaminerie à l'épouvante, offrait son timon dételé à on ne sait quels chevaux de l'air. Cet amas gigantesque, alluvion de l'émeute, figurait à l'esprit un Ossa sur Pélion de toutes les révolutions; 93 sur 89, le 9 thermidor sur le 10 août, le 18 brumaire sur le 21 janvier, vendémiaire sur prairial, 1848 sur 1830. La place en valait la peine, et cette barricade était digne d'apparaître à l'endroit même où la Bastille avait disparu. Si l'océan faisait des digues, c'est ainsi qu'il les bâtirait. La furie du flot était empreinte sur cet encombrement difforme. Quel flot? la foule. On croyait voir du vacarme pétrifié. On croyait entendre bourdonner, au-dessus de cette barricade, comme si elles eussent été là sur leur ruche, les énormes abeilles ténébreuses du progrès violent. Était-ce une broussaille? était-ce une bacchanale? était-ce une forteresse? Le vertige semblait avoir construit cela à coups d'aile. Il y avait du cloaque dans cette redoute et quelque chose d'olympien dans ce fouillis. On y voyait, dans un pêle-mêle plein de désespoir, des chevrons de toits, des morceaux de mansardes avec leur papier peint, des châssis de fenêtres avec toutes leurs vitres plantés dans les décombres, attendant le canon, des cheminées descellées, des armoires, des tables, des bancs, un sens dessus dessous hurlant, et ces mille choses indigentes, rebuts même du mendiant, qui contiennent à la fois de la fureur et du néant. On eût dit que c'était le haillon d'un peuple, haillon de bois, de fer, de bronze, de pierre, et que le faubourg Saint-Antoine l'avait poussé là à sa porte d'un colossal coup de balai, faisant de sa misère sa barricade. Des blocs pareils à des billots, des chaînes disloquées, des charpentes à tasseaux ayant forme de potences, des roues horizontales sortant des décombres, amalgamaient à cet édifice de l'anarchie la sombre figure des vieux supplices soufferts par le peuple. La barricade Saint-Antoine faisait arme de tout; tout ce que la guerre civile peut jeter à la tête de la société sortait de là; ce n'était pas du combat, c'était du paroxysme; les carabines qui défendaient cette redoute, parmi lesquelles il y avait quelques espingoles, envoyaient des miettes de faïence, des osselets, des boutons d'habit, jusqu'à des roulettes de tables de nuit, projectiles dangereux à cause du cuivre. Cette barricade était forcenée; elle jetait dans les nuées une clameur inexprimable; à de certains moments, provoquant l'armée, elle se couvrait de foule et de tempête; une cohue de têtes flamboyantes la couronnait; un fourmillement l'emplissait; elle avait une crête épineuse de fusils, de sabres, de bâtons, de haches, de piques et de bayonnettes; un vaste drapeau rouge y claquait dans le vent; on y entendait les cris du commandement, les chansons d'attaque, des roulements de tambours, des sanglots de femmes, et l'éclat de rire ténébreux des meurt-de-faim. Elle était démesurée et vivante; et, comme du dos d'une bête électrique, il en sortait un pétillement de foudres. L'esprit de révolution couvrait de son usage ce sommet où grondait cette voix du peuple qui ressemble à la voix de Dieu; une majesté étrange se dégageait de cette titanique hottée de gravats. C'était un tas d'ordures et c'était le Sinaï.

Comme nous l'avons dit plus haut, elle attaquait au nom de la Révolution, quoi? la Révolution. Elle, cette barricade, le hasard, le désordre, l'effarement, le malentendu, l'inconnu, elle avait en face d'elle l'assemblée constituante, la souveraineté du peuple, le suffrage universel, la nation, la République; et c'était la Carmagnole défiant la Marseillaise.

Défi insensé, mais héroïque, car ce vieux faubourg est un héros.

Le faubourg et sa redoute se prêtaient main-forte. Le faubourg s'épaulait à la redoute, la redoute s'acculait au faubourg. La vaste barricade s'étalait comme une falaise où venait se briser la stratégie des généraux d'Afrique. Ses cavernes, ses excroissances, ses verrues, ses gibbosités, grimaçaient, pour ainsi dire, et ricanaient sous la fumée. La mitraille s'y évanouissait dans l'informe; les obus s'y enfonçaient, s'y engloutissaient, s'y engouffraient; les boulets n'y réussissaient qu'à trouer des trous; à quoi bon canonner le chaos? Et les régiments, accoutumés aux plus farouches visions de la guerre, regardaient d'un œil inquiet cette espèce de redoute bête fauve, par le hérissement sanglier, et par l'énormité montagne.

À un quart de lieue de là, de l'angle de la rue du Temple

qui débouche sur le boulevard près du Château-d'Eau, si l'on avançait hardiment la tête en dehors de la pointe formée par la devanture du magasin Dallemagne, on apercevait au loin, au delà du canal, dans la rue qui monte les rampes de Belleville, au point culminant de la montée, une muraille étrange atteignant au deuxième étage des façades, sorte de trait d'union des maisons de droite aux maisons de gauche, comme si la rue avait replié d'elle-même son plus haut mur pour se fermer brusquement. Ce mur était bâti avec des pavés. Il était droit, correct, froid, perpendiculaire, nivelé à l'équerre, tiré au cordeau, aligné au fil à plomb. Le ciment y manquait sans doute, mais comme à de certains murs romains, sans troubler sa rigide architecture. À sa hauteur on devinait sa profondeur. L'entablement était mathématiquement parallèle au soubassement. On distinguait d'espace en espace, sur sa surface grise, des meurtrières presque invisibles qui ressemblaient à des fils noirs. Ces meurtrières étaient séparées les unes des autres par des intervalles égaux. La rue était déserte à perte de vue. Toutes les fenêtres et toutes les portes fermées. Au fond se dressait ce barrage qui faisait de la rue un cul-de-sac ; mur immobile et tranquille ; on n'y voyait personne, on n'y entendait rien ; pas un cri, pas un bruit, pas un souffle. Un sépulcre.

L'éblouissant soleil de juin inondait de lumière cette chose terrible.

C'était la barricade du faubourg du Temple.

Dès qu'on arrivait sur le terrain et qu'on l'apercevait, il était impossible, même aux plus hardis, de ne pas devenir pensif devant cette apparition mystérieuse. C'était ajusté, emboîté, imbriqué, rectiligne, symétrique, et funèbre. Il y avait là de la science et des ténèbres. On sentait que le chef de cette barricade était un géomètre ou un spectre. On regardait cela et l'on parlait bas.

De temps en temps, si quelqu'un, soldat, officier ou représentant du peuple, se hasardait à traverser la chaussée solitaire, on entendait un sifflement aigu et faible, et le passant tombait blessé ou mort, ou, s'il échappait, on voyait s'enfoncer dans quelque volet fermé, dans un entre-deux de moellons, dans le plâtre d'un mur, une balle. Quelquefois un biscayen. Car les hommes de la barricade s'étaient fait de deux tronçons de tuyaux de fonte du gaz bouchés à un bout avec de l'étoupe et de la terre à poêle, deux petits canons. Pas de dépense de poudre inutile. Presque tout coup portait. Il y avait quelques cadavres çà et là, et des flaques de sang sur les pavés. Je me souviens d'un papillon blanc qui allait et venait dans la rue. L'été n'abdique pas.

Aux environs, le dessous des portes cochères était encombré de blessés.

On se sentait là visé par quelqu'un qu'on ne voyait point, et l'on comprenait que toute la longueur de la rue était couchée en joue.

Massés derrière l'espèce de dos d'âne que fait à l'entrée du faubourg du Temple le pont cintré du canal, les soldats de la colonne d'attaque observaient, graves et recueillis, cette redoute lugubre, cette immobilité, cette impassibilité, d'où la mort sortait. Quelques-uns rampaient à plat ventre jusqu'au haut de la courbe du pont en ayant soin que leurs shakos ne passassent point.

Le vaillant colonel Monteynard admirait cette barricade avec un frémissement. — *Comme c'est bâti!* disait-il à un représentant. *Pas un pavé ne déborde l'autre. C'est de la porcelaine.* — En ce moment une balle lui brisa sa croix sur sa poitrine, et il tomba.

— Les lâches! disait-on. Mais qu'ils se montrent donc! qu'on les voie! ils n'osent pas! ils se cachent! — La barricade du faubourg du Temple, défendue par quatrevingts hommes, attaquée par dix mille, tint trois jours. Le quatrième, on fit comme à Zaatcha et à Constantine, on perça les maisons, on vint par les toits, la barricade fut prise. Pas un des quatrevingts lâches ne songea à fuir; tous y furent tués, excepté le chef, Barthélemy, dont nous parlerons tout à l'heure.

La barricade Saint-Antoine était le tumulte des tonnerres; la barricade du Temple était le silence. Il y avait entre ces deux redoutes la différence du formidable au sinistre. L'une semblait une gueule; l'autre un masque.

En admettant que la gigantesque et ténébreuse insurrection de juin fût composée d'une colère et d'une énigme, on sentait dans la première barricade le dragon et derrière la seconde le sphinx.

Ces deux forteresses avaient été édifiées par deux hommes nommés, l'un Cournet, l'autre Barthélemy. Cournet avait fait la barricade Saint-Antoine ; Barthélemy la barricade du Temple. Chacune d'elles était l'image de celui qui l'avait bâtie.

Cournet était un homme de haute stature ; il avait les épaules larges, la face rouge, le poing écrasant, le cœur hardi, l'âme loyale, l'œil sincère et terrible. Intrépide, énergique, irascible, orageux ; le plus cordial des hommes, le plus redoutable des combattants. La guerre, la lutte, la mêlée, étaient son air respirable et le mettaient de belle humeur. Il avait été officier de marine, et, à ses gestes et à sa voix, on devinait qu'il sortait de l'océan et qu'il venait de la tempête ; il continuait l'ouragan dans la bataille. Au génie près, il y avait en Cournet quelque chose de Danton, comme, à la divinité près, il y avait en Danton quelque chose d'Hercule.

Barthélemy, maigre, chétif, pâle, taciturne, était une espèce de gamin tragique qui, souffleté par un sergent de ville, le guetta, l'attendit, et le tua, et, à dix-sept ans, fut mis au bagne. Il en sortit, et fit cette barricade.

Plus tard, chose fatale, à Londres, proscrits tous deux, Barthélemy tua Cournet. Ce fut un duel funèbre. Quelque temps après, pris dans l'engrenage d'une de ces mystérieuses aventures où la passion est mêlée, catastrophes où la justice française voit des circonstances atténuantes et où la justice anglaise ne voit que la mort, Barthélemy fut pendu. La sombre construction sociale est ainsi faite que, grâce au dénuement matériel, grâce à l'obscurité morale, ce malheureux être qui contenait une intelligence, ferme à coup sûr, grande peut-être, commença par le bagne en France et finit par le gibet en Angleterre. Barthélemy, dans les occasions, n'arborait qu'un drapeau ; le drapeau noir.

II

QUE FAIRE DANS L'ABÎME
À MOINS QUE L'ON NE CAUSE ?

Seize ans comptent dans la souterraine éducation de l'émeute, et juin 1848 en savait plus long que juin 1832. Aussi la barricade de la rue de la Chanvrerie n'était-elle qu'une ébauche et qu'un embryon, comparée aux deux barricades colosses que nous venons d'esquisser; mais, pour l'époque, elle était redoutable.

Les insurgés, sous l'œil d'Enjolras, car Marius ne regardait plus rien, avaient mis la nuit à profit. La barricade avait été non seulement réparée, mais augmentée. On l'avait exhaussée de deux pieds. Des barres de fer plantées dans les pavés ressemblaient à des lances en arrêt. Toutes sortes de décombres ajoutés et apportés de toutes parts compliquaient l'enchevêtrement extérieur. La redoute avait été savamment refaite en muraille au dedans et en broussaille au dehors.

On avait rétabli l'escalier de pavés qui permettait d'y monter comme à un mur de citadelle.

On avait fait le ménage de la barricade, désencombré la salle basse, pris la cuisine pour ambulance, achevé le pansement des blessés, recueilli la poudre éparse à terre et sur les tables, fondu des balles, fabriqué des cartouches, épluché de la charpie, distribué les armes tombées, nettoyé l'intérieur de la redoute, ramassé les débris, emporté les cadavres.

On déposa les morts en tas dans la ruelle Mondétour dont on était toujours maître. Le pavé a été longtemps rouge à cet endroit. Il y avait parmi les morts quatre gardes nationaux de la banlieue. Enjolras fit mettre de côté leurs uniformes.

Enjolras avait conseillé deux heures de sommeil. Un conseil d'Enjolras était une consigne. Pourtant, trois ou quatre seulement en profitèrent. Feuilly employa ces deux heures à la gravure de cette inscription sur le mur qui faisait face au cabaret :

VIVENT LES PEUPLES !

Ces trois mots, creusés dans le moellon avec un clou, se lisaient encore sur cette muraille en 1848.

Les trois femmes avaient profité du répit de la nuit pour disparaître définitivement ; ce qui faisait respirer les insurgés plus à l'aise.

Elles avaient trouvé moyen de se réfugier dans quelque maison voisine.

La plupart des blessés pouvaient et voulaient encore combattre. Il y avait, sur une litière de matelas et de bottes de paille, dans la cuisine devenue l'ambulance, cinq hommes gravement atteints, dont deux gardes municipaux. Les gardes municipaux furent pansés les premiers.

Il ne resta plus dans la salle basse que Mabeuf sous son drap noir et Javert lié au poteau.

— C'est ici la salle des morts, dit Enjolras.

Dans l'intérieur de cette salle, à peine éclairée d'une chandelle, tout au fond, la table mortuaire étant derrière le poteau comme une barre horizontale, une sorte de grande croix vague résultait de Javert debout et de Mabeuf couché.

Le timon de l'omnibus, quoique tronqué par la fusillade, était encore assez debout pour qu'on pût y accrocher un drapeau.

Enjolras, qui avait cette qualité d'un chef, de toujours faire ce qu'il disait, attacha à cette hampe l'habit troué et sanglant du vieillard tué.

Aucun repas n'était plus possible. Il n'y avait ni pain ni viande. Les cinquante hommes de la barricade, depuis seize heures qu'ils étaient là, avaient eu vite épuisé les maigres provisions du cabaret. À un instant donné, toute barricade qui tient devient inévitablement le radeau de la Méduse. Il fallut se résigner à la faim. On était aux premières heures de cette journée spartiate du 6 juin où, dans la barricade Saint-Merry, Jeanne, entouré d'insurgés qui demandaient du pain, à tous ces combattants criant : À manger ! répondait : Pourquoi ? il est trois heures. À quatre heures nous serons morts.

Comme on ne pouvait plus manger, Enjolras défendit de boire. Il interdit le vin et rationna l'eau-de-vie.

On avait trouvé dans la cave une quinzaine de bouteilles pleines, hermétiquement cachetées. Enjolras et

Combeferre les examinèrent. Combeferre en remontant dit : — C'est du vieux fonds du père Hucheloup qui a commencé par être épicier. — Cela doit être du vrai vin, observa Bossuet. Il est heureux que Grantaire dorme. S'il était debout, on aurait de la peine à sauver ces bouteilles-là — Enjolras, malgré les murmures, mit son veto sur les quinze bouteilles, et afin que personne n'y touchât et qu'elles fussent comme sacrées, il les fit placer sous la table où gisait le père Mabeuf.

Vers deux heures du matin, on se compta. Ils étaient encore trente-sept.

Le jour commençait à paraître. On venait d'éteindre la torche qui avait été replacée dans son alvéole de pavés. L'intérieur de la barricade, cette espèce de petite cour prise sur la rue, était noyé de ténèbres et ressemblait, à travers la vague horreur crépusculaire, au pont d'un navire désemparé. Les combattants allant et venant s'y mouvaient comme des formes noires. Au-dessus de cet effrayant nid d'ombre, les étages des maisons muettes s'ébauchaient lividement ; tout en haut les cheminées blêmissaient. Le ciel avait cette charmante nuance indécise qui est peut-être le blanc et peut-être le bleu. Des oiseaux y volaient avec des cris de bonheur. La haute maison qui faisait le fond de la barricade, étant tournée vers le levant, avait sur son toit un reflet rose. À la lucarne du troisième étage, le vent du matin agitait les cheveux gris sur la tête de l'homme mort.

— Je suis charmé qu'on ait éteint la torche, disait Courfeyrac à Feuilly. Cette torche effarée au vent m'ennuyait. Elle avait l'air d'avoir peur. La lumière des torches ressemble à la sagesse des lâches ; elle éclaire mal, parce qu'elle tremble.

L'aube éveille les esprits comme les oiseaux ; tous causaient.

Joly, voyant un chat rôder sur une gouttière, en extrayait la philosophie.

— Qu'est-ce que le chat ? s'écriait-il. C'est un correctif. Le bon Dieu, ayant fait la souris, a dit : Tiens, j'ai fait une bêtise. Et il a fait le chat. Le chat, c'est l'erratum de la souris. La souris, plus le chat, c'est l'épreuve revue et corrigée de la création.

Combeferre, entouré d'étudiants et d'ouvriers, parlait des morts, de Jean Prouvaire, de Bahorel, de Mabeuf, et même du Cabuc, et de la tristesse sévère d'Enjolras. Il disait :

— Harmodius et Aristogiton, Brutus, Chéréas, Stephanus, Cromwell, Charlotte Corday, Sand, tous ont eu, après le coup, leur moment d'angoisse. Notre cœur est si frémissant et la vie humaine est un tel mystère que, même dans un meurtre civique, même dans un meurtre libérateur, s'il y en a, le remords d'avoir frappé un homme dépasse la joie d'avoir servi le genre humain.

Et, ce sont là les méandres de la parole échangée, une minute après, par une transition venue des vers de Jean Prouvaire, Combeferre comparait entre eux les traducteurs des Géorgiques, Raux à Cournand, Cournand à Delille, indiquant les quelques passages traduits par Malfilâtre, particulièrement les prodiges de la mort de César ; et par ce mot, César, la causerie revenait à Brutus.

— César, disait Combeferre, est tombé justement. Cicéron a été sévère pour César, et il a eu raison. Cette sévérité-là n'est point la diatribe. Quand Zoïle insulte Homère, quand Mævius insulte Virgile, quand Visé insulte Molière, quand Pope insulte Shakespeare, quand Fréron insulte Voltaire, c'est une vieille loi d'envie et de haine qui s'exécute ; les génies attirent l'injure, les grands hommes sont toujours plus ou moins aboyés. Mais Zoïle et Cicéron, c'est deux. Cicéron est un justicier par la pensée de même que Brutus est un justicier par l'épée. Je blâme, quant à moi, cette dernière justice-là, le glaive ; mais l'antiquité l'admettait. César, violateur du Rubicon, conférant, comme venant de lui, les dignités qui venaient du peuple, ne se levant pas à l'entrée du sénat, faisait, comme dit Eutrope, des choses de roi et presque de tyran, *regia ac pænè tyrannica*. C'était un grand homme ; tant pis, ou tant mieux ; la leçon est plus haute. Ses vingt-trois blessures me touchent moins que le crachat au front de Jésus-Christ. César est poignardé par les sénateurs ; Christ est souffleté par les valets. À plus d'outrage, on sent le dieu.

Bossuet, dominant les causeurs du haut d'un tas de pavés, s'écriait, la carabine à la main :

— Ô Cydathenæum, ô Myrrhinus, ô Probalinthe, ô

grâces de l'Æantide! Oh! qui me donnera de prononcer les vers d'Homère comme un grec de Laurium ou d'Édaptéon!

III

ÉCLAIRCISSEMENT ET ASSOMBRISSEMENT

Enjolras était allé faire une reconnaissance. Il était sorti par la ruelle Mondétour en serpentant le long des maisons.

Les insurgés, disons-le, étaient pleins d'espoir. La façon dont ils avaient repoussé l'attaque de la nuit leur faisait presque dédaigner d'avance l'attaque du point du jour. Ils l'attendaient et en souriaient. Ils ne doutaient pas plus de leur succès que de leur cause. D'ailleurs un secours allait évidemment leur venir. Ils y comptaient. Avec cette facilité de prophétie trimphante qui est une des forces du français combattant, ils divisaient en trois phases certaines la journée qui allait s'ouvrir : à six heures du matin, un régiment, « qu'on avait travaillé », tournerait; à midi, l'insurrection de tout Paris; au coucher du soleil, la révolution.

On entendait le tocsin de Saint-Merry qui ne s'était pas tu une minute depuis la veille; preuve que l'autre barricade, la grande, celle de Jeanne, tenait toujours.

Toutes ces espérances s'échangeaient d'un groupe à l'autre dans une sorte de chuchotement gai et redoutable qui ressemblait au bourdonnement de guerre d'une ruche d'abeilles.

Enjolras reparut. Il revenait de sa sombre promenade d'aigle dans l'obscurité extérieure. Il écouta un instant toute cette joie les bras croisés, une main sur sa bouche. Puis, frais et rose dans la blancheur grandissante du matin, il dit :

— Toute l'armée de Paris donne. Un tiers de cette armée pèse sur la barricade où vous êtes. De plus la garde nationale. J'ai distingué les shakos du cinquième de ligne et les guidons de la sixième légion. Vous serez attaqués dans une heure. Quant au peuple, il a bouillonné hier, mais ce matin il ne bouge pas. Rien à attendre, rien à espérer. Pas plus un faubourg qu'un régiment. Vous êtes abandonnés.

Ces paroles tombèrent sur le bourdonnement des groupes, et y firent l'effet que fait sur un essaim la première goutte de l'orage. Tous restèrent muets. Il y eut un moment d'inexprimable silence où l'on eût entendu voler la mort.

Ce moment fut court.

Une voix, du fond le plus obscur des groupes, cria à Enjolras :

— Soit. Élevons la barricade à vingt pieds de haut, et restons-y tous. Citoyens, faisons la protestation des cadavres. Montrons que, si le peuple abandonne les républicains, les républicains n'abandonnent pas le peuple.

Cette parole dégageait du pénible nuage des anxiétés individuelles la pensée de tous. Une acclamation enthousiaste l'accueillit.

On n'a jamais su le nom de l'homme qui avait parlé ainsi ; c'était quelque porte-blouse ignoré, un inconnu, un oublié, un passant héros, ce grand anonyme toujours mêlé aux crises humaines et aux genèses sociales qui, à un instant doné, dit d'une façon suprême le mot décisif, et qui s'évanouit dans les ténèbres après avoir représenté une minute, dans la lumière d'un éclair, le peuple et Dieu.

Cette résolution inexorable était tellement dans l'air du 6 juin 1832 que, presque à la même heure, dans la barricade de Saint-Merry, les insurgés poussaient cette clameur demeurée historique et consignée au procès : Qu'on vienne à notre secours ou qu'on n'y vienne pas, qu'importe ! Faisons-nous tuer ici jusqu'au dernier.

Comme on voit, les deux barricades, quoique matériellement isolées, communiquaient.

IV

CINQ DE MOINS, UN DE PLUS

Après que l'homme quelconque, qui décrétait « la protestation des cadavres », eut parlé et donné la formule de l'âme commune, de toutes les bouches sortit un cri étrangement satisfait et terrible, funèbre par le sens et triomphal par l'accent :

— Vive la mort ! Restons ici tous.

— Pourquoi tous ? dit Enjolras.

— Tous ! tous !

Enjolras reprit :

— La position est bonne, la barricade est belle. Trente hommes suffisent. Pourquoi en sacrifier quarante ?

Ils répliquèrent :

— Parce que pas un ne voudra s'en aller.

— Citoyens, cria Enjolras, et il y avait dans sa voix une vibration presque irritée, la république n'est pas assez riche en hommes pour faire des dépenses inutiles. La gloriole est un gaspillage. Si, pour quelques-uns, le devoir est de s'en aller, ce devoir-là doit être fait comme un autre.

Enjolras, l'homme principe, avait sur ses coreligionnaires cette sorte de toute-puissance qui se dégage de l'absolu. Cependant, quelle que fût cette omnipotence, on murmura.

Chef jusque dans le bout des ongles, Enjolras, voyant qu'on murmurait, insista. Il reprit avec hauteur :

— Que ceux qui craignent de n'être plus que trente le disent.

Les murmures redoublèrent.

— D'ailleurs, observa une voix dans un groupe, s'en aller, c'est facile à dire. La barricade est cernée.

— Pas du côté des halles, dit Enjolras. La rue Mondétour est libre, et par la rue des Prêcheurs on peut gagner le marché des Innocents.

— Et là, reprit une autre voix du groupe, on sera pris. On tombera dans quelque grand'garde de la ligne ou de la banlieue. Ils verront passer un homme en blouse et en casquette. D'où viens-tu, toi ? serais-tu pas de la barricade ? Et on vous regarde les mains. Tu sens la poudre. Fusillé.

Enjolras, sans répondre, toucha l'épaule de Combeferre, et tous deux entrèrent dans la salle basse.

Ils ressortirent un moment après. Enjolras tenait dans ses deux mains étendues les quatre uniformes qu'il avait fait réserver. Combeferre le suivait portant les buffleteries et les shakos.

— Avec cet uniforme, dit Enjolras, on se mêle aux rangs et l'on s'échappe. Voici toujours pour quatre.

Et il jeta sur le sol dépavé les quatre uniformes.

Aucun ébranlement ne se faisait dans le stoïque auditoire. Combeferre prit la parole.

— Allons, dit-il, il faut avoir un peu de pitié. Savez-vous de quoi il est question ici? Il est question des femmes. Voyons. Y a-t-il des femmes, oui ou non? y a-t-il des enfants, oui ou non? y a-t-il, oui ou non, des mères, qui poussent des berceaux du pied et qui ont des tas de petits autour d'elles? Que celui de vous qui n'a jamais vu le sein d'une nourrice lève la main. Ah! vous voulez vous faire tuer, je le veux aussi, moi qui vous parle, mais je ne veux pas sentir des fantômes de femmes qui se tordent les bras autour de moi. Mourez, soit, mais ne faites pas mourir. Des suicides comme celui qui va s'accomplir ici sont sublimes, mais le suicide est étroit, et ne veut pas d'extension; et dès qu'il touche à vos proches, le suicide s'appelle meurtre. Songez aux petites têtes blondes, et songez aux cheveux blancs. Écoutez, tout à l'heure, Enjolras, il vient de me le dire, a vu au coin de la rue du Cygne une croisée éclairée, une chandelle à une pauvre fenêtre, au cinquième, et sur la vitre l'ombre toute branlante d'une tête de vieille femme qui avait l'air d'avoir passé la nuit et d'attendre. C'est peut-être la mère de l'un de vous. Eh bien, qu'il s'en aille, celui-là, et qu'il se dépêche d'aller dire à sa mère : Mère, me voilà! Qu'il soit tranquille, on fera la besogne ici tout de même. Quand on soutient ses proches de son travail, on n'a plus le droit de se sacrifier. C'est déserter la famille, cela. Et ceux qui ont des filles, et ceux qui ont des sœurs! Y pensez-vous? Vous vous faites tuer, vous voilà morts, c'est bon, et demain? Des jeunes filles qui n'ont pas de pain, cela est terrible. L'homme mendie, la femme vend. Ah! ces charmants êtres si gracieux et si doux qui ont des bonnets de fleurs, qui chantent, qui jasent, qui emplissent la maison de chasteté, qui sont comme un parfum vivant, qui prouvent l'existence des anges dans le ciel par la pureté des vierges sur la terre, cette Jeanne, cette Lise, cette Mimi, ces adorables et honnêtes créatures qui sont votre bénédiction et votre orgueil, ah mon Dieu, elles vont avoir faim! Que voulez-vous que je vous dise? Il y a un marché de chair humaine, et ce n'est pas avec vos mains d'ombres, frémissantes autour d'elles, que vous les empêcherez d'y entrer! Songez à la rue, songez au pavé couvert de passants, songez aux boutiques devant lesquelles des femmes vont et viennent décolletées et dans la boue. Ces femmes-là aussi ont été pures. Songez à vos sœurs, ceux qui en ont. La misère, la prostitution, les segents de ville, Saint-Lazare, voilà où vont tomber ces délicates belles filles, ces fragiles merveilles de pudeur, de gentillesse et de beauté, plus fraîches que les lilas du mois de mai. Ah! vous vous êtes fait tuer! ah! vous n'êtes plus là! C'est bien; vous avez voulu soustraire le peuple à la royauté, vous donnez vos filles à la police. Amis, prenez garde, ayez de la compassion. Les femmes, les malheureuses femmes, on n'a pas l'habitude d'y songer beaucoup. On se fie sur ce que les femmes n'ont pas reçu l'éducation des hommes, on les empêche de lire, on les empêche de penser, on les empêche de s'occuper de politique; les empêcherez-vous d'aller ce soir à la morgue et de reconnaître vos cadavres? Voyons, il faut que ceux qui ont des familles soient bons enfants et nous donnent une poignée de main et s'en aillent, et nous laissent faire ici l'affaire tout seuls. Je sais bien qu'il faut du courage pour s'en aller, c'est difficile; mais plus c'est difficile, plus c'est méritoire. On dit: J'ai un fusil, je suis à la barricade, tant pis, j'y reste. Tant pis, c'est bientôt dit. Mes amis, il y a un lendemain, vous n'y serez pas à ce lendemain, mais vos familles y seront. Et que de souffrances! Tenez, un joli enfant bien portant qui a des joues comme une pomme, qui babille, qui jacasse, qui jabote, qui rit, qu'on sent frais sous le baiser, savez-vous ce que cela devient quand c'est abandonné? J'en ai vu un, tout petit, haut comme cela. Son père était mort. De pauvres gens l'avaient recueilli par charité, mais ils n'avaient pas de pain pour eux-mêmes. L'enfant avait toujours faim. C'était l'hiver. Il ne pleurait pas. On le voyait aller près du poêle où il n'y avait jamais de feu et dont le tuyau, vous savez, était mastiqué avec de la terre jaune. L'enfant détachait avec ses petits doigts un peu de cette terre et la mangeait. Il avait la respiration rauque, la face livide, les jambes molles, le ventre gros. Il ne disait rien. On lui parlait, il ne répondait pas. Il est mort. On l'a apporté mourir à l'hospice Necker, où je l'ai vu. J'étais interne à cet hospice-là. Maintenant, s'il y a des pères parmi vous, des pères qui ont pour bonheur de se promener le dimanche en tenant dans leur bonne main robuste la petite main de leur enfant, que chacun de ces pères se figure que cet enfant-là est le sien. Ce pauvre môme, je me le rappelle, il me semble que je le vois, quand il a été nu sur la table d'anatomie, ses côtes faisaient saillie sous sa peau comme les fosses sous l'herbe d'un cimetière. On lui a trouvé une espèce de boue dans l'estomac. Il avait de la cendre dans les dents. Allons, tâtons-nous en conscience et prenons conseil de notre cœur. Les statistiques constatent que la mortalité des enfants abandonnés est de cinquante-cinq pour cent. Je le répète, il s'agit des femmes, il s'agit des mères, il s'agit des jeunes filles, il s'agit des mioches. Est-ce qu'on vous parle de vous ? On sait bien ce que vous êtes ; on sait bien que vous êtes tous des braves, parbleu ! on sait bien que vous avez tous dans l'âme la joie et la gloire de donner votre vie pour la grande cause ; on sait bien que vous vous sentez élus pour mourir utilement et magnifiquement, et que chacun de vous tient à sa part du triomphe. À la bonne heure. Mais vous n'êtes pas seuls en ce monde. Il y a d'autres êtres auxquels il faut penser. Il ne faut pas être égoïstes.

Tous baissèrent la tête d'un air sombre.

Étranges contradictions du cœur humain à ses moments les plus sublimes ! Combeferre, qui parlait ainsi, n'était pas orphelin. Il se souvenait des mères des autres, et il oubliait la sienne. Il allait se faire tuer. Il était « égoïste ».

Marius, à jeun, fiévreux, successivement sorti de toutes les espérances, échoué dans la douleur, le plus sombre des naufrages, saturé d'émotions violentes, et sentant la fin venir, s'était de plus en plus enfoncé dans cette stupeur visionnaire qui précède toujours l'heure fatale volontairement acceptée.

Un physiologiste eût pu étudier sur lui les symptômes croissants de cette absorption fébrile connue et classée par la science, et qui est à la souffrance ce que la volupté est au plaisir. Le désespoir aussi a son extase. Marius en était là. Il assistait à tout comme du dehors ; ainsi que nous l'avons dit, les choses qui se passaient devant lui lui semblaient lointaines ; il distinguait l'ensemble, mais n'apercevait point les détails. Il voyait les allants et venants à travers un flamboiement. Il entendait les voix parler comme au fond d'un abîme.

Cependant ceci l'émut. Il y avait dans cette scène une pointe qui perça jusqu'à lui, et qui le réveilla. Il n'avait plus qu'une idée, mourir, et il ne voulait pas s'en distraire ; mais il songea, dans son somnambulisme funèbre, qu'en se perdant, il n'est pas défendu de sauver quelqu'un.

Il éleva la voix :

— Enjolras et Combeferre ont raison, dit-il ; pas de sacrifice inutile. Je me joins à eux, et il faut se hâter. Combeferre vous a dit les choses décisives. Il y en a parmi vous qui ont des familles, des mères, des sœurs, des femmes, des enfants. Que ceux-là sortent des rangs.

Personne ne bougea.

— Les hommes mariés et les soutiens de famille hors des rangs ! répéta Marius.

Son autorité était grande. Enjolras était bien le chef de la barricade, mais Marius en était le sauveur.

— Je l'ordonne ! cria Enjolras.

— Je vous en prie, dit Marius.

Alors, remués par la parole de Combeferre, ébranlés par l'ordre d'Enjolras, émus par la prière de Marius, ces hommes héroïques commencèrent à se dénoncer les uns les autres. — C'est vrai, disait un jeune à un homme fait. Tu es père de famille. Va-t'en. — C'est plutôt toi, répondait l'homme, tu as tes deux sœurs que tu nourris. — Et une lutte inouïe éclatait. C'était à qui ne se laisserait pas mettre à la porte du tombeau.

— Dépêchons, dit Courfeyrac, dans un quart d'heure il ne serait plus temps.

— Citoyens, poursuivit Enjolras, c'est ici la république, et le suffrage universel règne. Désignez vous-mêmes ceux qui doivent s'en aller.

On obéit. Au bout de quelques minutes, cinq étaient unanimement désignés et sortaient des rangs.

— Ils sont cinq! s'écria Marius.

Il n'y avait que quatre uniformes.

— Eh bien, reprirent les cinq, il faut qu'un reste.

Et ce fut à qui resterait, et à qui trouverait aux autres des raisons de ne pas rester. La généreuse querelle recommença.

— Toi, tu as une femme qui t'aime. — Toi, tu as ta vieille mère. — Toi, tu n'as plus ni père ni mère, qu'est-ce que tes trois petits frères vont devenir ? — Toi, tu es père de cinq enfants. — Toi, tu as le droit de vivre, tu as dix-sept ans, c'est trop tôt.

Ces grandes barricades révolutionnaires étaient des rendez-vous d'héroïsmes. L'invraisemblable y était simple. Ces hommes ne s'étonnaient pas les uns les autres.

— Faites vite, répétait Courfeyrac.

On cria des groupes à Marius :

— Désignez, vous, celui qui doit rester.

— Oui, dirent les cinq, choisissez. Nous vous obéirons.

Marius ne croyait plus à une émotion possible. Cependant à cette idée, choisir un homme pour la mort, tout son sang reflua vers son cœur. Il eût pâli, s'il eût pu pâlir encore.

Il s'avança vers les cinq qui lui souriaient, et chacun, l'œil plein de cette grande flamme qu'on voit au fond de l'histoire sur les Thermopyles, lui criait :

— Moi ! moi ! moi !

Et Marius, stupidement, les compta; ils étaient toujours cinq! Puis son regard s'abaissa sur les quatre uniformes.

En cet instant, un cinquième uniforme tomba, comme du ciel, sur les quatre autres.

Le cinquième homme était sauvé.

Marius leva les yeux et reconnut M. Fauchelevent.

Jean Valjean venait d'entrer dans la barricade.

Son renseignement pris, soit instinct, soit hasard, il arrivait par la ruelle Mondétour. Grâce à son habit de garde national, il avait passé aisément.

La vedette placée par les insurgés dans la rue Mondétour, n'avait point à donner le signal d'alarme pour un garde national seul. Elle l'avait laissé s'engager dans la rue en se disant : c'est un renfort probablement, ou au pis aller un prisonnier. Le moment était trop grave pour que la sentinelle pût se distraire de son devoir et de son poste d'observation.

Au moment où Jean Valjean était entré dans la redoute, personne ne l'avait remarqué, tous les yeux étant fixés sur les cinq choisis et sur les quatre uniformes. Jean Valjean, lui, avait vu et entendu, et, silencieusement, il s'était dépouillé de son habit et l'avait jeté sur le tas des autres.

L'émotion fut indescriptible.

— Quel est cet homme ? demanda Bossuet.

— C'est, répondit Combeferre, un homme qui sauve les autres.

Marius ajouta d'une voix grave :

— Je le connais.

Cette caution suffisait à tous.

Enjolras se tourna vers Jean Valjean.

— Citoyen, soyez le bienvenu.

Et il ajouta :

— Vous savez qu'on va mourir.

Jean Valjean, sans répondre, aida l'insurgé qu'il sauvait à revêtir son uniforme.

v

QUEL HORIZON ON VOIT DU HAUT DE LA BARRICADE

La situation de tous, dans cette heure fatale et dans ce lieu inexorable, avait comme résultante et comme sommet la mélancolie suprême d'Enjolras.

Enjolras avait en lui la plénitude de la révolution ; il était incomplet pourtant, autant que l'absolu peut l'être ; il tenait trop de Saint-Just, et pas assez d'Anacharsis Clootz ; cependant son esprit, dans la société des Amis de l'A B C, avait fini par subir une certaine aimantation des idées de Combeferre ; depuis quelque temps, il sortait peu à peu de la forme étroite du dogme et se laissait aller aux élargissements du progrès, et il en était venu à accepter, comme évolution définitive et magnifique, la transformation de la grande république française en immense république humaine. Quant aux moyens immédiats, une situation violente étant donnée, il les voulait violents; en cela, il ne variait pas; et il était resté de cette école épique et redoutable que résume ce mot : Quatre-vingt-treize.

Enjolras était debout sur l'escalier de pavés, un de ses coudes sur le canon de sa carabine. Il songeait; il tressaillait, comme à des passages de souffles; les endroits où est la mort ont de ces effets de trépieds. Il sortait de ses prunelles, pleines du regard intérieur, des espèces de feux étouffés. Tout à coup, il dressa la tête, ses cheveux blonds se renversèrent en arrière comme ceux de l'ange sur le sombre quadrige fait d'étoiles, ce fut comme une crinière de lion effarée en flamboiement d'auréole, et Enjolras s'écria :

— Citoyens, vous représentez-vous l'avenir? Les rues des villes inondées de lumières, des branches vertes sur les seuils, les nations sœurs, les hommes justes, les vieillards bénissant les enfants, le passé aimant le présent, les penseurs en pleine liberté, les croyants en pleine égalité, pour religion le ciel, Dieu prêtre direct, la conscience humaine devenue l'autel, plus de haines, la fraternité de l'atelier et de l'école, pour pénalité et pour récompense la notoriété, à tous le travail, pour tous le droit, sur tous la paix, plus de sang versé, plus de guerres, les mères heureuses! Dompter la matière, c'est le premier pas; réaliser l'idéal, c'est le second. Réfléchissez à ce qu'a déjà fait le progrès. Jadis les premières races humaines voyaient avec terreur passer devant leurs yeux l'hydre qui soufflait sur les eaux, le dragon qui vomissait du feu, le griffon qui était le monstre de l'air et qui volait avec les ailes d'un aigle et les griffes d'un tigre; bêtes effrayantes qui étaient au-dessus de l'homme. L'homme cependant a tendu ses pièges, les pièges sacrés de l'intelligence, et il a fini par y prendre les monstres.

Nous avons dompté l'hydre, et elle s'appelle le steamer; nous avons dompté le dragon, et il s'appelle la locomotive; nous sommes sur le point de dompter le griffon, nous le tenons déjà, et il s'appelle le ballon. Le jour où cette œuvre prométhéenne sera terminée et où l'homme aura définitivement attelé à sa volonté la triple Chimère antique, l'hydre, le dragon et le griffon, il sera maître de l'eau, du feu et de l'air, et il sera pour le reste de la création animée ce que les anciens dieux étaient jadis pour lui. Courage, et en avant! Citoyens, où allons-nous? À la science faite gouvernement, à la force des choses devenue seule force publique, à la loi naturelle ayant sa sanction et sa pénalité en elle-même et se promulguant par l'évidence, à un lever de vérité correspondant au lever du jour. Nous allons à l'union des peuples; nous allons à l'unité de l'homme. Plus de fictions; plus de parasites. Le réel gouverné par le vrai, voilà le but. La civilisation tiendra ses assises au sommet de l'Europe, et plus tard au centre des continents, dans un grand parlement de l'intelligence. Quelque chose de pareil s'est vu déjà. Les amphictyons avaient deux séances par an, l'une à Delphes, lieu des dieux, l'autre aux Thermopyles, lieu des héros. L'Europe aura ses amphictyons; le globe aura ses amphictyons. La France porte cet avenir sublime dans ses flancs. C'est là la gestation du dix-neuvième siècle. Ce qu'avait ébauché la Grèce est digne d'être achevé par la France. Écoute-moi, toi Feuilly, vaillant ouvrier, homme du peuple, homme des peuples. Je te vénère. Oui, tu vois nettement les temps futurs, oui, tu as raison. Tu n'avais ni père ni mère, Feuilly; tu as adopté pour mère l'humanité et pour père le droit. Tu vas mourir ici, c'est-à-dire triompher. Citoyens, quoi qu'il arrive aujourd'hui, par notre défaite aussi bien que par notre victoire, c'est une révolution que nous allons faire. De même que les incendies éclairent toute la ville, les révolutions éclairent tout le genre humain. Et quelle révolution ferons-nous? Je viens de le dire, la révolution du Vrai. Au point de vue politique, il n'y a qu'un seul principe : la souveraineté de l'homme sur lui-même. Cette souveraineté de moi sur moi s'appelle Liberté. Là où deux ou plusieurs de ces souverainetés s'associent commence l'état. Mais dans cette association il n'y a nulle abdication. Chaque souveraineté concède une certaine quantité d'elle-même pour former le droit commun. Cette quantité est la même pour tous. Cette identité de concession que chacun fait à tous s'appelle Égalité. Le droit commun n'est pas autre chose que la protection de tous rayonnant sur le droit de chacun. Cette protection de tous sur chacun s'appelle Fraternité. Le point d'intersection de toutes ces souverainetés qui s'agrègent s'appelle Société. Cette intersection étant une jonction, ce point est un nœud. De là ce qu'on appelle le lien social. Quelques-uns disent contrat social; ce qui est la même chose, le mot contrat étant étymologiquement formé avec l'idée de lien. Entendons-nous sur l'égalité; car, si la liberté est le sommet, l'égalité est la base. L'égalité, citoyens, ce n'est pas toute la végétation à niveau, une société de grands brins d'herbes et de petits chênes; un voisinage de jalousies s'entre-châtrant; c'est, civilement, toutes les aptitudes ayant la même ouverture; politiquement, tous les votes ayant le même poids; religieusement, toutes les consciences ayant le même droit. L'Égalité a un organe : l'instruction gratuite et obligatoire. Le droit à l'alphabet, c'est par là qu'il faut commencer. L'école primaire imposée à tous, l'école secondaire offerte à tous, c'est là la loi. De l'école identique sort la société égale. Oui, enseignement! Lumière! lumière! tout vient de la lumière et tout y retourne. Citoyens, le dix-neuvième siècle est grand, mais le vingtième siècle sera heureux. Alors plus rien de semblable à la vieille histoire; on n'aura plus à craindre, comme aujourd'hui, une conquête, une invasion, une usurpation, une rivalité de nations à main armée, une interruption de civilisation dépendant d'un mariage de rois, une naissance dans les tyrannies héréditaires, un partage de peuples par congrès, un démembrement par écroulement de dynastie, un combat de deux religions se rencontrant de front, comme deux boucs de l'ombre, sur le pont de l'infini; on n'aura plus à craindre la famine, l'exploitation, la prostitution par détresse, la misère par chômage, et l'échafaud, et le glaive, et les batailles, et tous les brigandages du hasard dans la forêt des événements. On pourrait presque dire : il n'y aura plus d'événements. On sera heureux. Le genre humain accomplira sa loi comme le globe terrestre accomplit la sienne; l'harmonie se rétablira entre l'âme et l'astre. L'âme gravitera autour de la vérité comme l'astre autour de la lumière. Amis, l'heure où nous sommes et où je vous parle est une heure sombre; mais ce sont là les achats terribles de l'avenir. Une révolution est un péage. Oh! le genre humain sera délivré, relevé et consolé! Nous le lui affirmons sur cette barricade. D'où poussera-t-on le cri d'amour, si ce n'est du haut du sacrifice? Ô mes frères, c'est ici le lieu de jonction de ceux qui pensent et de ceux qui souffrent; cette barricade n'est faite ni de pavés, ni de poutres, ni de ferrailles; elle est faite de deux monceaux, un monceau d'idées et un monceau de douleurs. La misère y rencontre l'idéal. Le jour y embrasse la nuit et lui dit : Je vais mourir avec toi et tu vas renaître avec moi. De l'étreinte de toutes les désolations jaillit la foi. Les souffrances apportent ici leur agonie, et les idées leur immortalité. Cette agonie et cette immortalité vont se mêler et composer notre mort. Frères, qui meurt ici meurt dans le rayonnement de l'avenir, et nous entrons dans une tombe toute pénétrée d'aurore.

Enjolras s'interrompit plutôt qu'il ne se tut; ses lèvres remuaient silencieusement comme s'il continuait de se parler à lui-même, ce qui fit qu'attentifs, et pour tâcher de l'entendre encore, ils le regardèrent. Il n'y eut pas d'applaudissements; mais on chuchota longtemps. La parole étant souffle, les frémissements d'intelligences ressemblent à des frémissements de feuilles.

VI

MARIUS HAGARD, JAVERT LACONIQUE

Disons ce qui se passait dans la pensée de Marius.

Qu'on se souvienne de sa situation d'âme. Nous venons de le rappeler, tout n'était plus pour lui que vision. Son appréciation était trouble. Marius, insistons-y, était sous l'ombre des grandes ailes ténébreuses ouvertes sur les agonisants. Il se sentait entré dans le tombeau, il lui semblait qu'il était déjà de l'autre côté de la muraille, et il ne voyait plus les faces des vivants qu'avec les yeux d'un mort.

Comment M. Fauchelevent était-il là? Pourquoi y était-il ? Qu'y venait-il faire ? Marius ne s'adressa point toutes ces questions. D'ailleurs, notre désespoir ayant cela de particulier qu'il enveloppe autrui comme nous-même, il lui semblait logique que tout le monde vînt mourir.

Seulement il songea à Cosette avec un serrement de cœur.

Du reste M. Fauchelevent ne lui parla pas, ne le regarda pas, et n'eut pas même l'air d'entendre lorsque Marius éleva la voix pour dire : Je le connais.

Quant à Marius, cette attitude de M. Fauchelevent le soulageait, et si l'on pouvait employer un tel mot pour de telles impressions, nous dirions, lui plaisait. Il s'était toujours senti une impossibilité absolue d'adresser la parole à cet homme énigmatique qui était à la fois pour lui équivoque et imposant. Il y avait en outre très longtemps qu'il ne l'avait vu ; ce qui, pour la nature timide et réservée de Marius, augmentait encore l'impossibilité.

Les cinq hommes désignés sortirent de la barricade par la ruelle Mondétour ; ils ressemblaient parfaitement à des gardes nationaux. Un d'eux s'en alla en pleurant. Avant de partir, ils embrassèrent ceux qui restaient.

Quand les cinq hommes renvoyés à la vie furent partis, Enjolras pensa au condamné à mort. Il entra dans la salle basse. Javert, lié au pilier, songeait.

— Te faut-il quelque chose ? lui demanda Enjolras.

Javert répondit :

— Quand me tuerez-vous ?

— Attends. Nous avons besoin de toutes nos cartouches en ce moment.

— Alors, donnez-moi à boire, dit Javert.

Enjolras lui présenta lui-même un verre d'eau, et, comme Javert était garrotté, il l'aida à boire.

— Est-ce là tout ? reprit Enjolras.

— Je suis mal à ce poteau, répondit Javert. Vous n'êtes pas tendres de m'avoir laissé passer la nuit là. Liez-moi comme il vous plaira, mais vous pouvez bien me coucher sur une table, comme l'autre.

Et d'un mouvement de tête il désignait le cadavre de M. Mabeuf.

Il y avait, on s'en souvient, au fond de la salle une grande et longue table sur laquelle on avait fondu des balles et fait des cartouches. Toutes les cartouches étant faites et toute la poudre étant employée, cette table était libre.

Sur l'ordre d'Enjolras, quatre insurgés délièrent Javert du poteau. Tandis qu'on le déliait, un cinquième lui tenait une bayonnette appuyée sur la poitrine. On lui laissa les mains attachées derrière le dos, on lui mit aux pieds une corde à fouet mince et solide qui lui permettait de faire des pas de quinze pouces comme à ceux qui vont monter à l'échafaud, et on le fit marcher jusqu'à la table au fond de la salle où on l'étendit, étroitement lié par le milieu du corps.

Pour plus de sûreté, au moyen d'une corde fixée au cou, on ajouta au système de ligatures qui lui rendaient toute évasion impossible cette espèce de lien, appelé dans les prisons martingale, qui part de la nuque, se bifurque sur l'estomac, et vient rejoindre les mains après avoir passé entre les jambes.

Pendant qu'on garrottait Javert, un homme, sur le seuil de la porte, le considérait avec une attention singulière. L'ombre que faisait cet homme fit tourner la tête à Javert. Il leva les yeux et reconnut Jean Valjean. Il ne tressaillit même pas, abaissa fièrement la paupière, et se borna à dire : C'est tout simple.

VII

LA SITUATION S'AGGRAVE

Le jour croissait rapidement. Mais pas une fenêtre ne s'ouvrait, pas une porte ne s'entre-bâillait ; c'était l'aurore, non le réveil. L'extrémité de la rue de la Chanvrerie opposée à la barricade avait été évacuée par les troupes, comme nous l'avons dit ; elle semblait libre et s'ouvrait aux passants avec une tranquillité sinistre. La rue Saint-Denis était muette comme l'avenue des Sphinx à Thèbes. Pas un être vivant dans les carrefours que blanchissait un reflet de soleil. Rien n'est lugubre comme cette clarté des rues désertes.

On ne voyait rien, mais on entendait. Il se faisait à une certaine distance un mouvement mystérieux. Il était évident que l'instant critique arrivait. Comme la veille au soir les vedettes se replièrent; mais cette fois toutes.

La barricade était plus forte que lors de la première attaque. Depuis le départ des cinq, on l'avait exhaussée encore.

Sur l'avis de la vedette qui avait observé la région des halles, Enjolras, de peur d'une surprise par derrière, prit une résolution grave. Il fit barricader le petit boyau de la ruelle Mondétour resté libre jusqu'alors. On dépava pour cela quelques longueurs de maisons de plus. De cette façon, la barricade, murée sur trois rues, en avant sur la rue de la Chanvrerie, à gauche sur la rue du Cygne et la Petite-Truanderie, à droite sur la rue Mondétour, était vraiment presque inexpugnable; il est vrai qu'on y était fatalement enfermé. Elle avait trois fronts, mais n'avait plus d'issue. — Forteresse, mais souricière, dit Courfeyrac en riant.

Enjolras fit entasser près de la porte du cabaret une trentaine de pavés, « arrachés de trop », disait Bossuet.

Le silence était maintenant si profond du côté d'où l'attaque devait venir qu'Enjolras fit reprendre à chacun le poste de combat.

On distribua à tous une ration d'eau-de-vie.

Rien n'est plus curieux qu'une barricade qui se prépare à un assaut. Chacun choisit sa place comme au spectacle. On s'accote, on s'accoude, on s'épaule. Il y en a qui se font des stalles avec des pavés. Voilà un coin de mur qui gêne, on s'en éloigne; voici un redan qui peut protéger, on s'y abrite. Les gauchers sont précieux; ils prennent les places incommodes aux autres. Beaucoup s'arrangent pour combattre assis. On veut être à l'aise pour tuer et confortablement pour mourir. Dans la funeste guerre de juin 1848, un insurgé qui avait un tir redoutable et qui se battait du haut d'une terrasse sur un toit, s'y était fait apporter un fauteuil Voltaire; un coup de mitraille vint l'y trouver.

Sitôt que le chef a commandé le branle-bas de combat, tous les mouvements désordonnés cessent; plus de tiraillements de l'un à l'autre; plus de coteries; plus d'aparté;

plus de bande à part; tout ce qui est dans les esprits converge et se change en attente de l'assaillant. Une barricade avant le danger, chaos; dans le danger, discipline. Le péril fait l'ordre.

Dès qu'Enjolras eut pris sa carabine à deux coups et se fut placé à une espèce de créneau qu'il s'était réservé, tous se turent. Un pétillement de petits bruits secs retentit confusément le long de la muraille de pavés. C'était les fusils qu'on armait.

Du reste, les attitudes étaient plus fières et plus confiantes que jamais; l'excès du sacrifice est un affermissement; ils n'avaient plus l'espérance, mais ils avaient le désespoir. Le désespoir, dernière arme, qui donne la victoire quelquefois; Virgile l'a dit. Les ressources suprêmes sortent des résolutions extrêmes. S'embarquer dans la mort, c'est parfois le moyen d'échapper au naufrage; et le couvercle du cercueil devient une planche de salut.

Comme la veille au soir, toutes les attentions étaient tournées, et on pourrait presque dire appuyées, sur le bout de la rue, maintenant éclairé et visible.

L'attente ne fut pas longue. Le remuement recommença distinctement du côté de Saint-Leu, mais cela ne ressemblait pas au mouvement de la première attaque. Un clapotement de chaînes, le cahotement inquiétant d'une masse, un cliquetis d'airain sautant sur le pavé, une sorte de fracas solennel, annoncèrent qu'une ferraille sinistre s'approchait. Il y eut un tressaillement dans les entrailles de ces vieilles rues paisibles, percées et bâties pour la circulation féconde des intérêts et des idées, et qui ne sont pas faites pour le roulement monstrueux des roues de la guerre.

La fixité des prunelles de tous les combattants sur l'extrémité de la rue devint farouche.

Une pièce de canon apparut.

Les artilleurs poussaient la pièce; elle était dans son encastrement de tir; l'avant-train avait été détaché; deux soutenaient l'affût, quatre étaient aux roues; d'autres suivaient avec le caisson. On voyait fumer la mèche allumée.

— Feu! cria Enjolras.

Toute la barricade fit feu, la détonation fut effroyable;

une avalanche de fumée couvrit et effaça la pièce et les hommes ; après quelques secondes le nuage se dissipa, et le canon et les hommes reparurent ; les servants de la pièce achevaient de la rouler en face de la barricade lentement, correctement, et sans se hâter. Pas un n'était atteint. Puis le chef de pièce, pesant sur la culasse pour élever le tir, se mit à pointer le canon avec la gravité d'un astronome qui braque une lunette.

— Bravo les canonniers ! cria Bossuet.

Et toute la barricade battit des mains.

Un moment après, carrément posée au beau milieu de la rue, à cheval sur le ruisseau, la pièce était en batterie. Une gueule formidable était ouverte sur la barricade.

— Allons, gai ! fit Courfeyrac. Voilà le brutal. Après la chiquenaude, le coup de poing. L'armée étend vers nous sa grosse patte. La barricade va être sérieusement secouée. La fusillade tâte, le canon prend.

— C'est une pièce de huit, nouveau modèle, en bronze, ajouta Combeferre. Ces pièces-là, pour peu qu'on dépasse la proportion de dix parties d'étain sur cent de cuivre, sont sujettes à éclater. L'excès d'étain les fait trop tendres. Il arrive alors qu'elles ont des caves et des chambres dans la lumière. Pour obvier à ce danger et pouvoir forcer la charge, il faudrait peut-être en revenir au procédé du quatorzième siècle, le cerclage, et émenaucher extérieurement la pièce d'une suite d'anneaux d'acier sous soudure, depuis la culasse jusqu'au tourillon. En attendant, on remédie comme on peut au défaut ; on parvient à reconnaître où sont les trous et les caves dans la lumière d'un canon au moyen du chat. Mais il y a un meilleur moyen, c'est l'étoile mobile de Gribeauval.

— Au seizième siècle, observa Bossuet, on rayait les canons.

— Oui, répondit Combeferre, cela augmente la puissance balistique, mais diminue la justesse de tir. En outre, dans le tir à courte distance, la trajectoire n'a pas toute la roideur désirable, la parabole s'exagère, le chemin du projectile n'est plus assez rectiligne pour qu'il puisse frapper tous les objets intermédiaires, nécessité de combat pourtant, dont l'importance croît avec la proximité de l'ennemi et la précipitation du tir. Ce défaut de tension de la courbe du projectile dans les canons rayés du seizième siècle tenait à la faiblesse de la charge; les faibles charges, pour cette espèce d'engins, sont imposées par des nécessités balistiques, telles, par exemple, que la conservation des affûts. En somme, le canon, ce despote, ne peut pas tout ce qu'il veut; la force est une grosse faiblesse. Un boulet de canon ne fait que six cents lieues par heure; la lumière fait soixante-dix mille lieues par seconde. Telle est la supériorité de Jésus-Christ sur Napoléon.

— Rechargez les armes, dit Enjolras.

De quelle façon le revêtement de la barricade allait-il se comporter sous le boulet? le coup ferait-il brèche? Là était la question. Pendant que les insurgés rechargeaient les fusils, les artilleurs chargeaient le canon.

L'anxiété était profonde dans la redoute.

Le coup partit, la détonation éclata.

— Présent! cria une voix joyeuse.

Et en même temps que le boulet sur la barricade, Gavroche s'abattit dedans.

Il arrivait du côté de la rue du Cygne et il avait lestement enjambé la barricade accessoire qui faisait front au dédale de la Petite-Truanderie.

Gavroche fit plus d'effet dans la barricade que le boulet.

Le boulet s'était perdu dans le fouillis des décombres. Il avait tout au plus brisé une rue de l'omnibus, et achevé la vieille charrette Anceau. Ce que voyant, la barricade se mit à rire.

— Continuez, cria Bossuet aux artilleurs.

VIII

LES ARTILLEURS SE FONT PRENDRE AU SÉRIEUX

On entoura Gavroche.

Mais il n'eut le temps de rien raconter. Marius, frissonnant, le prit à part.

— Qu'est-ce que tu viens faire ici?

— Tiens! dit l'enfant. Et vous?

Et il regarda fixement Marius avec son effronterie épique. Ses deux yeux s'agrandissaient de la clarté fière qui était dedans.

Ce fut avec un accent sévère que Marius continua :

— Qui est-ce qui te disait de revenir ? As-tu au moins remis ma lettre à son adresse ?

Gavroche n'était point sans quelques remords à l'endroit de cette lettre. Dans sa hâte de revenir à la barricade, il s'en était défait plutôt qu'il ne l'avait remise. Il était forcé de s'avouer à lui-même qu'il l'avait confiée un peu légèrement à cet inconnu dont il n'avait même pu distinguer le visage. Il est vrai que cet homme était nu-tête, mais cela ne suffisait pas. En somme, il se faisait à ce sujet de petites remontrances intérieures et il craignait les reproches de Marius. Il prit, pour se tirer d'affaire, le procédé le plus simple ; il mentit abominablement.

— Citoyen, j'ai remis la lettre au portier. La dame dormait. Elle aura la lettre en se réveillant.

Marius, en envoyant cette lettre, avait deux buts, dire adieu à Cosette et sauver Gavroche. Il dut se contenter de la moitié de ce qu'il voulait.

L'envoi de sa lettre, et la présence de M. Fauchelevent dans la barricade, ce rapprochement s'offrit à son esprit. Il montra à Gavroche M. Fauchelevent :

— Connais-tu cet homme ?

— Non, dit Gavroche.

Gavroche, en effet, nous venons de le rappeler, n'avait vu Jean Valjean que la nuit.

Les conjectures troubles et maladives qui s'étaient ébauchées dans l'esprit de Marius se dissipèrent. Connaissait-il les opinions de M. Fauchelevent ? M. Fauchelevent était républicain peut-être. De là sa présence toute simple dans ce combat.

Cependant Gavroche était déjà à l'autre bout de la barricade criant : mon fusil !

Courfeyrac le lui fit rendre.

Gavroche prévint « les camarades », comme il les appelait, que la barricade était bloquée. Il avait eu grand'peine à arriver. Un bataillon de ligne, dont les faisceaux étaient dans la Petite-Truanderie, observait le côté de la rue du Cygne ; du côté opposé, la garde municipale occupait la rue des Prêcheurs. En face, on avait le gros de l'armée.

Ce renseignement donné, Gavroche ajouta :

— Je vous autorise à leur flanquer une pile indigne.

Cependant Enjolras à son créneau, l'oreille tendue, épiait.

Les assaillants, peu contents sans doute du coup à boulet, ne l'avaient pas répété.

Une compagnie d'infanterie de ligne était venue occuper l'extrémité de la rue, en arrière de la pièce. Les soldats dépavaient la chaussée et y construisaient avec les pavés une petite muraille basse, une façon d'épaulement qui n'avait guère plus de dix-huit pouces de hauteur et qui faisait front à la barricade. À l'angle de gauche de cet épaulement, on voyait la tête de colonne d'un bataillon de la banlieue, massé rue Saint-Denis.

Enjolras, au guet, crut distinguer le bruit particulier qui se fait quand on retire des caissons les boîtes à mitraille, et il vit le chef de pièce changer le pointage et incliner légèrement la bouche du canon à gauche. Puis les canonniers se mirent à charger la pièce. Le chef de pièce saisit lui-même le boute-feu et l'approcha de la lumière.

— Baissez la tête, ralliez le mur! cria Enjolras, et tous à genoux le long de la barricade!

Les insurgés, épars devant le cabaret et qui avaient quitté leur poste de combat à l'arrivé de Gavroche, se ruèrent pêle-mêle vers la barricade; mais avant que l'ordre d'Enjolras fût exécuté, la décharge se fit avec le râle effrayant d'un coup de mitraille. C'en était un en effet.

La charge avait été dirigée sur la coupure de la redoute, y avait ricoché sur le mur, et ce ricochet épouvantable avait fait deux morts et trois blessés.

Si cela continuait, la barricade n'était plus tenable. La mitraille entrait.

Il y eut une rumeur de consternation.

— Empêchons toujours le second coup, dit Enjolras.

Et, abaissant sa carabine, il ajusta le chef de pièce qui, en ce moment, penché sur la culasse du canon, rectifiait et fixait définitivement le pointage.

Ce chef de pièce était un beau sergent de canonniers, tout jeune, blond, à la figure très douce, avec l'air intelligent propre à cette arme prédestinée et redoutable qui, à force de se perfectionner dans l'horreur, doit finir par tuer la guerre.

Combeferre, debout près d'Enjolras, considérait ce jeune homme.

— Quel dommage ! dit Combeferre. La hideuse chose que ces boucheries ! Allons, quand il n'y aura plus de rois, il n'y aura plus de guerre. Enjolras, tu vises ce sergent, tu ne le regardes pas. Figure-toi que c'est un charmant jeune homme, il est intrépide, on voit qu'il pense, c'est très instruit, ces jeunes gens de l'artillerie ; il a un père, une mère, une famille, il aime probablement, il a tout au plus vingt-cinq ans, il pourrait être ton frère.

— Il l'est, dit Enjolras.

— Oui, reprit Combeferre, et le mien aussi. Eh bien, ne le tuons pas.

— Laisse-moi. Il faut ce qu'il faut.

Et une larme coula lentement sur la joue de marbre d'Enjolras. En même temps il pressa la détente de sa carabine. L'éclair jaillit. L'artilleur tourna deux fois sur lui-même, les bras étendus devant lui et la tête levée comme pour aspirer l'ai, puis se renversa le flanc sur la pièce et y resta sans mouvement. On voyait son dos du centre duquel sortait tout droit un flot de sang. La balle lui avait traversé la poitrine de part en part. Il était mort.

Il fallut l'emporter et le remplacer. C'étaient en effet quelques minutes de gagnées.

IX

**EMPLOI DE CE VIEUX TALENT DE BRACONNIER
ET DE CE COUP DE FUSIL INFAILLIBLE
QUI A INFLUÉ SUR LA CONDAMNATION DE 1796**

Les avis se croisaient dans la barricade. Le tir de la pièce allait recommencer. On n'en avait pas pour un quart d'heure avec cette mitraille. Il était absolument nécessaire d'amortir les coups.

Enjolras jeta ce commandement :

— Il faut mettre là un matelas.

— On n'en a pas, dit Combeferre, les blessés sont dessus.

Jean Valjean, assis à l'écart sur une borne, à l'angle du cabaret, son fusil entre les jambes, n'avait jusqu'à cet instant pris part à rien de ce qui se passait. Il semblait ne pas entendre les combattants dire autour de lui : Voilà un fusil qui ne fait rien.

À l'ordre donné par Enjolras, il se leva.

On se souvient qu'à l'arrivée du rassemblement rue de la Chanvrerie, une vieille femme, prévoyant les balles, avait mis son matelas devant sa fenêtre. Cette fenêtre, fenêtre de grenier, était sur le toit d'une maison à six étages située un peu en dehors de la barricade. Le matelas, posé en travers, appuyé par le bas sur deux perches à sécher le linge, était soutenu en haut par deux cordes qui, de loin, semblaient deux ficelles et qui se rattachaient à des clous plantés dans les chambranles de la mansarde. On voyait ces deux cordes distinctement sur le ciel comme des cheveux.

— Quelqu'un peut-il me prêter une carabine à deux coups ? dit Jean Valjean.

Enjolras, qui venait de recharger la sienne, la lui tendit.

Jean Valjean ajusta la mansarde et tira.

Une des deux cordes du matelas était coupée.

Le matelas ne pendait plus que par un fil.

Jean Valjean lâcha le second coup. La deuxième corde fouetta la vitre de la mansarde. Le matelas glissa entre les deux perches et tomba dans la rue.

La barricade applaudit.

Toutes les voix crièrent :

— Voilà un matelas.

— Oui, dit Combeferre, mais qui l'ira chercher ?

Le matelas en effet était tombé en dehors de la barricade, entre les assiégés et les assiégeants. Or, la mort du sergent de canonniers ayant exaspéré la troupe, les soldats, depuis quelques instants, s'étaient couchés à plat ventre derrière la ligne de pavés qu'ils avaient élevée, et, pour suppléer au silence forcé de la pièce qui se taisait en attendant que son service fût réorganisé, ils avaient ouvert le feu contre la barricade. Les insurgés ne répondaient pas à cette mousqueterie, pour épargner les munitions. La fusillade se brisait à la barricade ; mais la rue, qu'elle remplissait de balles, était terrible.

Jean Valjean sortit de la coupure, entra dans la rue, traversa l'orage de balles, alla au matelas, le ramassa, le chargea sur son dos, et revint dans la barricade.

Lui-même mit le matelas dans la coupure. Il l'y fixa contre le mur de façon que les artilleurs ne le vissent pas.

Cela fait, on attendit le coup de mitraille.

Il ne tarda pas.

Le canon vomit avec un rugissement son paquet de chevrotines. Mais il n'y eut pas de ricochet. La mitraille avorta sur le matelas. L'effet prévu était obtenu. La barricade était préservée.

— Citoyen, dit Enjolras à Jean Valjean, la république vous remercie.

Bossuet admirait et riait. Il s'écria :

— C'est immoral qu'un matelas ait tant de puissance. Triomphe de ce qui plie sur ce qui foudroie. Mais c'est égal, gloire au matelas qui annule un canon !

x

AURORE

En ce moment-là, Cosette se réveillait.

Sa chambre était étroite, propre, discrète, avec une longue croisée au levant sur l'arrière-cour de la maison.

Cosette ne savait rien de ce qui se passait dans Paris. Elle n'était point là la veille et elle était déjà rentrée dans sa chambre quand Toussaint avait dit : Il paraît qu'il y a du train.

Cosette avait dormi peu d'heures, mais bien. Elle avait eu de doux rêves, ce qui tenait peut-être un peu à ce que son petit lit était très blanc. Quelqu'un qui était Marius lui était apparu dans de la lumière. Elle se réveilla avec du soleil dans les yeux, ce qui d'abord lui fit l'effet de la continuation du songe.

Sa première pensée sortant de ce rêve fut riante. Cosette se sentit toute rassurée. Elle traversait, comme Jean Valjean quelques heures auparavant, cette réaction de l'âme qui ne veut absolument pas du malheur. Elle se mit à espérer de toutes ses forces sans savoir pourquoi. Puis un serrement de cœur lui vint. — Voilà trois jours qu'elle n'avait vu Marius. Mais elle se dit qu'il devait avoir reçu sa lettre, qu'il savait où elle était, et qu'il avait tant d'esprit, et qu'il trouverait moyen d'arriver jusqu'à elle. — Et cela certainement aujourd'hui, et peut-être ce matin même. — Il faisait grand jour, mais le rayon de lumière était très horizontal, elle pensa qu'il était de très bonne heure ; qu'il fallait se lever pourtant ; pour recevoir Marius.

Elle sentait qu'elle ne pouvait vivre sans Marius, et que par conséquent cela suffisait, et que Marius viendrait. Aucune objection n'était recevable. Tout cela était certain. C'était déjà assez monstrueux d'avoir souffert trois jours. Marius absent trois jours, c'était horrible au bon Dieu. Maintenant, cette cruelle taquinerie d'en haut était une épreuve traversée, Marius allait arriver, et apporterait une bonne nouvelle. Ainsi est faite la jeunesse ; elle essuie vite ses yeux ; elle trouve la douleur inutile et ne l'accepte pas. La jeunesse est le sourire de l'avenir devant un inconnu qui est lui-même. Il lui est naturel d'être heureuse. Il semble que sa respiration soit faite d'espérance.

Du reste, Cosette ne pouvait parvenir à se rappeler ce que Marius lui avait dit au sujet de cette absence qui ne devait durer qu'un jour, et quelle explication il lui en avait donnée. Tout le monde a remarqué avec quelle adresse une monnaie qu'on laisse tomber à terre court se cacher, et quel art elle a de se rendre introuvable. Il y a des pensées qui nous jouent le même tour ; elles se blottissent dans un coin de notre cerveau ; c'est fini ; elles sont perdues ; impossible de remettre la mémoire dessus. Cosette se dépitait quelque peu du petit effort inutile que faisait son souvenir. Elle se disait que c'était bien mal à elle et bien coupable d'avoir oublié des paroles prononcées par Marius.

Elle sortit du lit et fit les deux ablutions de l'âme et du corps, sa prière et sa toilette.

On peut à la rigueur introduire le lecteur dans une chambre nuptiale, non dans une chambre virginale. Le vers l'oserait à peine, la prose ne le doit pas.

C'est l'intérieur d'une fleur encore close, c'est une blancheur dans l'ombre, c'est la cellule intime d'un lys fermé qui ne doit pas être regardé par l'homme tant qu'il n'a pas été regardé par le soleil. La femme en bouton est sacrée. Ce lit innocent qui se découvre, cette adorable demi-nudité qui a peur d'elle-même, ce pied blanc qui se réfugie dans une pantoufle, cette gorge qui se voile devant un miroir comme si ce miroir était une prunelle, cette chemise qui se hâte de remonter et de cacher l'épaule pour un meuble qui craque ou pour une voiture qui passe, ces cordons noués, ces agrafes accrochées, ces lacets tirés, ces tressaillements, ces petits frissons de froid et de pudeur, cet effarouchement exquis de tous les mouvements, cette inquiétude presque ailée là où rien n'est à craindre, les phases successives du vêtement aussi charmantes que les nuages de l'aurore, il ne sied point que tout cela soit raconté, et c'est déjà trop de l'indiquer.

L'œil de l'homme doit être plus religieux encore devant le lever d'une jeune fille que devant le lever d'une étoile. La possibilité d'atteindre doit tourner en augmentation de respect. Le duvet de la pêche, la cendre de la prune, le cristal radié de la neige, l'aile du papillon poudrée de plumes, sont des choses grossières auprès de cette chasteté qui ne sait pas même qu'elle est chaste. La jeune fille n'est qu'une lueur de rêve et n'est pas encore une statue. Son alcôve est cachée dans la partie sombre de l'idéal. L'indiscret toucher du regard brutalise cette vague pénombre. Ici, contempler, c'est profaner.

Nous ne montrerons donc rien de tout ce suave petit remue-ménage du réveil de Cosette.

Un conte d'orient dit que la rose avait été faite par Dieu blanche, mais qu'Adam l'ayant regardée au moment où elle s'entr'ouvrait, elle eut honte et devint rose. Nous sommes de ceux qui se sentent interdits devant les jeunes filles et les fleurs, les trouvant vénérables.

Cosette s'habilla bien vite, se peigna, se coiffa, ce qui était fort simple en ce temps-là où les femmes n'enflaient pas leurs boucles et leurs bandeaux avec des coussinets et des tonnelets et ne mettaient point de crinolines dans leurs cheveux. Puis elle ouvrit la fenêtre et promena ses yeux partout autour d'elle, espérant découvrir quelque peu de la rue, un angle de maison, un coin de pavés, et pouvoir guetter là Marius. Mais on ne voyait rien du dehors. L'arrière-cour était enveloppée de murs assez hauts, et n'avait pour échappée que quelques jardins. Cosette déclara ces jardins hideux; pour la première fois de sa vie elle trouva des fleurs laides. Le moindre bout de ruisseau du carrefour eût été bien mieux son affaire. Elle prit le parti de regarder le ciel, comme si elle pensait que Marius pouvait venir aussi de là.

Subitement, elle fondit en larmes. Non que ce fût mobilité d'âme; mais, des espérances coupées d'accablement, c'était sa situation. Elle sentit confusément on ne sait quoi d'horrible. Les choses passent dans l'air en effet. Elle se dit qu'elle n'était sûre de rien, que se perdre de vue, c'était se perdre; et l'idée que Marius pourrait bien lui revenir du ciel, lui apparut, non plus charmante, mais lugubre.

Puis, tels sont ces nuages, le calme lui revint, et l'espoir, et une sorte de sourire inconscient, mais confiant en Dieu.

Tout le monde était encore couché dans la maison. Un silence provincial régnait. Aucun volet n'était poussé. La loge du portier était fermée. Toussaint n'était pas levée, et Cosette pensa tout naturellement que son père dormait. Il fallait qu'elle eût bien souffert, et qu'elle souffrît bien encore, car elle se disait que son père avait été méchant; mais elle comptait sur Marius. L'éclipse d'une telle lumière était décidément impossible. Elle pria. Par instants elle entendait à une certaine distance des espèces de secousses sourdes, et elle disait : C'est singulier qu'on ouvre et qu'on ferme les portes cochères de si bonne heure. C'étaient les coups de canon qui battaient la barricade.

Il y avait, à quelques pieds au-dessous de la croisée de Cosette, dans la vieille corniche toute noire du mur, un nid de martinets; l'encorbellement de ce nid faisait un peu saillie au delà de la corniche, si bien que d'en haut on pouvait voir le dedans de ce petit paradis. La mère y était, ouvrant ses ailes en éventail sur sa couvée; le père voletait, s'en allait, puis revenait, rapportant dans son bec de la nourriture et des baisers. Le jour levant dorait cette chose heureuse, la grande loi Multipliez était là souriante et auguste, et ce doux mystère s'épanouissait dans la gloire du matin. Cosette, les cheveux dans le soleil, l'âme dans les chimères, éclairée par l'amour au dedans et par l'aurore au dehors, se pencha comme machinalement, et, sans presque oser s'avouer qu'elle pensait en même temps à Marius, se mit à regarder ces oiseaux, cette famille, ce mâle et cette femelle, cette mère et ces petits, avec le profond trouble qu'un nid donne à une vierge.

XI

LE COUP DE FUSIL QUI NE MANQUE RIEN
ET QUI NE TUE PERSONNE

Le feu des assaillants continuait. La mousqueterie et la mitraille alternaient, sans grand ravage à la vérité. Le haut de la façade de Corinthe souffrait seul ; la croisée du premier étage et les mansardes du toit, criblées de chevrotines et de biscayens, se déformaient lentement. Les combattants qui s'y étaient postés avaient dû s'effacer. Du reste, ceci est une tactique de l'attaque des barricades ; tirailler longtemps, afin d'épuiser les munitions des insurgés, s'ils font la faute de répliquer. Quand on s'aperçoit, au ralentissement de leur feu, qu'ils n'ont plus ni balles ni poudre ; on donne l'assaut. Enjolras n'était pas tombé dans ce piège ; la barricade ne ripostait point.

À chaque feu de peloton, Gavroche se gonflait la joue avec sa langue, signe de haut dédain.

— C'est bon, disait-il, déchirez la toile. Nous avons besoin de charpie.

Courfeyrac interpellait la mitraille sur son peu d'effet et disait au canon :

— Tu deviens diffus, mon bonhomme.

Dans la bataille on s'intrigue comme au bal. Il est probable que ce silence de la redoute commençait à inquiéter les assiégeants et à leur faire craindre quelque incident inattendu, et qu'ils sentirent le besoin de voir clair à travers ce tas de pavés et de savoir ce qui se passait derrière cette muraille impassible qui recevait les coups sans y répondre. Les insurgés aperçurent subitement un casque qui brillait au soleil sur un toit voisin. Un pompier était adossé à une haute cheminée et semblait là en sentinelle. Son regard plongeait à pic dans la barricade.

— Voilà un surveillant gênant, dit Enjolras.

Jean Valjean avait rendu la carabine d'Enjolras, mais il avait son fusil.

Sans dire un mot, il ajusta le pompier, et, une seconde après, le casque, frappé d'une balle, tombait bruyamment dans la rue. Le soldat effaré se hâta de disparaître.

Un deuxième observateur prit sa place. Celui-ci était un officier. Jean Valjean, qui avait rechargé son fusil, ajusta le nouveau venu, et envoya le casque de l'officier rejoindre le casque du soldat. L'officier n'insista pas, et se retira très vite. Cette fois l'avis fut compris. Personne ne reparut sur le toit ; et l'on renonça à espionner la barricade.

— Pourquoi n'avez-vous pas tué l'homme ? demanda Bossuet à Jean Valjean.

Jean Valjean ne répondit pas.

XII

LE DÉSORDRE PARTISAN DE L'ORDRE

Bossuet murmura à l'oreille de Combeferre :

— Il n'a pas répondu à ma question.

— C'est un homme qui fait de la bonté à coups de fusil, dit Combeferre.

Ceux qui ont gardé quelque souvenir de cette époque déjà lointaine savent que la garde nationale de la banlieue était vaillante contre les insurrections. Elle fut particulièrement acharnée et intrépide aux journées de juin 1832. Tel bon cabaretier de Pantin, des Vertus ou de la Cunette, dont l'émeute faisait chômer « l'établissement », devenait léonin en voyant sa salle de danse déserte, et se faisait tuer pour sauver l'ordre représenté par la guinguette. Dans ce temps à la fois bourgeois et héroïque, en présence des idées qui avaient leurs chevaliers, les intérêts avaient leurs paladins. Le prosaïsme du mobile n'ôtait rien à la bravoure du mouvement. La décroissance d'une pile d'écus faisait chanter à des banquiers la Marseillaise. On versait lyriquement son sang pour le comptoir; et l'on défendait avec un enthousiasme lacédémonien la boutique, cet immense diminutif de la patrie.

Au fond, disons-le, il n'y avait rien dans tout cela que de très sérieux. C'étaient les éléments sociaux qui entraient en lutte, en attendant le jour où ils entreront en équilibre.

Un autre signe de ce temps, c'était l'anarchie mêlée au gouvernementalisme (nom barbare du parti correct). On était pour l'ordre avec indiscipline. Le tambour battait inopinément, sur le commandement de tel colonel de la garde nationale, des rappels de caprice; tel capitaine allait au feu par inspiration; tel garde national se battait « d'idée », et pour son propre compte. Dans les minutes de crise, dans les « journées », on prenait conseil moins de ses chefs que de ses instincts. Il y avait dans l'armée de l'ordre de véritables guérilleros, les uns d'épée comme Fannicot, les autres de plume comme Henri Fonfrède.

La civilisation, malheureusement représentée à cette époque plutôt par une agrégation d'intérêts que par un groupe de principes, était ou se croyait en péril; elle poussait le cri d'alarme; chacun, se faisant centre, la défendait, la secourait et la protégeait, à sa tête; et le premier venu prenait sur lui de sauver la société.

Le zèle parfois allait jusqu'à l'extermination. Tel peloton de gardes nationaux se constituait de son autorité privée conseil de guerre, et jugeait et exécutait en cinq minutes un insurgé prisonnier. C'est une improvisation de cette sorte qui avait tué Jean Prouvaire. Féroce loi de Lynch, qu'aucun parti n'a le droit de reprocher aux autres, car elle est appliquée par la république en Amérique comme par la monarchie en Europe. Cette loi de Lynch se compliquait de méprises. Un jour d'émeute, un jeune poëte, nommé Paul-Aimé Garnier, fut poursuivi place Royale, la baïonnette aux reins, et n'échappa qu'en se réfugiant sous la porte cochère du numéro 6. On criait: — *En voilà encore un de ces Saint-Simoniens!* et l'on voulait le tuer. Or, il avait sous le bras un volume des mémoires du duc de Saint-Simon. Un garde national avait lu sur ce livre le mot: *Saint-Simon*, et avait crié: À mort!

Le 6 juin 1832, une compagnie de gardes nationaux de la banlieue, commandée par le capitaine Fannicot, nommé plus haut, se fit, par fantaisie et bon plaisir, décimer rue de la Chanvrerie. Le fait, si singulier qu'il soit, a été constaté par l'instruction judiciaire ouverte à la suite de l'insurrection de 1832. Le capitaine Fannicot, bourgeois impatient et hardi, espèce de condottiere de l'ordre, de ceux que nous venons de caractériser, gouvernementaliste fanatique et insoumis, ne put résister à l'attrait de faire feu avant l'heure et à l'ambition de prendre la barricade à lui tout seul, c'est-à-dire avec sa compagnie. Exaspéré par l'apparition successive du drapeau rouge et du vieil habit qu'il prit pour le drapeau noir, il blâmait tout haut les généraux et les chefs de corps, lesquels tenaient conseil, ne jugeaient pas que le moment de l'assaut décisif fût venu, et laissaient, suivant une expression célèbre de l'un d'eux, « l'insurrection cuire dans son jus ». Quant à lui, il trouvait la barricade mûre, et, comme ce qui est mûr doit tomber, il essaya.

Il commandait à des hommes résolus comme lui, « à des enragés », a dit un témoin. Sa compagnie, celle-là même qui avait fusillé le poëte Jean Prouvaire, était la première du bataillon posté à l'angle de la rue. Au moment où l'on s'y attendait le moins, le capitaine lança ses hommes contre la barricade. Ce mouvement, exécuté avec plus de bonne volonté que de stratégie, coûta cher à la compagnie Fannicot. Avant qu'elle fût arrivée aux deux tiers de la rue, une décharge générale de la barricade l'accueillit. Quatre, les plus audacieux, qui couraient en tête, furent foudroyés à bout portant au pied même de la redoute, et cette courageuse cohue de gardes nationaux, gens très braves, mais qui n'avaient point la ténacité militaire, dut se replier, après quelque hésitation, en laissant quinze cadavres sur le pavé. L'instant d'hésitation donna aux insurgés le temps de recharger les armes, et une seconde décharge, très meurtrière, atteignit la compagnie avant qu'elle eût pu regagner l'angle de la rue, son abri. Un moment, elle fut prise entre deux mitrailles, et elle reçut la volée de la pièce en batterie qui, n'ayant pas d'ordre, n'avait pas discontinué son feu. L'intrépide et imprudent Fannicot fut un des morts de cette mitraille. Il fut tué par le canon, c'est-à-dire par l'ordre.

Cette attaque, plus furieuse que sérieuse, irrita Enjolras.
— Les imbéciles! dit-il. Ils font tuer leurs hommes, et ils nous usent nos munitions, pour rien.

Enjolras parlait comme un vrai général d'émeute qu'il était. L'insurrection et la répression ne luttent point à armes égales. L'insurrection, promptement épuisable, n'a qu'un nombre de coups à tirer, et qu'un nombre de combattants à dépenser. Une giberne vidée, un homme tué, ne se remplacent pas. La répression, ayant l'armée, ne compte pas les hommes, et, ayant Vincennes, ne compte pas les coups. La répression a autant de régiments que la barricade a d'hommes, et autant d'arsenaux que la barricade a de cartouchières. Aussi sont-ce là des luttes d'un contre cent, qui finissent toujours par l'écrasement des barricades; à moins que la révolution, surgissant brusquement, ne vienne jeter dans la balance son flamboyant glaive d'archange. Cela arrive. Alors tout se lève, les pavés entrent en bouillonnement, les redoutes populaires pullulent, Paris tressaille souverainement, le *quid divinum* se dégage, un 10 août est dans l'air, un 29 juillet est dans l'air, une prodigieuse lumière apparaît, la gueule béante de la force recule, et l'armée, ce lion, voit devant elle, debout et tranquille, ce prophète, la France.

XIII

LUEURS QUI PASSENT

Dans le chaos de sentiments et de passions qui défendent une barricade, il y a de tout; il y a de la bravoure, de la jeunesse, du point d'honneur, de l'enthousiasme, de l'idéal, de la conviction, de l'acharnement de joueur, et surtout, des intermittences d'espoir.

Une de ces intermittences, un de ces vagues frémissements d'espérance traversera subitement, à l'instant le plus inattendu, la barricade de la Chanvrerie.

— Écoutez, s'écria brusquement Enjolras toujours aux aguets, il me semble que Paris s'éveille.

Il est certain que, dans la matinée du 6 juin, l'insurrection eut, pendant une heure ou deux, une certaine recrudescence. L'obstination du tocsin de Saint-Merry ranima quelques velléités. Rue du Poirier, rue des Gravilliers, des barricades s'ébauchèrent. Devant la Porte Saint-Martin, un jeune homme, armé d'une carabine, attaqua seul un escadron de cavalerie. À découvert, en plein boulevard, il mit un genou en terre, épaula son arme, tira, tua le chef d'escadron, et se retourna en disant : *En voilà encore un qui ne nous fera plus de mal.* Il fut sabré. Rue Saint-Denis, une femme tirait sur la garde municipale de derrière une jalousie baissée. On voyait à chaque coup trembler les feuilles de la jalousie. Un enfant de quatorze ans fut arrêté rue de la Cossonnerie avec ses poches pleines de cartouches. Plusieurs postes furent attaqués. À l'entrée de la rue Bertin-Poirée, une fusillade très vive et tout à fait imprévue accueillit un régiment de cuirassiers, en tête duquel marchait le général Cavaignac de Baragne. Rue Planche-Mibray, on jeta du haut des toits sur la troupe de vieux tessons de vaisselle et des ustensiles de ménage ; mauvais signe ; et quand on rendit compte de ce fait au maréchal Soult, le vieux lieutenant de Napoléon devint rêveur, se rappelant le mot de Suchet à Saragosse : *Nous sommes perdus quand les vieilles femmes nous vident leur pot de chambre sur la tête.*

Ces symptômes généraux qui se manifestaient au moment où l'on croyait l'émeute localisée, cette fièvre de colère qui reprenait le dessus, ces flammèches qui volaient çà et là au-dessus de ces masses profondes de combustible qu'on nomme les faubourgs de Paris, tout cet ensemble inquiéta les chefs militaires. On se hâta d'éteindre ces commencements d'incendie. On retarda, jusqu'à ce que ces pétillements fussent étouffés, l'attaque des barricades Maubuée, de la Chanvrerie et de Saint-Merry, afin de n'avoir plus affaire qu'à elles, et de pouvoir tout finir d'un coup. Des colonnes furent lancées dans les rues en fermentation, balayant les grandes, sondant les petites, à droite, à gauche, tantôt avec précaution et lentement, tantôt au pas de charge. La troupe enfonçait les portes des maisons d'où l'on avait tiré ; en même temps des manœuvres de cavalerie dispersaient les groupes des boulevards. Cette répression ne se fit pas sans rumeur et sans ce fracas tumultueux propre aux chocs d'armée et de peuple. C'était là ce qu'Enjolras, dans les intervalles de la canonnade et de la mousqueterie, saisissait. En outre, il avait vu au bout de la rue passer des blessés sur des civières, et il disait à Courfeyrac : — Ces blessés-là ne viennent pas de chez nous.

L'espoir dura peu; la lueur s'éclipsa vite. En moins d'une demi-heure, ce qui était dans l'air s'évanouit, ce fut comme un éclair sans foudre, et les insurgés sentirent retomber sur eux cette espèce de chape de plomb que l'indifférence du peuple jette sur les obstinés abandonnés.

Le mouvement général qui semblait s'être vaguement dessiné avait avorté; et l'attention du ministre de la guerre et la stratégie des généraux pouvaient se concentrer maintenant sur les trois ou quatre barricades restées debout.

Le soleil montait à l'horizon.

Un insurgé interpella Enjolras :

— On a faim ici. Est-ce que vraiment nous allons mourir comme ça sans manger ?

Enjolras, toujours accoudé à son créneau, sans quitter des yeux l'extrémité de la rue, fit un signe de tête affirmatif.

XIV

OÙ ON LIRA LE NOM
DE LA MAÎTRESSE D'ENJOLRAS

Courfeyrac, assis sur un pavé à côté d'Enjolras, continuait d'insulter le canon, et chaque fois que passait, avec son bruit monstrueux, cette sombre nuée de projectiles qu'on appelle la mitraille, il l'accueillait par une bouffée d'ironie.

— Tu t'époumones, mon pauvre vieux brutal, tu me fais de la peine, tu perds ton vacarme. Ce n'est pas du tonnerre, ça. C'est de la toux.

Et l'on riait autour de lui.

Courfeyrac et Bossuet, dont la vaillante belle humeur croissait avec le péril, remplaçaient, comme madame Scarron, la nourriture par la plaisanterie, et, puisque le vin manquait, versaient à tous de la gaîté.

— J'admire Enjolras, disait Bossuet. Sa témérité impassible m'émerveille. Il vit seul, ce qui le rend peut-être un peu triste ; Enjolras se plaint de sa grandeur qui l'attache au veuvage. Nous autres, nous avons tous plus ou moins des maîtresses qui nous rendent fous, c'est-à-dire braves. Quand on est amoureux comme un tigre, c'est bien le moins qu'on se batte comme un lion. C'est une façon de nous venger des traits que nous font mesdames nos grisettes. Roland se fait tuer pour faire bisquer Angélique. Tous nos héroïsmes viennent de nos femmes. Un homme sans femme, c'est un pistolet sans chien ; c'est la femme qui fait partir l'homme. Eh bien, Enjolras n'a pas de femme. Il n'est pas amoureux, et il trouve le moyen d'être intrépide. C'est une chose inouïe qu'on puisse être froid comme la glace et hardi comme le feu.

Enjolras ne paraissait pas écouter, mais quelqu'un qui eût été près de lui l'eût entendu murmurer à demi-voix : *Patria*.

Bossuet riait encore quand Courfeyrac s'écria :
— Du nouveau !

Et, prenant une voix d'huissier qui annonce, il ajouta :
— Je m'appelle Pièce de Huit.

En effet, un nouveau personnage venait d'entrer en scène. C'était une deuxième bouche à feu.

Les artilleurs firent rapidement la manœuvre de force, et mirent cette seconde pièce en batterie près de la première.

Ceci ébauchait le dénouement.

Quelques instants après, les deux pièces, vivement servies, tiraient de front contre la redoute ; les feux de peloton de la ligne et de la banlieue soutenaient l'artillerie.

On entendait une autre canonnade à quelque distance. En même temps que deux pièces s'acharnaient sur la redoute de la rue de la Chanvrerie, deux autres bouches à feu, braquées, l'une rue Saint-Denis, l'autre rue Aubry-le-Boucher, criblaient la barricade Saint-Merry. Les quatre canons se faisaient lugubrement écho.

Les aboiements des sombres chiens de la guerre se répondaient.

Des deux pièces qui battaient maintenant la barricade de la rue de la Chanvrerie, l'une tirait à mitraille, l'autre à boulet.

La pièce qui tirait à boulet était pointée un peu haut et le tir était calculé de façon que le boulet frappait le bord extrême de l'arête supérieure de la barricade, l'écrêtait, et émiettait les pavés sur les insurgés en éclats de mitraille.

Ce procédé de tir avait pour but d'écarter les combattants du sommet de la redoute, et de les contraindre à se pelotonner dans l'intérieur; c'est-à-dire que cela annonçait l'assaut.

Une fois les combattants chassés du haut de la barricade par le boulet et des fenêtres du cabaret par la mitraille, les colonnes d'attaque pourraient s'aventurer dans la rue sans être visées, peut-être même sans être aperçues, escalader brusquement la redoute, comme la veille au soir, et, qui sait ? la prendre par surprise.

— Il faut absolument diminuer l'incommodité de ces pièces, dit Enjolras, et il cria : Feu sur les artilleurs !

Tous étaient prêts. La barricade, qui se taisait depuis si longtemps, fit feu éperdument, sept ou huit décharges se succédèrent avec une sorte de rage et de joie, la rue s'emplit d'une fumée aveuglante, et, au bout de quelques minutes, à travers cette brume toute rayée de flamme, on put distinguer confusément les deux tiers des artilleurs couchés sous les roues des canons. Ceux qui étaient restés debout continuaient de servir les pièces avec une tranquillité sévère; mais le feu était ralenti.

— Voilà qui va bien, dit Bossuet à Enjolras. Succès.

Enjolras hocha la tête et répondit :

— Encore un quart d'heure de ce succès, et il n'y aura plus dix cartouches dans la barricade.

Il paraît que Gavroche entendit ce mot.

XV

GAVROCHE DEHORS

Courfeyrac tout à coup aperçut quelqu'un au bas de la barricade, dehors, dans la rue, sous les balles.

Gavroche avait pris un panier à bouteilles dans le cabaret, était sorti par la coupure, et était paisiblement occupé à vider dans son panier les gibernes pleines de cartouches des gardes nationaux tués sur le talus de la redoute.

— Qu'est-ce que tu fais là? dit Courfeyrac.

Gavroche leva le nez :

— Citoyen, j'emplis mon panier.

— Tu ne vois donc pas la mitraille?

Gavroche répondit :

— Eh bien, il pleut. Après?

Courfeyrac cria :

— Rentre!

— Tout à l'heure, fit Gavroche.

Et, d'un bond, il s'enfonça dans la rue.

On se souvient que la compagnie Fannicot, en se retirant, avait laissé derrière elle une traînée de cadavres.

Une vingtaine de morts gisaient çà et là dans toute la longueur de la rue sur le pavé. Une vingtaine de gibernes pour Gavroche. Une provision de cartouches pour la barricade.

La fumée était dans la rue comme un brouillard. Quiconque a vu un nuage tombé dans une gorge de montagnes entre deux escarpements à pic, peut se figurer cette fumée resserrée et comme épaissie par deux sombres lignes de hautes maisons. Elle montait lentement et se renouvelait sans cesse; de là un obscurcissement graduel qui blêmissait même le plein jour. C'est à peine si, d'un bout à l'autre de la rue, pourtant fort courte, les combattants s'apercevaient.

Cet obscurcissement, probablement voulu et calculé par les chefs qui devaient diriger l'assaut de la barricade, fut utile à Gavroche.

Sous les plis de ce voile de fumée, et grâce à sa petitesse, il put s'avancer assez loin dans la rue sans être vu. Il dévalisa les sept ou huit premières gibernes sans grand danger.

Il rampait à plat ventre, galopait à quatre pattes, prenait son panier aux dents, se tordait, glissait, ondulait, serpentait d'un mort à l'autre, et vidait la giberne ou la cartouchière comme un singe ouvre une noix.

De la barricade, dont il était encore assez près, on n'osait lui crier de revenir, de peur d'appeler l'attention sur lui.

Sur un cadavre, qui était un caporal, il trouva une poire à poudre.

— Pour la soif, dit-il, en la mettant dans sa poche.

À force d'aller en avant, il parvint au point où le brouillard de la fusillade devenait transparent.

Si bien que les tirailleurs de la ligne rangés et à l'affût derrière leur levée de pavés, et les tirailleurs de la banlieue massés à l'angle de la rue, se montrèrent soudainement quelque chose qui remuait dans la fumée.

Au moment où Gavroche débarrassait de ses cartouches un sergent gisant près d'une borne, une balle frappa le cadavre.

— Fichtre! fit Gavroche. Voilà qu'on me tue mes morts.

Une deuxième balle fit étinceler le pavé à côté de lui. Une troisième renversa son panier.

Gavroche regarda, et vit que cela venait de la banlieue.

Il se dressa tout droit, debout, les cheveux au vent, les mains sur les hanches, l'œil fixé sur les gardes nationaux qui tiraient, et il chanta :

> On est laid à Nanterre,
> C'est la faute à Voltaire,
> Et bête à Palaiseau,
> C'est la faute à Rousseau.

Puis il ramassa son panier, y remit, sans en perdre une seule, les cartouches qui en étaient tombées, et, avançant vers la fusillade, alla dépouiller une autre giberne. Là une quatrième balle le manqua encore. Gavroche chanta :

> Je ne suis pas notaire,
> C'est la faute à Voltaire,
> Je suis petit oiseau,
> C'est la faute à Rousseau.

Une cinquième balle ne réussit qu'à tirer de lui un troisième couplet :

> Joie est mon caractère,
> C'est la faute à Voltaire,
> Misère est mon trousseau,
> C'est la faute à Rousseau.

Cela continua ainsi quelque temps.

Le spectacle était épouvantable et charmant. Gavroche, fusillé, taquinait la fusillade. Il avait l'air de s'amuser beaucoup. C'était le moineau becquetant les chasseurs. Il répondait à chaque décharge par un couplet. On le visait sans cesse, on le manquait toujours. Les gardes nationaux et les soldats riaient en l'ajustant. Il se couchait, puis se redressait, s'effaçait dans un coin de porte, puis bondissait, disparaissait, reparaissait, se sauvait, revenait, ripostait à la mitraille par des pieds de nez, et cependant pillait les cartouches, vidait les gibernes et remplissait son panier. Les insurgés, haletants d'anxiété, le suivaient des yeux. La barricade tremblait ; lui, il chantait. Ce n'était pas un enfant, ce n'était pas un homme ; c'était un étrange gamin fée. On eût dit le nain invulnérable de la mêlée. Les balles couraient après lui, il était plus leste qu'elles. Il jouait on ne sait quel effrayant jeu de cache-cache avec la mort ; chaque fois que la face camarde du spectre s'approchait, le gamin lui donnait une pichenette.

Une balle pourtant, mieux ajustée ou plus traître que les autres, finit par atteindre l'enfant feu follet. On vit Gavroche chanceler, puis il s'affaissa. Toute la barricade poussa un cri ; mais il y avait de l'Antée dans ce pygmée ; pour le gamin toucher le pavé, c'est comme pour le géant toucher la terre ; Gavroche n'était tombé que pour se redresser ; il resta assis sur son séant, un long filet de sang rayait son visage, il éleva ses deux bras en l'air, regarda du côté d'où était venu le coup, et se mit à chanter :

> Je suis tombé par terre,
> C'est la faute à Voltaire,
> Le nez dans le ruisseau,
> C'est la faute à...

Il n'acheva point. Une seconde balle du même tireur l'arrêta court. Cette fois il s'abattit la face contre le pavé, et ne remua plus. Cette petite grande âme venait de s'envoler.

XVI

COMMENT DE FRÈRE ON DEVIENT PÈRE

Il y avait en ce moment-là même dans le jardin du Luxembourg, — car le regard du drame doit être présent partout, — deux enfants qui se tenaient par la main. L'un pouvait avoir sept ans, l'autre cinq. La pluie les ayant mouillés, ils marchaient dans les allées du côté du soleil ; l'aîné conduisait le petit ; ils étaient en haillons et pâles ; ils avaient un air d'oiseaux fauves. Le plus petit disait : J'ai bien faim.

L'aîné, déjà un peu protecteur, conduisait son frère de la main gauche et avait une baguette dans sa main droite.

Ils étaient seuls dans le jardin. Le jardin était désert, les grilles étaient fermées par mesure de police à cause de l'insurrection. Les troupes qui y avaient bivouaqué en étaient sorties pour les besoins du combat.

Comment ces enfants étaient-ils là ? Peut-être s'étaient-ils évadés de quelque corps de garde entrebâillé ; peut-être aux environs, à la barrière d'Enfer, ou sur l'esplanade de l'Observatoire, ou dans le carrefour voisin dominé par le fronton où on lit : *invenerunt parvulum pannis involutum*, y avait-il quelque baraque de saltimbanques dont ils s'étaient enfuis ; peut-être avaient-ils, la veille au soir, trompé l'œil des inspecteurs du jardin à l'heure de la clôture, et avaient-ils passé la nuit dans quelqu'une de ces guérites où on lit les journaux ? Le fait est qu'ils étaient errants et qu'ils semblaient libres. Être errant et sembler libre, c'est être perdu. Ces pauvres petits étaient perdus en effet.

Ces deux enfants étaient ceux-là mêmes dont Gavroche avait été en peine, et que le lecteur se rappelle. Enfants des Thénardier, en location chez la Magnon, attribués à M. Gillenormand, et maintenant feuilles tombées de toutes ces branches sans racines, et roulées sur la terre par le vent.

Leurs vêtements, propres du temps de la Magnon et qui lui servaient de prospectus vis-à-vis de M. Gillenormand, étaient devenus guenilles.

Ces êtres appartenaient désormais à la statistique des « Enfants Abandonnés » que la police constate, ramasse, égare et retrouve sur le pavé de Paris.

Il fallait le trouble d'un tel jour pour que ces petits misérables fussent dans ce jardin. Si les surveillants les eussent aperçus, ils eussent chassé ces haillons. Les petits pauvres n'entrent pas dans les jardins publics; pourtant on devrait songer que, comme enfants, ils ont droit aux fleurs.

Ceux-ci étaient là, grâce aux grilles fermées. Ils étaient en contravention. Ils s'étaient glissés dans le jardin, et ils y étaient restés. Les grilles fermées ne donnent pas congé aux inspecteurs, la surveillance est censée continuer, mais elle s'amollit et se repose; et les inspecteurs, émus eux aussi par l'anxiété publique et plus occupés du dehors que du dedans, ne regardaient plus le jardin, et n'avaient pas vu les deux délinquants.

Il avait plu la veille, et même un peu le matin. Mais en juin les ondées ne comptent pas. C'est à peine si l'on s'aperçoit, une heure après un orage, que cette belle journée blonde a pleuré. La terre en été est aussi sèche que la joue d'un enfant.

À cet instant du solstice, la lumière du plein midi est, pour ainsi dire, poignante. Elle prend tout. Elle s'applique et se superpose à la terre avec une sorte de succion. On dirait que le soleil a soif. Une averse est un verre d'eau; une pluie est tout de suite bue. Le matin tout ruisselait, l'après-midi tout poudroie.

Rien n'est admirable comme une verdure débarbouillée par la pluie et essuyée par le rayon; c'est de la fraîcheur chaude. Les jardins et les prairies, ayant de l'eau dans leurs racines et du soleil dans leurs fleurs, deviennent des cassolettes d'encens et fument de tous leurs parfums à la fois. Tout rit, chante et s'offre. On se sent doucement ivre. Le printemps est un paradis provisoire; le soleil aide à faire patienter l'homme.

Il y a des êtres qui n'en demandent pas davantage; vivants qui, ayant l'azur du ciel, disent : c'est assez! songeurs absorbés dans le prodige, puisant dans l'idolâtrie de la nature l'indifférence du bien et du mal, contemplateurs du cosmos radieusement distraits de l'homme, qui ne comprennent pas qu'on s'occupe de la faim de ceux-ci, de la soif de ceux-là, de la nudité du pauvre en hiver, de la courbure lymphathique d'une petite épine dorsale, du grabat, du grenier, du cachot, et des haillons des jeunes filles grelottantes, quand on peut rêver sous les arbres; esprits paisibles et terribles, impitoyablement satisfaits. Chose étrange, l'infini leur suffit. Ce grand besoin de l'homme, le fini, qui admet l'embrassement, ils l'ignorent. Le fini, qui admet le progrès, ce travail sublime, ils n'y songent pas. L'indéfini, qui naît de la combinaison humaine et divine de l'infini et du fini, leur échappe. Pourvu qu'ils soient face à face avec l'immensité, ils sourient. Jamais la joie, toujours l'extase. S'abîmer, voilà leur vie. L'histoire de l'humanité pour eux n'est qu'un plan parcellaire; Tout n'y est pas; le vrai Tout reste en dehors; à quoi bon s'occuper de ce détail, l'homme? L'homme souffre, c'est possible; mais regardez donc Aldebaran qui se lève! La mère n'a plus de lait, le nouveau-né se meurt, je n'en sais rien, mais considérez donc cette rosace merveilleuse que fait une rondelle de l'aubier du sapin examinée au microscope! comparez-moi la plus belle malines à cela! Ces penseurs oublient d'aimer. Le zodiaque réussit sur eux au point de les empêcher de voir l'enfant qui pleure. Dieu leur éclipse l'âme. C'est là une famille d'esprits, à la fois petits et grands. Horace en était, Goethe en était, La Fontaine peut-être; magnifiques égoïstes de l'infini, spectateurs tranquilles de la douleur, qui ne voient pas Néron s'il fait beau, auxquels le soleil cache le bûcher, qui regarderaient guillotiner en y cherchant un effet de lumière, qui n'entendent ni le cri, ni le sanglot, ni le râle, ni le tocsin, pour qui tout est bien puisqu'il y a le mois de mai, qui, tant qu'il y aura des nuages de pourpre et d'or au-dessus de leur tête, se déclarent contents, et qui sont déterminés à être heureux jusqu'à épuisement du rayonnement des astres et du chant des oiseaux.

Ce sont de radieux ténébreux. Ils ne se doutent pas qu'ils sont à plaindre. Certes, ils le sont. Qui ne pleure pas ne voit pas. Il faut les admirer et les plaindre, comme on plaindrait et comme on admirerait un être à la fois nuit et jour qui n'aurait pas d'yeux sous les sourcils et qui aurait un astre au milieu du front.

L'indifférence de ces penseurs, c'est là, selon quelques-uns, une philosophie supérieure. Soit; mais dans cette supériorité il y a de l'infirmité. On peut être immortel et boiteux; témoin Vulcain. On peut être plus qu'homme et moins qu'homme. L'incomplet immense est dans la nature. Qui sait si le soleil n'est pas aveugle?

Mais alors, quoi! à qui se fier? *Solem quis dicere falsum audeat?* Ainsi de certains génies eux-mêmes, de certains Très-Hauts humains, des hommes astres, pourraient se tromper? Ce qui est là-haut, au faîte, au sommet, au zénith, ce qui envoie sur la terre tant de clarté, verrait peu, verrait mal, ne verrait pas? Cela n'est-il pas désespérant? Non. Mais qu'y a-t-il donc au-dessus du soleil? Le dieu.

Le 6 juin 1832, vers onze heures du matin, le Luxembourg, solitaire et dépeuplé, était charmant. Les quinconces et les parterres s'envoyaient dans la lumière des baumes et des éblouissements. Les branches, folles à la clarté de midi, semblaient chercher à s'embrasser. Il y avait dans les sycomores un tintamarre de fauvettes, les passereaux triomphaient, les pique-bois grimpaient le long des marronniers en donnant de petits coups de bec dans les trous de l'écorce. Les plates-bandes acceptaient la royauté légitime des lys; le plus auguste des parfums, c'est celui qui sort de la blancheur. On respirait l'odeur poivrée des œillets. Les vieilles corneilles de Marie de Médicis étaient amoureuses dans les grands arbres. Le soleil dorait, empourprait et allumait les tulipes, qui ne sont autre chose que toutes les variétés de la flamme, faites fleurs. Tout autour des bancs de tulipes tourbillonnaient les abeilles, étincelles de ces fleurs flammes. Tout était grâce et gaîté, même la pluie prochaine; cette récidive, dont les muguets et les chèvrefeuilles devaient profiter, n'avait rien d'inquiétant; les hirondelles faisaient la charmante menace de voler bas. Qui était là aspirait du bonheur; la vie sentait bon; toute cette nature exhalait la candeur, le secours, l'assistance, la paternité, la caresse, l'aurore. Les pensées qui tombaient du ciel étaient douces comme une petite main d'enfant qu'on baise.

Les statues sous les arbres, nues et blanches, avaient des robes d'ombre trouées de lumière; ces déesses étaient toutes déguenillées de soleil; il leur pendait des rayons de tous les côtés. Autour du grand bassin, la terre était déjà séchée au point d'être presque brûlée. Il faisait assez de vent pour soulever çà et là de petites émeutes de poussière. Quelques feuilles jaunes, restées du dernier automne, se poursuivaient joyeusement, et semblaient gaminer.

L'abondance de la clarté avait on ne sait quoi de rassurant. Vie, sève, chaleur, effluves, débordaient ; on sentait sous la création l'énormité de la source ; dans tous ces souffles pénétrés d'amour, dans ce va-et-vient de réverbérations et de reflets, dans cette prodigieuse dépense de rayons, dans ce versement indéfini d'or fluide, on sentait la prodigalité de l'inépuisable ; et, derrière cette splendeur comme derrière un rideau de flamme, on entrevoyait Dieu, ce millionnaire d'étoiles.

Grâce au sable, il n'y avait pas une tache de boue ; grâce à la pluie, il n'y avait pas un grain de cendre. Les bouquets venaient de se laver ; tous les velours, tous les satins, tous les vernis, tous les ors, qui sortent de la terre sous forme de fleurs, étaient irréprochables. Cette magnificence était propre. Le grand silence de la nature heureuse emplissait le jardin. Silence céleste compatible avec mille musiques, roucoulements de nids, bourdonnements d'essaims, palpitations du vent. Toute l'harmonie de la saison s'accomplissait dans un gracieux ensemble ; les entrées et les sorties du printemps avaient lieu dans l'ordre voulu ; les lilas finissaient, les jasmins commençaient ; quelques fleurs étaient attardées, quelques insectes en avance ; l'avant-garde des papillons rouges de juin fraternisait avec l'arrière-garde des papillons blancs de mai. Les platanes faisaient peau neuve. La brise creusait des ondulations dans l'énormité magnifique des marronniers. C'était splendide. Un vétéran de la caserne voisine qui regardait à travers la grille disait : Voilà le printemps au port d'armes et en grande tenue.

Toute la nature déjeunait ; la création était à table ; c'était l'heure ; la grande nappe bleue était mise au ciel et la grande nappe verte sur la terre ; le soleil éclairait à giorno. Dieu servait le repas universel. Chaque être avait sa pâture ou sa pâtée. Le ramier trouvait du chènevis, le pinson trouvait du millet, le chardonneret trouvait du mouron, le rouge-gorge trouvait des vers, l'abeille trouvait des fleurs, la mouche trouvait des infusoires, le verdier trouvait des mouches. On se mangeait bien un peu les uns les autres, ce qui est le mystère du mal mêlé au bien ; mais pas une bête n'avait l'estomac vide.

Les deux petits abandonnés étaient parvenus près du grand bassin, et, un peu troublés par toute cette lumière, ils tâchaient de se cacher, instinct du pauvre et du faible devant la magnificence, même impersonnelle ; et ils se tenaient derrière la baraque des cygnes.

Çà et là, par intervalles, quand le vent donnait, on entendait confusément des cris, une rumeur, des espèces de râles tumultueux qui étaient des fusillades, et des frappements sourds qui étaient des coups de canon. Il y avait de la fumée au-dessus des toits du côté des halles. Une cloche, qui avait l'air d'appeler, sonnait au loin.

Ces enfants ne semblaient pas percevoir ces bruits. Le petit répétait de temps en temps à demi-voix : J'ai faim.

Presque au même instant que les deux enfants, un autre couple s'approchait du grand bassin. C'était un bonhomme de cinquante ans qui menait par la main un bonhomme de six ans. Sans doute le père avec son fils. Le bonhomme de six ans tenait une grosse brioche.

À cet époque, de certaines maisons riveraines, rue Madame et rue d'Enfer, avaient une clef du Luxembourg dont jouissaient les locataires quand les grilles étaient fermées, tolérance supprimée depuis. Ce père et ce fils sortaient sans doute d'une de ces maisons-là.

Les deux petits pauvres regardèrent venir « ce monsieur », et se cachèrent un peu plus.

Celui-ci était un bourgeois. Le même peut-être qu'un jour Marius, à travers sa fièvre d'amour, avait entendu, près de ce même grand bassin, conseillant à son fils « d'éviter les excès ». Il avait l'air affable et altier, et une bouche qui, ne se fermant pas, souriait toujours. Ce sourire mécanique, produit par trop de mâchoire et trop peu de peau, montre les dents plutôt que l'âme. L'enfant, avec sa brioche mordue qu'il n'achevait pas, semblait gavé. L'enfant était vêtu en garde national à cause de l'émeute, et le père était resté habillé en bourgeois à cause de la prudence.

Le père et le fils s'étaient arrêtés près du bassin où

s'ébattaient les deux cygnes. Ce bourgeois paraissait avoir pour les cygnes une admiration spéciale. Il leur ressemblait en ce sens qu'il marchait comme eux.

Pour l'instant les cygnes nageaient, ce qui est leur talent principal, et ils étaient superbes.

Si les deux petits pauvres eussent écouté et eussent été d'âge à comprendre, ils eussent pu recueillir les paroles d'un homme grave. Le père disait au fils :

— Le sage vit content de peu. Regarde-moi, mon fils. Je n'aime pas le faste. Jamais on ne me voit avec des habits chamarrés d'or et de pierreries ; je laisse ce faux éclat aux âmes mal organisées.

Ici les cris profonds qui venaient du côté des halles éclatèrent avec un redoublement de cloche et de rumeur.

— Qu'est-ce que c'est que cela ? demanda l'enfant.

Le père répondit :

— Ce sont des saturnales.

Tout à coup, il aperçut les deux petits déguenillés, immobiles derrière la maisonnette verte des cygnes.

— Voilà le commencement, dit-il.

Et après un silence il ajouta :

— L'anarchie entre dans ce jardin.

Cependant le fils mordit la brioche, la recracha, et brusquement se mit à pleurer.

— Pourquoi pleures-tu ? demanda le père.

— Je n'ai plus faim, dit l'enfant.

Le sourire du père s'accentua.

— On n'a pas besoin de faim pour manger un gâteau.

— Mon gâteau m'ennuie. Il est rassis.

— Tu n'en veux plus ?

— Non.

Le père lui montra les cygnes.

— Jette-le à ces palmipèdes.

L'enfant hésita. On ne veut plus de son gâteau ; ce n'est pas une raison pour le donner.

Le père poursuivit :

— Sois humain. Il faut avoir pitié des animaux.

Et, prenant à son fils le gâteau, il le jeta dans le bassin.

Le gâteau tomba assez près du bord.

Les cygnes étaient loin, au centre du bassin, et occupés à quelque proie. Ils n'avaient vu ni le bourgeois, ni la brioche.

Le bourgeois, sentant que le gâteau risquait de se perdre, et ému de ce naufrage inutile, se livra à une agitation télégraphique qui finit par attirer l'attention des cygnes.

Ils aperçurent quelque chose qui surnageait, virèrent de bord comme des navires qu'ils sont, et se dirigèrent vers la brioche lentement, avec la majesté béate qui convient à des bêtes blanches.

— Les cygnes comprennent les signes, dit le bourgeois, heureux d'avoir de l'esprit.

En ce moment le tumulte lointain de la ville eut encore un grossissement subit. Cette fois, ce fut sinistre. Il y a des bouffées de vent qui parlent plus distinctement que d'autres. Celle qui soufflait en cet instant-là apporta nettement des roulements de tambour, des clameurs, des feux de peloton, et les répliques lugubres du tocsin et du canon. Ceci coïncida avec un nuage noir qui cacha brusquement le soleil.

Les cygnes n'étaient pas encore arrivés à la brioche.

— Rentrons, dit le père, on attaque les Tuileries.

Il ressaisit la main de son fils. Puis il continua :

— Des Tuileries au Luxembourg, il n'y a que la distance qui sépare la royauté de la prairie ; ce n'est pas loin. Les coups de fusil vont pleuvoir.

Il regarda le nuage.

— Et peut-être aussi la pluie elle-même va pleuvoir ; le ciel s'en mêle ; la branche cadette est condamnée. Rentrons vite.

— Je voudrais voir les cygnes manger la brioche, dit l'enfant.

Le père répondit :

— Ce serait une imprudence.

Et il emmena son petit bourgeois.

Le fils, regrettant les cygnes, tourna la tête vers le bassin jusqu'à ce qu'un coude des quinconces le lui eût caché.

Cependant, en même temps que les cygnes, les deux petits errants s'étaient approchés de la brioche. Elle flottait sur l'eau. Le plus petit regardait le gâteau, le plus grand regardait le bourgeois qui s'en allait.

Le père et le fils entrèrent dans le labyrinthe d'allées qui mène au grand escalier du massif d'arbres du côté de la rue Madame.

Dès qu'ils ne furent plus en vue, l'aîné se coucha vivement à plat ventre sur le rebord arrondi du bassin, et, s'y cramponnant de la main gauche, penché sur l'eau, presque prêt à y tomber, étendit avec sa main droite sa baguette vers le gâteau. Les cygnes, voyant l'ennemi, se hâtèrent, et en se hâtant firent un effet de poitrail utile au petit pêcheur; l'eau devant les cygnes reflua, et l'une de ces molles ondulations concentriques poussa doucement la brioche vers la baguette de l'enfant. Comme les cygnes arrivaient, la baguette toucha le gâteau. L'enfant donna un coup vif, ramena la brioche, effraya les cygnes, saisit le gâteau, et se redressa. Le gâteau était mouillé; mais ils avaient faim et soif. L'aîné fit deux parts de la brioche, une grosse et une petite, prit la petite pour lui, donna la grosse à son petit frère, et lui dit :

— Colle-toi ça dans le fusil.

XVII

MORTUUS PATER FILIUM MORITURUM EXPECTAT

Marius s'était élancé hors de la barricade. Combeferre l'avait suivi. Mais il était trop tard. Gavroche était mort. Combeferre rapporta le panier de cartouches; Marius rapporta l'enfant.

Hélas! pensait-il, ce que le père avait fait pour son père, il le rendait au fils; seulement Thénardier avait rapporté son père vivant; lui, il rapportait l'enfant mort.

Quand Marius rentra dans la redoute avec Gavroche dans ses bras, il avait, comme l'enfant, le visage inondé de sang.

À l'instant où il s'était baissé pour ramasser Gavroche, une balle lui avait effleuré le crâne; il ne s'en était pas aperçu.

Courfeyrac défit sa cravate et en banda le front de Marius.

On déposa Gavroche sur la même table que Mabeuf, et l'on étendit sur les deux corps le châle noir. Il y en eut assez pour le vieillard et pour l'enfant.

Combeferre distribua les cartouches du panier qu'il avait rapporté.

Cela donnait à chaque homme quinze coups à tirer.

Jean Valjean était toujours à la même place, immobile sur sa borne. Quand Combeferre lui présenta ses quinze cartouches, il secoua la tête.

— Voilà un rare excentrique, dit Combeferre bas à Enjolras. Il trouve moyen de ne pas se battre dans cette barricade.

— Ce qui ne l'empêche pas de la défendre, répondit Enjolras.

— L'héroïsme a ses originaux, reprit Combeferre.

Et Courfeyrac, qui avait entendu, ajouta :

— C'est un autre genre que le père Mabeuf.

Chose qu'il faut noter, le feu qui battait la barricade en troublait à peine l'intérieur. Ceux qui n'ont jamais traversé le tourbillon de ces sortes de guerre, ne peuvent se faire aucune idée des singuliers moments de tranquillité mêlés à ces convulsions. On va et vient, on cause, on plaisante, on flâne. Quelqu'un que nous connaissons a entendu un combattant lui dire au milieu de la mitraille : *Nous sommes ici comme à un déjeuner de garçons*. La redoute de la rue de la Chanvrerie, nous le répétons, semblait au dedans fort calme. Toutes les péripéties et toutes les phases avaient été ou allaient être épuisées. La position, de critique, était devenue menaçante, et, de menaçante, allait probablement devenir désespérée. À mesure que la situation s'assombrissait, la lueur héroïque empourprait de plus en plus la barricade. Enjolras, grave, la dominait, dans l'attitude d'un jeune spartiate dévouant son glaive nu au sombre génie Épidotas.

Combeferre, le tablier sur le ventre, pansait les blessés ; Bossuet et Feuilly faisaient des cartouches avec la poire à poudre cueillie par Gavroche sur le caporal mort, et Bossuet disait à Feuilly : *Nous allons bientôt prendre la diligence pour une autre planète* ; Courfeyrac, sur les quelques pavés qu'il s'était réservés près d'Enjolras, disposait et rangeait tout un arsenal, sa canne à épée, son fusil, deux pistolets d'arçon et un coup de poing, avec le soin d'une jeune fille qui met en ordre un petit dunkerque. Jean Valjean, muet, regardait le mur en face de lui. Un ouvrier s'assujettissait sur la tête avec une ficelle un large chapeau de paille de la mère Hucheloup, *de peur des coups de soleil*, disait-il. Les jeunes gens de la Cougourde d'Aix devisaient gaîment entre eux, comme s'ils avaient hâte de parler patois une dernière fois. Joly, qui avait décroché le miroir de la veuve Hucheloup, y examinait sa langue. Quelques combattants, ayant découvert des croûtes de pain, à peu près moisies, dans un tiroir, les mangeaient avidement. Marius était inquiet de ce que son père allait lui dire.

XVIII

LE VAUTOUR DEVENU PROIE

Insistons sur un fait psychologique propre aux barricades. Rien de ce qui caractérise cette surprenante guerre des rues ne doit être omis.

Quelle que soit cette étrange tranquillité intérieure dont nous venons de parler, la barricade, pour ceux qui sont dedans, n'en reste pas moins vision.

Il y a de l'apocalypse dans la guerre civile, toutes les brumes de l'inconnu se mêlent à ces flamboiements farouches, les révolutions sont sphinx, et quiconque a traversé une barricade croit avoir traversé un songe.

Ce qu'on ressent dans ces lieux-là, nous l'avons indiqué à propos de Marius, et nous en verrons les conséquences, c'est plus et c'est moins que de la vie. Sorti d'une barricade, on ne sait plus ce qu'on y a vu. On a été terrible, on l'ignore. On a été entouré d'idées combattantes qui avaient des faces humaines; on a eu la tête dans la lumière d'avenir. Il y avait des cadavres couchés et des fantômes debout. Les heures étaient colossales et semblaient des heures d'éternité. On a vécu dans la mort. Des ombres ont passé. Qu'était-ce? On a vu des mains où il y avait du sang; c'était un assourdissement épouvantable, c'était aussi un affreux silence; il y avait des bouches ouvertes qui criaient, et d'autres bouches ouvertes qui se taisaient; on était dans de la fumée, dans de la nuit peut-être. On croit avoir touché au suintement sinistre des profondeurs inconnues ; on regarde quelque chose de rouge qu'on a dans les ongles. On ne se souvient plus.

Revenons à la rue de la Chanvrerie.

Tout à coup, entre deux décharges, on entendit le son lointain d'une heure qui sonnait.

— C'est midi, dit Combeferre.

Les douze coups n'étaient pas sonnés qu'Enjolras se dressait tout debout, et jetait du haut de la barricade cette clameur tonnante :

— Montez des pavés dans la maison. Garnissez-en le rebord de la fenêtre et des mansardes. La moitié des hommes aux fusils, l'autre moitié aux pavés. Pas une minute à perdre.

Un peloton de sapeurs-pompiers, la hache à l'épaule, venait d'apparaître en ordre de bataille à l'extrémité de la rue.

Ceci ne pouvait être qu'une tête de colonne ; et de quelle colonne ? de la colonne d'attaque évidemment ; les sapeurs-pompiers chargés de démolir la barricade devant toujours précéder les soldats chargés de l'escalader.

On touchait évidemment à l'instant que M. de Clermont-Tonnerre, en 1822, appelait « le coup de collier ».

L'ordre d'Enjolras fut exécuté avec la hâte correcte propre aux navires et aux barricades, les deux seuls lieux de combat d'où l'évasion soit impossible. En moins d'une minute, les deux tiers des pavés qu'Enjolras avait fait entasser à la porte de Corinthe furent montés au premier étage et au grenier, et, avant qu'une deuxième minute fût écoulée, ces pavés, artistement posés l'un sur l'autre, muraient jusqu'à moitié de la hauteur la fenêtre du premier et les lucarnes des mansardes. Quelques intervalles, ménagés soigneusement par Feuilly, principal constructeur, pouvaient laisser passer des canons de fusil. Cet armement des fenêtres put se faire d'autant plus facilement que la mitraille avait cessé. Les deux pièces tiraient maintenant à boulet sur le centre du barrage afin d'y faire une trouée, et, s'il était possible, une brèche, pour l'assaut.

Quand les pavés, destinés à la défense suprême, furent en place, Enjolras fit porter au premier étage les bouteilles qu'il avait placées sous la table où était Mabeuf.

— Qui donc boira cela ? lui demanda Bossuet.

— Eux, répondit Enjolras.

Puis on barricada la fenêtre d'en bas, et l'on tint toutes prêtes les traverses de fer qui servaient à barrer intérieurement la nuit la porte du cabaret.

La forteresse était complète. La barricade était le rempart, le cabaret était le donjon.

Des pavés qui restaient, on boucha la coupure.

Comme les défenseurs d'une barricade sont toujours obligés de ménager les munitions, et que les assiégeants le savent, les assiégeants combinent leurs arrangements avec une sorte de loisir irritant, s'exposent avant l'heure au feu, mais en apparence plus qu'en réalité, et prennent leurs aises. Les apprêts d'attaque se font toujours avec une certaine lenteur méthodique; après quoi, la foudre.

Cette lenteur permit à Enjolras de tout revoir et de tout perfectionner. Il sentait que puisque de tels hommes allaient mourir, leur mort devait être un chef-d'œuvre.

Il dit à Marius : — Nous sommes les deux chefs. Je vais donner les derniers ordres au dedans. Toi, reste dehors et observe.

Marius se posta en observation sur la crête de la barricade.

Enjolras fit clouer la porte de la cuisine qui, on s'en souvient, était l'ambulance.

— Pas d'éclaboussures sur les blessés, dit-il.

Il donna ses dernières instructions dans la salle basse d'une voix brève, mais profondément tranquille; Feuilly écoutait et répondait au nom de tous.

— Au premier étage, tenez des haches prêtes pour couper l'escalier. Les a-t-on ?

— Oui, dit Feuilly.

— Combien ?

— Deux haches et un merlin.

— C'est bien. Nous sommes vingt-six combattants debout. Combien y a-t-il de fusils ?

— Trente-quatre.

— Huit de trop. Tenez ces huit fusils chargés comme les autres, et sous la main. Aux ceintures les sabres et les pistolets. Vingt hommes à la barricade. Six embusqués aux mansardes et à la fenêtre du premier pour faire feu sur les assaillants à travers les meurtrières des pavés. Qu'il ne reste pas ici un seul travailleur inutile. Tout à l'heure, quand le tambour battra la charge, que les vingt d'en bas se précipitent à la barricade. Les premiers arrivés seront les mieux placés.

Ces dispositions faites, il se tourna vers Javert, et lui dit :

— Je ne t'oublie pas.

Et, posant sur la table un pistolet, il ajouta :

— Le dernier qui sortira d'ici cassera la tête à cet espion.

— Ici? demanda une voix.

— Non, ne mêlons pas ce cadavre aux nôtres. On peut enjamber la petite barricade sur la ruelle Mondétour. Elle n'a que quatre pieds de haut. L'homme est bien garrotté. On l'y mènera, et on l'y exécutera.

Quelqu'un, en ce moment-là, était plus impassible qu'Enjolras; c'était Javert.

Ici Jean Valjean apparut.

Il était confondu dans le groupe des insurgés. Il en sortit, et dit à Enjolras :

— Vous êtes le commandant?

— Oui.

— Vous m'avez remercié tout à l'heure.

— Au nom de la République. La barricade a deux sauveurs : Marius Pontmercy et vous.

— Pensez-vous que je mérite une récompense?

— Certes.

— Eh bien, j'en demande une.

— Laquelle?

— Brûler moi-même la cervelle à cet homme-là.

Javert leva la tête, vit Jean Valjean, eut un mouvement imperceptible, et dit :

— C'est juste.

Quant à Enjolras, il s'était mis à recharger sa carabine; il promena ses yeux autour de lui :

— Pas de réclamation?

Et il se tourna vers Jean Valjean :

— Prenez le mouchard.

Jean Valjean, en effet, prit possession de Javert en s'asseyant sur l'extrémité de la table. Il saisit le pistolet, et un faible cliquetis annonça qu'il venait de l'armer.

Presque au même instant, on entendit une sonnerie de clairons.

— Alerte ! cria Marius du haut de la barricade.

Javert se mit à rire de ce rire sans bruit qui lui était propre, et, regardant fixement les insurgés, leur dit :

— Vous n'êtes guère mieux portants que moi.

— Tous dehors ! cria Enjolras.

Les insurgés s'élancèrent en tumulte, et, en sortant, reçurent dans le dos, qu'on nous passe l'expression, cette parole de Javert :

— À tout à l'heure !

XIX

JEAN VALJEAN SE VENGE

Quand Jean Valjean fut seul avec Javert, il défit la corde qui assujettissait le prisonnier par le milieu du corps, et dont le nœud était sous la table. Après quoi, il lui fit signe de se lever.

Javert obéit, avec cet indéfinissable sourire où se condense la suprématie de l'autorité enchaînée.

Jean Valjean prit Javert par la martingale comme on prendrait une bête de somme par la bricole, et, l'entraînant après lui, sortit du cabaret, lentement, car Javert, entravé aux jambes, ne pouvait faire que de très petits pas.

Jean Valjean avait le pistolet au poing.

Ils franchirent ainsi le trapèze intérieur de la barricade. Les insurgés, tout à l'attaque imminente, tournaient le dos.

Marius, seul, placé de côté à l'extrémité gauche du barrage, les vit passer. Ce groupe du patient et du bourreau s'éclaira de la lueur sépulcrale qu'il avait dans l'âme.

Jean Valjean fit escalader, avec quelque peine, à Javert garrotté, mais sans le lâcher un seul instant, le petit retranchement de la ruelle Mondétour.

Quand ils eurent enjambé ce barrage, ils se trouvèrent seuls tous les deux dans la ruelle. Personne ne les voyait plus. Le coude des maisons les cachait aux insurgés. Les cadavres retirés de la barricade faisaient un monceau terrible à quelques pas.

On distinguait dans le tas des morts une face livide, une chevelure dénouée, une main percée, et un sein de femme demi-nu. C'était Éponine.

Javert considéra obliquement cette morte, et, profondément calme, dit à demi-voix :

— Il me semble que je connais cette fille-là.

Puis il se tourna vers Jean Valjean.

Jean Valjean mit le pistolet sous son bras, et fixa sur Javert un regard qui n'avait pas besoin de paroles pour dire : — Javert, c'est moi.

Javert répondit :

— Prends ta revanche.

Jean Valjean tira de son gousset un couteau, et l'ouvrit.

— Un surin ! s'écria Javert. Tu as raison. Cela te convient mieux.

Jean Valjean coupa la martingale que Javert avait au cou, puis il coupa les cordes qu'il avait aux poignets, puis, se baissant, il coupa la ficelle qu'il avait aux pieds; et, se redressant, il lui dit :

— Vous êtes libre.

Javert n'était pas facile à étonner. Cependant, tout maître qu'il était de lui, il ne put se soustraire à une commotion. Il resta béant et immobile.

Jean Valjean poursuivit :

— Je ne crois pas que je sorte d'ici. Pourtant, si, par hasard, j'en sortais, je demeure, sous le nom de Fauchelevent, rue de l'Homme-Armé, numéro sept.

Javert eut un froncement de tigre qui lui entr'ouvrit un coin de la bouche, et il murmura entre ses dents :

— Prends garde.

— Allez, dit Jean Valjean.

Javert reprit :

— Tu as dit Fauchelevent, rue de l'Homme-Armé ?

— Numéro sept.

Javert répéta à demi-voix : — Numéro sept.

Il reboutonna sa redingote, remit de la roideur militaire entre ses deux épaules, fit demi-tour, croisa les bras en soutenant son menton dans une de ses mains, et se mit à marcher dans la direction des halles. Jean Valjean le suivait des yeux. Après quelques pas, Javert se retourna, et cria à Jean Valjean :

— Vous m'ennuyez. Tuez-moi plutôt.

Javert ne s'apercevait pas lui-même qu'il ne tutoyait plus Jean Valjean.

— Allez-vous-en, dit Jean Valjean.

Javert s'éloigna à pas lents. Un moment après, il tourna l'angle de la rue des Prêcheurs.

Quand Javert eut disparu, Jean Valjean déchargea le pistolet en l'air.

Puis il rentra dans la barricade et dit :

— C'est fait.

Cependant voici ce qui s'était passé :

Marius, plus occupé du dehors que du dedans, n'avait pas jusque-là regardé attentivement l'espion garrotté au fond obscur de la salle basse.

Quand il le vit au grand jour, enjambant la barricade pour aller mourir, il le reconnut. Un souvenir subit lui entra dans l'esprit. Il se rappela l'inspecteur de la rue de Pontoise, et les deux pistolets qu'il lui avait remis et dont il s'était servi, lui Marius, dans cette barricade même ; et non seulement il se rappela la figure, mais il se rappela le nom.

Ce souvenir pourtant était brumeux et trouble comme toutes ses idées. Ce ne fut pas une affirmation qu'il se fit, ce fut une question qu'il s'adressa : — Est-ce que ce n'est pas là cet inspecteur de police qui m'a dit s'appeler Javert ?

Peut-être était-il encore temps d'intervenir pour cet homme ? Mais il fallait d'abord savoir si c'était bien ce Javert.

Marius interpella Enjolras qui venait de se placer à l'autre bout de la barricade.

— Enjolras !
— Quoi ?
— Comment s'appelle cet homme-là ?
— Qui ?
— L'agent de police. Sais-tu son nom ?
— Sans doute. Il nous l'a dit.
— Comment s'appelle-t-il ?

— Javert.
Marius se dressa.
En ce moment on entendit le coup de pistolet.
Jean Valjean reparut et cria : C'est fait.
Un froid sombre traversa le cœur de Marius.

xx

LES MORTS ONT RAISON
ET LES VIVANTS N'ONT PAS TORT

L'agonie de la barricade allait commencer.

Tout concourait à la majesté tragique de cette minute suprême ; mille fracas mystérieux dans l'air, le souffle des masses armées mises en mouvement dans des rues qu'on ne voyait pas, le galop intermittent de la cavalerie, le lourd ébranlement des artilleries en marche, les feux de peloton et les canonnades se croisant dans le dédale de Paris, les fumées de la bataille montant toutes dorées au-dessus des toits, on ne sait quels cris lointains vaguement terribles, des éclairs de menace partout, le tocsin de Saint-Merry qui maintenant avait l'accent du sanglot, la douceur de la saison, la splendeur du ciel plein de soleil et de nuages, la beauté du jour et l'épouvantable silence des maisons.

Car, depuis la veille, les deux rangées de maisons de la rue de la Chanvrerie étaient devenues deux murailles ; murailles farouches. Portes fermées, fenêtres fermées, volets fermés.

Dans ces temps-là, si différents de ceux où nous sommes, quand l'heure était venue où le peuple voulait en finir avec une situation qui avait trop duré, avec une charte octroyée ou avec un pays légal, quand la colère universelle était diffuse dans l'atmosphère, quand la ville consentait au soulèvement de ses pavés, quand l'insurrection faisait sourire la bourgeoisie en lui chuchotant son mot d'ordre à l'oreille, alors l'habitant, pénétré d'émeute, pour ainsi dire, était l'auxiliaire du combattant, et la maison fraternisait avec la forteresse improvisée qui s'appuyait sur elle. Quand la situation n'était pas mûre, quand l'insurrection n'était décidément pas consentie, quand la masse désavouait le mouvement, c'en était fait des combattants, la ville se changeait en désert autour de la révolte, les âmes se glaçaient, les asiles se muraient, et la rue se faisait défilé pour aider l'armée à prendre la barricade.

On ne fait pas marcher un peuple par surprise plus vite qu'il ne veut. Malheur à qui tente de lui forcer la main ! Un peuple ne se laisse pas faire. Alors il abandonne l'insurrection à elle-même. Les insurgés deviennent des pestiférés. Une maison est un escarpement, une porte est un refus, une façade est un mur. Ce mur voit, entend, et ne veut pas. Il pourrait s'entr'ouvrir et vous sauver. Non. Ce mur, c'est un juge. Il vous regarde et vous condamne. Quelle sombre chose que ces maisons fermées ! Elles semblent mortes, elles sont vivantes. La vie, qui y est comme suspendue, y persiste. Personne n'en est sorti depuis vingt-quatre heures, mais personne n'y manque. Dans l'intérieur de cette roche, on va, on vient, on se couche, on se lève ; on y est en famille ; on y boit et on y mange ; on y a peur, chose terrible ! La peur excuse cette inhospitalité redoutable ; elle y mêle l'effarement, circonstance atténuante. Quelquefois même, et cela s'est vu, la peur devient passion ; l'effroi peut se changer en furie, comme la prudence en rage ; de là ce mot si profond : *Les enragés de modérés*. Il y a des flamboiements d'épouvante suprême d'où sort, comme une fumée lugubre, la colère. — Que veulent ces gens-là ? ils ne sont jamais contents. Ils compromettent les hommes paisibles. Comme si l'on n'avait pas assez de révolutions comme cela ! Qu'est-ce qu'ils sont venus faire ici ? Qu'ils s'en tirent. Tant pis pour eux. C'est leur faute. Ils n'ont que ce qu'ils méritent. Cela ne nous regarde pas. Voilà notre pauvre rue criblée de balles. C'est un tas de vauriens. Surtout n'ouvrez pas la porte. — Et la maison prend une figure de tombe. L'insurgé devant cette porte agonise ; il voit arriver la mitraille et les sabres nus ; s'il crie, il sait qu'on l'écoute, mais qu'on ne viendra pas ; il y a là des murs qui pourraient le protéger, il y a là des hommes qui pourraient le sauver, et ces murs ont des oreilles de chair, et ces hommes ont des entrailles de pierre.

Qui accuser?

Personne, et tout le monde.

Les temps incomplets où nous vivons.

C'est toujours à ses risques et périls que l'utopie se transforme en insurrection, et se fait de protestation philosophique protestation armée, et de Minerve Pallas. L'utopie qui s'impatiente et devient émeute sait ce qui l'attend; presque toujours elle arrive trop tôt. Alors elle se résigne, et accepte stoïquement, au lieu du triomphe, la catastrophe. Elle sert, sans se plaindre, et en les disculpant même, ceux qui la renient, et sa magnanimité est de consentir à l'abandon. Elle est indomptable contre l'obstacle et douce envers l'ingratitude.

Est-ce l'ingratitude d'ailleurs?

Oui, au point de vue du genre humain.

Non, au point de vue de l'individu.

Le progrès est le mode de l'homme. La vie générale du genre humain s'appelle le Progrès; le pas collectif du genre humain s'appelle le Progrès. Le progrès marche; il fait le grand voyage humain et terrestre vers le céleste et le divin; il a ses haltes où il rallie le troupeau attardé; il a ses stations où il médite, en présence de quelque Chanaan splendide dévoilant tout à coup son horizon; il a ses nuits où il dort; et c'est une des poignantes anxiétés du penseur de voir l'ombre sur l'âme humaine, et de tâter dans les ténèbres, sans pouvoir le réveiller, le progrès endormi.

— *Dieu est peut-être mort*, disait un jour à celui qui écrit ces lignes Gérard de Nerval, confondant le progrès avec Dieu, et prenant l'interruption du mouvement pour la mort de l'Être.

Qui désespère a tort. Le progrès se réveille infailliblement, et, en somme, on pourrait dire qu'il a marché, même endormi, car il a grandi. Quand on le revoit debout, on le retrouve plus haut. Être toujours paisible, cela ne dépend pas plus du progrès que du fleuve; n'y élevez point de barrage, n'y jetez pas de rocher; l'obstacle fait écumer l'eau et bouillonner l'humanité. De là des troubles; mais après ces troubles, on reconnaît qu'il y a du chemin de fait. Jusqu'à ce que l'ordre, qui n'est autre chose que la paix universelle, soit établi, jusqu'à ce que l'harmonie et l'unité règnent, le progrès aura pour étapes les révolutions.

Qu'est ce donc que le Progrès ? Nous venons de le dire. La vie permanente des peuples.

Or, il arrive quelquefois que la vie momentanée des individus fait résistance à la vie éternelle du genre humain.

Avouons-le sans amertume, l'individu a son intérêt distinct, et peut sans forfaiture stipuler pour cet intérêt et le défendre ; le présent a sa quantité excusable d'égoïsme ; la vie momentanée a son droit, et n'est pas tenue de se sacrifier sans cesse à l'avenir. La génération qui a actuellement son tour de passage sur la terre n'est pas forcée de l'abréger pour les générations, ses égales après tout, qui auront leur tour plus tard. — J'existe, murmure ce quelqu'un qui se nomme Tous. Je suis jeune et je suis amoureux, je suis vieux et je veux me reposer, je suis père de famille, je travaille, je prospère, je fais de bonnes affaires, j'ai des maisons à louer, j'ai de l'argent sur l'état, je suis heureux, j'ai femme et enfants, j'aime tout cela, je désire vivre, laissez-moi tranquille. — De là, à certaines heures, un froid profond sur les magnanimes avant-gardes du genre humain.

L'utopie d'ailleurs, convenons-en, sort de sa sphère radieuse en faisant la guerre. Elle, la vérité de demain, elle emprunte son procédé, la bataille, au mensonge d'hier. Elle, l'avenir, elle agit comme le passé. Elle, l'idée pure, elle devient voie de fait. Elle complique son héroïsme d'une violence dont il est juste qu'elle réponde ; violence d'occasion et d'expédient, contraire aux principes, et dont elle est fatalement punie. L'utopie insurrection combat, le vieux code militaire au poing ; elle fusille les espions, elle exécute les traîtres, elle supprime des êtres vivants et les jette dans les ténèbres inconnues. Elle se sert de la mort, chose grave. Il semble que l'utopie n'ait plus foi dans le rayonnement, sa force irrésistible et incorruptible. Elle frappe avec le glaive. Or aucun glaive n'est simple. Tout épée a deux tranchants ; qui blesse avec l'un se blesse à l'autre.

Cette réserve faite, et faite en toute sévérité, il nous est impossible de ne pas admirer, qu'ils réussissent ou non, les glorieux combattants de l'avenir, les confesseurs de l'utopie. Même quand ils avortent, ils sont vénérables, et c'est peut-être dans l'insuccès qu'ils ont plus de majesté.

La victoire, quand elle est selon le progrès, mérite l'applaudissement des peuples; mais une défaite héroïque mérite leur attendrissement. L'une est magnifique, l'autre est sublime. Pour nous, qui préférons le martyre au succès, John Brown est plus grand que Washington, et Pisacane est plus grand que Garibaldi!

Il faut bien que quelqu'un soit pour les vaincus.

On est injuste pour ces grands essayeurs de l'avenir quand ils avortent.

On accuse les révolutionnaires de semer l'effroi. Toute barricade semble attentat. On incrimine leurs théories, on suspecte leur but, on redoute leur arrière-pensée, on dénonce leur conscience. On leur reproche d'élever, d'échafauder et d'entasser contre le fait social régnant un monceau de misères, de douleurs, d'iniquités, de griefs, de désespoirs, et d'arracher des bas-fonds des blocs de ténèbres pour s'y créneler et y combattre. On leur crie : Vous dépavez l'enfer! Ils pourraient répondre : C'est pour cela que notre barricade est faite de bonnes intentions.

Le mieux, certes, c'est la solution pacifique. En somme, convenons-en, lorsqu'on voit le pavé, on songe à l'ours, et c'est une bonne volonté dont la société s'inquiète. Mais il dépend de la société de se sauver elle-même; c'est à sa propre bonne volonté que nous faisons appel. Aucun remède violent n'est nécessaire. Étudier le mal à l'amiable, le constater, puis le guérir. C'est à cela que nous la convions.

Quoi qu'il en soit, même tombés, surtout tombés, ils sont augustes, ces hommes qui, sur tous les points de l'univers, l'œil fixé sur la France, luttent pour la grande œuvre avec la logique inflexible de l'idéal; ils donnent leur vie en pur don pour le progrès; ils accomplissent la volonté de la providence; ils font un acte religieux. À l'heure dite, avec autant de désintéressement qu'un acteur qui arrive à sa réplique, obéissant au scénario divin, ils entrent dans le tombeau. Et ce combat sans espérance, et cette disparition stoïque, ils l'acceptent pour amener à ses splendides et suprêmes conséquences universelles le magnifique mouvement humain irrésistiblement commencé le 14 juillet 1789. Ces soldats sont des prêtres. La révolution française est un geste de Dieu.

Du reste il y a, et il convient d'ajouter cette distinction aux distinctions déjà indiquées dans un autre chapitre, il y a les insurrections acceptées qui s'appellent révolutions ; il y a les révolutions refusées qui s'appellent émeutes.

Une insurrection qui éclate, c'est une idée qui passe son examen devant le peuple. Si le peuple laisse tomber sa boule noire, l'idée est fruit sec, l'insurrection est échauffourée.

L'entrée en guerre à toute sommation et chaque fois que l'utopie le désire n'est pas le fait des peuples. Les nations n'ont pas toujours et à toute heure le tempérament des héros et des martyrs.

Elles sont positives. À priori, l'insurrection leur répugne ; premièrement, parce qu'elle a souvent pour résultat une catastrophe, deuxièmement, parce qu'elle a toujours pour point de départ une abstraction.

Car, et ceci est beau, c'est toujours pour l'idéal, et pour l'idéal seul que se dévouent ceux qui se dévouent. Une insurrection est un enthousiasme. L'enthousiasme peut se mettre en colère ; de là les prises d'armes. Mais toute insurrection qui couche en joue un gouvernement ou un régime vise plus haut. Ainsi, par exemple, insistons-y, ce que combattaient les chefs de l'insurrection de 1832, et en particulier les jeunes enthousiastes de la rue de la Chanvrerie, ce n'était pas précisément Louis-Philippe. La plupart, causant à cœur ouvert, rendaient justice aux qualités de ce roi mitoyen à la monarchie et à la révolution ; aucun ne le haïssait. Mais ils attaquaient la branche cadette du droit divin dans Louis-Philippe comme ils en avaient attaqué la branche aînée dans Charles X ; et ce qu'ils voulaient renverser en renversant la royauté en France, nous l'avons expliqué, c'était l'usurpation de l'homme sur l'homme et du privilège sur le droit dans l'univers entier. Paris sans roi a pour contre-coup le monde sans despotes. Ils raisonnaient de la sorte. Leur but était lointain sans doute, vague peut-être, et reculant devant l'effort ; mais grand.

Cela est ainsi. Et l'on se sacrifie pour ces visions, qui, pour les sacrifiés, sont des illusions presque toujours, mais des illusions auxquelles, en somme, toute la certitude humaine est mêlée. L'insurgé poétise et dore l'insurrection. On se jette dans ces choses tragiques en se grisant de ce qu'on va faire. Qui sait ? on réussira peut-être. On est le petit nombre ; on a contre soi toute une armée ; mais on défend le droit, la loi naturelle, la souveraineté de chacun sur soi-même qui n'a pas d'abdication possible, la justice, la vérité, et au besoin on mourra comme les trois cents spartiates. On ne songe pas à Don Quichotte, mais à Léonidas. Et l'on va devant soi, et, une fois engagé, on ne recule plus, et l'on se précipite tête baissée, ayant pour espérance une victoire inouïe, la révolution complétée, le progrès remis en liberté, l'agrandissement du genre humain, la délivrance universelle ; et pour pis aller les Thermopyles.

Ces passes d'armes pour le progrès échouent souvent, et nous venons de dire pourquoi. La foule est rétive à l'entraînement des paladins. Ces lourdes masses, les multitudes, fragiles à cause de leur pesanteur même, craignent les aventures ; et il y a de l'aventure dans l'idéal.

D'ailleurs, qu'on ne l'oublie pas, les intérêts sont là, peu amis de l'idéal et du sentimental. Quelquefois l'estomac paralyse le cœur.

La grandeur et la beauté de la France, c'est qu'elle prend moins de ventre que les autres peuples ; elle se noue plus aisément la corde aux reins. Elle est la première éveillée, la dernière endormie. Elle va en avant. Elle est chercheuse.

Cela tient à ce qu'elle est artiste.

L'idéal n'est autre chose que le point culminant de la logique, de même que le beau n'est autre chose que la cime du vrai. Les peuples artistes sont aussi les peuples conséquents. Aimer la beauté, c'est vouloir la lumière. C'est ce qui fait que le flambeau de l'Europe, c'est-à-dire de la civilisation, a été porté d'abord par la Grèce, qui l'a passé à l'Italie, qui l'a passé à la France. Divins peuples éclaireurs ! *Vitæ lampada tradunt*.

Chose admirable, la poésie d'un peuple est l'élément de son progrès. La quantité de civilisation se mesure à la quantité d'imagination. Seulement un peuple civilisateur doit rester un peuple mâle. Corinthe, oui ; Sybaris, non. Qui s'efférine s'abâtardit. Il ne faut être ni dilettante, ni virtuose ; mais il faut être artiste. En matière de civilisation, il ne faut pas raffiner, mais il faut sublimer. À cette condition, on donne au genre humain le patron de l'idéal.

L'idéal moderne a son type dans l'art, et son moyen dans la science. C'est par la science qu'on réalisera cette vision auguste des poëtes : le beau social. On refera l'Éden par A + B. Au point où la civilisation est parvenue, l'exact est un élément nécessaire du splendide, et le sentiment artiste est non-seulement servi, mais complété par l'organe scientifique ; le rêve doit calculer. L'art, qui est le conquérant, doit avoir pour point d'appui la science, qui est le marcheur. La solidité de la monture importe. L'esprit moderne, c'est le génie de la Grèce ayant pour véhicule le génie de l'Inde ; Alexandre sur l'éléphant.

Les races pétrifiées dans le dogme ou démoralisées par le lucre sont impropres à la conduite de la civilisation. La génuflexion devant l'idole ou devant l'écu atrophie le muscle qui marche et la volonté qui va. L'absorption hiératique ou marchande amoindrit le rayonnement d'un peuple, abaisse son horizon en baissant son niveau, et lui retire cette intelligence à la fois humaine et divine du but universel, qui fait les nations missionnaires. Babylone n'a pas d'idéal ; Carthage n'a pas d'idéal. Athènes et Rome ont et gardent, même à travers toute l'épaisseur nocturne des siècles, des auréoles de civilisation.

La France est de la même qualité de peuple que la Grèce et l'Italie. Elle est athénienne par le beau et romaine par le grand. En outre, elle est bonne. Elle se donne. Elle est plus souvent que les autres peuples en humeur de dévouement et de sacrifice. Seulement, cette humeur la prend et la quitte. Et c'est là le grand péril pour ceux qui courent quand elle ne veut que marcher, ou qui marchent quand elle veut s'arrêter. La France a ses rechutes de matérialisme, et, à de certains instants, les idées qui obstruent ce cerveau sublime n'ont plus rien qui rappelle la grandeur française et sont de la dimension d'un Missouri ou d'une Caroline du Sud. Qu'y faire ? La géante joue la naine ; l'immense France a ses fantaisies de petitesse. Voilà tout.

À cela rien à dire. Les peuples comme les astres ont le droit d'éclipse. Et tout est bien, pourvu que la lumière revienne et que l'éclipse ne dégénère pas en nuit. Aube et résurrection sont synonymes. La réapparition de la lumière est identique à la persistance du moi.

Constatons ces faits avec calme. La mort sur la barricade, ou la tombe dans l'exil, c'est pour le dévouement un en-cas acceptable. Le vrai nom du dévouement, c'est désintéressement. Que les abandonnés se laissent abandonner, que les exilés se laissent exiler, et bornons-nous à supplier les grands peuples de ne pas reculer trop loin quand ils reculent. Il ne faut pas, sous prétexte de retour à la raison, aller trop avant dans la descente.

La matière existe, la minute existe, les intérêts existent, le ventre existe ; mais il ne faut pas que le ventre soit la seule sagesse. La vie momentanée a son droit, nous l'admettons, mais la vie permanente a le sien. Hélas! être monté, cela n'empêche pas de tomber. On voit ceci dans l'histoire plus souvent qu'on ne voudrait. Une nation est illustre ; elle goûte à l'idéal, puis elle mord dans la fange, et elle trouve cela bon ; et si on lui demande d'où vient qu'elle abandonne Socrate pour Falstaff, elle répond : C'est que j'aime les hommes d'état.

Un mot encore avant de rentrer dans la mêlée.

Une bataille comme celle que nous racontons en ce moment n'est autre chose qu'une convulsion vers l'idéal. Le progrès entravé est maladif, et il a de ces tragiques épilepsies. Cette maladie du progrès, la guerre civile, nous avons dû la rencontrer sur notre passage. C'est là une des phases fatales, à la fois acte et entr'acte, de ce drame dont le pivot est un damné social, et dont le titre véritable est : *le Progrès*.

Le Progrès !

Ce cri que nous jetons souvent est toute notre pensée ; et, au point de ce drame où nous sommes, l'idée qu'il contient ayant encore plus d'une épreuve à subir, il nous est permis peut-être, sinon d'en soulever le voile, du moins d'en laisser transparaître nettement la lueur.

Le livre que le lecteur a sous les yeux en ce moment, c'est, d'un bout à l'autre, dans son ensemble et dans ses détails, quelles que soient les intermittences, les exceptions ou les défaillances, la marche du mal au bien, de l'injuste au juste, du faux au vrai, de la nuit au jour, de l'appétit à la conscience, de la pourriture à la vie, de la bestialité au devoir, de l'enfer au ciel, du néant à Dieu. Point de départ : la matière, point d'arrivée : l'âme. L'hydre au commencement, l'ange à la fin.

XXI

LES HÉROS

Tout à coup le tambour battit la charge.

L'attaque fut l'ouragan. La veille, dans l'obscurité, la barricade avait été approchée silencieusement comme par un boa. À présent, en plein jour, dans cette rue évasée, la surprise était décidément impossible, la vive force d'ailleurs s'était démasquée, le canon avait commencé le rugissement, l'armée se rua sur la barricade. La furie était maintenant l'habileté. Une puissante colonne d'infanterie de ligne, coupée à intervalles égaux de garde nationale et de garde municipale à pied, et appuyée sur des masses profondes qu'on entendait sans les voir, déboucha dans la rue au pas de course, tambour battant, clairon sonnant, bayonnettes croisées, sapeurs en tête, et, imperturbable sous les projectiles, arriva droit sur la barricade avec le poids d'une poutre d'airain sur un mur.

Le mur tint bon.

Les insurgés firent feu impétueusement. La barricade escaladée eut une crinière d'éclairs. L'assaut fut si forcené qu'elle fut un moment inondée d'assaillants; mais elle secoua les soldats ainsi que le lion les chiens, et elle ne se couvrit d'assiégeants que comme la falaise d'écume, pour reparaître l'instant d'après, escarpée, noire et formidable.

La colonne, forcée de se replier, resta massée dans la rue, à découvert, mais terrible, et riposta à la redoute par une mousqueterie effrayante. Quiconque a vu un feu d'artifice se rappelle cette gerbe faite d'un croisement de foudres qu'on appelle le bouquet. Qu'on se représente ce bouquet, non plus vertical, mais horizontal, portant une balle, une chevrotine ou un biscayen à la pointe de chacun de ses jets de feu, et égrenant la mort dans ses grappes de tonnerres. La barricade était là-dessous.

Des deux parts résolution égale. La bravoure était là presque barbare et se compliquait d'une sorte de férocité héroïque qui commençait par le sacrifice de soi-même. C'était l'époque où un garde national se battait comme un zouave. La troupe voulait en finir; l'insurrection voulait lutter. L'acceptation de l'agonie en pleine jeunesse et en pleine santé fait de l'intrépidité une frénésie. Chacun dans cette mêlée avait le grandissement de l'heure suprême. La rue se joncha de cadavres.

La barricade avait à l'une de ses extrémités Enjolras et à l'autre Marius. Enjolras, qui portait toute la barricade dans sa tête, se réservait et s'abritait; trois soldats tombèrent l'un après l'autre sous son créneau sans l'avoir même aperçu; Marius combattait à découvert. Il se faisait point de mire. Il sortait du sommet de la redoute plus qu'à mi-corps. Il n'y a pas de plus violent prodigue qu'un avare qui prend le mors aux dents; il n'y a pas d'homme plus effrayant dans l'action qu'un songeur. Marius était formidable et pensif. Il était dans la bataille comme dans un rêve. On eût dit un fantôme qui fait le coup de fusil.

Les cartouches des assiégés s'épuisaient; leurs sarcasmes non. Dans ce tourbillon du sépulcre où ils étaient, ils riaient.

Coufeyrac était nu-tête.

— Qu'est-ce que tu as donc fait de ton chapeau? lui demanda Bossuet.

Coufeyrac répondit :

— Ils ont fini par me l'emporter à coups de canon.

Ou bien ils disaient des choses hautaines.

— Comprend-on, s'écriait amèrement Feuilly, ces hommes — (et il citait les noms, des noms connus, célèbres même, quelques-uns de l'ancienne armée) — qui avaient promis de nous rejoindre et fait serment de nous aider, et qui s'y étaient engagés d'honneur, et qui sont nos généraux, et qui nous abandonnent !

Et Combeferre se bornait à répondre avec un grave sourire :

— Il y a des gens qui observent les règles de l'honneur comme on observe les étoiles, de très loin.

L'intérieur de la barricade était tellement semé de cartouches déchirées qu'on eût dit qu'il y avait neigé.

Les assaillants avaient le nombre; les insurgés avaient la position. Ils étaient au haut d'une muraille, et ils foudroyaient à bout portant les soldats trébuchant dans les morts et les blessés et empêtrés dans l'escarpement. Cette barricade, construite comme elle l'était et admirablement contrebutée, était vraiment une de ces situations où une poignée d'hommes tient en échec une légion. Cependant, toujours recrutée et grossissant sous la pluie de balles, la colonne d'attaque se rapprochait inexorablement, et maintenant, peu à peu, pas à pas, mais avec certitude, l'armée serrait la barricade comme la vis le pressoir.

Les assauts se succédèrent. L'horreur alla grandissant.

Alors éclata, sur ce tas de pavés, dans cette rue de la Chanvrerie, une lutte digne d'une muraille de Troie. Ces hommes hâves, déguenillés, épuisés, qui n'avaient pas mangé depuis vingt-quatre heures, qui n'avaient pas dormi, qui n'avaient plus que quelques coups à tirer, qui tâtaient leurs poches vides de cartouches, presque tous blessés, la tête ou le bras bandé d'un linge rouillé et noirâtre, ayant dans leurs habits des trous d'où le sang coulait, à peine armés de mauvais fusils et de vieux sabres ébréchés, devinrent des Titans. La barricade fut dix fois abordée, assaillie, escaladée, et jamais prise.

Pour se faire une idée de cette lutte, il faudrait se figurer le feu mis à un tas de courages terribles, et qu'on regarde l'incendie. Ce n'était pas un combat, c'était le dedans d'une fournaise ; les bouches y respiraient de la flamme ; les visages y étaient extraordinaires, la forme humaine y semblait impossible, les combattants y flamboyaient, et c'était formidable de voir aller et venir dans cette fumée rouge ces salamandres de la mêlée. Les scènes successives et simultanées de cette tuerie grandiose, nous renonçons à les peindre. L'épopée seule a le droit de remplir douze mille vers avec une bataille.

On eût dit cet enfer du brahmanisme, le plus redoutable des dix-sept abîmes, que le Véda appelle la Forêt des Épées.

On se battait corps à corps, pied à pied, à coups de pistolet, à coups de sabre, à coups de poing, de loin, de près, d'en haut, d'en bas, de partout, des toits de la maison, des fenêtres du cabaret, des soupiraux des caves où quelques-uns s'étaient glissés. Ils étaient un contre soixante. La façade de Corinthe, à demi démolie, était hideuse. La fenêtre, tatouée de mitraille, avait perdu vitres et châssis, et n'était plus qu'un trou informe, tumultueusement bouché avec des pavés. Bossuet fut tué ; Feuilly fut tué ; Courfeyrac fut tué ; Joly fut tué ; Combeferre, traversé de trois coups de bayonnette dans la poitrine au moment où il relevait un soldat blessé, n'eut que le temps de regarder le ciel, et expira.

Marius, toujours combattant, était si criblé de blessures, particulièrement à la tête, que son visage disparaissait dans le sang et qu'on eût dit qu'il avait la face couverte d'un mouchoir rouge.

Enjolras seul n'était pas atteint. Quand il n'avait plus d'arme, il tendait la main à droite ou à gauche et un insurgé lui mettait une lame quelconque au poing. Il n'avait plus qu'un tronçon de quatre épées : une de plus que François Ier à Marignan.

Homère dit : « Diomède égorge Axyle, fils de Teuthra-« nis, qui habitat l'heureuse Arisba ; Euryale, fils de « Mécistée, extermine Drésos, et Opheltios, Ésèpe, et ce « Pédasus que la naïade Abarbarée conçut de l'irrépro-« chable Boucolion ; Ulysse renverse Pidyte de Percose ; « Antiloque, Ablère ; Polypaetés, Astyale ; Polydamas, Otos « de Cyllène, et Teucer, Arétaon. Méganthios meurt sous « les coups de pique d'Euripyle. Agamemnon, roi des « héros, terrasse Élatos né dans la ville escarpée que « baigne le sonore fleuve Satnoïs. » Dans nos vieux poèmes de Gestes, Esplandian attaque avec une bisaiguë de feu le marquis géant Swantibore, lequel se défend en lapidant le chevalier avec des tours qu'il déracine. Nos anciennes fresques murales nous montrent les deux ducs de Bretagne et de Bourbon, armés, armoriés et timbrés en guerre, à cheval, et s'abordant, la hache d'armes à la main, masqués de fer, bottés de fer, gantés de fer, l'un caparaçonné d'hermine, l'autre drapé d'azur ; Bretagne avec son lion entre les deux cornes de sa couronne, Bourbon casqué d'une monstrueuse fleur de lys à visière. Mais pour être superbe, il n'est pas nécessaire de porter, comme Yvon, le morion ducal, d'avoir au poing, comme Esplandian, une flamme vivante, ou, comme Phylès, père de Polydamas, d'avoir rapporté d'Éphyre une bonne armure présent du roi des hommes Euphète ; il suffit de donner sa vie pour une conviction ou pour une loyauté. Ce petit soldat naïf, hier paysan de la Beauce ou du Limousin, qui rôde, le coupe-chou au côté, autour des bonnes d'enfants dans le Luxembourg, ce jeune étudiant pâle penché sur une pièce d'anatomie ou sur un livre, blond adolescent qui fait sa barbe avec des ciseaux, prenez-les tous les deux, soufflez-leur un souffle de devoir, mettez-les en face l'un de l'autre dans le carrefour Boucherat ou dans le cul-de-sac Planche-Mibray, et que l'un combatte pour son drapeau, et que l'autre combatte pour son idéal, et qu'ils s'imaginent tous les deux combattre pour la patrie; la lutte sera colossale; et l'ombre que feront, dans le grand champ épique où se débat l'humanité, ce pioupiou et ce carabin aux prises, égalera l'ombre que jette Mégaryon, roi de la Lycie pleine de tigres, étreignant corps à corps l'immense Ajax, égal aux dieux.

XXII

PIED À PIED

Quand il n'y eut plus de chefs vivants qu'Enjolras et Marius aux deux extrémités de la barricade, le centre, qu'avaient si longtemps soutenu Courfeyrac, Joly, Bossuet, Feuilly et Combeferre, plia. Le canon, sans faire de brèche praticable, avait assez largement échancré le milieu de la redoute; là, le sommet de la muraille avait disparu sous le boulet, et s'était écroulé; et les débris, qui étaient tombés, tantôt à l'intérieur, tantôt à l'extérieur, avaient fini, en s'amoncelant, par faire, des deux côtés du barrage, deux espèces de talus, l'un au dedans, l'autre au dehors. Le talus extérieur offrait à l'abordage un plan incliné.

Un suprême assaut y fut tenté et cet assaut réussit. La masse hérissée de bayonnettes et lancée au pas gymnastique arriva irrésistible, et l'épais front de bataille de la colonne d'attaque apparut dans la fumée au haut de l'escarpement. Cette fois c'était fini. Le groupe d'insurgés qui défendait le centre recula pêle-mêle.

Alors le sombre amour de la vie se réveilla chez quelques-uns. Couchés en joue par cette forêt de fusils, plusieurs ne voulurent plus mourir. C'est là une minute où l'instinct de la conversation pousse des hurlements et où la bête reparaît dans l'homme. Ils étaient acculés à la haute maison à six étages qui faisait le fond de la redoute. Cette maison pouvait être le salut. Cette maison était barricadée et comme murée du haut en bas. Avant que la troupe de ligne fût dans l'intérieur de la redoute, une porte avait le temps de s'ouvrir et de se fermer, la durée d'un éclair suffisait pour cela, et la porte de cette maison, entre-bâillée brusquement et refermée tout de suite, pour ces désespérés c'était la vie. En arrière de cette maison, il y avait les rues, la fuite possible, l'espace. Ils se mirent à frapper contre cette porte à coups de crosse et à coups de pieds, appelant, criant, suppliant, joignant les mains. Personne n'ouvrit. De la lucarne du troisième étage, la tête morte les regardait.

Mais Enjolras et Marius, et sept ou huit ralliés autour d'eux, s'étaient élancés et les protégeaient. Enjolras avait crié aux soldats : N'avancez pas! et un officier n'ayant pas obéi, Enjolras avait tué l'officier. Il était maintenant dans la petite cour intérieure de la redoute, adossé à la maison de Corinthe, l'épée d'une main, la carabine de l'autre, tenant ouverte la porte du cabaret qu'il barrait aux assaillants. Il cria aux désespérés : — Il n'y a qu'une porte ouverte. Celle-ci. — Et, les couvrant de son corps, faisant à lui seul face à un bataillon, il les fit passer derrière lui. Tous s'y précipitèrent. Enjolras, exécutant avec sa carabine, dont il se servait maintenant comme d'une canne, ce que les bâtonnistes appellent la rose couverte, rabattit les bayonnettes autour de lui et devant lui, et entra le dernier; et il y eut un instant horrible, les soldats voulant pénétrer, les insurgés voulant fermer. La porte fut close avec une telle violence qu'en se remboîtant dans son cadre, elle laissa coupés et collés à son chambranle les cinq doigts d'un soldat qui s'y était cramponné.

Marius était resté dehors. Un coup de feu venait de lui casser la clavicule; il sentit qu'il s'évanouissait et qu'il tombait. En ce moment, les yeux déjà fermés, il eut la commotion d'une main vigoureuse qui le saisissait, et son évanouissement, dans lequel il se perdit, lui laissa à peine le temps de cette pensée mêlée au suprême souvenir de Cosette : — Je suis fait prisonnier. Je serai fusillé.

Enjolras, ne voyant pas Marius parmi les réfugiés du cabaret, eut la même idée. Mais ils étaient à cet instant où chacun n'a que le temps de songer à sa propre mort. Enjolras assujettit la barre de la porte, et la verrouilla, et en ferma à double tour la serrure et le cadenas, pendant qu'on le battait furieusement au dehors, les soldats à coups de crosse, les sapeurs à coups de hache. Les assaillants s'étaient groupés sur cette porte. C'était maintenant le siège du cabaret qui commençait.

Les soldats, disons-le, étaient pleins de colère.

La mort du sergent d'artillerie les avait irrités, et puis, chose plus funeste, pendant les quelques heures qui avaient précédé l'attaque, il s'était dit parmi eux que les insurgés mutilaient les prisonniers, et qu'il y avait dans le cabaret le cadavre d'un soldat sans tête. Ce genre de rumeurs fatales est l'accompagnement ordinaire des guerres civiles, et ce fut un faux bruit de cette espèce qui causa plus tard la catastrophe de la rue Transnonain.

Quand la porte fut barricadée, Enjolras dit aux autres :
— Vendons-nous cher.

Puis il s'approcha de la table où étaient étendus Mabeuf et Gravoche. On voyait sous le drap noir deux formes droites et rigides, l'une grande, l'autre petite, et les deux visages se dessinaient vaguement sous les plis froids du suaire. Une main sortait de dessous le linceul et pendait vers la terre. C'était celle du vieillard.

Enjolras se pencha et baisa cette main vénérable, de même que la veille il avait baisé le front.

C'étaient les deux seuls baisers qu'il eût donnés dans sa vie.

Abrégeons. La barricade avait lutté comme une porte de Thèbes, le cabaret lutta comme une maison de Saragosse. Ces résistances-là sont bourrues. Pas de quartier. Pas de parlementaire possible. On veut mourir pourvu qu'on tue. Quand Suchet dit : — Capitulez, — Palafox répond : « Après la guerre au canon, la guerre au couteau. » Rien ne manqua à la prise d'assaut du cabaret Hucheloup : ni les pavés pleuvant de la fenêtre et du toit sur les assiégeants et exaspérant les soldats par d'horribles écrasements, ni les coups de feu des caves et des mansardes, ni la fureur de l'attaque, ni la rage de la défense, ni enfin, quand la porte céda, les démences frénétiques de l'extermination. Les assaillants, en se ruant dans le cabaret, les pieds embarrassés dans les panneaux de la porte enfoncée et jetée à terre, n'y trouvèrent pas un combattant. L'escalier en spirale, coupé à coups de hache, gisait au milieu de la salle basse, quelques blessés achevaient d'expirer, tout ce qui n'était pas tué était au premier étage, et là, par le trou du plafond, qui avait été l'entrée de l'escalier, un feu terrifiant éclata. C'étaient les dernières cartouches. Quand elles furent brûlées, quand ces agonisants redoutables n'eurent plus ni poudre ni balles, chacun prit à la main deux de ces bouteilles réservées par Enjolras et dont nous avons parlé, et ils tinrent tête à l'escalade avec ces massues effroyablement fragiles. C'étaient des bouteilles d'eau-forte. Nous disons telles qu'elles sont ces choses sombres du carnage. L'assiégé, hélas, fait arme de tout. Le feu grégeois n'a pas déshonoré Archimède; la poix bouillante n'a pas déshonoré Bayard. Toute la guerre est de l'épouvante, et il n'y a rien à y choisir. La mousqueterie des assiégeants, quoique gênée et de bas en haut, était meurtrière. Le rebord du trou du plafond fut bientôt entouré de têtes mortes d'où ruisselaient de longs fils rouges et fumants. Le fracas était inexprimable; une fumée enfermée et brûlante faisait presque la nuit sur ce combat. Les mots manquent pour dire l'horreur arrivée à ce degré. Il n'y avait plus d'hommes dans cette lutte maintenant infernale. Ce n'étaient plus des géants contre des colosses. Cela ressemblait plus à Milton et à Dante qu'à Homère. Des démons attaquaient, des spectres résistaient.

C'était l'héroïsme monstre.

XXIII

ORESTE À JEUN ET PYLADE IVRE

Enfin, se faisant la courte échelle, s'aidant du squelette de l'escalier, grimpant aux murs, s'accrochant au plafond, écharpant, au bord de la trappe même, les derniers qui résistaient, une vingtaine d'assiégeants, soldats, gardes nationaux, gardes municipaux, pêle-mêle, la plupart défigurés par des blessures au visage dans cette ascension redoutable, aveuglés par le sang, furieux, devenus sauvages, firent irruption dans la salle du premier étage. Il n'y avait plus là qu'un seul homme qui fût debout, Enjolras. Sans cartouches, sans épée, il n'avait plus à la main que le canon de sa carabine dont il avait brisé la crosse sur la tête de ceux qui entraient. Il avait mis le billard entre les assaillants et lui ; il avait reculé à l'angle de la salle, et là, l'œil fier, la tête haute, ce tronçon d'arme au poing, il était encore assez inquiétant pour que le vide se fût fait autour de lui. Un cri s'éleva :

— C'est le chef. C'est lui qui a tué l'artilleur. Puisqu'il s'est mis là, il y est bien. Qu'il y reste. Fusillons-le sur place.

— Fusillez-moi, dit Enjolras.

Et, jetant le tronçon de sa carabine, et croisant les bras, il présenta sa poitrine.

L'audace de bien mourir émeut toujours les hommes. Dès qu'Enjolras eut croisé les bras, acceptant la fin, l'assourdissement de la lutte cessa dans la salle, et ce chaos s'apaisa subitement dans une sorte de solennité sépulcrale. Il semblait que la majesté menaçante d'Enjolras désarmé et immobile pesât sur ce tumulte, et que, rien que par l'autorité de son regard tranquille, ce jeune homme, qui seul n'avait pas une blessure, superbe, sanglant, charmant, indifférent comme un invulnérable, contraignit cette cohue sinistre à le tuer avec respect. Sa beauté, en ce moment-là augmentée de sa fierté, était un resplendissement, et, comme s'il ne pouvait pas plus être fatigué que blessé, après les effrayantes vingt-quatre heures qui venaient de s'écouler, il était vermeil et rose. C'était de lui peut-être que parlait le témoin qui disait plus tard devant le conseil de guerre : « Il y avait un insurgé que j'ai entendu nommer Apollon. » Un garde national qui visait Enjolras abaissa son arme en disant : « Il me semble que je vais fusiller une fleur. »

Douze hommes se formèrent en peloton à l'angle opposé à Enjolras, et apprêtèrent leurs fusils en silence.

Puis un sergent cria : — Joue.

Un officier intervint.

— Attendez.

Et s'adressant à Enjolras :

— Voulez-vous qu'on vous bande les yeux ?

— Non.

— Est-ce bien vous qui avez tué le sergent d'artillerie ?

— Oui.

Depuis quelques instants Grantaire s'était réveillé.

Grantaire, on s'en souvient, dormait depuis la veille dans la salle haute du cabaret, assis sur une chaise, affaissé sur une table.

Il réalisait, dans toute son énergie, la vieille métaphore : ivre mort. Le hideux philtre absinthe-stout-alcool l'avait jeté en léthargie. Sa table étant petite et ne pouvant servir à la barricade, on la lui avait laissée. Il était toujours dans la même posture, la poitrine pliée sur la table, la tête appuyée à plat sur les bras, entouré de verres, de chopes et de bouteilles. Il dormait de cet écrasant sommeil de l'ours engourdi et de la sangsue repue. Rien n'y avait fait, ni la fusillade, ni les boulets, ni la mitraille qui pénétrait par la croisée dans la salle où il était, ni le prodigieux vacarme de l'assaut. Seulement, il répondait quelquefois au canon par un ronflement. Il semblait attendre là qu'une balle vînt lui épargner la peine de se réveiller. Plusieurs cadavres gisaient autour de lui ; et, au premier coup d'œil, rien ne le distinguait de ces dormeurs profonds de la mort.

Le bruit n'éveille pas un ivrogne, le silence le réveille. Cette singularité a été plus d'une fois observée. La chute de tout, autour de lui, augmentait l'anéantissement de Grantaire ; l'écroulement le berçait. L'espèce de halte que fit le tumulte devant Enjolras fut une secousse pour ce pesant sommeil. C'est l'effet d'une voiture au galop qui s'arrête court. Les assoupis s'y réveillent. Grantaire se dressa en sursaut, étendit les bras, se frotta les yeux, regarda, bâilla, et comprit.

L'ivresse qui finit ressemble à un rideau qui se déchire. On voit, en bloc et d'un seul coup d'œil, tout ce qu'elle cachait. Tout s'offre subitement à la mémoire ; et l'ivrogne qui ne sait rien de ce qui s'est passé depuis vingt-quatre heures, n'a pas achevé d'ouvrir les paupières qu'il est au fait. Les idées lui reviennent avec une lucidité brusque; l'effacement de l'ivresse, sorte de buée qui aveuglait le cerveau, se dissipe, et fait place à la claire et nette obsession des réalités.

Relégué qu'il était dans un coin et comme abrité derrière le billard, les soldats, l'œil fixé sur Enjolras, n'avaient pas même aperçu Grantaire, et le sergent se préparait à répéter l'ordre : En joue! quand tout à coup ils entendirent une voix forte crier à côté d'eux :

— Vive la république! J'en suis.

Grantaire s'était levé.

L'immense lueur de tout le combat qu'il avait manqué, et dont il n'avait pas été, apparut dans le regard éclatant de l'ivrogne transfiguré.

Il répéta : Vive la république! traversa la salle d'un pas ferme, et alla se placer devant les fusils debout près d'Enjolras.

— Faites-en deux d'un coup, dit-il.

Et, se tournant vers Enjolras avec douceur, il lui dit :

— Permets-tu?

Enjolras lui serra la main en souriant.

Ce sourire n'était pas achevé que la détonation éclata.

Enjolras, traversé de huit coups de feu, resta adossé au mur comme si les balles l'y eussent cloué. Seulement il pencha la tête.

Grantaire, foudroyé, s'abattit à ses pieds.

Quelques instants après, les soldats délogeaient les derniers insurgés réfugiés au haut de la maison. Ils tiraillaient à travers un treillis de bois dans le grenier. On se battait dans les combles. On jetait des corps par les fenêtres, quelques-uns vivants. Deux voltigeurs, qui essayaient de relever l'omnibus fracassé, étaient tués de deux coups de carabine tirés des mansardes. Un homme en blouse en était précipité, un coup de bayonnette dans le ventre, et râlait à terre. Un soldat et un insurgé glissaient ensemble sur le talus de tuiles du toit, et ne voulaient pas se lâcher, et tombaient, se tenant embrassés d'un embrassement féroce. Lutte pareille dans la cave. Cris, coups de feu, piétinement farouche. Puis le silence. La barricade était prise.

Les soldats commencèrent la fouille des maisons d'alentour et la poursuite des fuyards.

XXIV

PRISONNIER

Marius était prisonnier en effet. Prisonnier de Jean Valjean.

La main qui l'avait étreint par derrière au moment où il tombait, et dont, en perdant connaissance, il avait senti le saisissement, était celle de Jean Valjean.

Jean Valjean n'avait pris au combat d'autre part que de s'y exposer. Sans lui, à cette phase suprême de l'agonie, personne n'eût songé aux blessés. Grâce à lui, partout présent dans le carnage comme une providence, ceux qui tombaient étaient relevés, transportés dans la salle basse, et pansés. Dans les intervalles, il réparait la barricade. Mais rien qui pût ressembler à un coup, à une attaque, ou même à une défense personnelle, ne sortit de ses mains. Il se taisait et secourait. Du reste, il avait à peine quelques égratignures. Les balles n'avaient pas voulu de lui. Si le suicide faisait partie de ce qu'il avait rêvé en venant dans ce sépulcre, de ce côté-là il n'avait point réussi. Mais nous doutons qu'il eût songé au suicide, acte irréligieux.

Jean Valjean, dans la nuée épaisse du combat, n'avait pas l'air de voir Marius ; le fait est qu'il ne le quittait pas des yeux. Quand un coup de feu renversa Marius, Jean Valjean bondit avec une agilité de tigre, s'abattit sur lui comme sur une proie, et l'emporta.

Le tourbillon de l'attaque était en cet instant-là si violemment concentré sur Enjolras et sur la porte du cabaret que personne ne vit Jean Valjean, soutenant dans ses bras Marius évanoui, traverser le champ dépavé de la barricade et disparaître derrière l'angle de la maison de Corinthe.

On se rappelle cet angle qui faisait une sorte de cap dans la rue ; il garantissait des balles et de la mitraille, et des regards aussi, quelques pieds carrés de terrain. Il y a ainsi parfois dans les incendies une chambre qui ne brûle point, et dans les mers les plus furieuses, en deçà d'un promontoire ou au fond d'un cul-de-sac d'écueils, un petit coin tranquille. C'était dans cette espèce de repli du trapèze intérieur de la barricade qu'Éponine avait agonisé.

Là Jean Valjean s'arrêta, il laissa glisser à terre Marius, s'adossa au mur et jeta les yeux autour de lui.

La situation était épouvantable.

Pour l'instant, pour deux ou trois minutes peut-être, ce pan de muraille était un abri ; mais comment sortir de ce massacre ? Il se rappelait l'angoisse où il s'était trouvé rue Ponceau, huit ans auparavant, et de quelle façon il était parvenu à s'échapper ; c'était difficile alors, aujourd'hui c'était impossible. Il avait devant lui cette implacable et sourde maison à six étages qui ne semblait habitée que par l'homme mort penché à sa fenêtre ; il avait à sa droite la barricade assez basse qui fermait la Petite-Truanderie ; enjamber cet obstacle paraissait facile, mais on voyait au-dessus de la crête du barrage une rangée de pointes de baïonnettes. C'était la troupe de ligne, postée au-delà de cette barricade, et aux aguets. Il était évident que franchir la barricade c'était aller chercher un feu de peloton, et que toute tête qui se risquerait à dépasser le haut de la muraille de pavés servirait de cible à soixante coups de fusil. Il avait à sa gauche le champ du combat. La mort était derrière l'angle du mur.

Que faire ?

Un oiseau seul eût pu se tirer de là.

Et il fallait se décider sur-le-champ, trouver un expédient, prendre un parti. On se battait à quelques pas de lui ; par bonheur tous s'acharnaient sur un point unique, sur la porte du cabaret ; mais qu'un soldat, un seul, eût l'idée de tourner la maison, ou de l'attaquer en flanc, tout était fini.

Jean Valjean regarda la maison en face de lui, il regarda la barricade à côté de lui, puis il regarda la terre, avec la violence de l'extrémité suprême, éperdu, et comme s'il eût voulu y faire un trou avec ses yeux.

À force de regarder, on ne sait quoi de vaguement saisissable dans une telle agonie se dessina et prit forme à ses pieds, comme si c'était une puissance du regard de faire éclore la chose demandée. Il aperçut à quelques pas de lui, au bas du petit barrage si impitoyablement gardé et guetté au dehors, sous un écroulement de pavés qui la cachait en partie, une grille de fer posée à plat et de niveau avec le sol. Cette grille, faite de forts barreaux transversaux, avait environ deux pieds carrés. L'encadrement de pavés qui la maintenait avait été arraché, et elle était comme descellée. À travers les barreaux on entrevoyait une ouverture obscure, quelque chose de pareil au conduit d'une cheminée ou au cylindre d'une citerne. Jean Valjean s'élança. Sa vieille science des évasions lui monta au cerveau comme une clarté. Écarter les pavés, soulever la grille, charger sur ses épaules Marius inerte comme un corps mort, descendre, avec ce fardeau sur les reins, en s'aidant des coudes et des genoux, dans cette espèce de puits heureusement peu profond, laisser retomber au-dessus de sa tête la lourde trappe de fer sur laquelle les pavés ébranlés croulèrent de nouveau, prendre pied sur une surface dallée à trois mètres au-dessous du sol, cela fut exécuté comme ce qu'on fait dans le délire, avec une force de géant et une rapidité d'aigle ; cela dura quelques minutes à peine.

Jean Valjean se trouva, avec Marius toujours évanoui, dans une sorte de long corridor souterrain.

Là, paix profonde, silence absolu, nuit.

L'impression qu'il avait autrefois éprouvée en tombant de la rue dans le couvent, lui revint. Seulement, ce qu'il emportait aujourd'hui, ce n'était plus Cosette, c'était Marius.

C'est à peine maintenant s'il entendait au-dessus de lui, comme un vague murmure, le formidable tumulte du cabaret pris d'assaut.

LIVRE DEUXIÈME
L'INTESTIN DE LÉVIATHAN

I

LA TERRE APPAUVRIE PAR LA MER

Paris jette par an vingt-cinq millions à l'eau. Et ceci sans métaphore. Comment, et de quelle façon ? jour et nuit. Dans quel but ? sans aucun but. Avec quelle pensée ? sans y penser. Pourquoi faire ? pour rien. Au moyen de quel organe ? au moyen de son intestin. Quel est son intestin ? c'est son égout.

Vingt-cinq millions, c'est le plus modéré des chiffres approximatifs que donnent les évaluations de la science spéciale.

La science, après avoir longtemps tâtonné, sait aujourd'hui que le plus fécondant et le plus efficace des engrais, c'est l'engrais humain. Les chinois, disons-le à notre honte, le savaient avant nous. Pas un paysan chinois, c'est Eckeberg qui le dit, ne va à la ville sans rapporter, aux deux extrémités de son bambou, deux seaux pleins de ce que nous nommons immondices. Grâce à l'engrais humain, la terre en Chine est encore aussi jeune qu'au temps d'Abraham. Le froment chinois rend jusqu'à cent vingt fois la semence. Il n'est aucun guano comparable en fertilité au détritus d'une capitale. Une grande ville est le plus puissant des stercoraires. Employer la ville à fumer la plaine, ce serait une réussite certaine. Si notre or est fumier, en revanche, notre fumier est or.

Que fait-on de cet or fumier ? On le balaye à l'abîme.

On expédie à grands frais des convois de navires afin de récolter au pôle austral la fiente des pétrels et des pingouins, et l'incalculable élément d'opulence qu'on a sous la main, on l'envoie à la mer. Tout l'engrais humain et animal que le monde perd, rendu à la terre au lieu d'être jeté à l'eau, suffirait à nourrir le monde.

Ces tas d'ordures du coin des bornes, ces tombereaux de boue cahotés la nuit dans les rues, ces affreux tonneaux de la voirie, ces fétides écoulements de fange souterraine que le pavé vous cache, savez-vous ce que c'est ? C'est de la prairie en fleur, c'est de l'herbe verte, c'est du serpolet et du thym et de la sauge, c'est du gibier, c'est du bétail, c'est le mugissement satisfait des grands bœufs le soir, c'est du foin parfumé, c'est du blé doré, c'est du pain sur votre table, c'est du sang chaud dans vos veines, c'est de la santé, c'est de la joie, c'est de la vie. Ainsi le veut cette création mystérieuse qui est la transformation sur la terre et la transfiguration dans le ciel.

Rendez cela au grand creuset ; votre abondance en sortira. La nutrition des plaines fait la nourriture des hommes.

Vous êtes maîtres de perdre cette richesse, et de me trouver ridicule par-dessus le marché. Ce sera là le chef-d'œuvre de votre ignorance.

La statistique a calculé que la France à elle seule fait tous les ans à l'Atlantique par la bouche de ses rivières un versement d'un demi-milliard. Notez ceci : avec ces cinq cents millions on payerait le quart des dépenses du budget. L'habileté de l'homme est telle qu'il aime mieux se débarrasser de ces cinq cents millions dans le ruisseau. C'est la substance même du peuple qu'emportent, ici goutte à goutte, là à flots, le misérable vomissement de nos égouts dans les fleuves et le gigantesque vomissement de nos fleuves dans l'océan. Chaque hoquet de nos cloaques nous coûte mille francs. À cela deux résultats : la terre appauvrie et l'eau empestée. La faim sortant du sillon et la maladie sortant du fleuve.

Il est notoire, par exemple, qu'à cette heure, la Tamise empoisonne Londres.

Pour ce qui est de Paris, on a dû, dans ces derniers

temps, transporter la plupart des embouchures d'égouts en aval au-dessous du dernier pont.

Un double appareil tubulaire, pourvu de soupapes et d'écluses de chasse, aspirant et refoulant, un système de drainage élémentaire, simple comme le poumon de l'homme, et qui est déjà en pleine fonction dans plusieurs communes d'Angleterre, suffirait pour amener dans nos villes l'eau pure des champs et pour renvoyer dans nos champs l'eau riche des villes, et ce facile va-et-vient, le plus simple du monde, retiendrait chez nous les cinq cents millions jetés dehors. On pense à autre chose.

Le procédé actuel fait le mal en voulant faire le bien. L'intention est bonne, le résultat est triste. On croit expurger la ville, on étiole la population. Un égout est un malentendu. Quand partout le drainage, avec sa fonction double, restituant ce qu'il prend, aura remplacé l'égout, simple lavage appauvrissant, alors, ceci étant combiné avec les données d'une économie sociale nouvelle, le produit de la terre sera décuplé, et le problème de la misère sera singulièrement atténué. Ajoutez la suppression des parasitismes, il sera résolu.

En attendant, la richesse publique s'en va à la rivière, et le coulage a lieu. Coulage est le mot. L'Europe se ruine de la sorte par épuisement.

Quant à la France, nous venons de dire son chiffre. Or, Paris contenant le vingt-cinquième de la population française totale, et le guano parisien étant le plus riche de tous, on reste au-dessous de la vérité en évaluant à vingt-cinq millions la part de perte de Paris dans le demi-milliard que la France refuse annuellement. Ces vingt-cinq millions, employés en assistance et en jouissance, doubleraient la splendeur de Paris. La ville les dépense en cloaques. De sorte qu'on peut dire que la grande prodigalité de Paris, sa fête merveilleuse, sa folie Beaujon, son orgie, son ruissellement d'or à pleines mains, son faste, son luxe, sa magnificence, c'est son égout.

C'est de cette façon que, dans la cécité d'une mauvaise économie politique, on noie et on laisse aller à vau-l'eau et se perdre dans les gouffres le bien-être de tous. Il devrait y avoir des filets de Saint-Cloud pour la fortune publique.

Économiquement, le fait peut se résumer ainsi : Paris panier percé.

Paris, cette cité modèle, ce patron des capitales bien faites dont chaque peuple tâche d'avoir une copie, cette métropole de l'idéal, cette patrie auguste de l'initiative, de l'impulsion et de l'essai, ce centre et ce lieu des esprits, cette ville nation, cette ruche de l'avenir, ce composé merveilleux de Babylone et de Corinthe, ferait, au point de vue que nous venons de signaler, hausser les épaules à un paysan du Fo-Kian.

Imitez Paris, vous vous ruinerez.

Au reste, particulièrement en ce gaspillage immémorial et insensé, Paris lui-même imite.

Ces surprenantes inepties ne sont pas nouvelles ; ce n'est point là de la sottise jeune. Les anciens agissaient comme les modernes. « Les cloaques de Rome, dit Liebig, ont absorbé « tout le bien-être du paysan romain. » Quand la campagne de Rome fut ruinée par l'égout romain, Rome épuisa l'Italie, et quand elle eut mis l'Italie dans son cloaque, elle y versa la Sicile, puis la Sardaigne, puis l'Afrique. L'égout de Rome a engouffré le monde. Ce cloaque offrait son engloutissement à la cité et à l'univers. *Urbi et orbi*. Ville éternelle, égout insondable.

Pour ces choses-là comme pour d'autres, Rome donne l'exemple.

Cet exemple, Paris le suit, avec toute la bêtise propre aux villes d'esprit.

Pour les besoins de l'opération sur laquelle nous venons de nous expliquer, Paris a sous lui un autre Paris ; un Paris d'égouts ; lequel a ses rues, ses carrefours, ses places, ses impasses, ses artères, et sa circulation, qui est de la fange, avec la forme humaine de moins.

Car il ne faut rien flatter, pas même un grand peuple ; là où il y a tout, il y a l'ignominie à côté de la sublimité ; et, si Paris contient Athènes, la ville de lumière, Tyr, la ville de puissance, Sparte, la ville de vertu, Ninive, la ville de prodige, il contient aussi Lutèce, la ville de boue.

D'ailleurs le cachet de sa puissance est là aussi, et la titanique sentine de Paris réalise, parmi les monuments, cet idéal étrange réalisé dans l'humanité par quelques hommes tels que Machiavel, Bacon et Mirabeau : le grandiose abject.

Le sous-sol de Paris, si l'œil pouvait en pénétrer la surface, présenterait l'aspect d'un madrépore colossal. Une éponge n'a guère plus de pertuis et de couloirs que la motte de terre de six lieues de tour sur laquelle repose l'antique grande ville. Sans parler des catacombes, qui sont une cave à part, sans parler de l'inextricable treillis des conduits du gaz, sans compter le vaste système tubulaire de la distribution d'eau vive qui aboutit aux bornes-fontaines, les égouts à eux seuls font sous les deux rives un prodigieux réseau ténébreux ; labyrinthe qui a pour fil sa pente.

Là apparaît, dans la brume humide, le rat, qui semble le produit de l'accouchement de Paris.

II

L'HISTOIRE ANCIENNE DE L'ÉGOUT

Qu'on s'imagine Paris ôté comme un couvercle, le réseau souterrain des égouts, vu à vol d'oiseau, dessinera sur les deux rives une espèce de grosse branche greffée au fleuve. Sur la rive droite l'égout de ceinture sera le tronc de cette branche, les conduits secondaires seront les rameaux et les impasses seront les ramuscules.

Cette figure n'est que sommaire et à demi exacte, l'angle droit, qui est l'angle habituel de ce genre de ramifications souterraines, étant très rare dans la végétation.

On se fera une image plus ressemblante de cet étrange plan géométral en supposant qu'on voie à plat sur un fond de ténèbres quelque bizarre alphabet d'orient brouillé comme un fouillis, et dont les lettres difformes seraient soudées les unes aux autres, dans un pêle-mêle apparent et comme au hasard, tantôt par leurs angles, tantôt par leurs extrémités.

Les sentines et les égouts jouaient un grand rôle au moyen-âge, au Bas-Empire et dans ce vieil orient. La peste y naissait, les despotes y mouraient. Les multitudes regardaient presque avec une crainte religieuse ces lits de pourriture, monstrueux berceaux de la Mort. La fosse aux vermines de Bénarès n'est pas moins vertigineuse que la fosse aux lions de Babylone. Téglath-Phalasar, au dire des livres rabbiniques, jurait par la sentine de Ninive. C'est de l'égout de Munster que Jean de Leyde faisait sortir sa fausse lune, et c'est du puits-cloaque de Kekhscheb que son ménechme oriental, Mokannâ, le prophète voilé du Khorassan, faisait sortir son faux soleil.

L'histoire des hommes se reflète dans l'histoire des cloaques. Les gémonies racontaient Rome. L'égout de Paris a été une vieille chose formidable. Il a été sépulcre, il a été asile. Le crime, l'intelligence, la protestation sociale, la liberté de conscience, la pensée, le vol, tout ce que les lois humaines poursuivent ou ont poursuivi, s'est caché dans ce trou ; les maillotins au quatorzième siècle, les tire-laine au quinzième, les huguenots au seizième, les illuminés de Morin au dix-septième, les chauffeurs au dix-huitième. Il y a cent ans, le coup de poignard nocturne en sortait, le filou en danger y glissait ; le bois avait la caverne, Paris avait l'égout. La truanderie, *cette picareria* gauloise, acceptait l'égout comme succursale de la Cour des Miracles, et le soir, narquoise et féroce, rentrait sous le vomitoire Maubuée comme dans une alcôve.

Il était tout simple que ceux qui avaient pour lieu de travail quotidien le cul-de-sac Vide-Gousset ou la rue Coupe-Gorge eussent pour domicile nocturne le ponceau du Chemin-Vert ou le cagnard Hurepoix. De là un fourmillement de souvenirs. Toutes sortes de fantômes hantent ces longs corridors solitaires ; partout la putridité et le miasme ; çà et là un soupirail où Villon dedans cause avec Rabelais dehors.

L'égout, dans l'ancien Paris, est le rendez-vous de tous les épuisements et de tous les essais. L'économie politique y voit un détritus, la philosophie sociale y voit un résidu.

L'égout, c'est la conscience de la ville. Tout y converge, et s'y confronte. Dans ce lieu livide, il y a des ténèbres, mais il n'y a plus de secrets. Chaque chose a sa forme vraie, ou du moins sa forme définitive. Le tas d'ordures a cela pour lui qu'il n'est pas menteur. La naïveté s'est réfugiée là. Le masque de Basile s'y trouve, mais on en voit le carton, et les ficelles, et le dedans comme le dehors, et il est accentué d'une boue honnête. Le faux nez de Scapin l'avoisine. Toutes les malpropretés de la civilisation, une fois hors de service, tombent dans cette fosse de vérité où aboutit l'immense glissement social, elles s'y engloutissent, mais elles s'y étalent. Ce pêle-mêle est une confession. Là, plus de fausse apparence, aucun plâtrage possible, l'ordure ôte sa chemise, dénudation absolue, déroute des illusions et des mirages, plus rien que ce qui est, faisant la sinistre figure de ce qui finit. Réalité et disparition. Là, un cul de bouteille avoue l'ivrognerie, une anse de panier raconte la domesticité; là, le trognon de pomme qui a eu des opinions littéraires redevient le trognon de pomme; l'effigie du gros sou se vert-de-grise franchement, le crachat de Caïphe rencontre le vomissement de Falstaff, le louis d'or qui sort du tripot heurte le clou où pend le bout de corde du suicide, un fœtus livide roule enveloppé dans des paillettes qui ont dansé le mardi gras dernier à l'Opéra, une toque qui a jugé les hommes se vautre près d'une pourriture qui a été la jupe de Margoton; c'est plus que de la fraternité, c'est du tutoiement. Tout ce qui se fardait se barbouille. Le dernier voile est arraché. Un égout est un cynique. Il dit tout.

Cette sincérité de l'immondice nous plaît, et repose l'âme. Quand on a passé son temps à subir sur la terre le spectacle des grands airs que prennent la raison d'état, le serment, la sagesse politique, la justice humaine, les probités professionnelles, les austérités de situation, les robes incorruptibles, cela soulage d'entrer dans un égout et de voir de la fange qui en convient.

Cela enseigne en même temps. Nous l'avons dit tout à l'heure, l'histoire passe par l'égout. Les Saint-Barthélemy y filtrent goutte à goutte entre les pavés. Les grands assassinats publics, les boucheries politiques et religieuses, traversent ce souterrain de la civilisation et y poussent leurs cadavres. Pour l'œil du songeur, tous les meurtriers historiques sont là, dans la pénombre hideuse, à genoux, avec un pan de leur suaire pour tablier, épongeant lugubrement leur besogne. Louis XI y est avec Tristan, François 1er y est avec Duprat, Charles IX y est avec sa mère, Richelieu y est avec Louis XIII, Louvois y est, Letellier y est, Hébert et Maillard y sont, grattant les pierres et tâchant de faire disparaître la trace de leurs actions. On entend sous ces voûtes le balai de ces spectres. On y respire la fétidité énorme des catastrophes sociales. On voit dans des coins des miroitements rougeâtres. Il coule là une eau terrible où se sont lavées des mains sanglantes.

L'observateur social doit entrer dans ces ombres. Elles font partie de son laboratoire. La philosophie est le microscope de la pensée. Tout veut la fuir, mais rien ne lui échappe. Tergiverser est inutile. Quel côté de soi montre-t-on en tergiversant ? le côté honte. La philosophie poursuit de son regard probe le mal, et ne lui permet pas de s'évader dans le néant. Dans l'effacement des choses qui disparaissent, dans le rapetissement des choses qui s'évanouissent, elle reconnaît tout. Elle reconstruit la pourpre d'après le haillon et la femme d'après le chiffon. Avec le cloaque elle refait la ville ; avec la boue elle refait les mœurs. Du tesson elle conclut l'amphore, ou la cruche. Elle reconnaît à une empreinte d'ongle sur un parchemin la différence qui sépare la juiverie de la Judengasse de la juiverie du Ghetto. Elle retrouve dans ce qui reste ce qui a été, le bien, le mal, le faux, le vrai, la tache de sang du palais, le pâté d'encre de la caverne, la goutte de suif du lupanar, les épreuves subies, les tentations bien venues, les orgies vomies, le pli qu'ont fait les caractères en s'abaissant, la trace de la prostitution dans les âmes que leur grossièreté en faisait capables, et sur la veste des portefaix de Rome la marque du coup de coude de Messaline.

III

BRUNESEAU

L'Égout de Paris, au moyen-âge, était légendaire. Au seizième siècle Henri II essaya un sondage qui avorta. Il n'y a pas cent ans, le cloaque, Mercier l'atteste, était abandonné à lui-même et devenait ce qu'il pouvait.

Tel était cet ancien Paris, livré aux querelles, aux indécisions et aux tâtonnements. Il fut longtemps assez bête. Plus tard, 89 montra comment l'esprit vient aux villes. Mais, au bon vieux temps, la capitale avait peu de tête; elle ne savait faire ses affaires ni moralement ni matériellement, et pas mieux balayer les ordures que les abus. Tout était obstacle, tout faisait question. L'égout, par exemple, était réfractaire à tout itinéraire. On ne parvenait pas plus à s'orienter dans la voirie qu'à s'entendre dans la ville; en haut l'inintelligible, en bas l'inextricable; sous la confusion des langues il y avait la confusion des caves; Dédale doublait Babel.

Quelquefois, l'égout de Paris se mêlait de déborder, comme si ce Nil méconnu était subitement pris de colère. Il y avait, chose infâme, des inondations d'égout. Par moments, cet estomac de la civilisation digérait mal, le cloaque refluait dans le gosier de la ville, et Paris avait l'arrière-goût de sa fange. Ces ressemblances de l'égout avec le remords avaient du bon; c'étaient des avertissements; fort mal pris du reste; la ville s'indignait que sa boue eût tant d'audace, et n'admettait pas que l'ordure revînt. Chassez-la mieux.

L'inondation de 1802 est un des souvenirs actuels des parisiens de quatre-vingts ans. La fange se répandit en croix place des Victoires, où est la statue de Louis XIV; elle entra rue Saint-Honoré par les deux bouches d'égout des Champs-Élysées, rue Saint-Florentin par l'égout Saint-Florentin, rue Pierre-à-Poisson par l'égout de la Sonnerie, rue Popincourt par l'égout du Chemin-Vert, rue de la Roquette par l'égout de la rue de Lappe; elle couvrit le caniveau de la rue des Champs-Élysées jusqu'à une hauteur de trente-cinq centimètres; et, au midi, par le vomitoire de la Seine faisant sa fonction en sens inverse, elle pénétra rue Mazarine, rue de l'Échaudé, et rue des Marais, où elle s'arrêta à une longueur de cent neuf mètres, précisément à quelques pas de la maison qu'avait habitée Racine, respectant, dans le dix-septième siècle, le poëte plus que le roi. Elle atteignit son maximum de profondeur rue Saint-Pierre où elle s'éleva à trois pieds au-dessus des dalles de la gargouille, et son maximum d'étendue rue Saint-Sabin où elle s'étala sur une longueur de deux cent trente-huit mètres.

Au commencement de ce siècle, l'égout de Paris était encore un lieu mystérieux. La boue ne peut jamais être bien famée ; mais ici le mauvais renom allait jusqu'à l'effroi. Paris savait confusément qu'il avait sous lui une cave terrible. On en parlait comme de cette monstrueuse souille de Thèbes où fourmillaient des scolopendres de quinze pieds de long et qui eût pu servir de baignoire à Béhémoth. Les grosses bottes des égoutiers ne s'aventuraient jamais au delà de certains points connus. On était encore très voisin du temps où les tombereaux des boueurs, du haut desquels Sainte-Foix fraternisait avec le marquis de Créqui, se déchargeaient tout simplement dans l'égout. Quant au curage, on confiait cette fonction aux averses, qui encombraient plus qu'elles ne balayaient. Rome laissait encore quelque poésie à son cloaque et l'appelait Gémonies ; Paris insultait le sien et l'appelait Trou punais. La science et la superstition étaient d'accord pour l'horreur. Le Trou punais ne répugnait pas moins à l'hygiène qu'à la légende. Le Moine-Bourru était éclos sous la voussure fétide de l'égout Mouffetard ; les cadavres des Marmousets avaient été jetés dans l'égout de la Barillerie ; Fagon avait attribué la redoutable fièvre maligne de 1685 au grand hiatus de l'égout du Marais qui resta béant jusqu'en 1833 rue Saint-Louis presque en face de l'enseigne du Messager galant. La bouche d'égout de la rue de la Mortellerie était célèbre par les pestes qui en sortaient ; avec sa grille de fer à pointes qui simulait une rangée de dents, elle était dans cette rue fatale comme une gueule de dragon soufflant l'enfer sur les hommes. L'imagination populaire assaisonnait le sombre évier parisien d'on ne sait quel hideux mélange d'infini. L'égout était sans fond. L'égout, c'était le barathrum. L'idée d'explorer ces régions lépreuses ne venait pas même à la police. Tenter cet inconnu, jeter la sonde dans cette ombre, aller à la découverte dans cet abîme, qui l'eût osé ? C'était effrayant. Quelqu'un se présenta pourtant. Le cloaque eut son Christophe Colomb.

Un jour, en 1805, dans une de ces rares apparitions que l'empereur faisait à Paris, le ministre de l'intérieur, un Decrès ou un Crétet quelconque, vint au petit lever du maître. On entendait dans le Carrousel le traînement des sabres de tous ces soldats extraordinaires de la grande république et du grand empire ; il y avait encombrement de héros à la porte de Napoléon ; hommes du Rhin, de l'Escaut, de l'Adige et du Nil ; compagnons de Joubert, de Desaix, de Marceau, de Hoche, de Kléber ; aérostiers de Fleurus, grenadiers de Mayence, pontonniers de Gênes, hussards que les pyramides avaient regardés, artilleurs qu'avait éclaboussés le boulet de Junot, cuirassiers qui avaient pris d'assaut la flotte à l'ancre dans le Zuyderzée ; les uns avaient suivi Bonaparte sur le pont de Lodi, les autres avaient accompagné Murat dans la tranchée de Mantoue, les autres avaient devancé Lannes dans le chemin creux de Montebello. Toute l'armée d'alors était là, dans la cour des Tuileries, représentée par une escouade ou par un peloton, et gardant Napoléon au repos ; et c'était l'époque splendide où la grande armée avait derrière elle Marengo et devant elle Austerlitz. — Sire, dit le ministre de l'intérieur à Napoléon, j'ai vu hier l'homme le plus intrépide de votre empire. — Qu'est-ce que cet homme ? dit brusquement l'empereur, et qu'est-ce qu'il a fait ? — Il veut faire une chose, sire. — Laquelle ? — Visiter les égouts de Paris.

Cet homme existait et se nommait Bruneseau.

IV

DÉTAILS IGNORÉS

La visite eut lieu. Ce fut une campagne redoutable ; une bataille nocturne contre la peste et l'asphyxie. Ce fut en même temps un voyage de découvertes. Un des survivants de cette exploration, ouvrier intelligent, très jeune alors, en racontait encore il y a quelques années les curieux détails que Bruneseau crut devoir omettre dans son rapport au préfet de police, comme indignes du style administratif. Les procédés désinfectants étaient à cette époque très rudimentaires. À peine Bruneseau eut-il franchi les premières articulations du réseau souterrain, que huit des travailleurs sur vingt refusèrent d'aller plus loin. L'opération était compliquée ; la visite entraînait le curage ; il fallait donc curer, et en même temps arpenter : noter les entrées d'eau, compter les grilles et les bouches, détailler les branchements, indiquer les courants à points de partage, reconnaître les circonscriptions respectives des divers bassins, sonder les petits égouts greffés sur l'égout principal, mesurer la hauteur sous clef de chaque couloir, et la largeur, tant à la naissance des voûtes qu'à fleur du radier, enfin déterminer les ordonnées du nivellement au droit de chaque entrée d'eau, soit du radier de l'égout, soit du sol de la rue. On avançait péniblement. Il n'était pas rare que les échelles de descente plongeassent dans trois pieds de vase. Les lanternes agonisaient dans les miasmes. De temps en temps on emportait un égoutier évanoui. À de certains endroits, précipice. Le sol s'était effondré, le dallage avait croulé, l'égout s'était changé en puits perdu ; on ne trouvait plus le solide ; un homme disparut brusquement ; on eut grand'peine à le retirer. Par le conseil de Fourcroy, on allumait de distance en distance, dans les endroits suffisamment assainis, de grandes cages pleines d'étoupe imbibée de résine. La muraille, par places, était couverte de fongus difformes, et l'on eût dit des tumeurs ; la pierre elle-même semblait malade dans ce milieu irrespirable.

Bruneseau, dans son exploration, procéda d'amont en aval. Au point de partage des deux conduites d'eau du Grand-Hurleur, il déchiffra sur une pierre en saillie la date 1550 ; cette pierre indiquait la limite où s'était arrêté Philibert Delorme, chargé par Henri II de visiter la voirie souterraine de Paris. Cette pierre était la marque du seizième siècle à l'égout. Bruneseau retrouva la main-d'œuvre du dix-septième dans le conduit du Ponceau et dans le conduit de la rue Vieille-du-Temple, voûtés entre 1600 et 1650, et la main-d'œuvre du dix-huitième dans la section ouest du canal collecteur, encaissée et voûtée en 1740. Ces deux voûtes, surtout la moins ancienne, celle de 1740, étaient plus lézardées et plus décrépites que la maçonnerie de l'égout de ceinture, laquelle datait de 1412, époque où le ruisseau d'eau vive de Ménilmontant fut élevé à la dignité de grand égout de Paris, avancement analogue à celui d'un paysan qui deviendrait premier valet de chambre du roi ; quelque chose comme Gros-Jean transformé en Lebel.

On crut reconnaître çà et là, notamment sous le Palais de justice, des alvéoles d'anciens cachots pratiqués dans l'égout même. *In pace* hideux. Un carcan de fer pendait dans l'une de ces cellules. On les mura toutes. Quelques trouvailles furent bizarres ; entre autres le squelette d'un orang-outang disparu du Jardin des Plantes en 1800, disparition probablement connexe à la fameuse et incontestable apparition du diable rue des Bernardins dans la dernière année du dix-huitième siècle. Le pauvre diable avait fini par se noyer dans l'égout.

Sous le long couloir cintré qui aboutit à l'Arche-Marion, une hotte de chiffonnier, parfaitement conservée, fit l'admiration des connaisseurs. Partout, la vase, que les égoutiers en étaient venus à manier intrépidement, abondait en objets précieux, bijoux d'or et d'argent, pierreries, monnaies. Un géant qui eût filtré ce cloaque eût eu dans son tamis la richesse des siècles. Au point de partage des deux branchements de la rue du Temple et de la rue Sainte-Avoye, on ramassa une singulière médaille huguenote en cuivre, portant d'un côté un porc coiffé d'un chapeau de cardinal et de l'autre un loup la tiare en tête.

La rencontre la plus surprenante fut à l'entrée du Grand Égout. Cette entrée avait été autrefois fermée par une grille dont il ne restait plus que les gonds. À l'un de ces gonds pendait une sorte de loque informe et souillée qui, sans doute arrêtée là au passage, y flottait dans l'ombre et achevait de s'y déchiqueter. Bruneseau approcha sa lanterne et examina ce lambeau. C'était de la batiste très fine, et l'on distinguait à l'un des coins moins rongé que le reste une couronne héraldique brodée au-dessus de ces sept lettres : LAVBESP. La couronne était une couronne de marquis et les sept lettres signifiaient *Laubespine*. On reconnut que ce qu'on avait sous les yeux était un morceau du linceul de Marat. Marat, dans sa jeunesse, avait eu des amours. C'était quand il faisait partie de la maison du comte d'Artois en qualité de médecin des écuries. De ces amours, historiquement constatés, avec une grande dame, il lui était resté ce drap de lit. Épave ou souvenir. À sa mort, comme c'était le seul linge un peu fin qu'il eût chez lui, on l'y avait enseveli. De vieilles femmes avaient emmailloté pour la tombe, dans ce lange où il y avait eu de la volupté, le tragique Ami du Peuple.

Bruneseau passa outre. On laissa cette guenille où elle était ; on ne l'acheva pas. Fut-ce mépris ou respect ? Marat méritait les deux. Et puis, la destinée y était assez empreinte pour qu'on hésitât à y toucher. D'ailleurs, il faut laisser aux choses du sépulcre la place qu'elles choisissent. En somme, la relique était étrange. Une marquise y avait dormi ; Marat y avait pourri ; elle avait traversé le Panthéon pour aboutir aux rats de l'égout. Ce chiffon d'alcôve, dont Watteau eût jadis joyeusement dessiné tous les plis, avait fini par être digne du regard fixe de Dante.

La visite totale de la voirie immonditielle souterraine de Paris dura sept ans, de 1805 à 1812. Tout en cheminant, Bruneseau désignait, dirigeait et mettait à fin des travaux considérables ; en 1808, il abaissait le radier du Ponceau, et, créant partout des lignes nouvelles, il poussait l'égout, en 1809, sous la rue Saint-Denis jusqu'à la fontaine des Innocents ; en 1810, sous la rue Froidmanteau et sous la Salpêtrière, en 1811, sous la rue Neuve-des-Petits-Pères, sous la rue du Mail, sous la rue de l'Écharpe, sous la place Royale, en 1812, sous la rue de la Paix et sous la chaussée d'Antin. En même temps, il faisait désinfecter et assainir tout le réseau. Dès la deuxième année, Bruneseau s'était adjoint son gendre Nargaud.

C'est ainsi qu'au commencement de ce siècle la vieille société cura son double-fond et fit la toilette de son égout. Ce fut toujours cela de nettoyé.

Tortueux, crevassé, dépavé, craquelé, coupé de fondrières, cahoté par des coudes bizarres, montant et descendant sans logique, fétide, sauvage, farouche, submergé d'obscurité, avec des cicatrices sur ses dalles et des balafres sur ses murs, épouvantable, tel était, vu rétrospectivement, l'antique égout de Paris. Ramifications en tous sens, croisements de tranchées, branchements, pattes d'oie, étoiles comme dans les sapes, cœcums, culs-de-sac, voûtes salpêtrées, puisards infects, suintements dartreux sur les parois, gouttes tombant des plafonds, ténèbres ; rien n'égalait l'horreur de cette vieille crypte exutoire, appareil digestif de Babylone, antre, fosse, gouffre percé de rues, taupinière tétanique où l'esprit croit voir rôder à travers l'ombre, dans de l'ordure qui a été de la splendeur, cette énorme taupe aveugle, le passé.

Ceci, nous le répétons, c'était l'égout d'Autrefois.

V

PROGRÈS ACTUEL

Aujourd'hui l'égout est propre, froid, droit, correct. Il réalise presque l'idéal de ce qu'on entend en Angleterre par le mot « respectable ». Il est convenable et grisâtre ; tiré au cordeau ; on pourrait presque dire à quatre épingles. Il ressemble à un fournisseur devenu conseiller d'état. On y voit presque clair. La fange s'y comporte décemment. Au premier abord, on le prendrait volontiers pour un de ces corridors souterrains si communs jadis et si utiles aux fuites de monarques et de princes, dans cet ancien bon temps « où le peuple aimait ses rois ». L'égout actuel est un bel égout ; le style pur y règne ; le classique alexandrin rectiligne qui, chassé de la poésie, paraît s'être réfugié dans l'architecture, semble mêlé à toutes les pierres de cette longue voûte ténébreuse et blanchâtre ; chaque dégorgeoir est une arcade ; la rue de Rivoli fait école jusque dans le cloaque. Au reste, si la ligne géométrique est quelque part à sa place, c'est à coup sûr dans la tranchée stercoraire d'une grande ville. Là, tout doit être subordonné au chemin le plus court. L'égout a pris aujourd'hui un certain aspect officiel. Les rapports mêmes de police dont il est quelquefois l'objet ne lui manquent plus de respect. Les mots qui le caractérisent dans le langage administratif sont relevés et dignes. Ce qu'on appelait boyau, on l'appelle galerie ; ce qu'on appelait trou, on l'appelle regard. Villon ne reconnaîtrait plus son antique logis en-cas. Ce réseau de caves a bien toujours son immémoriale population de rongeurs, plus pullulante que jamais ; de temps en temps, un rat, vieille moustache, risque sa tête à la fenêtre de l'égout et examine les parisiens ; mais cette vermine elle-même s'apprivoise, satisfaite qu'elle est de son palais souterrain. Le cloaque n'a plus rien de sa férocité primitive. La pluie, qui salissait l'égout d'autrefois, lave l'égout d'à présent. Ne vous y fiez pas trop pourtant. Les miasmes l'habitent encore. Il est plutôt hypocrite qu'irréprochable. La préfecture de police et la commission de salubrité ont eu beau faire. En dépit de tous les procédés d'assainissement, il exhale une vague odeur suspecte, comme Tartuffe après la confession.

Convenons-en, comme, à tout prendre, le balayage est un hommage que l'égout rend à la civilisation, et comme, à ce point de vue, la conscience de Tartuffe est un progrès sur l'étable d'Augias, il est certain que l'égout de Paris s'est amélioré.

C'est plus qu'un progrès ; c'est une transmutation. Entre l'égout ancien et l'égout actuel, il y a une révolution. Qui a fait cette révolution ?

L'homme que tout le monde oublie et que nous avons nommé, Bruneseau.

VI

PROGRÈS FUTUR

Le creusement de l'égout de Paris n'a pas été une petite besogne. Les dix derniers siècles y ont travaillé sans le pouvoir terminer, pas plus qu'ils n'ont pu finir Paris. L'égout, en effet, reçoit tous les contre-coups de la croissance de Paris. C'est, dans la terre, une sorte de polype ténébreux aux mille antennes qui grandit dessous en même temps que la ville dessus. Chaque fois que la ville perce une rue, l'égout allonge un bras. La vieille monarchie n'avait construit que vingt-trois mille trois cents mètres d'égouts ; c'est là que Paris en était le 1er janvier 1806. À partir de cette époque, dont nous reparlerons tout à l'heure, l'œuvre a été utilement et énergiquement reprise et continuée ; Napoléon a bâti, ces chiffres sont curieux, quatre mille huit cent quatre mètres ; Louis XVIII, cinq mille sept cent neuf ; Charles X, dix mille huit cent trente-six ; Louis-Philippe, quatrevingt-neuf mille vingt ; la république de 1848, vingt-trois mille trois cent quatrevingt-un ; le régime actuel, soixante-dix mille cinq cents ; en tout, à l'heure qu'il est, deux cent vingt-six mille six cent dix mètres, soixante lieues d'égouts ; entrailles énormes de Paris. Ramification obscure, toujours en travail ; construction ignorée et immense.

Comme on le voit, le dédale souterrain de Paris est aujourd'hui plus que décuple de ce qu'il était au commencement du siècle. On se figure malaisément tout ce qu'il a fallu de persévérance et d'efforts pour amener ce cloaque au point de perfection relative où il est maintenant. C'était à grand'peine que la vieille prévôté monarchique et, dans les dix dernières années du dix-huitième siècle, la mairie révolutionnaire étaient parvenues à forer les cinq lieues d'égouts qui existaient avant 1806. Tous les genres d'obstacles entravaient cette opération, les uns propres à la nature du sol, les autres inhérents aux préjugés mêmes de la population laborieuse de Paris. Paris est bâti sur un gisement étrangement rebelle à la pioche, à la houe, à la sonde, au maniement humain. Rien de plus difficile à percer et à pénétrer que cette formation géologique à laquelle se superpose la merveilleuse formation historique nommée Paris ; dès que, sous une forme quelconque, le travail s'engage et s'aventure dans cette nappe d'alluvions, les résistances souterraines abondent. Ce sont des argiles liquides, des sources vives, des roches dures, de ces vases molles et profondes que la science spéciale appelle moutardes. Le pic avance laborieusement dans des lames calcaires alternées de filets de glaises très minces et de couches schisteuses aux feuillets incrustés d'écailles d'huîtres contemporaines des océans préadamites. Parfois un ruisseau crève brusquement une voûte commencée et inonde les travailleurs ; ou c'est une coulée de marne qui se fait jour et se rue avec la furie d'une cataracte, brisant comme verre les plus grosses poutres de soutènement. Tout récemment, à la Villette, quand il a fallu, sans interrompre la navigation et sans vider le canal, faire passer l'égout collecteur sous le canal Saint-Martin, une fissure s'est faite dans la cuvette du canal, l'eau a abondé subitement dans le chantier souterrain, au delà de toute la puissance des pompes d'épuisement ; il a fallu faire chercher par un plongeur la fissure qui était dans le goulet du grand bassin, et on ne l'a point bouchée sans peine. Ailleurs, près de la Seine, et même assez loin du fleuve, comme par exemple à Belleville, Grande-Rue et passage Lunière, on rencontre des sables sans fond où l'on s'enlize et où un homme peut fondre à vue d'œil. Ajoutez l'asphyxie par les miasmes, l'ensevelissement par les éboulements, les effondrements subits. Ajoutez le typhus, dont les travailleurs s'imprègnent lentement. De nos jours, après avoir creusé la galerie de Clichy, avec banquette pour recevoir une conduite maîtresse d'eau de l'Ourcq, travail exécuté en tranchée, à dix mètres de profondeur ; après avoir, à travers les éboulements, à l'aide des fouilles, souvent putrides, et des étrésillonnements, voûté la Bièvre du boulevard de l'Hôpital jusqu'à la Seine ; après avoir, pour délivrer Paris des eaux torrentielles de Montmartre et pour donner écoulement à cette mare fluviale de neuf hectares qui croupissait près de la barrière des Martyrs ; après avoir, disons-nous, construit la ligne d'égouts de la barrière Blanche au chemin d'Aubervilliers, en quatre mois, jour et nuit, à une profondeur de onze mètres ; après avoir, chose qu'on n'avait pas vue encore, exécuté souterrainement un égout rue Barre-du-Bec, sans tranchée, à six mètres au-dessous du sol, le conducteur Monnot est mort. Après avoir voûté trois mille mètres d'égouts sur tous les points de la ville, de la rue Traversière-Saint-Antoine à la rue de Lourcine, après avoir, par le branchement de l'Arbalète, déchargé des inondations pluviales le carrefour Censier-Mouffetard, après avoir bâti l'égout Saint-Georges sur enrochement et béton dans des sables fluides, après avoir dirigé le redoutable abaissement de radier du branchement Notre-Dame-de-Nazareth, l'ingénieur Duleau est mort. Il n'y a pas de bulletin pour ces actes de bravoure-là, plus utiles pourtant que la tuerie bête des champs de bataille.

Les égouts de Paris, en 1832, étaient loin d'être ce qu'ils sont aujourd'hui. Bruneseau avait donné le branle, mais il fallait le choléra pour déterminer la vaste reconstruction qui a eu lieu depuis. Il est surprenant de dire, par exemple, qu'en 1821, une partie de l'égout de ceinture, dit Grand Canal, comme à Venise, croupissait encore à ciel ouvert, rue des Gourdes. Ce n'est qu'en 1823 que la ville de Paris a trouvé dans son gousset les deux cent soixante-six mille quatrevingts francs six centimes nécessaires à la couverture de cette turpitude. Les trois puits absorbants du Combat, de la Cunette et de Saint-Mandé, avec leurs dégorgeoirs, leurs appareils, leurs puisards et leurs branchements dépuratoires, ne datent que de 1836. La voirie intestinale de Paris a été refaite à neuf et, comme nous l'avons dit, plus que décuplée depuis un quart de siècle.

Il y a trente ans, à l'époque de l'insurrection des 5 et 6 juin, c'était encore, dans beaucoup d'endroits, presque l'ancien égout. Un très grand nombre de rues, aujourd'hui bombées, étaient alors des chaussées fendues. On voyait très souvent, au point déclive où les versants d'une rue ou d'un carrefour aboutissaient, de larges grilles carrées à gros barreaux dont le fer luisait fourbi par les pas de la foule, dangereuses et glissantes aux voitures et faisant abattre les chevaux. La langue officielle des ponts et chaussées donnait à ces points déclives et à ces grilles le nom expressif de *cassis*. En 1832, dans une foule de rues, rue de l'Étoile, rue Saint-Louis, rue du Temple, rue Vieille-du-Temple, rue Notre-Dame-de-Nazareth, rue Folie-Méricourt, quai aux Fleurs, rue du Petit-Musc, rue de Normandie, rue Pont-aux-Biches, rue des Marais, faubourg Saint-Martin, rue Notre-Dame-des-Victoires, faubourg Montmartre, rue Grange-Batelière, aux Champs-Élysées, rue Jacob, rue de Tournon, le vieux cloaque gothique montrait encore cyniquement ses gueules. C'étaient d'énormes hiatus de pierre à cagnards, quelquefois entourés de bornes, avec une effronterie monumentale.

Paris, en 1806, en était encore presque au chiffre d'égouts constaté en mai 1663 : cinq mille trois cent vingt-huit toises. Après Bruneseau, le 1er janvier 1832, il en avait quarante mille trois cents mètres. De 1806 à 1831, on avait bâti annuellement, en moyenne, sept cent cinquante mètres ; depuis on a construit tous les ans huit et même dix mille mètres de galeries, en maçonnerie de petits matériaux à bain de chaux hydraulique sur fondation de béton. À deux cents francs le mètre, les soixante lieues d'égouts du Paris actuel représentent quarante-huit millions.

Outre le progrès économique que nous avons indiqué en commençant, de graves problèmes d'hygiène publique se rattachent à cette immense question : l'égout de Paris.

Paris est entre deux nappes, une nappe d'eau et une nappe d'air. La nappe d'eau, gisante à une assez grande profondeur souterraine, mais déjà tâtée par deux forages, est fournie par la couche de grès vert située entre la craie et le calcaire jurassique ; cette couche peut être représentée par un disque de vingt-cinq lieues de rayon ; une foule de rivières et de ruisseaux y suintent ; on boit la Seine, la Marne, l'Yonne, l'Oise, l'Aisne, le Cher, la Vienne et la Loire dans un verre d'eau du puits de Grenelle. La nappe d'eau est salubre, elle vient du ciel d'abord, de la terre ensuite ; la nappe d'air est malsaine, elle vient de l'égout. Tous les miasmes du cloaque se mêlent à la respiration de la ville ; de là cette mauvaise haleine. L'air pris au-dessus d'un fumier, ceci a été scientifiquement constaté, est plus pur que l'air pris au-dessus de Paris. Dans un temps donné, le progrès aidant, les mécanismes se perfectionnant, et la clarté se faisant, on emploiera la nappe d'eau à purifier la nappe d'air. C'est-à-dire à laver l'égout. On sait que par : lavage de l'égout, nous entendons : restitution de la fange à la terre ; renvoi du fumier au sol et de l'engrais aux champs. Il y aura, par ce simple fait, pour toute la communauté sociale, diminution de misère et augmentation de santé. À l'heure où nous sommes, le rayonnement des maladies de Paris va à cinquante lieues autour du Louvre, pris comme moyeu de cette roue pestilentielle.

On pourrait dire que, depuis dix siècles, le cloaque est la maladie de Paris. L'égout est le vice que la ville a dans le sang. L'instinct populaire ne s'y est jamais trompé. Le métier d'égoutier était autrefois presque aussi périlleux, et presque aussi répugnant au peuple, que le métier d'équarrisseur, frappé d'horreur et si longtemps abandonné au bourreau. Il fallait une haute paye pour décider un maçon à disparaître dans cette sape fétide ; l'échelle du puisatier hésitait à s'y plonger; on disait proverbialement : *descendre dans l'égout, c'est entrer dans la fosse*; et toutes sortes de légendes hideuses, nous l'avons dit, couvraient d'épouvante ce colossal évier; sentine redoutée qui a la trace des révolutions du globe comme des révolutions des hommes, et où l'on trouve des vestiges de tous les cataclysmes depuis le coquillage du déluge jusqu'au haillon de Marat.

LIVRE TROISIÈME
LA BOUE, MAIS L'ÂME

I

LE CLOAQUE ET SES SURPRISES

C'est dans l'égout de Paris que se trouvait Jean Valjean.
Ressemblance de plus de Paris avec la mer. Comme dans l'océan, le plongeur peut y disparaître.

La transition était inouïe. Au milieu même de la ville, Jean Valjean était sorti de la ville; et, en un clin d'œil, le temps de lever un couvercle et de le refermer, il avait passé du plein jour à l'obscurité complète, de midi à minuit, du fracas au silence, du tourbillon des tonnerres à la stagnation de la tombe, et, par une péripétie bien plus prodigieuse encore que celle de la rue Polonceau, du plus extrême péril à la sécurité la plus absolue.

Chute brusque dans une cave; disparition dans l'oubliette de Paris; quitter cette rue où la mort était partout pour cette espèce de sépulcre où il y avait la vie; ce fut un instant étrange. Il resta quelques secondes comme étourdi; écoutant, stupéfait. La chausse-trape du salut s'était subitement ouverte sous lui. La bonté céleste l'avait en quelque sorte pris par trahison. Adorables embuscades de la providence!

Seulement le blessé ne remuait point, et Jean Valjean ne savait pas si ce qu'il emportait dans cette fosse était un vivant ou un mort.

Sa première sensation fut l'aveuglement. Brusquement, il ne vit plus rien. Il lui sembla aussi qu'en une minute il était devenu sourd. Il n'entendait plus rien. Le frénétique orage de meurtre qui se déchaînait à quelques pieds au-dessus de lui n'arrivait jusqu'à lui, nous l'avons dit, grâce à l'épaisseur de terre qui l'en séparait, qu'éteint et indistinct, et comme une rumeur dans une profondeur. Il sentait que c'était solide sous ses pieds ; voilà tout ; mais cela suffisait. Il étendit un bras, puis l'autre, et toucha le mur des deux côtés, et reconnut que le couloir était étroit ; il glissa, et reconnut que la dalle était mouillée. Il avança un pied avec précaution, craignant un trou, un puisard, quelque gouffre ; il constata que le dallage se prolongeait. Une bouffée de fétidité l'avertit du lieu où il était.

Au bout de quelques instants, il n'était plus aveugle. Un peu de lumière tombait du soupirail par où il s'était glissé, et son regard s'était fait à cette cave. Il commença à distinguer quelque chose. Le couloir où il s'était terré, nul autre mot n'exprime mieux la situation, était muré derrière lui. C'était un de ces culs-de-sac que la langue spéciale appelle branchements. Devant lui, il y avait un autre mur, un mur de nuit. La clarté du soupirail expirait à dix ou douze pas du point où était Jean Valjean, et faisait à peine une blancheur blafarde sur quelques mètres de la paroi humide de l'égout. Au delà l'opacité était massive ; y pénétrer paraissait horrible, et l'entrée y semblait un engloutissement. On pouvait s'enfoncer pourtant dans cette muraille de brume, et il le fallait. Il fallait même se hâter. Jean Valjean songea que cette grille, aperçue par lui sous les pavés, pouvait l'être par les soldats, et que tout tenait à ce hasard. Ils pouvaient descendre eux aussi dans ce puits et le fouiller. Il n'y avait pas une minute à perdre. Il avait déposé Marius sur le sol, il le ramassa, ceci est encore le mot vrai, le reprit sur ses épaules et se mit en marche. Il entra résolument dans cette obscurité.

La réalité est qu'ils étaient moins sauvés que Jean Valjean ne le croyait. Des périls d'un autre genre et non moins grands les attendaient peut-être. Après le tourbillon fulgurant du combat, la caverne des miasmes et des pièges ; après le chaos, le cloaque. Jean Valjean était tombé d'un cercle de l'enfer dans l'autre.

Quand il eut fait cinquante pas, il fallut s'arrêter. Une question se présenta. Le couloir aboutissait à un autre boyau qu'il rencontrait transversalement. Là s'offraient deux voies. Laquelle prendre ? fallait-il tourner à gauche ou à droite ? Comment s'orienter dans ce labyrinthe noir ? Ce labyrinthe, nous l'avons fait remarquer, a un fil ; c'est sa pente. Suivre la pente, c'est aller à la rivière.

Jean Valjean le comprit sur-le-champ.

Il se dit qu'il était probablement dans l'égout des halles ; que, s'il choisissait la gauche et suivait la pente, il arriverait avant un quart d'heure à quelque embouchure sur la Seine entre le Pont-au-Change et le Pont-Neuf, c'est-à-dire à une apparition en plein jour sur le point le plus peuplé de Paris. Peut-être aboutirait-il à quelque cagnard de carrefour. Stupeur des passants de voir deux hommes sanglants sortir de terre sous leurs pieds. Survenue des sergents de ville, prise d'armes du corps de garde voisin. On serait saisi avant d'être sorti. Il valait mieux s'enfoncer dans le dédale, se fier à cette noirceur, et s'en remettre à la providence quant à l'issue.

Il remonta la pente et prit à droite.

Quand il eut tourné l'angle de la galerie, la lointaine lueur du soupirail disparut, le rideau d'obscurité retomba sur lui et il redevint aveugle. Il n'en avança pas moins, et aussi rapidement qu'il put. Les deux bras de Marius étaient passés autour de son cou et les pieds pendaient derrière lui. Il tenait les deux bras d'une main et tâtait le mur de l'autre. La joue de Marius touchait la sienne et s'y collait, étant sanglante. Il sentait couler sur lui et pénétrer sous ses vêtements un ruisseau tiède qui venait de Marius. Cependant une chaleur humide à son oreille que touchait la bouche du blessé indiquait de la respiration, et par conséquent de la vie. Le couloir où Jean Valjean cheminait maintenant était moins étroit que le premier. Jean Valjean y marchait assez péniblement. Les pluies de la veille n'étaient pas encore écoulées et faisaient un petit torrent au centre du radier, et il était forcé de se serrer contre le mur pour ne pas avoir les pieds dans l'eau. Il allait ainsi ténébreusement. Il ressemblait aux êtres de nuit tâtonnant dans l'invisible et souterrainement perdus dans les veines de l'ombre.

Pourtant, peu à peu, soit que des soupiraux lointains envoyassent un peu de lueur flottante dans cette brume opaque, soit que ses yeux s'accoutumassent à l'obscurité, il lui revint quelque vision vague, et il recommença à se rendre confusément compte, tantôt de la muraille à laquelle il touchait, tantôt de la voûte sous laquelle il passait. La pupille se dilate dans la nuit et finit par y trouver du jour, de même que l'âme se dilate dans le malheur et finit par y trouver Dieu.

Se diriger était malaisé.

Le tracé des égouts répercute, pour ainsi dire, le tracé des rues qui lui est superposé. Il y avait dans le Paris d'alors deux mille deux cents rues. Qu'on se figure làdessous cette forêt de branches ténébreuses qu'on nomme l'égout. Le système d'égouts existant à cette époque, mis bout à bout, eût donné une longueur de onze lieues. Nous avons dit plus haut que le réseau actuel, grâce à l'activité spéciale des trente dernières années, n'a pas moins de soixante lieues.

Jean Valjean commença par se tromper. Il crut être sous la rue Saint-Denis, et il était fâcheux qu'il n'y fût pas. Il y a sous la rue Saint-Denis un vieil égout en pierre qui date de Louis XIII et qui va droit à l'égout collecteur dit Grand Égout, avec un seul coude, à droite, à la hauteur de l'ancienne cour des Miracles, et un seul embranchement, l'égout Saint-Martin, dont les quatre bras se coupent en croix. Mais le boyau de la Petite-Truanderie dont l'entrée était près du cabaret de Corinthe n'a jamais communiqué avec le souterrain de la rue Saint-Denis ; il aboutit à l'égout Montmartre et c'est là que Jean Valjean était engagé. Là, les occasions de se perdre abondaient. L'égout Montmartre est un des plus dédaléens du vieux réseau. Heureusement Jean Valjean avait laissé derrière lui l'égout des halles dont le plan géométral figure une foule de mâts de perroquet enchevêtrés ; mais il avait devant lui plus d'une rencontre embarrassante et plus d'un coin de rue — car ce sont des rues — s'offrant dans l'obscurité comme un point d'interrogation : premièrement, à sa gauche, le vaste égout Plâtrière, espèce de casse-tête chinois, poussant et brouillant son chaos de T et de Z sous l'hôtel des Postes et sous la rotonde de la halle aux blés jusqu'à la Seine où il se termine en Y; deuxièmement, à sa droite, le corridor courbe de la rue du Cadran avec ses trois dents qui sont autant d'impasses; troisièmement, à sa gauche, l'embranchement du Mail, compliqué, presque à l'entrée, d'une espèce de fourche, et allant de zigzag en zigzag aboutir à la grande crypte exutoire du Louvre tronçonnée et ramifiée dans tous les sens; enfin, à droite, le couloir cul-de-sac de la rue des Jeûneurs, sans compter de petits réduits çà et là, avant d'arriver à l'égout de ceinture, lequel seul pouvait le conduire à quelque issue assez lointaine pour être sûre.

Si Jean Valjean eût eu quelque notion de tout ce que nous indiquons ici, il se fût vite aperçu, rien qu'en tâtant la muraille, qu'il n'était pas dans la galerie souterraine de la rue Saint-Denis. Au lieu de la vieille pierre de taille, au lieu de l'ancienne architecture, hautaine et royale jusque dans l'égout, avec radier et assises courantes en granit et mortier de chaux grasse, laquelle coûtait huit cents livres la toise, il eût senti sous sa main le bon marché contemporain, l'expédient économique, la meulière à bain de mortier hydraulique sur couche de béton qui coûte deux cents francs le mètre, la maçonnerie bourgeoise dite à *petits matériaux;* mais il ne savait rien de tout cela.

Il allait devant lui, avec anxiété, mais avec calme, ne voyant rien, ne sachant rien, plongé dans le hasard, c'est-à-dire englouti dans la providence.

Par degrés, disons-le, quelque horreur le gagnait. L'ombre qui l'enveloppait entrait dans son esprit. Il marchait dans une énigme. Cet aqueduc du cloaque est redoutable; il s'entre-croise vertigineusement. C'est une chose lugubre d'être pris dans ce Paris de ténèbres. Jean Valjean était obligé de trouver et presque d'inventer sa route sans la voir. Dans cet inconnu, chaque pas qu'il risquait pouvait être le dernier. Comment sortirait-il de là? Trouverait-il une issue? La trouverait-il à temps? Cette colossale éponge souterraine aux alvéoles de pierre se laisserait-elle pénétrer et percer? Y rencontrerait-on quelque nœud inattendu d'obscurité? Arriverait-on à l'inextricable et à l'infranchissable? Marius y mourrait-il d'hémorrhagie, et lui de faim? Finiraient-ils par se perdre là tous les deux, et par faire deux squelettes dans un coin de cette nuit? Il l'ignorait. Il se demandait tout cela et ne pouvait se répondre. L'intestin de Paris est un précipice. Comme le prophète, il était dans le ventre du monstre.

Il eut brusquement une surprise. À l'instant le plus imprévu, et sans avoir cessé de marcher en ligne droite, il s'aperçut qu'il ne montait plus ; l'eau du ruisseau lui battait les talons au lieu de lui venir sur la pointe des pieds. L'égout maintenant descendait. Pourquoi ? Allait-il donc arriver soudainement à la Seine ? Ce danger était grand, mais le péril de reculer l'était plus encore. Il continua d'avancer.

Ce n'était point vers la Seine qu'il allait. Le dos d'âne que fait le sol de Paris sur la rive droite vide un de ses versants dans la Seine et l'autre dans le Grand Égout. La crête de ce dos d'âne qui détermine la division des eaux dessine une ligne très capricieuse. Le point culminant, qui est le lieu de partage des écoulements, est, dans l'égout Sainte-Avoye, au delà de la rue Michel-le-Comte, dans l'égout du Louvre, près des boulevards, et dans l'égout Montmartre, près des halles. C'est à ce point culminant que Jean Valjean était arrivé. Il se dirigeait vers l'égout de ceinture ; il était dans le bon chemin. Mais il n'en savait rien.

Chaque fois qu'il rencontrait un embranchement, il en tâtait les angles, et s'il trouvait l'ouverture qui s'offrait moins large que le corridor où il était, il n'entrait pas et continuait sa route, jugeant avec raison que toute voie plus étroite devait aboutir à un cul-de-sac et ne pouvait que l'éloigner du but, c'est-à-dire de l'issue. Il évita ainsi le quadruple piège qui lui était tendu dans l'obscurité par les quatre dédales que nous venons d'énumérer.

À un certain moment il reconnut qu'il sortait de dessous le Paris pétrifié par l'émeute, où les barricades avaient supprimé la circulation, et qu'il rentrait sous le Paris vivant et normal. Il eut subitement au-dessus de sa tête comme un bruit de foudre, lointain, mais continu. C'était le roulement des voitures.

Il marchait depuis une demi-heure environ, du moins au calcul qu'il faisait en lui-même, et n'avait pas encore songé à se reposer ; seulement il avait changé la main qui soutenait Marius. L'obscurité était plus profonde que jamais, mais cette profondeur le rassurait.

Tout à coup il vit son ombre devant lui. Elle se découpait sur une faible rougeur presque indistincte qui empourprait vaguement le radier à ses pieds et la voûte sur sa tête, et qui glissait à sa droite et à sa gauche sur les deux murailles visqueuses du corridor. Stupéfait, il se retourna.

Derrière lui, dans la partie du couloir qu'il venait de dépasser, à une distance qui lui parut immense, flamboyait, rayant l'épaisseur obscure, une sorte d'astre horrible qui avait l'air de le regarder.

C'était la sombre étoile de la police qui se levait dans l'égout.

Derrière cette étoile remuaient confusément huit ou dix formes noires, droites, indistinctes, terribles.

II

EXPLICATION

Dans la journée du 6 juin, une battue des égouts avait été ordonnée. On craignit qu'ils ne fussent pris pour refuge par les vaincus, et le préfet Gisquet dut fouiller le Paris occulte pendant que le général Bugeaud balayait le Paris public ; double opération connexe qui exigea une double stratégie de la force publique représentée en haut par l'armée et en bas par la police. Trois pelotons d'agents et d'égoutiers explorèrent la voirie souterraine de Paris, le premier, rive droite, le deuxième, rive gauche, le troisième, dans la Cité.

Les agents étaient armés de carabines, de casse-tête, d'épées et de poignards.

Ce qui était en ce moment dirigé sur Jean Valjean, c'était la lanterne de la ronde de la rive droite.

Cette ronde venait de visiter la galerie courbe et les trois impasses qui sont sous la rue du Cadran. Pendant qu'elle promenait son falot au fond de ces impasses, Jean Valjean avait rencontré sur son chemin l'entrée de la galerie, l'avait reconnue plus étroite que le couloir principal et n'y avait point pénétré. Il avait passé outre. Les hommes de police, en ressortant de la galerie du Cadran, avaient cru entendre un bruit de pas dans la direction de l'égout de ceinture. C'étaient les pas de Jean Valjean en effet. Le sergent chef de ronde avait élevé sa lanterne, et l'escouade s'était mise à regarder dans le brouillard du côté d'où était venu le bruit.

Ce fut pour Jean Valjean une minute inexprimable.

Heureusement, s'il voyait bien la lanterne, la lanterne le voyait mal. Elle était la lumière et il était l'ombre. Il était très loin, et mêlé à la noirceur du lieu. Il se rencogna le long du mur et s'arrêta.

Du reste, il ne se rendait pas compte de ce qui se mouvait là derrière lui. L'insomnie, le défaut de nourriture, les émotions, l'avaient fait passer, lui aussi, à l'état visionnaire. Il voyait un flamboiement, et, autour de ce flamboiement, des larves. Qu'était-ce? Il ne comprenait pas.

Jean Valjean s'étant arrêté, le bruit avait cessé.

Les hommes de la ronde écoutaient et n'entendaient rien, ils regardaient et ne voyaient rien. Ils se consultèrent.

Il y avait à cette époque sur ce point de l'égout Montmartre une espèce de carrefour dit *de service* qu'on a supprimé depuis à cause du petit lac intérieur qu'y formait, en s'y engorgeant dans les forts orages, le torrent des eaux pluviales. La ronde put se pelotonner dans ce carrefour.

Jean Valjean vit ces larves faire une sorte de cercle. Ces têtes de dogues se rapprochèrent et chuchotèrent.

Le résultat de ce conseil tenu par les chiens de garde fut qu'on s'était trompé, qu'il n'y avait pas eu de bruit, qu'il n'y avait là personne, qu'il était inutile de s'engager dans l'égout de ceinture, que ce serait du temps perdu, mais qu'il fallait se hâter d'aller vers Saint-Merry, que s'il y avait quelque chose à faire et quelque « bousingot » à dépister, c'était dans ce quartier-là.

De temps en temps les partis remettent des semelles neuves à leurs vieilles injures. En 1832, le mot *bousingot* faisait l'intérim entre le mot *jacobin* qui était éculé, et le mot *démagogue* alors presque inusité et qui a fait depuis un si excellent service.

Le sergent donna l'ordre d'obliquer à gauche vers le versant de la Seine. S'ils eussent eu l'idée de se diviser en deux escouades et d'aller dans les deux sens, Jean Valjean était saisi. Cela tint à ce fil. Il est probable que les instructions de la préfecture, prévoyant un cas de combat et les insurgés en nombre, défendaient à la ronde de se morceler. La ronde se remit en marche, laissant derrière elle Jean Valjean. De tout ce mouvement Jean Valjean ne perçut rien sinon l'éclipse de la lanterne qui se retourna subitement.

Avant de s'en aller, le sergent, pour l'acquit de la conscience de la police, déchargea sa carabine du côté qu'on abandonnait, dans la direction de Jean Valjean. La détonation roula d'écho en écho dans la crypte comme le borborygme de ce boyau titanique. Un plâtras qui tomba dans le ruisseau et fit clapoter l'eau à quelques pas de Jean Valjean, l'avertit que la balle avait frappé la voûte au-dessus de sa tête.

Des pas mesurés et lents résonnèrent quelque temps sur le radier, de plus en plus amortis par l'augmentation progressive de l'éloignement, le groupe des formes noires s'enfonça, une lueur oscilla et flotta, faisant à la voûte un cintre rougeâtre qui décrut, puis disparut, le silence redevint profond, l'obscurité redevint complète, la cécité et la surdité reprirent possession des ténèbres; et Jean Valjean, n'osant encore remuer, demeura longtemps adossé au mur, l'oreille tendue, la prunelle dilatée, regardant l'évanouissement de cette patrouille de fantômes.

III

L'HOMME FILÉ

Il faut rendre à la police de ce temps-là cette justice que, même dans les plus graves conjonctures publiques, elle accomplissait imperturbablement son devoir de voirie et de surveillance. Une émeute n'était point à ses yeux un prétexte pour laisser aux malfaiteurs la bride sur le cou, et pour négliger la société par la raison que le gouvernement était en péril. Le service ordinaire se faisait correctement à travers le service extraordinaire, et n'en était pas troublé. Au milieu d'un incalculable événement politique commencé, sous la pression d'une révolution possible, sans se laisser distraire par l'insurrection et la barricade, un agent « filait » un voleur.

C'était précisément quelque chose de pareil qui se passait dans l'après-midi du 6 juin au bord de la Seine, sur la berge de la rive droite, un peu au delà du pont des Invalides.

Il n'y a plus de berge aujourd'hui. L'aspect des lieux a changé.

Sur cette berge, deux hommes séparés par une certaine distance semblaient s'observer, l'un évitant l'autre. Celui qui allait en avant tâchait de s'éloigner, celui qui venait par derrière tâchait de se rapprocher.

C'était comme une partie d'échecs qui se jouait de loin et silencieusement. Ni l'un ni l'autre ne semblait se presser, et ils marchaient lentement tous les deux, comme si chacun d'eux craignait de faire par trop de hâte doubler le pas à son partenaire.

On eût dit un appétit qui suit une proie, sans avoir l'air de le faire exprès. La proie était sournoise et se tenait sur ses gardes.

Les proportions voulues entre la fouine traquée et le dogue traqueur étaient observées. Celui qui tâchait d'échapper avait peu d'encolure et une chétive mine ; celui qui tâchait d'empoigner, gaillard de haute stature, était de rude aspect et devait être de rude rencontre.

Le premier, se sentant le plus faible, évitait le second ; mais il l'évitait d'une façon profondément furieuse ; qui eût pu l'observer eût vu dans ses yeux la sombre hostilité de la fuite, et toute la menace qu'il y a dans la crainte.

La berge était solitaire ; il n'y avait point de passant ; pas même de batelier ni de débardeur dans les chalands amarrés çà et là.

On ne pouvait apercevoir aisément ces deux hommes que du quai en face, et pour qui les eût examinés à cette distance, l'homme qui allait devant eût apparu comme un être hérissé, déguenillé et oblique, inquiet et grelottant sous une blouse en haillons, et l'autre comme une personne classique et officielle, portant la redingote de l'autorité boutonnée jusqu'au menton.

Le lecteur reconnaîtrait peut-être ces deux hommes, s'il les voyait de plus près.

Quel était le but du dernier ?

Probablement d'arriver à vêtir le premier plus chaudement.

Quand un homme habillé par l'état poursuit un homme en guenilles, c'est afin d'en faire aussi un homme habillé par l'état. Seulement la couleur est toute la question. Être habillé de bleu, c'est glorieux ; être habillé de rouge, c'est désagréable.

Il y a une pourpre d'en bas.

C'est probablement quelque désagrément et quelque pourpre de ce genre que le premier désirait esquiver.

Si l'autre le laissait marcher devant et ne le saisissait pas encore, c'était, selon toute apparence, dans l'espoir de le voir aboutir à quelque rendez-vous significatif et à quelque groupe de bonne prise. Cette opération délicate s'appelle « la filature ».

Ce qui rend cette conjecture tout à fait probable, c'est que l'homme boutonné, apercevant de la berge sur le quai un fiacre qui passait à vide, fit signe au cocher ; le cocher comprit, reconnut évidemment à qui il avait affaire, tourna bride et se mit à suivre au pas du haut du quai les deux hommes. Ceci ne fut pas aperçu du personnage louche et déchiré qui allait en avant.

Le fiacre roulait le long des arbres des Champs-Élysées. On voyait passer au-dessus du parapet le buste du cocher, son fouet à la main.

Une des instructions secrètes de la police aux agents contient cet article :

— « Avoir toujours à portée une voiture de place, en cas. »

Tout en manœuvrant chacun de leur côté avec une stratégie irréprochable, ces deux hommes approchaient d'une rampe du quai descendant jusqu'à la berge qui permettait alors aux cochers de fiacre arrivant de Passy de venir à la rivière faire boire leurs chevaux. Cette rampe a été supprimée depuis, pour la symétrie ; les chevaux crèvent de soif, mais l'œil est flatté.

Il était vraisemblable que l'homme en blouse allait monter par cette rampe afin d'essayer de s'échapper dans les Champs-Élysées, lieu orné d'arbres, mais en revanche fort croisé d'agents de police, et où l'autre aurait aisément main-forte.

Ce point du quai est fort peu éloigné de la maison apportée de Moret à Paris en 1824 par le colonel Brack, et dite maison de François Ier. Un corps de garde est là tout près.

À la grande surprise de son observateur, l'homme traqué ne prit point par la rampe de l'abreuvoir. Il continua de s'avancer sur la berge le long du quai.

Sa position devenait visiblement critique.

À moins de se jeter à la Seine, qu'allait-il faire ?

Aucun moyen désormais de remonter sur le quai ; plus de rampe et pas d'escalier ; et l'on était tout près de l'endroit, marqué par le coude de la Seine vers le pont d'Iéna, où la berge, de plus en plus rétrécie, finissait en langue mince et se perdait sous l'eau. Là il allait inévitablement se trouver bloqué entre le mur à pic à sa droite, la rivière à gauche et en face, et l'autorité sur ses talons.

Il est vrai que cette fin de la berge était masquée au regard par un monceau de déblais de six à sept pieds de haut, produit d'on ne sait quelle démolition. Mais cet homme espérait-il se cacher utilement derrière ce tas de gravats qu'il suffisait de tourner ? L'expédient eût été puéril. Il n'y songeait certainement pas. L'innocence des voleurs ne va point jusque-là.

Le tas de déblais faisait au bord de l'eau une sorte d'éminence qui se prolongeait en promontoire jusqu'à la muraille du quai.

L'homme suivi arriva à cette petite colline et la doubla, de sorte qu'il cessa d'être aperçu par l'autre.

Celui-ci, ne voyant pas, n'était pas vu ; il en profita pour abandonner toute dissimulation et pour marcher très rapidement. En quelques instants il fut au monceau de déblais et le tourna. Là, il s'arrêta stupéfait. L'homme qu'il chassait n'était plus là.

Éclipse totale de l'homme en blouse.

La berge n'avait guère à partir du monceau de déblais qu'une longueur d'une trentaine de pas, puis elle plongeait sous l'eau qui venait battre le mur du quai.

Le fuyard n'aurait pu se jeter à la Seine ni escalader le quai sans être vu par celui qui le suivait. Qu'était-il devenu ?

L'homme à la redingote boutonnée marcha jusqu'à l'extrémité de la berge, et y resta un moment pensif, les poings convulsifs, l'œil furetant. Tout à coup il se frappa le front. Il venait d'apercevoir, au point où finissait la terre et où l'eau commençait, une grille de fer large et basse, cintrée, garnie d'une épaisse serrure et de trois gonds massifs. Cette grille, sorte de porte percée au bas du quai, s'ouvrait sur la rivière autant que sur la berge. Un ruisseau noirâtre passait dessous. Ce ruisseau se dégorgeait dans la Seine.

Au delà de ses lourds barreaux rouillés on distinguait une sorte de corridor voûté et obscur.

L'homme croisa les bras et regarda la grille d'un air de reproche.

Ce regard ne suffisant pas, il essaya de la pousser ; il la secoua, elle résista solidement. Il était probable qu'elle venait d'être ouverte, quoiqu'on n'eût entendu aucun bruit, chose singulière d'une grille si rouillée ; mais il était certain qu'elle avait été refermée. Cela indiquait que celui devant qui cette porte venait de tourner avait non un crochet, mais une clef.

Cette évidence éclata tout de suite à l'esprit de l'homme qui s'efforçait d'ébranler la grille et lui arracha cet épiphonème indigné :

— Voilà qui est fort ! une clef du gouvernement !

Puis, se calmant immédiatement, il exprima tout un monde d'idées intérieures par cette bouffée de monosyllabes accentués presque ironiquement :

— Tiens ! tiens ! tiens ! tiens !

Cela dit, espérant on ne sait quoi, ou voir ressortir l'homme, ou en voir entrer d'autres, il se posta aux aguets derrière le tas de déblais, avec la rage patiente du chien d'arrêt.

De son côté, le fiacre, qui se réglait sur toutes ses allures, avait fait halte au-dessus de lui près du parapet. Le cocher, prévoyant une longue station, emboîta le museau de ses chevaux dans le sac d'avoine humide en bas, si connu des parisiens, auxquels les gouvernements, soit dit par parenthèse, le mettent quelquefois. Les rares passants du pont d'Iréna, avant de s'éloigner, tournaient la tête pour regarder un moment ces deux détails du paysage immobiles, l'homme sur la berge, le fiacre sur le quai.

IV

LUI AUSSI PORTE SA CROIX

Jean Valjean avait repris sa marche et ne s'était plus arrêté.

Cette marche était de plus en plus laborieuse. Le niveau de ces voûtes varie; la hauteur moyenne est d'environ cinq pieds six pouces, et a été calculée pour la taille d'un homme; Jean Valjean était forcé de se courber pour ne pas heurter Marius à la voûte; il fallait à chaque instant se baisser, puis se redresser, tâter sans cesse le mur. La moiteur des pierres et la viscosité du radier en faisaient de mauvais points d'appui, soit pour la main, soit pour le pied. Il trébuchait dans le hideux fumier de la ville. Les reflets intermittents des soupiraux n'apparaissaient qu'à de très longs intervalles, et si blêmes que le plein soleil y semblait clair de lune; tout le reste était brouillard, miasme, opacité, noirceur. Jean Valjean avait faim et soif; soif surtout; et c'est là, comme la mer, un lieu plein d'eau où l'on ne peut boire. Sa force, qui était prodigieuse, on le sait, et fort peu diminuée par l'âge, grâce à sa vie chaste et sobre, commençait pourtant à fléchir. La fatigue lui venait, et la force en décroissant faisait croître le poids du fardeau. Marius, mort peut-être, pesait comme pèsent les corps inertes. Jean Valjean le soutenait de façon que la poitrine ne fût pas gênée et que la respiration pût toujours passer le mieux possible. Il sentait entre ses jambes le glissement rapide des rats. Un d'eux fut effaré au point de le mordre. Il lui venait de temps en temps par les bavettes des bouches de l'égout un souffle d'air frais qui le ranimait.

Il pouvait être trois heures de l'après-midi quand il arriva à l'égout de ceinture.

Il fut d'abord étonné de cet élargissement subit. Il se trouva brusquement dans une galerie dont ses mains étendues n'atteignaient point les deux murs et sous une voûte que sa tête ne touchait pas. Le Grand Égout en effet a huit pieds de large sur sept de haut.

Au point où l'égout Montmartre rejoint le Grand Égout, deux autres galeries souterraines, celle de la rue de Provence et celle de l'Abattoir, viennent faire un carrefour. Entre ces quatre voies, un moins sagace eût été indécis. Jean Valjean prit la plus large, c'est-à-dire l'égout de ceinture. Mais ici revenait la question : descendre, ou monter ? Il pensa que la situation pressait, et qu'il fallait, à tout risque, gagner maintenant la Seine. En d'autres termes, descendre. Il tourna à gauche.

Bien lui en prit. Car ce serait une erreur de croire que l'égout de ceinture a deux issues, l'une vers Bercy, l'autre vers Passy, et qu'il est, comme l'indique son nom, la ceinture souterraine du Paris de la rive droite. Le Grand Égout, qui n'est, il faut s'en souvenir, autre chose que l'ancien ruisseau Ménilmontant, aboutit, si on le remonte, à un cul-de-sac, c'est-à-dire à son ancien point de départ, qui fut sa source, au pied de la butte Ménilmontant. Il n'a point de communication directe avec le branchement qui ramasse les eaux de Paris à partir du quartier Popincourt, et qui se jette dans la Seine par l'égout Amelot au-dessus de l'ancienne île Louviers. Ce branchement, qui complète l'égout collecteur, en est séparé, sous la rue Ménilmontant même, par un massif qui marque le point de partage des eaux en amont et en aval. Si Jean Valjean eût remonté la galerie, il fût arrivé, après mille efforts, épuisé de fatigue, expirant, dans les ténèbres, à une muraille. Il était perdu.

À la rigueur, en revenant un peu sur ses pas, en s'engageant dans le couloir des Filles-du-Calvaire, à la condition de ne pas hésiter à la patte d'oie souterraine du carrefour Boucherat, en prenant le corridor Saint-Louis, puis, à gauche, le boyau Saint-Gilles, puis en tournant à droite et en évitant la galerie Saint-Sébastien, il eût pu gagner l'égout Amelot, et de là, pourvu qu'il ne s'égarât point dans l'espèce d'F qui est sous la Bastille, atteindre l'issue sur la Seine près de l'Arsenal. Mais, pour cela, il eût fallu connaître à fond, et dans toutes ses ramifications et dans toutes ses percées, l'énorme madrépore de l'égout. Or, nous devons y insister, il ne savait rien de cette voirie effrayante où il cheminait ; et, si on lui eût demandé dans quoi il était, il eût répondu : dans de la nuit.

Son instinct le servit bien. Descendre, c'était en effet le salut possible.

Il laissa à sa droite les deux couloirs qui se ramifient en forme de griffe sous la rue Laffitte et la rue Saint-Georges et le long corridor bifurqué de la chaussée d'Antin.

Un peu au delà d'un affluent qui était vraisemblablement le branchement de la Madeleine, il fit halte. Il était très las. Un soupirail assez large, probablement le regard de la rue d'Anjou, donnait une lumière presque vive. Jean Valjean, avec la douceur de mouvements qu'aurait un frère pour son frère blessé, déposa Marius sur la banquette de l'égout. La face sanglante de Marius apparut sous la lueur blanche du soupirail comme au fond d'une tombe. Il avait les yeux fermés, les cheveux appliqués aux tempes comme des pinceaux séchés dans de la couleur rouge, les mains pendantes et mortes, les membres froids, du sang coagulé au coin des lèvres. Un caillot de sang s'était amassé dans le nœud de la cravate ; la chemise entrait dans les plaies, le drap de l'habit frottait les coupures béantes de la chair vive. Jean Valjean, écartant du bout des doigts les vêtements, lui posa la main sur la poitrine ; le cœur battait encore. Jean Valjean déchira sa chemise, banda les plaies le mieux qu'il put et arrêta le sang qui coulait ; puis, se penchant dans ce demi-jour sur Marius toujours sans connaissance et presque sans souffle, il le regarda avec une inexprimable haine.

En dérangeant les vêtements de Marius, il avait trouvé dans les poches deux choses, le pain qui y était oublié depuis la veille, et le portefeuille de Marius. Il mangea le pain et ouvrit le portefeuille. Sur la première page, il trouva les quatre lignes écrites par Marius. On s'en souvient :

« Je m'appelle Marius Pontmercy. Porter mon cadavre chez mon grand-père M. Gillenormand, rue des Filles-du-Calvaire, n° 6, au Marais. »

Jean Valjean lut, à la clarté du soupirail, ces quatre lignes, et resta un moment comme absorbé en lui-même, répétant à demi-voix : Rue des Filles-du-Calvaire, numéro six, monsieur Gillenormand. Il replaça le portefeuille dans la poche de Marius. Il avait mangé, la force lui était revenue ; il reprit Marius sur son dos, lui appuya soigneusement la tête sur son épaule droite, et se remit à descendre l'égout.

Le Grand Égout, dirigé selon le thalweg de la vallée de Ménilmontant, a près de deux lieues de long. Il est pavé sur une notable partie de son parcours.

Ce flambeau du nom des rues de Paris dont nous éclairons pour le lecteur la marche souterraine de Jean Valjean, Jean Valjean ne l'avait pas. Rien ne lui disait quelle zone de la ville il traversait, ni quel trajet il avait fait. Seulement la pâleur croissante des flaques de lumière qu'il rencontrait de temps en temps lui indiqua que le soleil se retirait du pavé et que le jour ne tarderait pas à décliner ; et le roulement des voitures au-dessus de sa tête, étant devenu de continu intermittent, puis ayant presque cessé, il en conclut qu'il n'était plus sous le Paris central et qu'il approchait de quelque région solitaire, voisine des boulevards extérieurs ou des quais extrêmes. Là où il y a moins de maisons et moins de rues, l'égout a moins de soupiraux. L'obscurité s'épaississait autour de Jean Valjean. Il n'en continua pas moins d'avancer, tâtonnant dans l'ombre.

Cette ombre devint brusquement terrible.

V

POUR LE SABLE COMME POUR LA FEMME
IL Y A UNE FINESSE QUI EST PERFIDIE

Il sentit qu'il entrait dans l'eau, et qu'il avait sous ses pieds, non plus du pavé, mais de la vase.

Il arrive parfois, sur de certaines côtes de Bretagne ou d'Écosse, qu'un homme, un voyageur ou un pêcheur, cheminant à marée basse sur la grève loin du rivage, s'aperçoit soudainement que depuis plusieurs minutes il marche avec quelque peine. La plage est sous ses pieds comme de la poix; la semelle s'y attache; ce n'est plus du sable, c'est de la glu. La grève est parfaitement sèche, mais à tous les pas qu'on fait, dès qu'on a levé le pied, l'empreinte qu'il laisse se remplit d'eau. L'œil, du reste, ne s'est aperçu d'aucun changement; l'immense plage est unie et tranquille, tout le sable a le même aspect, rien ne distingue le sol qui est solide du sol qui ne l'est plus; la petite nuée joyeuse des pucerons de mer continue de sauter tumultueusement sur les pieds du passant. L'homme suit sa route, va devant lui, appuie vers la terre, tâche de se rapprocher de la côte. Il n'est pas inquiet. Inquiet de quoi? Seulement il sent quelque chose comme si la lourdeur de ses pieds croissait à chaque pas qu'il fait. Brusquement, il enfonce. Il enfonce de deux ou trois pouces. Décidément il n'est pas dans la bonne route; il s'arrête pour s'orienter. Tout à coup il regarde à ses pieds. Ses pieds ont disparu. Le sable les couvre. Il retire ses pieds du sable, il veut revenir sur ses pas, il retourne en arrière; il enfonce plus profondément. Le sable lui vient à la cheville, il s'en arrache et se jette à gauche, le sable lui vient à mi-jambe, il se jette à droite, le sable lui vient aux jarrets. Alors il reconnaît avec une indicible terreur qu'il est engagé dans de la grève mouvante, et qu'il a sous lui le milieu effroyable où l'homme ne peut pas plus marcher que le poisson n'y peut nager. Il jette son fardeau s'il en a un, il s'allège comme un navire en détresse; il n'est déjà plus temps, le sable est au-dessus de ses genoux.

Il appelle, il agite son chapeau ou son mouchoir, le sable le gagne de plus en plus; si la grève est déserte, si la terre est trop loin, si le banc de sable est trop mal famé, s'il n'y a pas de héros dans les environs, c'est fini, il est condamné à l'enlizement. Il est condamné à cet épouvantable enterrement long, infaillible, implacable, impossible à retarder ni à hâter, qui dure des heures, qui n'en finit pas, qui vous prend debout, libre et en pleine santé, qui vous tire par les pieds, qui, à chaque effort que vous tentez, à chaque clameur que vous poussez, vous entraîne un peu plus bas, qui a l'air de vous punir de votre résistance par un redoublement d'étreinte, qui fait rentrer lentement l'homme dans la terre en lui laissant tout le temps de regarder l'horizon, les arbres, les campagnes vertes, les fumées des villages dans la plaine, les voiles des navires sur la mer, les oiseaux qui volent et qui chantent, le soleil, le ciel. L'enlizement, c'est le sépulcre qui se fait marée et qui monte du fond de la terre vers un vivant. Chaque minute est une ensevelisseuse inexorable. Le misérable essaye de s'asseoir, de se coucher, de ramper; tous les mouvements qu'il fait l'enterrent; il se redresse, il enfonce; il se sent engloutir; il hurle, implore, crie aux nuées, se tord les bras, désespère. Le voilà dans le sable jusqu'au ventre; le sable atteint la poitrine; il n'est plus qu'un buste. Il élève les mains, jette des gémissements furieux, crispe ses ongles sur la grève, veut se retenir à cette cendre, s'appuie sur les coudes pour s'arracher de cette gaine molle, sanglote frénétiquement; le sable monte. Le sable atteint les épaules, le sable atteint le cou; la face seule est visible maintenant. La bouche crie, le sable l'emplit; silence. Les yeux regardent encore, le sable les ferme; nuit. Puis le front décroît, un peu de chevelure frissonne au-dessus du sable; une main sort, troue la surface de la grève, remue et s'agite, et disparaît. Sinistre effacement d'un homme.

Quelquefois le cavalier s'enlize avec le cheval; quelquefois le charretier s'enlize avec la charrette; tout sombre sous la grève. C'est le naufrage ailleurs que dans l'eau. C'est la terre noyant l'homme. La terre, pénétrée d'océan, devient piège. Elle s'offre comme une plaine et s'ouvre comme une onde. L'abîme a de ces trahisons.

Cette funèbre aventure, toujours possible sur telle ou telle plage de la mer, était possible aussi, il y a trente ans, dans l'égout de Paris.

Avant les importants travaux commencés en 1833, la voirie souterraine de Paris était sujette à des effondrements subits.

L'eau s'infiltrait dans de certains terrains sous-jacents, particulièrement friables; le radier, qu'il fût de pavé, comme dans les anciens égouts, ou de chaux hydraulique sur béton, comme dans les nouvelles galeries, n'ayant plus de point d'appui, pliait. Un pli dans un plancher de ce genre, c'est une fente; une fente, c'est l'écroulement. Le radier croulait sur une certaine longueur. Cette crevasse, hiatus d'un gouffre de boue, s'appelait dans la langue spéciale *fontis*. Qu'est-ce qu'un fontis ? C'est le sable mouvant des bords de la mer tout à coup rencontré sous terre ; c'est la grève du mont Saint-Michel dans un égout. Le sol, détrempé, est comme en fusion ; toutes ses molécules sont en suspension dans un milieu mou ; ce n'est pas de la terre et ce n'est pas de l'eau. Profondeur quelquefois très grande. Rien de plus redoutable qu'une telle rencontre. Si l'eau domine, la mort est prompte, il y a engloutissement ; si la terre domine, la mort est lente, il y a enlizement.

Se figure-t-on une telle mort ? si l'enlizement est effroyable sur une grève de la mer, qu'est-ce dans le cloaque ? Au lieu du plein air, de la pleine lumière, du grand jour, de ce clair horizon, de ces vastes bruits, de ces libres nuages d'où pleut la vie, de ces barques aperçues au loin, de cette espérance sous toutes les formes, des passants probables, du secours possible jusqu'à la dernière minute, au lieu de tout cela, la surdité, l'aveuglement, une voûte noire, un dedans de tombe déjà tout fait, la mort dans de la bourbe sous un couvercle ! l'étouffement lent par l'immondice, une boîte de pierre où l'asphyxie ouvre sa griffe dans la fange et vous prend à la gorge ; la fétidité mêlée au râle ; la vase au lieu de la grève, l'hydrogène sulfuré au lieu de l'ouragan, l'ordure au lieu de l'océan ! et appeler, et grincer des dents, et se tordre, et se débattre, et agoniser, avec cette ville énorme qui n'en sait rien, et qu'on a au-dessus de sa tête !

Inexprimable horreur de mourir ainsi ! La mort rachète quelquefois son atrocité par une certaine dignité terrible. Sur le bûcher, dans le naufrage, on peut être grand ; dans la flamme comme dans l'écume, une attitude superbe est possible ; on s'y transfigure en s'y abîmant. Mais ici point. La mort est mal-propre. Il est humiliant d'expirer. Les suprêmes visions flottantes sont abjectes. Boue est synonyme de honte. C'est petit, laid, infâme. Mourir dans une tonne de malvoisie, comme Clarence, soit ; dans la fosse du boueur, comme d'Escoubleau, c'est horrible. Se débattre là-dedans est hideux ; en même temps qu'on agonise, on patauge. Il y a assez de ténèbres pour que ce soit l'enfer, et assez de fange pour que ce ne soit que le bourbier, et le mourant ne sait pas s'il va devenir spectre ou s'il va devenir crapaud.

Partout ailleurs le sépulcre est sinistre ; ici il est difforme.

La profondeur des fontis variait, et leur longueur, et leur densité, en raison de la plus ou moins mauvaise qualité du sous-sol. Parfois un fontis était profond de trois ou quatre pieds, parfois de huit ou dix ; quelquefois on ne trouvait pas le fond. La vase était ici presque solide, là presque liquide. Dans le fontis Lunière, un homme eût mis un jour à disparaître, tandis qu'il eût été dévoré en cinq minutes par le bourbier Phélippeaux. La vase porte plus ou moins selon son plus ou moins de densité. Un enfant se sauve où un homme se perd. La première loi de salut, c'est de se dépouiller de toute espèce de chargement. Jeter son sac d'outils, ou sa hotte ou son auge, c'était par là que commençait tout égoutier qui sentait le sol fléchir sous lui.

Les fontis avaient des causes diverses : friabilité du sol ; quelque éboulement à une profondeur hors de la portée de l'homme ; les violentes averses de l'été ; l'ondée incessante de l'hiver ; les longues petites pluies fines. Parfois le poids des maisons environnantes sur un terrain marneux ou sablonneux chassait les voûtes des galeries souterraines et les faisait gauchir, ou bien il arrivait que le radier éclatait et se fendait sous cette écrasante poussée. Le tassement du Panthéon a oblitéré de cette façon, il y a un siècle, une partie des caves de la montagne Sainte-Geneviève. Quand un égout s'effondrait sous la pression des maisons, le désordre, dans certaines occasions, se traduisait en haut dans la rue par une espèce d'écarts en dents de scie entre les pavés ; cette déchirure se développait en ligne serpentante dans toute la longueur de la voûte lézardée, et alors, le mal étant visible, le remède pouvait être prompt. Il advenait aussi que souvent le ravage intérieur ne se révélait par aucune balafre au dehors. Et dans ce cas-là, malheur aux égoutiers. Entrant sans précaution dans l'égout défoncé, ils pouvaient s'y perdre. Les anciens registres font mention de quelques puisatiers ensevelis de la sorte dans les fontis. Ils donnent plusieurs noms ; entre autres celui de l'égoutier qui s'enliza dans un effondrement sous le cagnard de la rue Carême-Prenant, un nommé Blaise Poutrain ; ce Blaise Poutrain était frère de

Nicolas Poutrain qui fut le dernier fossoyeur du cimetière dit charnier des Innocents en 1785, époque où ce cimetière mourut.

Il y eut aussi ce jeune et charmant vicomte d'Escoubleau dont nous venons de parler, l'un des héros du siège de Lérida où l'on donna l'assaut en bas de soie, violons en tête. D'Escoubleau, surpris une nuit chez sa cousine, la duchesse de Sourdis, se noya dans une fondrière de l'égout Beautreillis où il s'était réfugié pour échapper au duc. Madame de Sourdis, quand on lui raconta cette mort, demanda son flacon, et oublia de pleurer à force de respirer des sels. En pareil cas, il n'y a pas d'amour qui tienne ; le cloaque l'éteint. Héro refuse de laver le cadavre de Léandre. Thisbé se bouche le nez devant Pyrame et dit : Pouah !

VI

LE FONTIS

Jean Valjean se trouvait en présence d'un fontis.

Ce genre d'écroulement était alors fréquent dans le sous-sol des Champs-Élysées, difficilement maniable aux travaux hydrauliques et peu conservateur des constructions souterraines à cause de son excessive fluidité. Cette fluidité dépasse l'inconsistance des sables même du quartier Saint-Georges, qui n'ont pu être vaincus que par un enrochement sur béton, et des couches glaiseuses infectées de gaz du quartier des Martyrs, si liquides que le passage n'a pu être pratiqué sous la galerie des Martyrs qu'au moyen d'un tuyau en fonte. Lorsqu'en 1836 on a démoli sous le faubourg Saint-Honoré, pour le reconstruire, le vieil égout en pierre où nous voyons en ce moment Jean Valjean engagé, le sable mouvant, qui est le sous-sol des Champs-Élysées jusqu'à la Seine, fit obstacle au point que l'opération dura près de six mois, au grand récri des riverains, surtout des riverains à hôtels et à carrosses. Les travaux furent plus que malaisés ; ils furent dangereux. Il est vrai qu'il y eut quatre mois et demi de pluie et trois crues de la Seine.

Le fontis que Jean Valjean rencontrait avait pour cause l'averse de la veille. Un fléchissement du pavé mal soutenu par le sable sous-jacent avait produit un engorgement d'eau pluviale. L'infiltration s'étant faite, l'effondrement avait suivi. Le radier, disloqué, s'était affaissé dans la vase. Sur quelle longueur? Impossible de le dire. L'obscurité était là plus épaisse que partout ailleurs. C'était un trou de boue dans une caverne de nuit.

Jean Valjean sentit le pavé se dérober sous lui. Il entra dans cette fange. C'était de l'eau à la surface, de la vase au fond. Il fallait bien passer. Revenir sur ses pas était impossible. Marius était expirant, et Jean Valjean exténué. Où aller d'ailleurs? Jean Valjean avança. Du reste la fondrière parut peu profonde aux premiers pas. Mais à mesure qu'il avançait, ses pieds plongeaient. Il eut bientôt de la vase jusqu'à mi-jambe et de l'eau plus haut que les genoux. Il marchait, exhaussant de ses deux bras Marius le plus qu'il pouvait au-dessus de l'eau. La vase lui venait maintenant aux jarrets et l'eau à la ceinture. Il ne pouvait déjà plus reculer. Il enfonçait de plus en plus. Cette vase, assez dense pour le poids d'un homme, ne pouvait évidemment en porter deux. Marius et Jean Valjean eussent eu chance de s'en tirer, isolément. Jean Valjean continua d'avancer, soutenant ce mourant, qui était un cadavre peut-être.

L'eau lui venait aux aisselles; il se sentait sombrer; c'est à peine s'il pouvait se mouvoir dans la profondeur de bourbe où il était. La densité, qui était le soutien, était aussi l'obstacle. Il soulevait toujours Marius, et, avec une dépense de force inouïe, il avançait; mais il enfonçait. Il n'avait plus que la tête hors de l'eau, et ses deux bras élevant Marius. Il y a, dans les vieilles peintures du déluge, une mère qui fait ainsi de son enfant.

Il enfonça encore, il renversa sa face en arrière pour échapper à l'eau et pouvoir respirer; qui l'eût vu dans cette obscurité eût cru voir un masque flottant sur de l'ombre; il apercevait vaguement au-dessus de lui la tête pendante et le visage livide de Marius; il fit un effort désespéré, et lança son pied en avant; son pied heurta on ne sait quoi de solide. Un point d'appui. Il était temps.

Il se dressa et se tordit et s'enracina avec une sorte de furie sur ce point d'appui. Cela lui fit l'effet de la première marche d'un escalier remontant à la vie.

Ce point d'appui, rencontré dans la vase au moment suprême, était le commencement de l'autre versant du radier, qui avait plié sans se briser et s'était courbé sous l'eau comme une planche et d'un seul morceau. Les pavages bien construits font voûte et ont de ces fermetés-là. Ce fragment du radier, submergé en partie, mais solide, était une véritable rampe, et, une fois sur cette rampe, on était sauvé. Jean Valjean remonta ce plan incliné et arriva de l'autre côté de la fondrière.

En sortant de l'eau, il se heurta à une pierre et tomba sur les genoux. Il trouva que c'était juste, et y resta quelque temps, l'âme abîmée dans on ne sait quelle parole à Dieu.

Il se redressa, frissonnant, glacé, infect, courbé sous ce mourant qu'il traînait, tout ruisselant de fange, l'âme pleine d'une étrange clarté.

VII

QUELQUEFOIS ON ÉCHOUE
OÙ L'ON CROIT DÉBARQUER

Il se remit en route encore une fois.

Du reste, s'il n'avait pas laissé sa vie dans le fontis, il semblait y avoir laissé sa force. Ce suprême effort l'avait épuisé. Sa lassitude était maintenant telle, que tous les trois ou quatre pas, il était obligé de reprendre haleine, et s'appuyait au mur. Une fois, il dut s'asseoir sur la banquette pour changer la position de Marius, et il crut qu'il demeurerait là. Mais si sa vigueur était morte, son énergie ne l'était point. Il se releva.

Il marcha désespérément, presque vite, fit ainsi une centaine de pas, sans dresser la tête, presque sans respirer, et tout à coup se cogna au mur. Il était parvenu à un coude de l'égout, et, en arrivant tête basse au tournant, il avait rencontré la muraille. Il leva les yeux, et à l'extrémité du souterrain, là-bas devant lui, loin, très loin, il aperçut une lumière. Cette fois, ce n'était pas la lumière terrible ; c'était la lumière bonne et blanche. C'était le jour.

Jean Valjean voyait l'issue.

Une âme damnée qui, du milieu de la fournaise, apercevrait tout à coup la sortie de la géhenne, éprouverait ce qu'éprouva Jean Valjean. Elle volerait éperdument avec le moignon de ses ailes brûlées vers la porte radieuse. Jean Valjean ne sentit plus la fatigue, il ne sentit plus le poids de Marius, il retrouva ses jarrets d'acier, il courut plus qu'il ne marcha. À mesure qu'il approchait, l'issue se dessinait de plus en plus distinctement. C'était une arche cintrée, moins haute que la voûte qui se restreignait par degrés et moins large que la galerie qui se resserrait en même temps que la voûte s'abaissait. Le tunnel finissait en intérieur d'entonnoir ; rétrécissement vicieux, imité des guichets de maisons de force, logique dans une prison, illogique dans un égout, et qui a été corrigé depuis.

Jean Valjean arriva à l'issue.

Là, il s'arrêta.

C'était bien la sortie, mais on ne pouvait sortir.

L'arche était fermée d'une forte grille, et la grille, qui, selon toute apparence, tournait rarement sur ses gonds oxydés, était assujettie à son chambranle de pierre par une serrure épaisse qui, rouge de rouille, semblait une énorme brique. On voyait le trou de la clef, et le pêne robuste profondément plongé dans la gâche de fer. La serrure était visiblement fermée à double tour. C'était une de ces serrures de bastilles que le vieux Paris prodiguait volontiers.

Au delà de la grille, le grand air, la rivière, le jour, la berge très étroite, mais suffisante pour s'en aller, les quais lointains, Paris, ce gouffre où l'on se dérobe si aisément, le large horizon, la liberté. On distinguait à droite, en aval, le pont d'Iéna, et à gauche, en amont, le pont des Invalides ; l'endroit eût été propice pour attendre la nuit et s'évader. C'était un des points les plus solitaires de Paris ; la berge qui fait face au Gros-Caillou. Les mouches entraient et sortaient à travers les barreaux de la grille.

Il pouvait être huit heures et demie du soir. Le jour baissait.

Jean Valjean déposa Marius le long du mur sur la partie sèche du radier, puis marcha à la grille et crispa ses deux poings sur les barreaux ; la secousse fut frénétique, l'ébranlement nul. La grille ne bougea pas. Jean Valjean saisit les barreaux l'un après l'autre, espérant pouvoir arracher le moins solide et s'en faire un levier pour soulever la porte ou pour briser la serrure. Aucun barreau ne remua. Les dents d'un tigre ne sont pas plus solides dans leurs alvéoles. Pas de levier ; pas de pesée possible. L'obstacle était invincible. Aucun moyen d'ouvrir la porte.

Fallait-il donc finir là ? Que faire ? que devenir ? Rétrograder ; recommencer le trajet effrayant qu'il avait déjà parcouru ; il n'en avait pas la force. D'ailleurs, comment traverser de nouveau cette fondrière d'où l'on ne s'était tiré que par miracle ? Et après la fondrière, n'y avait-il pas cette ronde de police à laquelle, certes, on n'échapperait pas deux fois ? Et puis, où aller ? quelle direction prendre ? Suivre la pente, ce n'était point aller au but. Arrivât-on à une autre issue, on la trouverait obstruée d'un tampon ou d'une grille. Toutes les sorties étaient indubitablement closes de cette façon. Le hasard avait descellé la grille par laquelle on était entré, mais évidemment toutes les autres bouches de l'égout étaient fermées. On n'avait réussi qu'à s'évader dans une prison.

C'était fini. Tout ce qu'avait fait Jean Valjean était inutile. Dieu refusait.

Ils étaient pris l'un et l'autre dans la sombre et immense toile de la mort, et Jean Valjean sentait courir sur ces fils noirs tressaillant dans les ténèbres l'épouvantable araignée.

Il tourna le dos à la grille, et tomba sur le pavé, plutôt terrassé qu'assis, près de Marius toujours sans mouvement, et sa tête s'affaissa entre ses genoux. Pas d'issue. C'était la dernière goutte de l'angoisse.

À qui songeait-il dans ce profond accablement ? Ni à lui-même, ni à Marius. Il pensait à Cosette.

VIII

LE PAN DE L'HABIT DÉCHIRÉ

Au milieu de cet anéantissement, une main se posa sur son épaule, et une voix qui parlait bas lui dit :
— Part à deux.

Quelqu'un dans cette ombre? Rien ne ressemble au rêve comme le désespoir. Jean Valjean crut rêver. Il n'avait point entendu de pas. Était-ce possible? Il leva les yeux.

Un homme était devant lui.

Cet homme était vêtu d'une blouse; il avait les pieds nus; il tenait ses souliers dans sa main gauche; il les avait évidemment ôtés pour pouvoir arriver jusqu'à Jean Valjean, sans qu'on l'entendît marcher.

Jean Valjean n'eut pas un moment d'hésitation. Si imprévue que fût la rencontre, cet homme lui était connu. Cet homme était Thénardier.

Quoique réveillé, pour ainsi dire, en sursaut, Jean Valjean, habitué aux alertes et aguerri aux coups inattendus qu'il faut parer vite, reprit possession sur-le-champ de toute sa présence d'esprit. D'ailleurs la situation ne pouvait empirer, un certain degré de détresse n'est plus capable de crescendo, et Thénardier lui-même ne pouvait ajouter de la noirceur à cette nuit.

Il y eut un instant d'attente.

Thénardier, élevant sa main droite à la hauteur de son front, s'en fit un abat-jour, puis il rapprocha les sourcils en clignant les yeux, ce qui, avec un léger pincement de la bouche, caractérise l'attention sagace d'un homme qui cherche à en reconnaître un autre. Il n'y réussit point. Jean Valjean, on vient de le dire, tournait le dos au jour, et était d'ailleurs si défiguré, si fangeux et si sanglant qu'en plein midi il eût été méconnaissable. Au contraire, éclairé de face par la lumière de la grille, clarté de cave, il est vrai, livide, mais précise dans sa lividité, Thénardier, comme dit l'énergique métaphore banale, sauta tout de suite aux yeux de Jean Valjean. Cette inégalité de conditions suffisait pour assurer quelque avantage à Jean Valjean dans ce mystérieux duel qui allait s'engager entre les deux situations et les deux hommes. La rencontre avait lieu entre Jean Valjean voilé et Thénardier démasqué.

Jean Valjean s'aperçut tout de suit que Thénardier ne le reconnaissait pas.

Ils se considérèrent un moment dans cette pénombre, comme s'ils se prenaient mesure. Thénardier rompit le premier le silence.

— Comment vas-tu faire pour sortir?

Jean Valjean ne répondit pas.

Thénardier continua :

— Impossible de crocheter la porte. Il faut pourtant que tu t'en ailles d'ici.

— C'est vrai, dit Jean Valjean.

— Eh bien, part à deux.

— Que veux-tu dire ?

— Tu as tué l'homme ; c'est bien. Moi, j'ai la clef.

Thénardier montrait du doigt Marius. Il poursuivit :

— Je ne te connais pas, mais je veux t'aider. Tu dois être un ami.

Jean Valjean commença à comprendre. Thénardier le prenait pour un assassin.

Thénardier reprit :

— Écoute, camarade. Tu n'as pas tué cet homme sans regarder ce qu'il avait dans ses poches. Donne-moi ma moitié. Je t'ouvre la porte.

Et, tirant à demi une grosse clef de dessous sa blouse toute trouée, il ajouta :

— Veux-tu voir comment est faite la clef des champs ? Voilà.

Jean Valjean « demeura stupide », le mot est du vieux Corneille, au point de douter que ce qu'il voyait fût réel. C'était la providence apparaissant horrible, et le bon ange sortant de terre sous la forme de Thénardier.

Thénardier fourra son poing dans une large poche cachée sous sa blouse, en tira une corde et la tendit à Jean Valjean.

— Tiens, dit-il, je te donne la corde par-dessus le marché.

— Pourquoi faire, une corde ?

— Il te faut aussi une pierre, mais tu en trouveras dehors. Il y a là un tas de gravats.

— Pourquoi faire, une pierre?

— Imbécile, puisque tu vas jeter le pantre à la rivière, il te faut une pierre et une corde, sans quoi ça flotterait sur l'eau.

Jean Valjean prit la corde. Il n'est personne qui n'ait de ces acceptations machinales.

Thénardier fit claquer ses doigts comme à l'arrivée d'une idée subite :

— Ah çà, camarade, comment as-tu fait pour te tirer là-bas de la fondrière? Je n'ai pas osé m'y risquer. Peuh! tu ne sens pas bon.

Après une pause, il ajouta :

— Je te fais des questions, mais tu as raison de ne pas y répondre. C'est un apprentissage pour le fichu quart d'heure du juge d'instruction. Et puis, en ne parlant pas du tout, on ne risque pas de parler trop haut. C'est égal, parce que je ne vois pas ta figure et parce que je ne sais pas ton nom, tu aurais tort de croire que je ne sais pas qui tu es et ce que tu veux. Connu. Tu as un peu cassé ce monsieur; maintenant tu voudrais le serrer quelque part. Il te faut la rivière, le grand cache-sottise. Je vas te tirer d'embarras. Aider un bon garçon dans la peine, ça me botte.

Tout en approuvant Jean Valjean de se taire, il cherchait visiblement à le faire parler. Il lui poussa l'épaule, de façon à tâcher de le voir de profil, et s'écria sans sortir pourtant du médium où il maintenait sa voix :

— À propos de la fondrière, tu es un fier animal. Pourquoi n'y as-tu pas jeté l'homme?

Jean Valjean garda le silence.

Thénardier reprit en haussant jusqu'à sa pomme d'Adam la loque qui lui servait de cravate, geste qui complète l'air capable d'un homme sérieux :

— Au fait, tu as peut-être agi sagement. Les ouvriers demain en venant boucher le trou auraient, à coup sûr, trouvé le pantinois oublié là, et on aurait pu, fil à fil, brin à brin, pincer ta trace, et arriver jusqu'à toi. Quelqu'un a passé par l'égout. Qui? par où est-il sorti? l'a-t-on vu sortir? La police est pleine d'esprit. L'égout est traître, et vous dénonce. Une telle trouvaille est une rareté, cela appelle l'attention, peu de gens se servent de l'égout pour leurs affaires, tandis que la rivière est à tout le monde. La rivière, c'est la vraie fosse. Au bout d'un mois, on vous repêche l'homme aux filets de Saint-Cloud. Eh bien, qu'est-ce que cela fiche? c'est une charogne, quoi! Qui a tué cet homme? Paris. Et la justice n'informe même pas. Tu as bien fait.

Plus Thénardier était loquace, plus Jean Valjean était muet. Thénardier lui secoua de nouveau l'épaule.

— Maintenant, concluons l'affaire. Partageons. Tu as vu ma clef, montre-moi ton argent.

Thénardier était hagard, fauve, louche, un peu menaçant, pourtant amical.

Il y avait une chose étrange; les allures de Thénardier n'étaient pas simples; il n'avait pas l'air tout à fait à son aise; tout en n'affectant pas d'air mystérieux, il parlait bas; de temps en temps il mettait son doigt sur sa bouche et murmurait : chut! Il était difficile de deviner pourquoi. Il n'y avait là personne qu'eux deux. Jean Valjean pensa que d'autres bandits étaient peut-être cachés dans quelque recoin, pas très loin, et que Thénardier ne se souciait pas de partager avec eux.

Thénardier reprit :

— Finissons. Combien le pantre avait-il dans ses profondes?

Jean Valjean se fouilla.

C'était, on s'en souvient, son habitude, d'avoir toujours de l'argent sur lui. La sombre vie d'expédients à laquelle il était condamné lui en faisait une loi. Cette fois pourtant il était pris au dépourvu. En mettant, la veille au soir, son uniforme de garde national, il avait oublié, lugubrement absorbé qu'il était, d'emporter son portefeuille. Il n'avait que quelque monnaie dans le gousset de son gilet. Cela se montait à une trentaine de francs. Il retourna sa poche, toute trempée de fange, et étala sur la banquette du radier un louis d'or, deux pièces de cinq francs et cinq ou six gros sous.

Thénardier avança la lèvre inférieure avec une torsion de cou significative.

— Tu l'as tué pour pas cher, dit-il.

Il se mit à palper, en toute familiarité, les poches de Jean Valjean et les poches de Marius. Jean Valjean, préoccupé surtout de tourner le dos au jour, le laissait faire. Tout en maniant l'habit de Marius, Thénardier, avec une dextérité d'escamoteur, trouva moyen d'en arracher, sans que Jean Valjean s'en aperçût, un lambeau qu'il cacha sous sa blouse, pensant probablement que ce morceau d'étoffe pourrait lui servir plus tard à reconnaître l'homme assassiné et l'assassin. Il ne trouva du reste rien de plus que les trente francs.

— C'est vrai, dit-il, l'un portant l'autre, vous n'avez pas plus que ça.

Et, oubliant son mot : *part à deux*, il prit tout.

Il hésita un peu devant les gros sous. Réflexion faite, il les prit aussi en grommelant :

— N'importe ! c'est suriner les gens à trop bon marché.

Cela fait, il tira de nouveau la clef de dessous sa blouse.

— Maintenant, l'ami, il faut que tu sortes. C'est ici comme à la foire, on paye en sortant. Tu as payé, sors.

Et il se mit à rire.

Avait-il, en apportant à un inconnu l'aide de cette clef et en faisant sortir par cette porte un autre que lui, l'intention pure et désintéressée de sauver un assassin ? c'est ce dont il est permis de douter.

Thénardier aida Jean Valjean à replacer Marius sur ses épaules, puis il se dirigea vers la grille sur la pointe de ses pieds nus, faisant signe à Jean Valjean de le suivre, il regarda au dehors, posa le doigt sur sa bouche, et demeura quelques secondes comme en suspens ; l'inspection faite, il mit la clef dans la serrure. Le pêne glissa et la porte tourna. Il n'y eut ni craquement, ni grincement. Cela se fit très doucement. Il était visible que cette grille et ces gonds, huilés avec soin, s'ouvraient plus souvent qu'on ne l'eût pensé. Cette douceur était sinistre ; on y sentait les allées et venues furtives, les entrées et les sorties silencieuses des hommes nocturnes, et les pas de loup du crime. L'égout était évidemment en complicité avec quelque bande mystérieuse. Cette grille taciturne était une receleuse.

Thénardier entre-bâilla la porte, livra tout juste passage à Jean Valjean, referma la grille, tourna deux fois la clef dans la serrure, et replongea dans l'obscurité, sans faire plus de bruit qu'un souffle. Il semblait marcher avec les pattes de velours du tigre. Un moment après, cette hideuse providence était rentrée dans l'invisible.

Jean Valjean se trouva dehors.

IX

MARIUS FAIT L'EFFET D'ÊTRE MORT À QUELQU'UN QUI S'Y CONNAÎT

Il laissa glisser Marius sur la berge.
Ils étaient dehors !
Les miasmes, l'obscurité, l'horreur, étaient derrière lui. L'air salubre, pur, vivant, joyeux, librement respirable, l'inondait. Partout autour de lui le silence, mais le silence charmant du soleil couché en plein azur. Le crépuscule s'était fait ; la nuit venait, la grande libératrice, l'amie de tous ceux qui ont besoin d'un manteau d'ombre pour sortir d'une angoisse. Le ciel s'offrait de toutes parts comme un calme énorme. La rivière arrivait à ses pieds avec le bruit d'un baiser. On entendait le dialogue aérien des nids qui se disaient bonsoir dans les ormes des Champs-Élysées. Quelques étoiles, piquant faiblement le bleu pâle du zénith et visibles à la seule rêverie, faisaient dans l'immensité de petits resplendissements imperceptibles. Le soir déployait sur la tête de Jean Valjean toutes les douceurs de l'infini.

C'était l'heure indécise et exquise qui ne dit ni oui ni non. Il y avait déjà assez de nuit pour qu'on pût s'y perdre à quelque distance, et encore assez de jour pour qu'on pût s'y reconnaître de près.

Jean Valjean fut pendant quelques secondes irrésistiblement vaincu par toute cette sérénité auguste et caressante ; il y a de ces minutes d'oubli ; la souffrance renonce à harceler le misérable ; tout s'éclipse dans la pensée ; la paix couvre le songeur comme une nuit ; et sous le crépuscule qui rayonne, et à l'imitation du ciel qui s'illumine, l'âme s'étoile. Jean Valjean ne put s'empêcher de contempler cette vaste ombre clair qu'il avait au-dessus de lui ;

pensif, il prenait dans le majestueux silence du ciel éternel un bain d'extase et de prière. Puis, vivement, comme si le sentiment d'un devoir lui revenait, il se courba vers Marius, et, puisant de l'eau dans le creux de sa main, il lui en jeta doucement quelques gouttes sur le visage. Les paupières de Marius ne se soulevèrent pas ; cependant sa bouche entr'ouverte respirait.

Jean Valjean allait plonger de nouveau sa main dans la rivière, quand tout à coup il sentit je ne sais quelle gêne, comme lorsqu'on a, sans le voir, quelqu'un derrière soi.

Nous avons déjà indiqué ailleurs cette impression, que tout le monde connaît.

Il se retourna.

Comme tout à l'heure, quelqu'un en effet était derrière lui.

Un homme de haute stature, enveloppé d'une longue redingote, les bras croisés, et portant dans son poing droit un casse-tête dont on voyait la pomme de plomb, se tenait debout à quelques pas en arrière de Jean Valjean accroupi sur Marius.

C'était, l'ombre aidant, une sorte d'apparition. Un homme simple en eût eu peur à cause du crépuscule, et un homme réfléchi à cause du casse-tête.

Jean Valjean reconnut Javert.

Le lecteur a deviné sans doute que le traqueur de Thénardier n'était autre que Javert. Javert, après sa sortie inespérée de la barricade, était allé à la préfecture de police, avait rendu verbalement compte au préfet en personne, dans une courte audience, puis avait repris immédiatement son service, qui impliquait, on se souvient de la note saisie sur lui, une certaine surveillance de la berge de la rive droite aux Champs-Élysées, laquelle depuis quelque temps éveillait l'attention de la police. Là, il avait aperçu Thénardier et l'avait suivi. On sait le reste.

On comprend aussi que cette grille, si obligeamment ouverte devant Jean Valjean, était une habileté de Thénardier. Thénardier sentait Javert toujours là ; l'homme guetté a un flair qui ne le trompe pas ; il fallait jeter un os à ce limier. Un assassin, quelle aubaine ! C'était la part du feu, qu'il ne faut jamais refuser. Thénardier, en mettant dehors Jean Valjean à sa place, donnait une proie à la police, lui faisait lâcher sa piste, se faisait oublier dans une plus grosse aventure, récompensait Javert de son attente, ce qui flatte toujours un espion, gagnait trente francs, et comptait bien, quant à lui, s'échapper à l'aide de cette diversion.

Jean Valjean était passé d'un écueil à l'autre.

Ces deux rencontres coup sur coup, tomber de Thénardier en Javert, c'était rude.

Javert ne reconnut pas Jean Valjean qui, nous l'avons dit, ne se ressemblait plus à lui-même. Il ne décroisa pas les bras, assura son casse-tête dans son poing par un mouvement imperceptible, et dit d'une voix brève et calme :

— Qui êtes-vous ?
— Moi.
— Qui, vous ?
— Jean Valjean.

Javert mit le casse-tête entre ses dents, ploya les jarrets, inclina le torse, posa ses deux mains puissantes sur les épaules de Jean Valjean, qui s'y emboîtèrent comme dans deux étaux, l'examina, et le reconnut. Leurs visages se touchaient presque. Le regard de Javert était terrible.

Jean Valjean demeura inerte sous l'étreinte de Javert comme un lion qui consentirait à la griffe d'un lynx.

— Inspecteur Javert, dit-il, vous me tenez. D'ailleurs, depuis ce matin je me considère comme votre prisonnier. Je ne vous ai point donné mon adresse pour chercher à vous échapper. Prenez-moi. Seulement, accordez-moi une chose.

Javert semblait ne pas entendre. Il appuyait sur Jean Valjean sa prunelle fixe. Son menton froncé poussait ses lèvres vers son nez, signe de rêverie farouche. Enfin, il lâcha Jean Valjean, se dressa tout d'une pièce, reprit à plein poignet le casse-tête, et, comme dans un songe, murmura plutôt qu'il ne prononça cette question :

— Que faites-vous là ? et qu'est-ce que c'est que cet homme ?

Il continua de ne plus tutoyer Jean Valjean.

Jean Valjean répondit, et le son de sa voix parut réveiller Javert :

— C'est de lui précisément que je voulais vous parler. Disposez de moi comme il vous plaira ; mais aidez-moi d'abord à le rapporter chez lui. Je ne vous demande que cela.

La face de Javert se contracta comme cela lui arrivait toutes les fois qu'on semblait le croire capable d'une concession. Cependant il ne dit pas non.

Il se courba de nouveau, tira de sa poche un mouchoir qu'il trempa dans l'eau, et essuya le front ensanglanté de Marius.

— Cet homme était à la barricade, dit-il à demi-voix et comme se parlant à lui-même. C'est celui qu'on appelait Marius.

Espion de première qualité, qui avait tout observé, tout écouté, tout entendu et tout recueilli, croyant mourir; qui épiait même dans l'agonie, et qui, accoudé sur la première marche du sépulcre, avait pris des notes.

Il saisit la main de Marius, cherchant le pouls.

— C'est un blessé, dit Jean Valjean.

— C'est un mort, dit Javert.

Jean Valjean répondit :

— Non. Pas encore.

— Vous l'avez donc apporté de la barricade ici? observa Javert.

Il fallait que sa préoccupation fût profonde pour qu'il n'insistât point sur cet inquiétant sauvetage par l'égout, et pour qu'il ne remarquât même pas le silence de Jean Valjean après sa question.

Jean Valjean, de son côté, semblait avoir une pensée unique. Il reprit :

— Il demeure au Marais, rue des Filles-du-Calvaire, chez son aïeul... — Je ne sais plus le nom.

Jean Valjean fouilla dans l'habit de Marius, en tira le portefeuille, l'ouvrit à la page crayonnée par Marius, et le tendit à Javert.

Il y avait encore dans l'air assez de clarté flottante pour qu'on pût lire. Javert, en outre, avait dans l'œil la phosphorescence féline des oiseaux de nuit. Il déchiffra les quelques lignes écrites par Marius, et grommela : — Gillenormand, rue des Filles-du-Calvaire, numéro 6.

Puis il cria : — Cocher !

On se rappelle le fiacre qui attendait, en cas.

Javert garda le portefeuille de Marius.

Un moment après, la voiture, descendue par la rampe de l'abreuvoir, était sur la berge, Marius était déposé sur la banquette du fond, et Javert s'asseyait près de Jean Valjean sur la banquette de devant.

La portière refermée, le fiacre s'éloigna rapidement, remontant les quais dans la direction de la Bastille.

Ils quittèrent les quais et entrèrent dans les rues. Le cocher, silhouette noire sur son siège, fouettait ses chevaux maigres. Silence glacial dans le fiacre. Marius, immobile, le torse adossé au coin du fond, la tête abattue sur la poitrine, les bras pendants, les jambes roides, paraissait ne plus attendre qu'un cercueil; Jean Valjean semblait fait d'ombre, et Javert de pierre; et dans cette voiture pleine de nuit, dont l'intérieur, chaque fois qu'elle passait devant un réverbère, apparaissait lividement blêmi comme par un éclair intermittent, le hasard réunissait et semblait confronter lugubrement les trois immobilités tragiques, le cadavre, le spectre, la statue.

x

RENTRÉE DE L'ENFANT PRODIGUE DE SA VIE

À chaque cahot du pavé, une goutte de sang tombait des cheveux de Marius.

Il était nuit close quand le fiacre arriva au numéro 6 de la rue des Filles-du-Calvaire.

Javert mit pied à terre le premier, constata d'un coup d'œil le numéro au-dessus de la porte cochère, et, soulevant le lourd marteau de fer battu, historié à la vieille mode d'un bouc et d'un satyre qui s'affrontaient, frappa un coup violent. Le battant s'entr'ouvrit, et Javert le poussa. Le portier se montra à demi, bâillant, vaguement réveillé, une chandelle à la main.

Tout dormait dans la maison. On se couche de bonne heure au Marais; surtout les jours d'émeute. Ce bon vieux quartier, effarouché par la révolution, se réfugie dans le sommeil, comme les enfants, lorsqu'ils entendent venir

Croquemitaine, cachent bien vite leur tête sous leur couverture.

Cependant Jean Valjean et le cocher tiraient Marius du fiacre, Jean Valjean le soutenant sous les aisselles et le cocher sous les jarrets.

Tout en portant Marius de la sorte, Jean Valjean glissa sa main sous les vêtements qui étaient largement déchirés, tâta la poitrine et s'assura que le cœur battait encore. Il battait même un peu moins faiblement, comme si le mouvement de la voiture avait déterminé une certaine reprise de la vie.

Javert interpella le portier du ton qui convient au gouvernement en présence du portier d'un factieux.

— Quelqu'un qui s'appelle Gillenormand?
— C'est ici. Que lui voulez-vous?
— On lui rapporte son fils.
— Son fils? dit le portier avec hébétement.
— Il est mort.

Jean Valjean, qui venait, déguenillé et souillé, derrière Javert, et que le portier regardait avec quelque horreur, lui fit signe de la tête que non.

Le portier ne parut comprendre ni le mot de Javert, ni le signe de Jean Valjean.

Javert continua:
— Il est allé à la barricade, et le voilà.
— À la barricade! s'écria le portier.
— Il s'est fait tuer. Allez réveiller le père.

Le portier ne bougeait pas.

— Allez donc! reprit Javert.

Et il ajouta:
— Demain il y aura ici de l'enterrement.

Pour Javert, les incidents habituels de la voie publique étaient classés catégoriquement, ce qui est le commencement de la prévoyance et de la surveillance, et chaque éventualité avait son compartiment; les faits possibles étaient en quelque sorte dans des tiroirs d'où ils sortaient, selon l'occasion, en quantités variables; il y avait, dans la rue, du tapage, de l'émeute, du carnaval, de l'enterrement.

Le portier se borna à réveiller Basque. Basque réveilla Nicolette; Nicolette réveilla la tante Gillenormand. Quant au grand-père, on le laissa dormir, pensant qu'il saurait toujours la chose assez tôt.

On monta Marius au premier étage, sans que personne, du reste, s'en aperçût dans les autres parties de la maison, et on le déposa sur un vieux canapé dans l'antichambre de M. Gillenormand ; et, tandis que Basque allait chercher un médecin et que Nicolette ouvrait les armoires à linge, Jean Valjean sentit Javert qui lui touchait l'épaule. Il comprit, et redescendit, ayant derrière lui le pas de Javert qui le suivait.

Le portier les regarda partir comme il les avait regardés arriver, avec une somnolence épouvantée.

Ils remontèrent dans le fiacre, et le cocher sur son siège.

— Inspecteur Javert, dit Jean Valjean, accordez-moi encore une chose.

— Laquelle ? demanda rudement Javert.

— Laissez-moi rentrer un moment chez moi. Ensuite vous ferez de moi ce que vous voudrez.

Javert demeura quelques instants silencieux, le menton rentré dans le collet de sa redingote, puis il baissa la vitre de devant.

— Cocher, dit-il, rue de l'Homme-Armé, numéro 7.

XI

ÉBRANLEMENT DANS L'ABSOLU

Ils ne desserrèrent plus les dents de tout le trajet.

Que voulait Jean Valjean ? Achever ce qu'il avait commencé ; avertir Cosette, lui dire où était Marius, lui donner peut-être quelque autre indication utile ; prendre, s'il le pouvait, de certaines dispositions suprêmes. Quant à lui, quant à ce qui le concernait personnellement, c'était fini ; il était saisi par Javert et n'y résistait pas ; un autre que lui, en une telle situation, eût peut-être vaguement songé à cette corde que lui avait donnée Thénardier et aux barreaux du premier cachot où il entrerait ; mais, depuis l'évêque, il y avait dans Jean Valjean devant tout attentat, fût-ce contre lui-même, insistons-y, une profonde hésitation religieuse.

Le suicide, cette mystérieuse voie de fait sur l'inconnu, laquelle peut contenir dans une certaine mesure la mort de l'âme, était impossible à Jean Valjean.

À l'entrée de la rue de l'Homme-Armé, le fiacre s'arrêta, cette rue étant trop étroite pour que les voitures puissent y pénétrer. Javert et Jean Valjean descendirent.

Le cocher représenta humblement à « monsieur l'inspecteur » que le velours d'Utrecht de sa voiture était tout taché par le sang de l'homme assassiné et par la boue de l'assassin. C'était là ce qu'il avait compris. Il ajouta qu'une indemnité lui était due. En même temps, tirant de sa poche son livret, il pria monsieur l'inspecteur d'avoir la bonté de lui écrire dessus « un petit bout d'attestation comme quoi ».

Javert repoussa le livret que lui tendait le cocher, et dit :
— Combien te faut-il, y compris ta station et ta course ?
— Il y a sept heures et quart, répondit le cocher, et mon velours était tout neuf. Quatrevingts francs, monsieur l'inspecteur.

Javert tira de sa poche quatre napoléons et congédia le fiacre.

Jean Valjean pensa que l'intention de Javert était de le conduire à pied au poste des Blancs-Manteaux ou au poste des Archives, qui sont tout près.

Ils s'engagèrent dans la rue. Elle était, comme d'habitude, déserte. Javert suivait Jean Valjean. Ils arrivèrent au numéro 7. Jean Valjean frappa. La porte s'ouvrit.

— C'est bien, dit Javert. Montez.

Il ajouta avec une expression étrange et comme s'il faisait effort en parlant de la sorte :
— Je vous attends ici.

Jean Valjean regarda Javert. Cette façon de faire était un peu dans les habitudes de Javert. Cependant, que Javert eût maintenant en lui une sorte de confiance hautaine, la confiance du chat qui accorde à la souris une liberté de la longueur de sa griffe, résolu qu'était Jean Valjean à se livrer et à en finir, cela ne pouvait le surprendre beaucoup. Il poussa la porte, entra dans la maison, cria au portier qui était couché et qui avait tiré le cordon de son lit : C'est moi ! et monta l'escalier.

Parvenu au premier étage, il fit une pause. Toutes les

voies douloureuses ont des stations. La fenêtre du palier, qui était une fenêtre-guillotine, était ouverte. Comme dans beaucoup d'anciennes maisons, l'escalier prenait jour et avait vue sur la rue. Le réverbère de la rue, situé précisément en face, jetait quelque lumière sur les marches, ce qui faisait une économie d'éclairage.

Jean Valjean, soit pour respirer, soit machinalement, mit la tête à cette fenêtre. Il se pencha sur la rue. Elle est courte et le réverbère l'éclairait d'un bout à l'autre. Jean Valjean eut un éblouissement de stupeur; il n'y avait plus personne.

Javert s'en était allé.

XII

L'AÏEUL

Basque et le portier avaient transporté dans le salon Marius toujours étendu sans mouvement sur le canapé où on l'avait déposé en arrivant. Le médecin, qu'on avait été chercher, était accouru. La tante Gillenormand s'était levée.

La tante Gillenormand allait et venait, épouvantée, joignant les mains, et incapable de faire autre chose que de dire : Est-il Dieu possible! Elle ajoutait par moments : Tout va être confondu de sang! Quant la première horreur fut passée, une certaine philosophie de la situation se fit jour jusqu'à son esprit et se traduisit par cette exclamation : Cela devait finir comme ça! Elle n'alla point jusqu'au : *Je l'avais bien dit!* qui est d'usage dans les occasions de ce genre.

Sur l'ordre du médecin, un lit de sangle avait été dressé près du canapé. Le médecin examina Marius, et, après avoir constaté que le pouls persistait, que le blessé n'avait à la poitrine aucune plaie pénétrante, et que le sang du coin des lèvres venait des fosses nasales, il le fit poser à plat sur le lit, sans oreiller, la tête sur le même plan que le corps, et même un peu plus basse, le buste nu, afin de faciliter la respiration. Mademoiselle Gillenormand, voyant qu'on déshabillait Marius, se retira. Elle se mit à dire son chapelet dans sa chambre.

Le torse n'était atteint d'aucune lésion intérieure ; une balle, amortie par le portefeuille, avait dévié et fait le tour des côtes avec une déchirure hideuse, mais sans profondeur, et par conséquent sans danger. La longue marche souterraine avait achevé la dislocation de la clavicule cassée, et il y avait là de sérieux désordres. Les bras étaient sabrés. Aucune balafre ne défigurait le visage ; la tête pourtant était comme couverte de hachures ; que deviendraient ces blessures à la tête ? s'arrêtaient-elles au cuir chevelu ? entamaient-elles le crâne ? On ne pouvait le dire encore. Un symptôme grave, c'est qu'elles avaient causé l'évanouissement, et l'on ne se réveille pas toujours de ces évanouissements-là. L'hémorragie, en outre, avait épuisé le blessé. À partir de la ceinture, le bas du corps avait été protégé par la barricade.

Basque et Nicolette déchiraient des linges et préparaient des bandes ; Nicolette les cousait, Basque les roulait. La charpie manquant, le médecin avait provisoirement arrêté le sang des plaies avec des galettes d'ouate. À côté du lit, trois bougies brûlaient sur une table où la trousse de chirurgie était étalée. Le médecin lava le visage et les cheveux de Marius avec de l'eau froide. Un seau plein fut rouge en un instant. Le portier, sa chandelle à la main, éclairait.

Le médecin semblait songer tristement. De temps en temps, il faisait un signe de tête négatif, comme s'il répondait à quelque question qu'il s'adressait intérieurement. Mauvais signe pour le malade, ces mystérieux dialogues du médecin avec lui-même.

Au moment où le médecin essuyait la face et touchait légèrement du doigt les paupières toujours fermées, une porte s'ouvrit au fond du salon, et une longue figure pâle apparut.

C'était le grand-père.

L'émeute, depuis deux jours, avait fort agité, indigné et préoccupé M. Gillenormand. Il n'avait pu dormir la nuit précédente, et il avait eu la fièvre toute la journée. Le soir, il s'était couché de très bonne heure, recommandant qu'on verrouillât tout dans la maison, et, de fatigue, il s'était assoupi.

Les vieillards ont le sommeil fragile ; la chambre de M. Gillenormand était contiguë au salon, et, quelques précautions qu'on eût prises, le bruit l'avait réveillé. Surpris de la fente de lumière qu'il voyait à sa porte, il était sorti de son lit et était venu à tâtons.

Il était sur le seuil, une main sur le bec-de-cane de la porte entre-bâillée, la tête un peu penchée en avant, et branlante, le corps serré dans une robe de chambre blanche, droite et sans plis comme un suaire, étonné ; et il avait l'air d'un fantôme qui regarde dans un tombeau.

Il aperçut le lit, et sur le matelas ce jeune homme sanglant, blanc d'une blancheur de cire, les yeux fermés, la bouche ouverte, les lèvres blêmes, nu jusqu'à la ceinture, taillladé partout de plaies vermeilles, immobile, vivement éclairé.

L'aïeul eut de la tête aux pieds tout le frisson que peuvent avoir des membres ossifiés, ses yeux dont la cornée était jaune à cause du grand âge se voilèrent d'une sorte de miroitement vitreux, toute sa face prit en un instant les angles terreux d'une tête de squelette, ses bras tombèrent pendants comme si un ressort s'y fût brisé, et sa stupeur se traduisit par l'écartement des doigts de ses deux vieilles mains toutes tremblantes, ses genoux firent un angle en avant, laissant voir par l'ouverture de la robe de chambre ses pauvres jambes nues hérissées de poils blancs, et il murmura :

— Marius !

— Monsieur, dit Basque, on vient de rapporter monsieur. Il est allé à la barricade, et...

— Il est mort ! cria le vieillard d'une voix terrible. Ah ! le brigand !

Alors une sorte de transfiguration sépulcrale redressa ce centenaire droit comme un jeune homme.

— Monsieur, dit-il, c'est vous le médecin. Commencez par me dire une chose. Il est mort, n'est-ce pas ?

Le médecin, au comble de l'anxiété, garda le silence.

M. Gillenormand se tordit les mains avec un éclat de rire effrayant.

— Il est mort ! il est mort ! Il s'est fait tuer aux barri-

cades ! en haine de moi ! C'est contre moi qu'il a fait ça !
Ah ! buveur de sang ! c'est comme cela qu'il me revient !
Misère de ma vie, il est mort !

Il alla à une fenêtre, l'ouvrit toute grande comme s'il étouffait, et, debout devant l'ombre, il se mit à parler dans la rue à la nuit :

— Percé, sabré, égorgé, exterminé, déchiqueté, coupé en morceaux ! voyez-vous ça, le gueux ! Il savait bien que je l'attendais, et que je lui avais fait arranger sa chambre, et que j'avais mis au chevet de mon lit son portrait du temps qu'il était petit enfant ! Il savait bien qu'il n'avait qu'à revenir, et que depuis des ans je le rappelais, et que je restais le soir au coin de mon feu les mains sur mes genoux ne sachant que faire, et que j'en étais imbécile ! Tu savais bien cela, que tu n'avais qu'à rentrer, et qu'à dire : C'est moi, et que tu serais le maître de la maison, et que je t'obéirais, et que tu ferais tout ce que tu voudrais de ta vieille ganache de grand-père ! Tu le savais bien, et tu as dit : Non, c'est un royaliste, je n'irai pas ! Et tu es allé aux barricades, et tu t'es fait tuer par méchanceté ! pour te venger de ce que je t'avais dit au sujet de monsieur le duc de Berry ! C'est ça qui est infâme ! Couchez-vous donc et dormez donc tranquillement ! Il est mort. Voilà mon réveil.

Le médecin, qui commençait à être inquiet de deux côtés, quitta un moment Marius et alla à M. Gillenormand, et lui prit le bras. L'aïeul se retourna, le regarda avec des yeux qui semblaient agrandis et sanglants, et lui dit avec calme :

— Monsieur, je vous remercie. Je suis tranquille, je suis un homme, j'ai vu la mort de Louis XVI, je sais porter les événements. Il y a une chose qui est terrible, c'est de penser que ce sont vos journaux qui font tout le mal. Vous aurez des écrivassiers, des parleurs, des avocats, des orateurs, des tribunes, des discussions, des progrès, des lumières, des droits de l'homme, de la liberté de la presse, et voilà comment on vous rapportera vos enfants dans vos maisons ! Ah ! Marius ! c'est abominable ! Tué ! mort avant moi ! Une barricade ! Ah ! le bandit ! Docteur, vous demeurez dans le quartier, je crois ? Oh ! je vous connais bien. Je vois de ma fenêtre passer votre cabriolet. Je vais vous dire.

Vous auriez tort de croire que je suis en colère. On ne se met pas en colère contre un mort. Ce serait stupide. C'est un enfant que j'ai élevé. J'étais déjà vieux, qu'il faisait dans la terre avec sa pelle. Un jour il a crié : À bas petite pelle et sa petite chaise, et, pour que les inspecteurs ne grondassent pas, je bouchais à mesure avec ma canne les trous qu'il faisait dans la terre avec sa pelle. Un jour il a crié : À bas Louis XVIII ! et s'en est allé. Ce n'est pas ma faute. Il était tout rose et tout blond. Sa mère est morte. Avez-vous remarqué que tous les petits enfants sont blonds ? À quoi cela tient-il ? C'est le fils d'un de ces brigands de la Loire. Mais les enfants sont innocents des crimes de leurs pères. Je me le rappelle quand il était haut comme ceci. Il ne pouvait pas parvenir à prononcer les *d*. Il avait un parler si doux et si obscur qu'on eût cru un oiseau. Je me souviens qu'une fois, devant l'Hercule Farnèse, on faisait cercle pour s'émerveiller et l'admirer, tant il était beau, cet enfant ! C'était une tête comme il y en a dans les tableaux. Je lui faisais ma grosse voix, je lui faisais peur avec ma canne, mais il savait bien que c'était pour rire. Le matin, quand il entrait dans ma chambre, je bougonnais, mais cela me faisait l'effet du soleil. On ne peut pas se défendre contre ces mioches-là. Ils vous prennent, ils vous tiennent, ils ne vous lâchent plus. La vérité est qu'il n'y avait pas d'amour comme cet enfant-là. Maintenant, qu'est-ce que vous dites de vos Lafayette, de vos Benjamin Constant, et de vos Tirecuir de Corcelles, qui me le tuent ! Ça ne peut pas passer comme ça.

Il s'approcha de Marius toujours livide et sans mouvement, et auquel le médecin était revenu, et il recommença à se tordre les bras. Les lèvres blanches du vieillard remuaient comme machinalement, et laissaient passer, comme des souffles dans un râle, des mots presque indistincts qu'on entendait à peine : — Ah ! sans cœur ! Ah ! clubiste ! Ah ! scélérat ! Ah ! septembriseur ! — Reproches à voix basse d'un agonisant à un cadavre.

Peu à peu, comme il faut toujours que les éruptions intérieures se fassent jour, l'enchaînement des paroles revint, mais l'aïeul paraissait n'avoir plus la force de les prononcer ; sa voix était tellement sourde et éteinte qu'elle semblait venir de l'autre bord d'un abîme :

— Ça m'est bien égal, je vais mourir aussi, moi. Et dire qu'il n'y a pas dans Paris une drôlesse qui n'eût été heureuse de faire le bonheur de ce misérable! Un gredin qui, au lieu de s'amuser et de jouir de la vie, est allé se battre et s'est fait mitrailler comme une brute! Et pour qui pourquoi? Pour la république! Au lieu d'aller danser à la Chaumière, comme c'est le devoir des jeunes gens! C'est bien la peine d'avoir vingt ans. La république, belle fichue sottise! Pauvres mères, faites donc de jolis garçons! Allons, il est mort. Ça fera deux enterrements sous la porte cochère. Tu t'es donc fait arranger comme cela pour les beaux yeux du général Lamarque! Qu'est-ce qu'il t'avait fait, ce général Lamarque! Un sabreur! un bavard! Se faire tuer pour un mort! S'il n'y a pas de quoi rendre fou! Comprenez cela! À vingt ans! Et sans retourner la tête pour regarder s'il ne laissait rien derrière lui! Voilà maintenant les pauvres vieux bonshommes qui sont forcés de mourir tout seuls. Crève dans ton coin, hibou! Eh bien, au fait, tant mieux, c'est ce que j'espérais, ça va me tuer net. Je suis trop vieux, j'ai cent ans, j'ai cent mille ans, il y a longtemps que j'ai le droit d'être mort. De ce coup-là, c'est fait. C'est donc fini, quel bonheur! À quoi bon lui faire respirer de l'ammoniaque et tout ce tas de drogues? Vous perdez votre peine, imbécile de médecin! Allez, il est mort, bien mort. Je m'y connais, moi qui suis mort aussi. Il n'a pas fait la chose à demi. Oui, ce temps-ci est infâme, infâme, infâme, et voilà ce que je pense de vous, de vos idées, de vos systèmes, de vos maîtres, de vos oracles, de vos docteurs, de vos garnements d'écrivains, de vos gueux de philosophes, et de toutes les révolutions qui effarouchent depuis soixante ans les nuées de corbeaux des Tuileries! Et puisque tu as été sans pitié en te faisant tuer comme cela, je n'aurai même pas de chagrin de ta mort, entends-tu, assassin!

En ce moment, Marius ouvrit lentement les paupières, et son regard, encore voilé par l'étonnement léthargique, s'arrêta sur M. Gillenormand.

— Marius! cria le vieillard, Marius! mon petit Marius! mon enfant! mon fils bien-aimé! Tu ouvres les yeux, tu me regardes, tu es vivant, merci!

Et il tomba évanoui.

LIVRE QUATRIÈME
JAVERT DÉRAILLÉ

I

JAVERT DÉRAILLÉ

Javert s'était éloigné à pas lents de la rue de l'Homme-Armé.

Il marchait la tête baissée, pour la première fois de sa vie, et, pour la première fois de sa vie également, les mains derrière le dos.

Jusqu'à ce jour, Javert n'avait pris, dans les deux attitudes de Napoléon, que celle qui exprime la résolution, les bras croisés sur la poitrine ; celle qui exprime l'incertitude, les mains derrière le dos, lui était inconnue. Maintenant, un changement s'était fait ; toute sa personne, lente et sombre, était empreinte d'anxiété.

Il s'enfonça dans les rues silencieuses.

Cependant il suivait une direction.

Il coupa par le plus court vers la Seine, gagna le quai des Ormes, longea le quai, dépassa la Grève, et s'arrêta, à quelque distance du poste de la place du Châtelet, à l'angle du pont Notre-Dame. La Seine fait là, entre le pont Notre-Dame et le Pont au Change d'une part, et d'autre part entre le quai de la Mégisserie et le quai aux Fleurs, une sorte de lac carré traversé par un rapide.

Ce point de la Seine est redouté des mariniers. Rien n'est plus dangereux que ce rapide, resserré à cette époque et irrité par les pilotis du moulin du pont, aujourd'hui démoli. Les deux ponts, si voisins l'un de l'autre, augmentent le péril; l'eau se hâte formidablement sous les arches. Elle y roule de larges plis terribles; elle s'y accumule et s'y entasse; le flot fait effort aux piles des ponts comme pour les arracher avec de grosses cordes liquides. Les hommes qui tombent là ne reparaissent pas; les meilleurs nageurs s'y noient.

Javert appuya ses deux coudes sur le parapet, son menton dans ses deux mains, et, pendant que ses ongles se crispaient machinalement dans l'épaisseur de ses favoris, il songea.

Une nouveauté, une révolution, une catastrophe, venait de se passer au fond de lui-même; et il y avait de quoi s'examiner.

Javert souffrait affreusement.

Depuis quelques heures Javert avait cessé d'être simple. Il était troublé; ce cerveau, si limpide dans sa cécité, avait perdu sa transparence; il y avait un nuage dans ce cristal. Javert sentait dans sa conscience le devoir se dédoubler, et il ne pouvait se le dissimuler. Quand il avait rencontré si inopinément Jean Valjean sur la berge de la Seine, il y avait eu en lui quelque chose du loup qui ressaisit sa proie et du chien qui retrouve son maître.

Il voyait devant lui deux routes également droites toutes deux, mais il en voyait deux; et cela le terrifiait, lui qui n'avait jamais connu dans sa vie qu'une ligne droite. Et, angoisse poignante, ces deux routes étaient contraires. L'une de ces deux lignes droites excluait l'autre. Laquelle des deux était la vraie?

Sa situation était inexprimable.

Devoir la vie à un malfaiteur, accepter cette dette et la rembourser, être, en dépit de soi-même, de plain-pied avec un repris de justice, et lui payer un service avec un autre service; se laisser dire: Va-t'en, et lui dire à son tour: Sois libre; sacrifier à des motifs personnels le devoir, cette obligation générale, et sentir dans ces motifs personnels quelque chose de général aussi, et de supérieur peut-être; trahir la société pour rester fidèle à sa conscience; que toutes ces absurdités se réalisassent et qu'elles vinssent s'accumuler sur lui-même, c'est ce dont il était atterré.

Une chose l'avait étonné, c'était que Jean Valjean lui eût fait grâce, et une chose l'avait pétrifié, c'était que, lui Javert, il eût fait grâce à Jean Valjean.

Où en était-il? Il se cherchait et ne se trouvait plus.

Que faire maintenant? Livrer Jean Valjean, c'était mal; laisser Jean Valjean libre, c'était mal. Dans le premier cas, l'homme de l'autorité tombait plus bas que l'homme du bagne; dans le second, un forçat montait plus haut que la loi et mettait le pied dessus. Dans les deux cas, déshonneur pour lui Javert. Dans tous les partis qu'on pouvait prendre, il y avait de la chute. La destinée a de certaines extrémités à pic sur l'impossible, et au delà desquelles la vie n'est plus qu'un précipice. Javert était à une de ces extrémités-là.

Une de ses anxiétés, c'était d'être contraint de penser. La violence même de toutes ces émotions contradictoires l'y obligeait. La pensée, chose inusitée pour lui, et singulièrement douloureuse.

Il y a toujours dans la pensée une certaine quantité de rébellion intérieure; et il s'irritait d'avoir cela en lui.

La pensée, sur n'importe quel sujet en dehors du cercle étroit de ses fonctions, eût été pour lui, dans tous les cas, une inutilité et une fatigue; mais la pensée sur la journée qui venait de s'écouler était une torture. Il fallait bien cependant regarder dans sa conscience après de telles secousses, et se rendre compte de soi-même à soi-même.

Ce qu'il venait de faire lui donnait le frisson. Il avait, lui Javert, trouvé bon de décider, contre tous les règlements de police, contre toute l'organisation sociale et judiciaire, contre le code tout entier, une mise en liberté; cela lui avait convenu; il avait substitué ses propres affaires aux affaires publiques; n'était-ce pas inqualifiable? Chaque fois qu'il se mettait en face de cette action sans nom qu'il avait commise, il tremblait de la tête aux pieds. À quoi se résoudre? Une seule ressource lui restait : retourner en hâte rue de l'Homme-Armé, et faire écrouer Jean Valjean. Il était clair que c'était cela qu'il fallait faire. Il ne pouvait.

Quelque chose lui barrait le chemin de ce côté-là.

Quelque chose? Quoi? Est-ce qu'il y a au monde autre chose que les tribunaux, les sentences exécutoires, la police et l'autorité? Javert était bouleversé.

Un galérien sacré! un forçat imprenable à la justice! et cela par le fait de Javert!

Que Javert et Jean Valjean, l'homme fait pour sévir, l'homme fait pour subir, que ces deux hommes, qui étaient l'un et l'autre la chose de la loi, en fussent venus à ce point de se mettre tous les deux au-dessus de la loi, est-ce que ce n'était pas effrayant?

Quoi donc! de telles énormités arriveraient, et personne ne serait puni! Jean Valjean, plus fort que l'ordre social tout entier, serait libre, et lui Javert continuerait de manger le pain du gouvernement!

Sa rêverie devenait peu à peu terrible.

Il eût pu à travers cette rêverie se faire encore quelque reproche au sujet de l'insurgé rapporté rue des Filles-du-Calvaire; mais il n'y songeait pas. La faute moindre se perdait dans la plus grande. D'ailleurs cet insurgé était évidemment un homme mort, et, légalement, la mort éteint la poursuite.

Jean Valjean, c'était là le poids qu'il avait sur l'esprit.

Jean Valjean le déconcertait. Tous les axiomes qui avaient été les points d'appui de toute sa vie s'écroulaient devant cet homme. La générosité de Jean Valjean envers lui Javert l'accablait. D'autres faits, qu'il se rappelait et qu'il avait autrefois traités de mensonges et de folies, lui revenaient maintenant comme des réalités. M. Madeleine reparaissait derrière Jean Valjean, et les deux figures se superposaient de façon à n'en plus faire qu'une, qui était vénérable. Javert sentait que quelque chose d'horrible pénétrait dans son âme, l'admiration pour un forçat. Le respect d'un galérien, est-ce que c'est possible? Il en frémissait, et ne pouvait s'y soustraire. Il avait beau se débattre, il était réduit à confesser dans son for intérieur la sublimité de ce misérable. Cela était odieux.

Un malfaiteur bienfaisant, un forçat compatissant, doux, secourable, clément, rendant le bien pour le mal, rendant le pardon pour la haine, préférant la pitié à la vengeance, aimant mieux se perdre que de perdre son ennemi, sauvant celui qui l'a frappé, agenouillé sur le haut de la vertu, plus voisin de l'ange que de l'homme! Javert était contraint de s'avouer que ce monstre existait.

Cela ne pouvait durer ainsi.

Certes, et nous y insistons, il ne s'était pas rendu sans résistance à ce monstre, à cet ange infâme, à ce héros hideux, dont il était presque aussi indigné que stupéfait. Vingt fois, quand il était dans cette voiture face à face avec Jean Valjean, le tigre légal avait rugi en lui. Vingt fois il avait été tenté de se jeter sur Jean Valjean, de le saisir et de le dévorer, c'est-à-dire de l'arrêter. Quoi de plus simple en effet ? Crier au premier poste devant lequel on passe : — Voilà un repris de justice en rupture de ban ! appeler les gendarmes et leur dire : — Cet homme est pour vous ! ensuite s'en aller, laisser là ce damné, ignorer le reste, et ne plus se mêler de rien. Cet homme est à jamais le prisonnier de la loi ; la loi en fera ce qu'elle voudra. Quoi de plus juste ? Javert s'était dit tout cela ; il avait voulu passer outre, agir, appréhender l'homme, et, alors comme à présent, il n'avait pas pu ; et chaque fois que sa main s'était convulsivement levée vers le collet de Jean Valjean, sa main, comme sous un poids énorme, était retombée, et il avait entendu au fond de sa pensée une voix, une étrange voix qui lui criait : — C'est bien. Livre ton sauveur. Ensuite fais apporter la cuvette de Ponce-Pilate, et lave-toi les griffes.

Puis sa réflexion retombait sur lui-même, et à côté de Jean Valjean grandi, il se voyait, lui Javert, dégradé.

Un forçat était son bienfaiteur !

Mais aussi pourquoi avait-il permis à cet homme de le laisser vivre ? Il avait, dans cette barricade, le droit d'être tué. Il aurait dû user de ce droit. Appeler les autres insurgés à son secours contre Jean Valjean, se faire fusiller de force, cela valait mieux.

Sa suprême angoisse, c'était la disparition de la certitude. Il se sentait déraciné. Le code n'était plus qu'un tronçon dans sa main. Il avait affaire à des scrupules d'une espèce inconnue. Il se faisait en lui une révélation sentimentale entièrement distincte de l'affirmation légale, son unique mesure jusqu'alors. Rester dans l'ancienne honnêteté, cela ne suffisait plus. Tout un ordre de faits inattendus surgissait et le subjuguait. Tout un monde nouveau apparaissait à son âme : le bienfait accepté et rendu, le dévouement, la miséricorde, l'indulgence, les violences faites par la pitié à l'austérité, l'acception de personnes, plus de condamnation définitive, plus de damnation, la possibilité d'une larme dans l'œil de la loi, on ne sait quelle justice selon Dieu allant en sens inverse de la justice selon les hommes. Il apercevait dans les ténèbres l'effrayant lever d'un soleil moral inconnu; il en avait l'horreur et l'éblouissement. Hibou forcé à des regards d'aigle.

Il se disait que c'était donc vrai, qu'il y avait des exceptions, que l'autorité pouvait être décontenancée, que la règle pouvait rester court devant un fait, que tout ne s'encadrait pas dans le texte du code, que l'imprévu se faisait obéir, que la vertu d'un forçat pouvait tendre un piège à la vertu d'un fonctionnaire, que le monstrueux pouvait être divin, que la destinée avait de ces embuscades-là, et il songeait avec désespoir que lui-même n'avait pas été à l'abri d'une surprise.

Il était forcé de reconnaître que la bonté existait. Ce forçat avait été bon. Et lui-même, chose inouïe, il venait d'être bon. Donc il se dépravait.

Il se trouvait lâche. Il se faisait horreur.

L'idéal pour Javert, ce n'était pas d'être humain, d'être grand, d'être sublime; c'était d'être irréprochable.

Or il venait de faillir.

Comment en était-il arrivé là? comment tout cela s'était-il passé? Il n'aurait pu se le dire à lui-même. Il prenait sa tête dans ses deux mains, mais il avait beau faire, il ne parvenait pas à se l'expliquer.

Il avait certainement toujours eu l'intention de remettre Jean Valjean à la loi, dont Jean Valjean était le captif, et dont lui, Javert, était l'esclave. Il ne s'était pas avoué un seul instant, pendant qu'il le tenait, qu'il eût la pensée de le laisser aller. C'était en quelque sorte à son insu que sa main s'était ouverte et l'avait lâché.

Toutes sortes de nouveautés énigmatiques s'entr'ouvraient devant ses yeux. Il s'adressait des questions, et il se faisait des réponses, et ses réponses l'effrayaient. Il se demandait : Ce forçat, ce désespéré, que j'ai poursuivi jusqu'à le persécuter, et qui m'a eu sous son pied, et qui pouvait se venger, et qui le devait tout à la fois pour sa rancune et pour sa sécurité, en me laissant la vie, en me faisant grâce, qu'a-t-il fait? Son devoir. Non. Quelque chose de plus. Et moi, en lui faisant grâce à mon tour, qu'ai-je fait ? Mon devoir. Non. Quelque chose de plus. Il y a donc quelque chose de plus que le devoir ? Ici il s'effarait ; sa balance se disloquait ; l'un des plateaux tombait dans l'abîme, l'autre s'en allait dans le ciel ; et Javert n'avait pas moins d'épouvante de celui qui était en haut que de celui qui était en bas. Sans être le moins du monde ce qu'on appelle voltairien, ou philosophe, ou incrédule, respectueux au contraire, par instinct, pour l'église établie, il ne la connaissait que comme un fragment auguste de l'ensemble social ; l'ordre était son dogme et lui suffisait ; depuis qu'il avait âge d'homme et de fonctionnaire, il mettait dans la police à peu près toute sa religion, étant, et nous employons ici les mots sans la moindre ironie et dans leur acception la plus sérieuse, étant, nous l'avons dit, espion comme on est prêtre. Il avait un supérieur, M. Gisquet ; il n'avait guère songé jusqu'à ce jour à cet autre supérieur, Dieu.

Ce chef nouveau, Dieu, il le sentait inopinément, et en était troublé.

Il était désorienté de cette présence inattendue ; il ne savait que faire de ce supérieur-là, lui qui n'ignorait pas que le subordonné est tenu de se courber toujours, qu'il ne doit ni désobéir, ni blâmer, ni discuter, et que, vis-à-vis d'un supérieur qui l'étonne trop, l'inférieur n'a d'autre ressource que sa démission.

Mais comment s'y prendre pour donner sa démission à Dieu ?

Quoi qu'il en fût, et c'était toujours là qu'il en revenait, un fait pour lui dominait tout, c'est qu'il venait de commettre une infraction épouvantable. Il venait de fermer les yeux sur un condamné récidiviste en rupture de ban. Il venait d'élargir un galérien. Il venait de voler aux lois un homme qui leur appartenait. Il avait fait cela. Il ne se comprenait plus. Il n'était pas sûr d'être lui-même. Les raisons même de son action lui échappaient, il n'en avait que le vertige. Il avait vécu jusqu'à ce moment de cette foi aveugle qui engendre la probité ténébreuse. Cette foi le quittait, cette probité lui faisait défaut. Tout ce qu'il avait cru se dissipait. Des vérités dont il ne voulait pas l'obsédaient inexorablement. Il fallait désormais être un autre homme. Il souffrait les étranges douleurs d'une conscience brusquement opérée de la cataracte. Il voyait ce qu'il lui répugnait de voir. Il se sentait vidé, inutile, disloqué de sa vie passée, destitué, dissous. L'autorité était morte en lui. Il n'avait plus de raison d'être.

Situation terrible ! être ému.

Être le granit, et douter ! être la statue du châtiment fondue tout d'une pièce dans le moule de la loi, et s'apercevoir subitement qu'on a sous sa mamelle de bronze quelque chose d'absurde et de désobéissant qui ressemble presque à un cœur ! en venir à rendre le bien pour le bien, quoiqu'on se soit dit jusqu'à ce jour que ce bien-là c'est le mal ! être le chien de garde, et lécher ! être la glace, et fondre ! être la tenaille, et devenir une main ! se sentir tout à coup des doigts qui s'ouvrent ! lâcher prise, chose épouvantable !

L'homme projectile ne sachant plus sa route, et reculant !

Être obligé de s'avouer ceci : l'infaillibilité n'est pas infaillible, il peut y avoir de l'erreur dans le dogme, tout n'est pas dit quand un code a parlé, la société n'est pas parfaite, l'autorité est compliquée de vacillation, un craquement dans l'immuable est possible, les juges sont des hommes, la loi peut se tromper, les tribunaux peuvent se méprendre ! voir une fêlure dans l'immense vitre bleue du firmament !

Ce qui se passait dans Javert, c'était le Fampoux d'une conscience rectiligne, la mise hors de voie d'une âme, l'écrasement d'une probité irrésistiblement lancée en ligne droite et se brisant à Dieu. Certes, cela était étrange. Que le chauffeur de l'ordre, que le mécanicien de l'autorité, monté sur l'aveugle cheval de fer à voie rigide, puisse être désarçonné par un coup de lumière ! que l'incommutable, le direct, le correct, le géométrique, le passif, le parfait, puisse fléchir ! qu'il y ait pour la locomotive un chemin de Damas !

Dieu, toujours intérieur à l'homme, et réfractaire, lui la vraie conscience, à la fausse, défense à l'étincelle de s'éteindre, ordre au rayon de se souvenir du soleil, injonction à l'âme de reconnaître le véritable absolu quand il se confronte avec l'absolu fictif, l'humanité imperdable, le cœur humain inamissible, ce phénomène splendide, le plus beau peut-être de nos prodiges intérieurs, Javert le comprenait-il? Javert le pénétrait-il? Javert s'en rendait-il compte? Évidemment non. Mais sous la pression de cet incompréhensible incontestable, il sentait son crâne s'entr'ouvrir.

Il était moins le transfiguré que la victime de ce prodige. Il le subissait, exaspéré. Il ne voyait dans tout cela qu'une immense difficulté d'être. Il lui semblait que désormais sa respiration était gênée à jamais.

Avoir sur sa tête de l'inconnu, il n'était pas accoutumé à cela.

Jusqu'ici tout ce qu'il avait au-dessus de lui avait été pour son regard une surface nette, simple, limpide; là rien d'ignoré, ni d'obscur; rien qui ne fût défini, coordonné, enchaîné, précis, exact, circonscrit, limité, fermé; tout prévu; l'autorité était une chose plane; aucune chute en elle, aucun vertige devant elle. Javert n'avait jamais vu de l'inconnu qu'en bas. L'irrégulier, l'inattendu, l'ouverture désordonnée du chaos, le glissement possible dans un précipice, c'était là le fait des régions inférieures, des rebelles, des mauvais, des misérables. Maintenant Javert se renversait en arrière, et il était brusquement effaré par cette apparition inouïe : un gouffre en haut.

Quoi donc! on était démantelé de fond en comble! on était déconcerté, absolument! À quoi se fier? Ce dont on était convaincu s'effondrait!

Quoi! le défaut de la cuirasse de la société pouvait être trouvé par un misérable magnanime! Quoi! un honnête serviteur de la loi pouvait se voir tout à coup pris entre deux crimes, le crime de laisser échapper un homme, et le crime de l'arrêter! Tout n'était pas certain dans la consigne donnée par l'état au fonctionnaire! Il pouvait y avoir des impasses dans le devoir! Quoi donc! tout cela était réel! était-il vrai qu'un ancien bandit, courbé sous les condamnations, pût se redresser et finir par avoir raison? était-ce croyable? y avait-il donc des cas où la loi devait se retirer devant le crime transfiguré en balbutiant des excuses!

Oui, cela était! et Javert le voyait! et Javert le touchait! et non seulement il ne pouvait le nier, mais il y prenait part. C'étaient là des réalités. Il était abominable que les faits réels pussent arriver à une telle difformité.

Si les faits faisaient leur devoir, ils se borneraient à être les preuves de la loi ; les faits, c'est Dieu qui les envoie. L'anarchie allait-elle donc maintenant descendre de là-haut ?

Ainsi, — et dans le grossissement de l'angoisse, et dans l'illusion d'optique de la consternation, tout ce qui eût pu restreindre et corriger son impression s'effaçait, et la société, et le genre humain, et l'univers, se résumaient désormais à ses yeux dans un linéament simple et hideux, — ainsi la pénalité, la chose jugée, a force due à la législation, les arrêts des cours souveraines, la magistrature, le gouvernement, la prévention et la répression, la sagesse officielle, l'infaillibilité légale, le principe d'autorité, tous les dogmes sur lesquels repose la sécurité politique et civile, la souveraineté, la justice, la logique découlant du code, l'absolu social, la vérité publique, tout cela, décombre, monceau, chaos ; lui-même Javert, le guetteur de l'ordre, l'incorruptibilité au service de la police, la providence-dogue de la société, vaincu et terrassé ; et sur toute cette ruine un homme debout, le bonnet vert sur la tête et l'auréole au front ; voilà à quel bouleversement il en était venu ; voilà la vision effroyable qu'il avait dans l'âme.

Que cela fût supportable. Non.

État violent, s'il en fut. Il n'y avait que deux manières d'en sortir. L'une d'aller résolûment à Jean Valjean, et de rendre au cachot l'homme du bagne. L'autre... —

Javert quitta le parapet, et, la tête haute cette fois, se dirigea d'un pas ferme vers le poste indiqué par une lanterne à l'un des coins de la place du Châtelet.

Arrivé là, il aperçut par la vitre un sergent de ville, et entra. Rien qu'à la façon dont ils poussent la porte d'un corps de garde, les hommes de police se reconnaissent entre eux. Javert se nomma, montra sa carte au sergent, et s'assit à la table du poste où brûlait une chandelle. Il y avait sur la table une plume, un encrier de plomb, et du papier en cas pour les procès-verbaux éventuels et les consignations des rondes de nuit.

Cette table, toujours complétée par sa chaise de paille, est une institution ; elle existe dans tous les postes de police ; elle est invariablement ornée d'une soucoupe en buis pleine de sciure de bois et d'une grimace en carton pleine de pains à cacheter rouges, et elle est l'étage inférieur du style officiel. C'est à elle que commence la littérature de l'état.

Javert prit la plume et une feuille de papier et se mit à écrire. Voici ce qu'il écrivit :

QUELQUES OBSERVATIONS POUR LE BIEN DU SERVICE.

« Premièrement : je prie monsieur le préfet de jeter les « yeux.

« Deuxièmement : les détenus arrivant de l'instruction « ôtent leurs souliers et restent pieds nus sur la dalle pen- « dant qu'on les fouille. Plusieurs toussent en rentrant à la « prison. Cela entraîne des dépenses d'infirmerie.

« Troisièmement : la filature est bonne, avec relais des « agents de distance en distance, mais il faudrait que, « dans les occasions importantes, deux agents au moins « ne se perdissent pas de vue, attendu que, si, pour une « cause quelconque, un agent vient à faiblir dans le ser- « vice, l'autre le surveille et le supplée.

« Quatrièmement : on ne s'explique pas pourquoi le « règlement spécial de la prison des Madelonnettes inter- « dit au prisonnier d'avoir une chaise, même en la payant.

« Cinquièmement : aux Madelonnettes, il n'y a que deux « barreaux à la cantine, ce qui permet à la cantinière de « laisser toucher sa main aux détenus.

« Sixièmement, les détenus, dits aboyeurs, qui appellent « les autres détenus au parloir, se font payer deux sous par « le prisonnier pour crier son nom distinctement. C'est un « vol.

« Septièmement : pour un fil courant, on retient dix « sous au prisonnier dans l'atelier des tisserands ; c'est un « abus de l'entrepreneur, puisque la toile n'est pas moins « bonne.

« Huitièmement : il est fâcheux que les visitants de la « Force aient à traverser la cour des mômes pour se « rendre au parloir de Sainte-Marie-l'Égyptienne.

« Neuvièmement : il est certain qu'on entend tous les « jours des gendarmes raconter dans la cour de la préfec-

« ture des interrogatoires de prévenus par les magistrats.
« Un gendarme, qui devrait être sacré, répéter ce qu'il a
« entendu dans le cabinet de l'instruction, c'est là un
« désordre grave.

« Dixièmement : Mme Henry est une honnête femme ;
« sa cantine est fort propre ; mais il est mauvais qu'une
« femme tienne le guichet de la souricière du secret. Cela
« n'est pas digne de la Conciergerie d'une grande civilisa-
« tion. »

Javert écrivit ces lignes de son écriture la plus calme et la plus correcte, n'omettant pas une virgule, et faisant fermement crier le papier sous la plume. Au-dessous de la dernière ligne il signa :

« JAVERT.
« Inspecteur de 1re classe.
« Au poste de la place du Châtelet.
« 7 juin 1832, environ une heure du matin. »

Javert sécha l'encre fraîche sur le papier, le plia comme une lettre, le cacheta, écrivit au dos : *Note pour l'administration*, le laissa sur la table, et sortit du poste. La porte vitrée et grillée retomba derrière lui.

Il traversa de nouveau diagonalement la place du Châtelet, regagna le quai, et revint avec une précision automatique au point même qu'il avait quitté un quart d'heure auparavant ; il s'y accouda, et se retrouva dans la même attitude sur la même dalle du parapet. Il semblait qu'il n'eût pas bougé.

L'obscurité était complète. C'était le moment sépulcral qui suit minuit. Un plafond de nuages cachait les étoiles. Le ciel n'était qu'une épaisseur sinistre. Les maisons de la Cité n'avaient plus une seule lumière ; personne ne passait ; tout ce qu'on apercevait des rues et des quais était désert ; Notre-Dame et les tours du Palais de justice semblaient des linéaments de la nuit. Un réverbère rougissait la margelle du quai. Les silhouettes des ponts se déformaient dans la brume les unes derrière les autres. Les pluies avaient grossi la rivière.

L'endroit où Javert s'était accoudé était, on s'en souvient, précisément situé au-dessus du rapide de la Seine, à pic sur cette redoutable spirale de tourbillons qui se dénoue et se renoue comme une vis sans fin.

Javert pencha la tête et regarda. Tout était noir. On ne distinguait rien. On entendait un bruit d'écume; mais on ne voyait pas la rivière. Par instants, dans cette profondeur vertigineuse, une lueur apparaissait et serpentait vaguement, l'eau ayant cette puissance, dans la nuit la plus complète, de prendre la lumière on ne sait où et de la changer en couleuvre. La lueur s'évanouissait, et tout redevenait indistinct. L'immensité semblait ouverte là. Ce qu'on avait au-dessous de soi, ce n'était pas de l'eau, c'était du gouffre. Le mur du quai, abrupt, confus, mêlé à la vapeur, tout de suite dérobé, faisait l'effet d'un escarpement de l'infini.

On ne voyait rien, mais on sentait la froideur hostile de l'eau et l'odeur fade des pierres mouillées. Un souffle farouche montait de cet abîme. Le grossissement du fleuve plutôt deviné qu'aperçu, le tragique chuchotement du flot, l'énormité lugubre des arches du pont, la chute imaginable dans ce vide sombre, toute cette ombre était pleine d'horreur.

Javert demeura quelques minutes immobile, regardant cette ouverture de ténèbres; il considérait l'invisible avec une fixité qui ressemblait à de l'attention. L'eau bruissait. Tout à coup, il ôta son chapeau et le posa sur le rebord du quai. Un moment après, une figure haute et noire, que de loin quelque passant attardé eût pu prendre pour un fantôme, apparut debout sur le parapet, et courba vers la Seine, puis se redressa, et tomba droite dans les ténèbres; il y eut un clapotement sourd; et l'ombre seule fut dans le secret des convulsions de cette forme obscure disparue sous l'eau.

LIVRE CINQUIÈME
LE PETIT-FILS ET LE GRAND-PÈRE

I

OÙ L'ON REVOIT L'ARBRE À L'EMPLÂTRE DE ZINC

Quelque temps après les événements que nous venons de raconter, le sieur Boulatruelle eut une émotion vive.

Le sieur Boulatruelle est ce cantonnier de Montfermeil qu'on a déjà entrevu dans les parties ténébreuses de ce livre.

Boulatruelle, on s'en souvient peut-être, était un homme occupé de choses troubles et diverses. Il cassait des pierres et endommageait des voyageurs sur la grande route. Terrassier et voleur, il avait un rêve ; il croyait aux trésors enfouis dans la forêt de Montfermeil. Il espérait quelque jour trouver de l'argent dans la terre au pied d'un arbre ; en attendant, il en cherchait volontiers dans les poches des passants.

Néanmoins, pour l'instant, il était prudent. Il venait de l'échapper belle. Il avait été, on le sait, ramassé dans le galetas Jondrette avec les autres bandits. Utilité d'un vice : son ivrognerie l'avait sauvé. On n'avait jamais pu éclaircir s'il était là comme voleur ou comme volé. Une ordonnance de non-lieu, fondée sur son état d'ivresse bien constaté dans la soirée du guet-apens, l'avait mis en liberté. Il avait repris la clef des bois. Il était revenu à son chemin de Gagny à Lagny faire, sous la surveillance administrative, de l'empierrement pour le compte de l'état, la mine basse, fort pensif, un peu refroidi pour le vol, qui avait failli le perdre, mais ne se tournant qu'avec plus d'attendrissement vers le vin, qui venait de le sauver.

Quant à l'émotion vive qu'il eut peu de temps après sa rentrée sous le toit de gazon de sa hutte de cantonnier, la voici :

Un matin, Boulatruelle, en se rendant comme d'habitude à son travail, et à son affût peut-être, un peu avant le point du jour, aperçut parmi les branches un homme dont il ne vit que le dos, mais dont l'encolure, à ce qui lui sembla, à travers la distance et le crépuscule, ne lui était pas tout à fait inconnue. Boulatruelle, quoique ivrogne, avait une mémoire correcte et lucide, arme défensive indispensable à quiconque est un peu en lutte avec l'ordre légal.

— Où diable ai-je vu quelque chose comme cet homme-là ? se demanda-t-il.

Mais il ne put rien se répondre, sinon que cela ressemblait à quelqu'un dont il avait confusément la trace dans l'esprit.

Boulatruelle, du reste, en dehors de l'identité qu'il ne réussissait point à ressaisir, fit des rapprochements et des calculs. Cet homme n'était pas du pays. Il y arrivait. À pied, évidemment. Aucune voiture publique ne passe à ces heures-là à Montfermeil. Il avait marché toute la nuit. D'où venait-il ? De pas loin. Car il n'avait ni havre-sac, ni paquet. De Paris sans doute. Pourquoi était-il dans ce bois ? pourquoi y était-il à pareille heure ? qu'y venait-il faire ?

Boulatruelle songea au trésor. À force de creuser dans sa mémoire, il se rappela vaguement avoir eu déjà, plusieurs années auparavant, une semblable alerte au sujet d'un homme qui lui faisait bien l'effet de pouvoir être cet homme-là.

Tout en méditant, il avait, sous le poids même de sa méditation, baissé la tête, chose naturelle, mais peu habile. Quand il la releva, il n'y avait plus rien. L'homme s'était effacé dans la forêt et dans le crépuscule.

— Par le diantre, dit Boulatruelle, je le retrouverai. Je découvrirai la paroisse de ce paroissien-là. Ce promeneur de patron-minette a un pourquoi, je le saurai. On n'a pas de secret dans mon bois sans que je m'en mêle.

Il prit sa pioche qui était fort aiguë.

— Voilà, grommela-t-il, de quoi fouiller la terre et un homme.

Et, comme on rattache un fil à un autre fil, emboîtant le pas de son mieux dans l'itinéraire que l'homme avait dû suivre, il se mit en marche à travers le taillis.

Quand il eut fait une centaine d'enjambées, le jour, qui commençait à se lever, l'aida. Des semelles empreintes sur le sable çà et là, des herbes foulées, des bruyères écrasées, de jeunes branches pliées dans les broussailles et se redressant avec une gracieuse lenteur comme les bras d'une jolie femme qui s'étire en se réveillant, lui indiquèrent une sorte de piste. Il la suivit, puis il la perdit. Le temps s'écoulait. Il entra plus avant dans le bois et parvint sur une espèce d'éminence. Un chasseur matinal qui passait au loin sur un sentier en sifflant l'air de Guillery lui donna l'idée de grimper dans un arbre. Quoique vieux, il était agile. Il y avait là un hêtre de grande taille, digne de Tityre et de Boulatruelle. Boulatruelle monta sur le hêtre, le plus haut qu'il put.

L'idée était bonne. En explorant la solitude du côté où le bois est tout à fait enchevêtré et farouche, Boulatruelle aperçut tout à coup l'homme.

À peine l'eut-il aperçu qu'il le perdit de vue.

L'homme entra, ou plutôt se glissa, dans une clairière assez éloignée, masquée par de grands arbres, mais que Boulatruelle connaissait très bien, pour y avoir remarqué, près d'un gros tas de pierres meulières, un châtaignier malade pansé avec une plaque de zinc clouée à même sur l'écorce. Cette clairière est celle qu'on appelait autrefois le fonds Blaru. Le tas de pierres, destiné à on ne sait quel emploi, qu'on y voyait il y a trente ans, y est sans doute encore. Rien n'égale la longévité d'un tas de pierres, si ce n'est celle d'une palissade en planches. C'est là provisoirement. Quelle raison pour durer!

Boulatruelle, avec la rapidité de la joie, se laissa tomber de l'arbre plutôt qu'il n'en descendit. Le gîte était trouvé, il s'agissait de saisir la bête. Ce fameux trésor rêvé était probablement là.

Ce n'était pas une petite affaire d'arriver à cette clairière. Par les sentiers battus, qui font mille zigzags taquinants, il fallait un bon quart d'heure. En ligne droite, par le fourré, qui est là singulièrement épais, très épineux et très agressif, il fallait une grande demi-heure. C'est ce que Boulatruelle eut le tort de ne point comprendre. Il crut à la ligne droite; illusion d'optique respectable, mais qui perd beaucoup d'hommes. Le fourré, si hérissé qu'il fût, lui parut le bon chemin.

— Prenons par la rue de Rivoli des loups, dit-il.

Boulatruelle, accoutumé à aller de travers, fit cette fois la faute d'aller droit.

Il se jeta résolûment dans la mêlée des broussailles.

Il eut affaire à des houx, à des orties, à des aubépines, à des églantiers, à des chardons, à des ronces fort irascibles. Il fut très égratigné.

Au bas du ravin, il trouva de l'eau qu'il fallut traverser.

Il arriva enfin à la clairière Blaru, au bout de quarante minutes, suant, mouillé, essoufflé, griffé, féroce.

Personne dans la clairière.

Boulatruelle courut au tas de pierres. Il était à sa place. On ne l'avait pas emporté.

Quant à l'homme, il s'était évanoui dans la forêt. Il s'était évadé. Où? de quel côté? dans quel fourré? Impossible de le deviner.

Et, chose poignante, il y avait derrière le tas de pierres, devant l'arbre à la plaque de zinc, de la terre toute fraîche remuée, une pioche oubliée ou abandonnée, et un trou.

Ce trou était vide.

— Voleur! cria Boulatruelle en montrant les deux poings à l'horizon.

II

MARIUS, EN SORTANT DE LA GUERRE CIVILE,
S'APPRÊTE À LA GUERRE DOMESTIQUE

Marius fut longtemps ni mort ni vivant. Il eut durant plusieurs semaines une fièvre accompagnée de délire, et d'assez graves symptômes cérébraux causés plutôt encore par les commotions des blessures à la tête que par les blessures elles-mêmes.

Il répéta le nom de Cosette pendant des nuits entières dans la loquacité lugubre de la fièvre et avec la sombre opiniâtreté de l'agonie. La largeur de certaines lésions fut un sérieux danger, la suppuration des plaies larges pouvant toujours se résorber, et par conséquent tuer le malade, sous de certaines influences atmosphériques ; à chaque changement de temps, au moindre orage, le médecin était inquiet. — Surtout que le blessé n'ait aucune émotion, répétait-il. Les pansements étaient compliqués et difficiles, la fixation des appareils et des linges par le sparadrap n'ayant pas encore été imaginée à cette époque. Nicolette dépensa en charpie un drap de lit « grand comme un plafond », disait-elle. Ce ne fut pas sans peine que les lotions chlorurées et le nitrate d'argent vinrent à bout de la gangrène. Tant qu'il y eut péril, M. Gillenormand, éperdu au chevet de son petit-fils, fut comme Marius ; ni mort ni vivant.

Tous les jours, et quelquefois deux fois par jour, un monsieur en cheveux blancs, fort bien mis, tel était le signalement donné par le portier, venait savoir des nouvelles du blessé, et déposait pour les pansements un gros paquet de charpie.

Enfin, le 7 septembre, quatre mois, jour pour jour, après la douloureuse nuit où on l'avait rapporté mourant chez son grand-père, le médecin déclara qu'il répondait de lui. La convalescence s'ébaucha. Marius dut pourtant rester encore plus de deux mois étendu sur une chaise longue, à cause des accidents produits par la fracture de la clavicule. Il y a toujours comme cela une dernière plaie qui ne veut pas se fermer et qui éternise les pansements, au grand ennui du malade.

Du reste, cette longue maladie et cette longue convalescence le sauvèrent des poursuites. En France, il n'y a pas de colère, même publique, que six mois n'éteignent. Les émeutes, dans l'état où est la société, sont tellement la faute de tout le monde qu'elles sont suivies d'un certain besoin de fermer les yeux.

Ajoutons que l'inqualifiable ordonnance Gisquet, qui enjoignait aux médecins de dénoncer les blessés, ayant indigné l'opinion, et non seulement l'opinion, mais le roi tout le premier, les blessés furent couverts et protégés par cette indignation ; et, à l'exception de ceux qui avaient été faits prisonniers dans le combat flagrant, les conseils de guerre n'osèrent en inquiéter aucun. On laissa donc Marius tranquille.

M. Gillenormand traversa toutes les angoisses d'abord, et ensuite toutes les extases. On eut beaucoup de peine à l'empêcher de passer toutes les nuits près du blessé ; il fit apporter son grand fauteuil à côté du lit de Marius ; il exigea que sa fille prît le plus beau linge de la maison pour en faire des compresses et des bandes. Mademoiselle Gillenormand, en personne sage et aînée, trouva moyen d'épargner le beau linge, tout en laissant croire à l'aïeul qu'il était obéi. M. Gillenormand ne permit pas qu'on lui expliquât que pour faire de la charpie la batiste ne vaut pas la grosse toile, ni la toile neuve la toile usée. Il assistait à tous les pansements dont mademoiselle Gillenormand s'absentait pudiquement. Quand on coupait les chairs mortes avec des ciseaux, il disait : aïe ! aïe ! Rien n'était touchant comme de le voir tendre au blessé une tasse de tisane avec son doux tremblement sénile. Il accablait le médecin de questions. Il ne s'apercevait pas qu'il recommençait toujours les mêmes.

Le jour où le médecin lui annonça que Marius était hors de danger, le bonhomme fut en délire. Il donna trois louis de gratification à son portier. Le soir, en rentrant dans sa chambre, il dansa une gavotte, en faisant des castagnettes avec son pouce et son index, et il chanta une chanson que voici :

> Jeanne est née à Fougère,
> Vrai nid d'une bergère ;
> J'adore son jupon
>   Fripon.
>
> Amour, tu vis en elle ;
> Car c'est dans sa prunelle
> Que tu mets ton carquois,
>   Narquois !
>
> Moi, je la chante, et j'aime
> Plus que Diane même,

> Jeanne et ses durs tétons
> Bretons.

Puis il se mit à genoux sur une chaise, et Basque, qui l'observait par la porte entr'ouverte, crut être sûr qu'il priait.

Jusque-là, il n'avait guère cru en Dieu.

À chaque nouvelle phase du mieux, qui allait se dessinant de plus en plus, l'aïeul extravaguait. Il faisait un tas d'actions machinales pleines d'allégresse, il montait et descendait les escaliers sans savoir pourquoi. Une voisine, jolie du reste, fut toute stupéfaite de recevoir un matin un gros bouquet; c'était M. Gillenormand qui le lui envoyait. Le mari fit une scène de jalousie. M. Gillenormand essayait de prendre Nicolette sur ses genoux. Il appelait Marius monsieur le baron. Il criait : Vive la république !

À chaque instant, il demandait au médecin : N'est-ce pas qu'il n'y a plus de danger ? Il regardait Marius avec des yeux de grand'mère. Il le couvait quand il mangeait. Il ne se connaissait plus, il ne se comptait plus, Marius était le maître de la maison, il y avait de l'abdication dans sa joie, il était le petit-fils de son petit-fils.

Dans cette allégresse où il était, c'était le plus vénérable des enfants. De peur de fatiguer ou d'importuner le convalescent, il se mettait derrière lui pour lui sourire. Il était content, joyeux, ravi, charmant, jeune. Ses cheveux blancs ajoutaient une majesté douce à la lumière gaie qu'il avait sur le visage. Quand la grâce se mêle aux rides, elle est adorable. Il y a on ne sait quelle aurore dans de la vieillesse épanouie.

Quant à Marius, tout en se laissant panser et soigner, il avait une idée fixe : Cosette.

Depuis que la fièvre et le délire l'avaient quitté, il ne prononçait plus ce nom, et l'on aurait pu croire qu'il n'y songeait plus. Il se taisait, précisément parce que son âme était là.

Il ne savait ce que Cosette était devenue, toute l'affaire de la rue de la Chanvrerie était comme un nuage dans son souvenir; des ombres presque indistinctes flottaient dans son esprit, Éponine, Gavroche, Mabeuf, les Thénardier, tous ses amis lugubrement mêlés à la fumée de la barricade; l'étrange passage de M. Fauchelevent dans cette aventure sanglante lui faisait l'effet d'une énigme dans une tempête ; il ne comprenait rien à sa propre vie, il ne savait comment ni par qui il avait été sauvé, et personne ne le savait autour de lui ; tout ce qu'on avait pu lui dire, c'est qu'il avait été rapporté la nuit dans un fiacre rue des Filles-du-Calvaire ; passé, présent, avenir, tout n'était plus en lui que le brouillard d'une idée vague, mais il y avait dans cette brume un point immobile, un linéament net et précis, quelque chose qui était en granit, une résolution, une volonté : retrouver Cosette. Pour lui, l'idée de la vie n'était pas distincte de l'idée de Cosette ; il avait décrété dans son cœur qu'il n'accepterait pas l'une sans l'autre, et il était inébranlablement décidé à exiger de n'importe qui voudrait le forcer à vivre, de son grand-père, du sort, de l'enfer, la restitution de son éden disparu.

Les obstacles, il ne se les dissimulait pas.

Soulignons ici un détail : il n'était point gagné et était peu attendri par toutes les sollicitudes et toutes les tendresses de son grand-père. D'abord il n'était pas dans le secret de toutes ; ensuite, dans ses rêveries de malade, encore fiévreuses peut-être, il se défiait de ces douceurs-là comme d'une chose étrange et nouvelle ayant pour but de le dompter. Il y restait froid. Le grand-père dépensait en pure perte son pauvre vieux sourire. Marius se disait que c'était bon tant que lui Marius ne parlait pas et se laissait faire ; mais que, lorsqu'il s'agirait de Cosette, il trouverait un autre visage, et que la véritable attitude de l'aïeul se démasquerait. Alors ce serait rude ; recrudescence des questions de famille, confrontation des positions, tous les sarcasmes et toutes les objections à la fois, Fauchelevent, Coupelevent, la fortune, la pauvreté, la misère, la pierre au cou, l'avenir. Résistance violente ; conclusion, refus. Marius se roidissait d'avance.

Et puis, à mesure qu'il reprenait vie, ses anciens griefs reparaissaient, les vieux ulcères de sa mémoire se rouvraient, il resongeait au passé, le colonel Pontmercy se replaçait entre M. Gillenormand et lui Marius, il se disait qu'il n'avait aucune vraie bonté à espérer de qui avait été si injuste et si dur pour son père. Et avec la santé, il lui revenait une sorte d'âpreté contre son aïeul. Le vieillard en souffrait doucement.

M. Gillenormand, sans en rien témoigner d'ailleurs, remarquait que Marius, depuis qu'il avait été rapporté chez lui et qu'il avait repris connaissance, ne lui avait pas dit une seule fois mon père. Il ne disait point monsieur, cela est vrai ; mais il trouvait moyen de ne dire ni l'un ni l'autre, par une certaine manière de tourner ses phrases.

Une crise approchait évidemment.

Comme il arrive presque toujours en pareil cas, Marius, pour s'essayer, escarmoucha avant de livrer bataille. Cela s'appelle tâter le terrain. Un matin il advint que M. Gillenormand, à propos d'un journal qui lui était tombé sous la main, parla légèrement de la Convention et lâcha un épiphonème royaliste sur Danton, Saint-Just et Robespierre.
— Les hommes de 93 étaient des géants, dit Marius avec sévérité. Le vieillard se tut et ne souffla point du reste de la journée.

Marius, qui avait toujours présent à l'esprit l'inflexible grand-père de ses premières années, vit dans ce silence une profonde concentration de colère, en augura une lutte acharnée, et augmenta dans les arrière-recoins de sa pensée ses préparatifs de combat.

Il arrêta qu'en cas de refus il arracherait ses appareils, disloquerait sa clavicule, mettrait à nu et à vif ce qu'il lui restait de plaies, et repousserait toute nourriture. Ses plaies, c'étaient ses munitions. Avoir Cosette ou mourir.

Il attendit le moment favorable avec la patience sournoise des malades.

Ce moment arriva.

III

MARIUS ATTAQUE

Un jour, M. Gillenormand, tandis que sa fille mettait en ordre les fioles et les tasses sur le marbre de la commode, était penché sur Marius, et lui disait de son accent le plus tendre :
— Vois-tu, mon petit Marius, à ta place je mangerais

maintenant plutôt de la viande que du poisson. Une sole frite, cela est excellent pour commencer une convalescence, mais, pour mettre le malade debout, il faut une bonne côtelette.

Marius, dont presque toutes les forces étaient revenues, les rassembla, se dressa sur son séant, appuya ses deux poings crispés sur les draps de son lit, regarda son grand-père en face, prit un air terrible, et dit :

— Ceci m'amène à vous dire une chose.
— Laquelle ?
— C'est que je veux me marier.
— Prévu, dit le grand-père. Et il éclata de rire.
— Comment, prévu ?
— Oui, prévu. Tu l'auras, ta fillette.

Marius, stupéfait et accablé par l'éblouissement, trembla de tous ses membres.

M. Gillenormand continua :

— Oui, tu l'auras, ta belle jolie petite fille. Elle vient tous les jours sous la forme d'un vieux monsieur savoir de tes nouvelles. Depuis que tu es blessé, elle passe son temps à pleurer et à faire de la charpie. Je me suis informé. Elle demeure rue de l'Homme-Armé, numéro sept. Ah, nous y voilà ! Ah ! tu la veux. Eh bien, tu l'auras. Ça t'attrape. Tu avais fait ton petit complot, tu t'étais dit : — Je vais lui signifier cela carrément à ce grand-père, à cette momie de la régence et du directoire, à cet ancien beau, à ce Dorante devenu Géronte ; il a eu ses légèretés aussi, lui, et ses amourettes, et ses grisettes, et ses Cosettes ; il a fait son frou-frou, il a eu ses ailes, il a mangé du pain du printemps ; il faudra bien qu'il s'en souvienne. Nous allons voir. Bataille. Ah ! tu prends le hanneton par les cornes. C'est bon. Je t'offre une côtelette, et tu me réponds : À propos, je veux me marier. C'est ça qui est une transition ! Ah ! tu avais compté sur de la bisbille ! Tu ne savais pas que j'étais un vieux lâche. Qu'est-ce que tu dis de ça ? Tu bisques. Trouver ton grand-père encore plus bête que toi, tu ne t'y attendais pas, tu perds le discours que tu devais me faire, monsieur l'avocat, c'est taquinant. Eh bien, tant pis, rage. Je fais ce que tu veux, ça te la coupe, imbécile ! Écoute. J'ai pris des renseignements, moi aussi je suis sournois ; elle est charmante, elle est sage, le lancier n'est pas vrai, elle a fait des tas de charpie, c'est un bijou, elle t'adore. Si tu étais mort, nous aurions été trois; sa bière aurait accompagné la mienne. J'avais bien eu l'idée, dès que tu as été mieux, de te la camper tout bonnement à ton chevet, mais il n'y a que dans les romans qu'on introduit tout de go les jeunes filles près du lit des jolis blessés qui les intéressent. Ça ne se fait pas. Qu'aurait dit ta tante ? Tu étais tout nu les trois quarts du temps, mon bonhomme. Demande à Nicolette, qui ne t'a pas quitté une minute, s'il y avait moyen qu'une femme fût là. Et puis qu'aurait dit le médecin ? Ça ne guérit pas la fièvre, une jolie fille. Enfin, c'est bon, n'en parlons plus, c'est dit, c'est fait, c'est bâclé, prends-la. Telle est ma férocité. Vois-tu, j'ai vu que tu ne m'aimais pas, j'ai dit : Qu'est-ce que je pourrais donc faire pour que cet animal-là m'aime ? J'ai dit : Tiens, j'ai ma petite Cosette sous la main, je vais la lui donner, il faudra bien qu'il m'aime alors un peu, ou qu'il dise pourquoi. Ah ! tu croyais que le vieux allait tempêter, faire la grosse voix, crier non, et lever la canne sur toute cette aurore. Pas du tout. Cosette, soit; amour, soit. Je ne demande pas mieux. Monsieur, prenez la peine de vous marier. Sois heureux, mon enfant bien-aimé.

Cela dit, le vieillard éclata en sanglots.

Et il prit la tête de Marius, et il la serra dans ses deux bras contre sa vieille poitrine, et tous deux se mirent à pleurer. C'est là une des formes du bonheur suprême.

— Mon père ! s'écria Marius.

— Ah ! tu m'aimes donc ! dit le vieillard.

Il y eut un moment ineffable. Ils étouffaient et ne pouvaient parler.

Enfin le vieillard bégaya :

— Allons ! le voilà débouché. Il m'a dit : Mon père.

Marius dégagea sa tête des bras de l'aïeul, et dit doucement :

— Mais, mon père, à présent que je me porte bien, il me semble que je pourrais la voir.

— Prévu encore, tu la verras demain.

— Mon père !

— Quoi ?

— Pourquoi pas aujourd'hui ?

— Eh bien, aujourd'hui. Va pour aujourd'hui. Tu m'as

dit trois fois « mon père », ça vaut bien ça. Je vais m'en occuper. On te l'amènera. Prévu, te dis-je. Ceci a déjà été mis en vers. C'est le dénouement de l'élégie du *Jeune malade* d'André Chénier, d'André Chénier qui a été égorgé par les scélér... — par les géants de 93.

M. Gillenormand crut apercevoir un léger froncement du sourcil de Marius, qui, en vérité, nous devons le dire, ne l'écoutait plus, envolé qu'il était dans l'extase, et pensant beaucoup plus à Cosette qu'à 1793. Le grand-père, tremblant d'avoir introduit si mal à propos André Chénier, reprit précipitamment :

— Égorgé n'est pas le mot. Le fait est que les grands génies révolutionnaires, qui n'étaient pas méchants, cela est incontestable, qui étaient des héros, pardi ! trouvaient qu'André Chénier les gênait un peu, et qu'ils l'ont fait guillot... — c'est-à-dire que ces grands hommes, le sept thermidor, dans l'intérêt du salut public, ont prié André Chénier de vouloir bien aller... —

M. Gillenormand, pris à la gorge par sa propre phrase, ne put continuer ; ne pouvant ni la terminer, ni la rétracter, pendant que sa fille arrangeait derrière Marius l'oreiller, bouleversé de tant d'émotions, le vieillard se jeta, avec autant de vitesse que son âge le lui permit, hors de la chambre à coucher, en repoussa la porte derrière lui, et, pourpre, étranglant, écumant, les yeux hors de la tête, se trouva nez à nez avec l'honnête Basque qui cirait les bottes dans l'antichambre. Il saisit Basque au collet et lui cria en plein visage avec fureur :

— Par les cent mille Javottes du diable, ces brigands l'ont assassiné !

— Qui, monsieur ?

— André Chénier !

— Oui, monsieur, dit Basque épouvanté.

IV

MADEMOISELLE GILLENORMAND
FINIT PAR NE PLUS TROUVER MAUVAIS
QUE M. FAUCHELEVENT SOIT ENTRÉ
AVEC QUELQUE CHOSE SOUS LE BRAS

Cosette et Marius se revirent.

Ce que fut l'entrevue, nous renonçons à le dire. Il y a des choses qu'il ne faut pas essayer de peindre ; le soleil est du nombre.

Toute la famille, y compris Basque et Nicolette, était réunie dans la chambre de Marius au moment où Cosette entra.

Elle apparut sur le seuil ; il semblait qu'elle était dans un nimbe.

Précisément à cet instant-là, le grand-père allait se moucher ; il resta court, tenant son nez dans son mouchoir et regardant Cosette par-dessus :

— Adorable ! s'écria-t-il.

Puis il se moucha bruyamment.

Cosette était enivrée, ravie, effrayée, au ciel. Elle était aussi effarouchée qu'on peut l'être par le bonheur. Elle balbutiait, toute pâle, toute rouge, voulant se jeter dans les bras de Marius, et n'osant pas. Honteuse d'aimer devant tout ce monde. On est sans pitié pour les amants heureux ; on reste là quand ils auraient le plus envie d'être seuls. Ils n'ont pourtant pas du tout besoin des gens.

Avec Cosette et derrière elle, était entrée un homme en cheveux blancs, grave, souriant néanmoins, mais d'un vague et poignant sourire. C'était « monsieur Fauchelevent » ; c'était Jean Valjean.

Il était *très bien mis*, comme avait dit le portier, entièrement vêtu de noir et de neuf et en cravate blanche.

Le portier était à mille lieues de reconnaître dans ce bourgeois correct, dans ce notaire probable, l'effrayant porteur de cadavres qui avait surgi à sa porte dans la nuit du 7 juin, déguenillé, fangeux, hideux, hagard, la face masquée de sang et de boue, soutenant sous les bras Marius évanoui ; cependant son flair de portier était éveillé. Quand M. Fauchelevent était arrivé avec Cosette, le portier n'avait pu s'empêcher de confier à sa femme cet aparté : Je ne sais pourquoi je me figure toujours que j'ai déjà vu ce visage-là.

M. Fauchelevent, dans la chambre de Marius, restait comme à l'écart près de la porte. Il avait sous le bras un paquet assez semblable à un volume in-octavo, enveloppé dans du papier. Le papier de l'enveloppe était verdâtre et semblait moisi.

— Est-ce que ce monsieur a toujours comme cela des livres sous le bras ? demanda à voix basse à Nicolette mademoiselle Gillenormand qui n'aimait point les livres.

— Eh bien, répondit du même ton M. Gillenormand qui l'avait entendue, c'est un savant. Après ? Est-ce sa faute ? Monsieur Boulard, que j'ai connu, ne marchait jamais sans un livre, lui non plus, et avait toujours comme cela un bouquin contre son cœur.

Et, saluant, il dit à haute voix :

— Monsieur Tranchelevent...

Le père Gillenormand ne le fit pas exprès, mais l'inattention aux noms propres était chez lui une manière aristocratique.

— Monsieur Tranchelevent, j'ai l'honneur de vous demander pour mon petit-fils, monsieur le baron Marius Pontmercy, la main de mademoiselle.

« Monsieur Tranchelevent » s'inclina.

— C'est dit, fit l'aïeul.

Et, se tournant vers Marius et Cosette, les deux bras étendus et bénissant, il cria :

— Permission de vous adorer.

Ils ne se le firent pas dire deux fois. Tant pis ! le gazouillement commença. Ils se parlaient bas, Marius accoudé sur sa chaise longue, Cosette debout près de lui. — Ô mon Dieu ! murmurait Cosette, je vous revois. C'est toi ! c'est vous ! Être allé se battre comme cela ! Mais pourquoi ? C'est horrible. Pendant quatre mois, j'ai été morte. Oh ! que c'est méchant d'avoir été à cette bataille ! Qu'est-ce que je vous avais fait ? Je vous pardonne, mais vous ne le ferez plus. Tout à l'heure, quand on est venu nous dire de venir, j'ai encore cru que j'allais mourir, mais c'était de joie. J'étais si triste ! Je n'ai pas pris le temps de m'habiller, je dois faire peur. Qu'est-ce que vos parents diront de me voir une collerette toute chiffonnée ? Mais parlez donc ! Vous me laissez parler toute seule. Nous sommes toujours rue de l'Homme-Armé. Il paraît que votre épaule, c'était terrible. On m'a dit qu'on pouvait mettre le poing dedans. Et puis il paraît qu'on a coupé les chairs avec des ciseaux. C'est ça qui est affreux. J'ai pleuré, je n'ai plus d'yeux. C'est drôle qu'on puisse souffrir comme cela. Votre grand-père a l'air très bon ! Ne vous dérangez pas, ne vous mettez pas sur le coude, prenez garde, vous allez vous faire du mal. Oh ! comme je suis heureuse ! C'est donc fini, le malheur ! Je suis toute sotte. Je voulais vous dire des choses que je ne sais plus du tout. M'aimez-vous toujours ? Nous demeurons rue de l'Homme-Armé. Il n'y a pas de jardin. J'ai fait de la charpie tout le temps ; tenez, monsieur, regardez, c'est votre faute, j'ai un durillon aux doigts. — Ange ! disait Marius.

Ange est le seul mot de la langue qui ne puisse s'user. Aucun autre mot ne résisterait à l'emploi impitoyable qu'en font les amoureux.

Puis, comme il y avait des assistants, ils s'interrompirent et ne dirent plus un mot, se bornant à se toucher tout doucement la main.

M. Gillenormand se tourna vers tous ceux qui étaient dans la chambre et cria :

— Parlez donc haut, vous autres. Faites du bruit, la cantonade. Allons, un peu de brouhaha, que diable ! que ces enfants puissent jaser à leur aise.

Et, s'approchant de Marius et de Cosette, il leur dit tout bas :

— Tutoyez-vous. Ne vous gênez pas.

La tante Gillenormand assistait avec stupeur à cette irruption de lumière dans son intérieur vieillot. Cette stupeur n'avait rien d'agressif ; ce n'était pas le moins du monde le regard scandalisé et envieux d'une chouette à deux ramiers ; c'était l'œil bête d'une pauvre innocente de cinquante-sept ans ; c'était la vie manquée regardant ce triomphe, l'amour.

— Mademoiselle Gillenormand aînée, lui disait son père, je t'avais bien dit que cela t'arriverait.

Il resta un moment silencieux et ajouta :

— Regarde le bonheur des autres.

Puis il se tourna vers Cosette :

— Qu'elle est jolie ! qu'elle est jolie ! C'est un Greuze. Tu vas donc avoir cela pour toi tout seul, polisson ! Ah ! mon coquin, tu l'échappes belle avec moi, tu es heureux, si je n'avais pas quinze ans de trop, nous nous battrions à l'épée à qui l'aurait. Tiens ! je suis amoureux de vous, mademoiselle. C'est tout simple. C'est votre droit. Ah ! la belle jolie charmante petite noce que cela va faire ! C'est Saint-Denis du Saint-Sacrement qui est notre paroisse, mais j'aurai une dispense pour que vous vous épousiez à Saint-Paul. L'église est mieux. C'est bâti par les jésuites. C'est plus coquet. C'est vis-à-vis la fontaine du cardinal de Birague. Le chef-d'œuvre de l'architecture jésuite est à Namur. Ça s'appelle Saint-Loup. Il faudra y aller quand vous serez mariés. Cela vaut le voyage. Mademoiselle, je suis tout à fait de votre parti, je veux que les filles se marient, c'est fait pour ça. Il y a une certaine sainte-Catherine que je voudrais voir toujours décoiffée. Rester fille, c'est beau, mais c'est froid. La Bible dit : Multipliez. Pour sauver le peuple, il faut Jeanne d'Arc ; mais pour faire le peuple, il faut la mère Gigogne. Donc, mariez-vous, les belles. Je ne vois vraiment pas à quoi bon rester fille ? Je sais bien qu'on a une chapelle à part dans l'église et qu'on se rabat sur la confrérie de la Vierge ; mais, sapristi, un joli mari, brave garçon, et, au bout d'un an, un gros mioche blond qui vous tette gaillardement, et qui a de bons plis de graisse aux cuisses, et qui vous tripote le sein à poignées dans ses petites pattes roses en riant comme l'aurore, cela vaut pourtant mieux que de tenir un cierge à vêpres et de chanter *Turris eburnea* !

Le grand-père fit une pirouette sur ses talons de quatre-vingt-dix ans, et se remit à parler, comme un ressort qui repart :

— Ainsi, bornant le cours de tes rêvasseries,
Alcippe, il est donc vrai, dans peu tu te maries.

— À propos !
— Quoi, mon père ?
— N'avais-tu pas un ami intime ?
— Oui, Courfeyrac.

— Qu'est-il devenu?
— Il est mort.
— Ceci est bon.

Il s'assit près d'eux, fit asseoir Cosette, et prit leurs quatre mains dans ses vieilles mains ridées.

— Elle est exquise, cette mignonne. C'est un chef-d'œuvre, cette Cosette-là! Elle est très petite fille et très grande dame. Elle ne sera que baronne, c'est déroger; elle est née marquise. Vous a-t-elle des cils! Mes enfants, fichez-vous bien dans la caboche que vous êtes dans le vrai. Aimez-vous. Soyez-en bêtes. L'amour, c'est la bêtise des hommes et l'esprit de Dieu. Adorez-vous. Seulement, ajouta-t-il rembruni tout à coup, quel malheur! Voilà que j'y pense! Plus de la moitié de ce que j'ai est en viager; tant que je vivrai, cela ira encore, mais après ma mort, dans une vingtaine d'années d'ici, ah! mes pauvres enfants, vous n'aurez pas le sou! Vos belles mains blanches, madame la baronne, feront au diable l'honneur de le tirer par la queue.

Ici on entendit une voix grave et tranquille qui disait :
— Mademoiselle Euphrasie Fauchelevent a six cent mille francs.

C'était la voix de Jean Valjean.

Il n'avait pas encore prononcé une parole, personne ne semblait même plus savoir qu'il était là, et il se tenait debout et immobile derrière tous ces gens heureux.

— Qu'est-ce que c'est que mademoiselle Euphrasie en question? demanda le grand-père effaré.

— C'est moi, reprit Cosette.

— Six cent mille francs! répondit M. Gillenormand.

— Moins quatorze ou quinze mille francs peut-être, dit Jean Valjean.

Et il posa sur la table le paquet que la tante Gillenormand avait pris pour un livre.

Jean Valjean ouvrit lui-même le paquet; c'était une liasse de billets de banque. On les feuilleta et on les compta. Il y avait cinq cents billets de mille francs et cent soixante-huit de cinq cents. En tout cinq cent quatrevingt-quatre mille francs.

— Voilà un bon livre, dit M. Gillenormand.

— Cinq cent quatrevingt-quatre mille francs! murmura la tante.

— Ceci arrange bien des choses, n'est-ce pas, mademoiselle Gillenormand aînée ? reprit l'aïeul. Ce diable de Marius, il vous a déniché dans l'arbre des rêves une grisette millionnaire ! Fiez-vous donc maintenant aux amourettes des jeunes gens ! Les étudiants trouvent des étudiantes de six cent mille francs. Chérubin travaille mieux que Rothschild.

— Cinq cent quatrevingt-quatre mille francs ! répétait à demi-voix mademoiselle Gillenormand. Cinq cent quatre-vingt-quatre ! autant dire six cent mille, quoi !

Quant à Marius et à Cosette, ils se regardaient pendant ce temps-là ; ils firent à peine attention à ce détail.

V

DÉPOSEZ PLUTÔT VOTRE ARGENT
DANS TELLE FORÊT QUE CHEZ TEL NOTAIRE

On a sans doute compris, sans qu'il soit nécessaire de l'expliquer longuement, que Jean Valjean, après l'affaire Champmathieu, avait pu, grâce à sa première évasion de quelques jours, venir à Paris, et retirer à temps de chez Laffitte la somme gagnée par lui, sous le nom de monsieur Madeleine, à Montreuil-sur-mer ; et que, craignant d'être repris, ce qui lui arriva en effet peu de temps après, il avait caché et enfoui cette somme dans la forêt de Montfermeil au lieu dit le fonds Blaru. La somme, six cent trente mille francs, toute en billets de banque, avait peu de volume et tenait dans une boîte ; seulement, pour préserver la boîte de l'humidité, il l'avait placée dans un coffret en chêne plein de copeaux de châtaignier. Dans le même coffret, il avait mis son autre trésor, les chandeliers de l'évêque. On se souvient qu'il avait emporté ces chandeliers en s'évadant de Montreuil-sur-mer. L'homme aperçu un soir une première fois par Boulatruelle, c'était Jean Valjean. Plus tard, chaque fois que Jean Valjean avait besoin d'argent, il venait en chercher à la clairière Blaru. De là les absences dont nous avons parlé. Il avait une pioche quelque part dans les bruyères, dans une cachette connue de lui seul. Lorsqu'il vit Marius convalescent, sentant que l'heure approchait où cet argent pourrait être utile, il était allé le chercher; et c'était encore lui que Boulatruelle avait vu dans le bois, mais cette fois le matin et non le soir. Boulatruelle hérita de la pioche.

La somme réelle était cinq cent quatrevingt-quatre mille cinq cents francs. Jean Valjean retira les cinq cents francs pour lui. — Nous verrons après, pensa-t-il.

La différence entre cette somme et les six cent trente mille francs retirés de chez Laffitte représentait la dépense de dix années, de 1823 à 1833. Les cinq années de séjour au couvent n'avaient coûté que cinq mille francs.

Jean Valjean mit les deux flambeaux d'argent sur la cheminée où ils resplendirent à la grande admiration de Toussaint.

Du reste, Jean Valjean se savait délivré de Javert. On avait raconté devant lui, et il avait vérifié le fait dans le *Moniteur*, qui l'avait publié, qu'un inspecteur de police nommé Javert avait été trouvé noyé sous un bateau de blanchisseuses entre le Pont au Change et le Pont-Neuf, et qu'un écrit laissé par cet homme, d'ailleurs irréprochable et fort estimé de ses chefs, faisait croire à un accès d'aliénation mentale et à un suicide. — Au fait, pensa Jean Valjean, puisque, me tenant, il m'a laissé en liberté, c'est qu'il fallait qu'il fût déjà fou.

VI

LES DEUX VIEILLARDS FONT TOUT,
CHACUN À LEUR FAÇON,
POUR QUE COSETTE SOIT HEUREUSE

On prépara tout pour le mariage. Le médecin consulté déclara qu'il pourrait avoir lieu en février. On était en décembre. Quelques ravissantes semaines de bonheur parfait s'écoulèrent.

Le moins heureux n'était pas le grand-père. Il restait des quarts d'heure en contemplation devant Cosette.

— L'admirable jolie fille! s'écriait-il. Et elle a l'air si douce et si bonne! Il n'y a pas à dire mamie mon cœur, c'est la plus charmante fille que j'aie vue de ma vie. Plus tard, ça vous aura des vertus avec odeur de violette. C'est une grâce, quoi! On ne peut que vivre noblement avec une telle créature. Marius, mon garçon, tu es baron, tu es riche, n'avocasse pas, je t'en supplie.

Cosette et Marius étaient passés brusquement du sépulcre au paradis. La transition avait été peu ménagée, et ils en auraient été étourdis s'ils n'en avaient été éblouis.

— Comprends-tu quelque chose à cela? disait Marius à Cosette.

— Non, répondait Cosette, mais il me semble que le bon Dieu nous regarde.

Jean Valjean fit tout, aplanit tout, concilia tout, rendit tout facile. Il se hâtait vers le bonheur de Cosette avec autant d'empressement, et, en apparence, de joie, que Cosette elle-même.

Comme il avait été maire, il sut résoudre un problème délicat, dans le secret duquel il était seul, l'état civil de Cosette. Dire crûment l'origine, qui sait? cela eût pu empêcher le mariage. Il tira Cosette de toutes les difficultés. Il lui arrangea une famille de gens morts, moyen sûr de n'encourir aucune réclamation. Cosette était ce qui restait d'une famille éteinte; Cosette n'était pas sa fille à lui, mais la fille d'un autre Fauchelevent. Deux frères Fauchelevent avaient été jardiniers au couvent du Petit-Picpus. On alla à ce couvent; les meilleurs renseignements et les plus respectables témoignages abondèrent; les bonnes religieuses, peu aptes et peu enclines à sonder les questions de paternité, et n'y entendant pas malice, n'avaient jamais su bien au juste duquel des deux Fauchelevent la petite Cosette était la fille. Elles dirent ce qu'on voulut, et le dirent avec zèle. Un acte de notoriété fut dressé. Cosette devint devant la loi mademoiselle Euphrasie Fauchelevent. Elle fut déclarée orpheline de père et de mère. Jean Valjean s'arrangea de façon à être désigné, sous le nom de Fauchelevent, comme tuteur de Cosette, avec M. Gillenormand comme subrogé tuteur.

Quant aux cinq cent quatrevingt-quatre mille francs, c'était un legs fait à Cosette par une personne morte qui désirait rester inconnue. Le legs primitif avait été de cinq cent quatrevingt-quatorze mille francs; mais dix mille francs avaient été dépensés pour l'éducation de mademoiselle Euphrasie, dont cinq mille francs payés au couvent même. Ce legs, déposé dans les mains d'un tiers, devait être remis à Cosette à sa majorité ou à l'époque de son mariage. Tout cet ensemble était fort acceptable, comme on voit, surtout avec un appoint de plus d'un demi-million. Il y avait bien çà et là quelques singularités, mais on ne les vit pas; un des intéressés avait les yeux bandés par l'amour, les autres par les six cent mille francs.

Cosette apprit qu'elle n'était pas la fille de ce vieux homme qu'elle avait si longtemps appelé père. Ce n'était qu'un parent; un autre Fauchelevent était son père véritable. Dans tout autre moment, cela l'eût navrée. Mais à l'heure ineffable où elle était, ce ne fut qu'un peu d'ombre, un rembrunissement, et elle avait tant de joie que ce nuage dura peu. Elle avait Marius. Le jeune homme arrivait, le bonhomme s'effaçait; la vie est ainsi.

Et puis, Cosette était habituée depuis de longues années à voir autour d'elle des énigmes; tout être qui a eu une enfance mystérieuse est toujours prêt à de certains renoncements.

Elle continua pourtant de dire à Jean Valjean : Père.

Cosette, aux anges, était enthousiasmée du père Gillenormand. Il est vrai qu'il la comblait de madrigaux et de cadeaux. Pendant que Jean Valjean construisait à Cosette une situation normale dans la société et une possession d'état inattaquable, M. Gillenormand veillait à la corbeille de noces. Rien ne l'amusait comme d'être magnifique. Il avait donné à Cosette une robe de guipure de Binche qui lui venait de sa propre grand-mère à lui. — Ces modes-là renaissent, disait-il, les antiquailles font fureur, et les jeunes femmes de ma vieillesse s'habillent comme les vieilles femmes de mon enfance.

Il dévalisait ses respectables commodes de laque de Coromandel à panse bombée qui n'avaient pas été ouvertes depuis des ans. — Confessons ces douairières, disait-il; voyons ce qu'elles ont dans la bedaine. Il violait bruyamment des tiroirs ventrus pleins des toilettes de toutes ses femmes, de toutes ses maîtresses, et de toutes ses aïeules. Pékins, damas, lampas, moires peintes, robes de gros de Tours flambé, mouchoirs des Indes brodés d'un or qui peut se laver, dauphines sans envers en pièces, points de Gènes et d'Alençon, parures en vieilles orfévrerie, bonbonnières d'ivoire ornées de batailles microscopiques, nippes, rubans, il prodiguait tout à Cosette. Cosette, émerveillée, éperdue d'amour pour Marius et effarée de reconnaissance pour M. Gillenormand, rêvait un bonheur sans bornes vêtu de satin et de velours. Sa corbeille de noces lui apparaissait soutenue par les séraphins. Son âme s'envolait dans l'azur avec des ailes de dentelle de Malines.

L'ivresse des amoureux n'était égalée, nous l'avons dit, que par l'extase du grand-père. Il y avait comme une fanfare dans la rue des Filles-du-Calvaire.

Chaque matin, nouvelle offrande de bric-à-brac du grand-père à Cosette. Tous les falbalas possibles s'épanouissaient splendidement autour d'elle.

Un jour Marius, qui, volontiers, causait gravement à travers son bonheur, dit à propos de je ne sais quel incident :

— Les hommes de la révolution sont tellement grands, qu'ils ont déjà le prestige des siècles, comme Caton et comme Phocion, et chacun d'eux semble une mémoire antique.

— Moire antique ! s'écria le vieillard. Merci, Marius. C'est précisément l'idée que je cherchais.

Et le lendemain une magnifique robe de moire antique couleur thé s'ajoutait à la corbeille de Cosette.

Le grand-père extrayait de ces chiffons une sagesse.

— L'amour, c'est bien ; mais il faut cela avec. Il faut de l'inutile dans le bonheur. Le bonheur, ce n'est que le nécessaire. Assaisonnez-le-moi énormément de superflu. Un palais et son cœur. Son cœur et le Louvre. Son cœur et les grandes eaux de Versailles. Donnez-moi ma bergère, et tâchez qu'elle soit duchesse. Amenez-moi Philis couronnée de bleuets et ajoutez-lui cent mille livres de rente. Ouvrez-moi une bucolique à perte de vue sous une colonnade de marbre. Je consens à la bucolique et aussi à la féerie de marbre et d'or. Le bonheur sec ressemble au pain sec. On mange, mais on ne dîne pas. Je veux du superflu, de l'inutile, de l'extravagant, du trop, de ce qui ne sert à rien. Je me souviens d'avoir vu dans la cathédrale de Strasbourg une horloge haute comme une maison à trois étages qui marquait l'heure, qui avait la bonté de marquer l'heure, mais qui n'avait pas l'air faite pour cela ; et qui, après avoir sonné midi ou minuit, midi, l'heure du soleil, minuit, l'heure de l'amour, ou toute autre heure qu'il vous plaira, vous donnait la lune et les étoiles, la terre et la mer, les oiseaux et les poissons, Phébus et Phébé, et une ribambelle de choses qui sortaient d'une niche, et les douze apôtres, et l'empereur Charles-Quint, et Éponine et Sabinus, et un tas de petit bonshommes dorés qui jouaient de la trompette, par-dessus le marché. Sans compter de ravissants carillons qu'elle éparpillait dans l'air à tout propos sans qu'on sût pourquoi. Un méchant cadran tout nu qui ne dit que les heures vaut-il cela ? Moi je suis de l'avis de la grosse horloge de Strasbourg, et je la préfère au coucou de la Forêt-Noire.

M. Gillenormand déraisonnait spécialement à propos de la noce, et tous les trumeaux du dix-huitième siècle passaient pêle-mêle dans ses dithyrambes.

— Vous ignorez l'art des fêtes. Vous ne savez pas faire un jour de joie dans ce temps-ci, s'écriait-il. Votre dix-neuvième siècle est veule. Il manque d'excès. Il ignore le riche, il ignore le noble. En toute chose, il est tondu ras. Votre tiers état est insipide, incolore, inodore et informe. Rêves de vos bourgeoises qui s'établissent, comme elles disent : un joli boudoir fraîchement décoré, palissandre et calicot. Place ! place ! le sieur Grigou épouse la demoiselle Grippesou. Somptuosité et splendeur ! on a collé un louis d'or à un cierge. Voilà l'époque. Je demande à m'enfuir au delà des sarmates. Ah ! dès 1787, j'ai prédit que tout était perdu, le jour où j'ai vu le duc de Rohan, prince de Léon, duc de Chabot, duc de Montbazon, marquis de Soubise, vicomte de Thouars, pair de France, aller à Longchamp en tapecul ! Cela a porté ses fruits. Dans ce siècle on fait des affaires, on joue à la Bourse, on gagne de l'argent, et l'on est pingre. On soigne et on vernit sa surface ; on est tiré à quatre épingles, lavé, savonné, ratissé, rasé, peigné, ciré, lissé, frotté, brossé, nettoyé au dehors, irréprochable, poli comme un caillou, discret, propret, et en même temps, vertu de ma mie ! on a au fond de la conscience des fumiers et des cloaques à faire reculer une vachère qui se mouche dans ses doigts. J'octroie à ce temps-ci cette devise : Propreté sale. Marius, ne te fâche pas, donne-moi la permission de parler, je ne dis pas de mal du peuple, tu vois, j'en ai plein la bouche de ton peuple, mais trouve bon que je flanque un peu une pile à la bourgeoisie. J'en suis. Qui aime bien cingle bien. Sur ce, je le dis tout net, aujourd'hui on se marie, mais on ne sait plus se marier. Ah! c'est vrai, je regrette la gentillesse des anciennes mœurs. J'en regrette tout. Cette élégance, cette chevalerie, ces façons courtoises et mignonnes, ce luxe réjouissant que chacun avait, la musique faisant partie de la noce, symphonie en haut, tambourinage en bas, les danses, les joyeux visages attablés, les madrigaux alambiqués, les chansons, les fusées d'artifice, les francs rires, le diable et son train, les gros nœuds de rubans. Je regrette la jarretière de la mariée. La jarretière de la mariée est cousine de la ceinture de Vénus. Sur quoi roule la guerre de Troie? Parbleu, sur la jarretière d'Hélène. Pourquoi se bat-on, pourquoi Diomède le divin fracasse-t-il sur la tête de Mérionée ce grand casque d'airain à dix pointes, pourquoi Achille et Hector se pignochent-ils à grands coups de pique? Parce qu'Hélène a laissé prendre à Pâris sa jarretière. Avec la jarretière de Cosette, Homère ferait l'Iliade. Il mettrait dans son poëme un vieux bavard comme moi, et il le nommerait Nestor. Mes amis, autrefois, dans cet aimable autrefois, on se mariait savamment; on faisait un bon contrat, et ensuite une bonne boustifaille. Sitôt Cujas sorti, Gamache entrait. Mais, dame! c'est que l'estomac est une bête agréable qui demande son dû, et qui veut avoir sa noce aussi. On soupait bien, et l'on avait à table une belle voisine sans guimpe qui ne cachait sa gorge que modérément! Oh! les larges bouches riantes, et comme on était gai dans ce temps-là! la jeunesse était un bouquet; tout jeune homme se terminait par une branche de lilas ou par une touffe de roses; fût-on guerrier, on était berger; et si, par hasard, on était capitaine de dragons, on trouvait moyen de s'appeler Florian. On tenait à être joli. On se brodait, on s'empourprait. Un bourgeois avait l'air d'une fleur, un marquis avait l'air d'une pierrerie. On n'avait pas de sous-pieds, on n'avait pas de bottes. On était pimpant, lustré, moiré, mordoré, voltigeant, mignon, coquet, ce qui n'empêchait pas d'avoir l'épée au côté. Le colibri a bec et ongles. C'était le temps des *Indes galantes*. Un des côtés du siècle était le délicat, l'autre était le magnifique; et, par la vertuchoux! on s'amusait. Aujourd'hui on est sérieux. Le bourgeois est avare, la bourgeoise est prude; votre siècle est infortuné. On chasserait les Grâces comme trop décolletées. Hélas! on cache la beauté comme une laideur. Depuis la révolution, tout a des pantalons, même les danseuses; une baladine doit être grave; vos rigodons sont doctrinaires. Il faut être majestueux. On serait bien fâché de ne pas avoir le menton dans sa cravate. L'idéal d'un galopin de vingt ans qui se marie, c'est de ressembler à monsieur Royer-Collard. Et savez-vous à quoi l'on arrive avec cette majesté-là? à être petit. Apprenez ceci : la joie n'est pas seulement joyeuse; elle est grande. Mais soyez donc amoureux gaîment, que diable! mariez-vous donc, quand vous vous mariez, avec la fièvre et l'étourdissement et le vacarme et le tohu-bohu du bonheur! De la gravité à l'église, soit. Mais, sitôt la messe finie, sarpejeu! il faudrait faire tourbillonner un songe autour de l'épousée. Un mariage doit être royal et chimérique; il doit promener sa cérémonie de la cathédrale de Reims à la pagode de Chanteloup. J'ai horreur d'une noce pleutre. Ventregoulette! soyez dans l'olympe, au moins ce jour-là. Soyez des dieux. Ah! l'on pourrait être des sylphes, des Jeux et des Ris, des argyraspides; on est des galoupiats! Mes amis, tout nouveau marié doit être le prince Aldobrandini. Profitez de cette minute unique de la vie pour vous envoler dans l'empyrée avec les cygnes et les aigles, quitte à retomber le lendemain dans la bourgeoisie des grenouilles. N'économisez point sur l'hyménée, ne lui rognez pas ses splendeurs; ne liardez pas le jour où vous rayonnez. La noce n'est pas le ménage. Oh! si je faisais à ma fantaisie, ce serait galant. On entendrait des violons dans les arbres. Voici mon programme : bleu de ciel et argent. Je mêlerais à la fête les divinités agrestes, je convoquerais les dryades et les néréides. Les noces d'Amphitrite, une nuée rose, des nymphes bien coiffées et toutes nues, un académicien offrant des quatrains à la déesse, un char traîné par des monstres marins.

Triton trottait devant, et tirait de sa conque
Des sons si ravissants qu'il ravissait quiconque !

— Voilà un programme de fête, en voilà un, ou je ne m'y connais pas, sac à papier !

Pendant que le grand-père, en pleine effusion lyrique, s'écoutait lui-même, Cosette et Marius s'enivraient de se regarder librement.

La tante Gillenormand considérait tout cela avec sa placidité imperturbable. Elle avait eu depuis cinq ou six mois une certaine quantité d'émotions ; Marius revenu, Marius rapporté sanglant, Marius rapporté d'une barricade, Marius mort, puis vivant, Marius réconcilié, Marius fiancé, Marius se mariant avec une pauvresse, Marius se mariant avec une millionnaire. Les six cent mille francs avaient été sa dernière surprise. Puis son indifférence de première communiante lui était revenue. Elle allait régulièrement aux offices, égrenait son rosaire, lisait son eucologe, chuchotait dans un coin de la maison des *Ave* pendant qu'on chuchotait dans l'autre des *I love you*, et, vaguement, voyait Marius et Cosette comme deux ombres. L'ombre, c'était elle.

Il y a un certain état d'ascétisme inerte où l'âme, neutralisée par l'engourdissement, étrangère à ce qu'on pourrait appeler l'affaire de vivre, ne perçoit, à l'exception des tremblements de terre et des catastrophes, aucune des impressions humaines, ni les impressions plaisantes, ni les impressions pénibles. — Cette dévotion-là, disait le père Gillenormand à sa fille, correspond au rhume de cerveau. Tu ne sens rien de la vie. Pas de mauvaise odeur, mais pas de bonne.

Du reste, les six cent mille francs avaient fixé les indécisions de la vieille fille. Son père avait pris l'habitude de la compter si peu qu'il ne l'avait pas consultée sur le consentement au mariage de Marius. Il avait agi de fougue, selon sa mode, n'ayant, despote devenu esclave, qu'une pensée, satisfaire Marius. Quant à la tante, que la tante existât, et qu'elle pût avoir un avis, il n'y avait pas même songé, et, toute moutonne qu'elle était, ceci l'avait froissée. Quelque peu révoltée dans son for intérieur, mais extérieurement impassible, elle s'était dit : Mon père résout la question du mariage sans moi ; je résoudrai la question de l'héritage sans lui. Elle était riche, en effet, et le père ne l'était pas. Elle avait donc réservé là-dessus sa décision. Il est probable que si le mariage eût été pauvre, elle l'eût laissé pauvre. Tant pis pour monsieur mon neveu ! Il épouse une gueuse, qu'il soit gueux. Mais le demi-million de Cosette plut à la tante et changea sa situation intérieure à l'endroit de cette paire d'amoureux. On doit de la considération à six cent mille francs, et il était évident qu'elle ne pouvait faire autrement que de laisser sa fortune à ces jeunes gens, puisqu'ils n'en avaient plus besoin.

Il fut arrangé que le couple habiterait chez le grand-père. M. Gillenormand voulut absolument leur donner sa chambre, la plus belle de la maison. — *Cela me rajeunira*, déclarait-il. *C'est un ancien projet. J'avais toujours eu l'idée de faire la noce dans ma chambre.* Il meubla cette chambre d'un tas de vieux bibelots galants. Il la fit plafonner et tendre d'une étoffe extraordinaire qu'il avait en pièce et qu'il croyait d'Utrecht, fond satiné bouton-d'or avec fleurs de velours oreilles-d'ours. — C'est de cette étoffe-là, disait-il, qu'était drapé le lit de la duchesse d'Anville à la Roche-Guyon. — Il mit sur la cheminée une figurine de Saxe portant un manchon sur son ventre nu.

La bibliothèque de M. Gillenormand devint le cabinet d'avocat dont avait besoin Marius, un cabinet, on s'en souvient, étant exigé par le conseil de l'ordre.

VII

LES EFFETS DE RÊVE MÊLÉS AU BONHEUR

Les amoureux se voyaient tous les jours. Cosette venait avec M. Fauchelevent. — C'est le renversement des choses, disait mademoiselle Gillenormand, que la future vienne à domicile se faire faire la cour comme ça. — Mais la convalescence de Marius avait fait prendre l'habitude, et les fauteuils de la rue des Filles-du-Calvaire, meilleurs aux tête-à-tête que les chaises de paille de la rue de l'Homme-Armé, l'avaient enracinée. Marius et M. Fauchelevent se voyaient, mais ne se parlaient pas. Il semblait que cela fût convenu. Toute fille a besoin d'un chaperon. Cosette n'aurait pu venir sans M. Fauchelevent. Pour Marius, M. Fauchelevent était la condition de Cosette. Il l'acceptait. En mettant sur le tapis, vaguement et sans préciser, les matières de la politique, au point de vue de l'amélioration générale du sort de tous, ils parvenaient à se dire un peu plus que oui et non. Une fois, au sujet de l'enseignement, que Marius voulait gratuit et obligatoire, multiplié sous toutes les formes, prodigué à tous comme l'air et le soleil, en un mot, respirable au peuple tout entier, ils furent à l'unisson et causèrent presque. Marius remarqua à cette occasion que M. Fauchelevent parlait bien, et même avec une certaine élévation de langage. Il lui manquait pourtant on ne sait quoi. M. Fauchelevent avait quelque chose de moins qu'un homme du monde, et quelque chose de plus.

Marius, intérieurement et au fond de sa pensée, entourait de toutes sortes de questions muettes ce M. Fauchelevent qui était pour lui simplement bienveillant et froid. Il lui venait par moments des doutes sur ces propres souvenirs. Il y avait dans sa mémoire un trou, un endroit noir, un abîme creusé par quatre mois d'agonie. Beaucoup de choses s'y étaient perdues. Il en était à se demander s'il était bien réel qu'il eût vu M. Fauchelevent, un tel homme si sérieux et si calme, dans la barricade.

Ce n'était pas d'ailleurs la seule stupeur que les apparitions et les disparitions du passé lui eussent laissée dans l'esprit. Il ne faudrait pas croire qu'il fût délivré de toutes ces obsessions de la mémoire qui nous forcent, même heureux, même satisfaits, à regarder mélancoliquement en arrière. La tête qui ne se retourne pas vers les horizons effacés ne contient ni pensée ni amour. Par moments, Marius prenait son visage dans ses mains et le passé tumultueux et vague traversait le crépuscule qu'il avait dans le cerveau. Il revoyait tomber Mabeuf, il entendait Gavroche chanter sous la mitraille, il sentait sous sa lèvre le froid du front d'Éponine; Enjolras, Coufeyrac, Jean Prouvaire, Combeferre, Bossuet, Grantaire, tous ses amis, se dressaient devant lui, puis se dissipaient. Tous ces êtres chers, douloureux, vaillants, charmants ou tragiques, étaient-ce des songes ? avaient-ils en effet existé ? L'émeute avait tout roulé dans sa fumée. Ces grandes fièvres ont de grands rêves. Il s'interrogeait ; il se tâtait ; il avait le vertige de toutes ces réalités évanouies. Où étaient-ils donc tous ? était-ce bien vrai que tout fût mort ? Une chute dans les ténèbres avait tout emporté, excepté lui. Tout cela lui semblait avoir disparu comme derrière une toile de théâtre. Il y a de ces rideaux qui s'abaissent dans la vie. Dieu passe à l'acte suivant.

Et lui-même, était-il bien le même homme ? Lui, le pauvre, il était riche ; lui, l'abandonné, il avait une famille ; lui, le désespéré, il épousait Cosette. Il lui semblait qu'il avait traversé une tombe, et qu'il y était entré noir, et qu'il en était sorti blanc. Et cette tombe, les autres y étaient restés. À de certains instants, tous ces êtres du passé, revenus et présents, faisaient cercle autour de lui et l'assombrissaient ; alors il songeait à Cosette, et redevenait serein ; mais il ne fallait rien moins que cette félicité pour effacer cette catastrophe.

M. Fauchelevent avait presque place parmi ces êtres évanouis. Marius hésitait à croire que le Fauchelevent de la barricade fût le même que ce Fauchelevent en chair et en os, si gravement assis près de Cosette. Le premier était probablement un de ces cauchemars apportés et remportés par ses heures de délire. Du reste, leurs deux natures étant escarpées, aucune question n'était possible de Marius à M. Fauchelevent. L'idée ne lui en fût pas même venue. Nous avons indiqué déjà ce détail caractéristique.

Deux hommes qui ont un secret commun, et qui, par une sorte d'accord tacite, n'échangent pas une parole à ce sujet, cela est moins rare qu'on ne pense.

Une fois seulement, Marius tenta un essai. Il fit venir dans la conversation la rue de la Chanvrerie, et, se tournant vers M. Fauchelevent, il lui dit :

— Vous connaissez-bien cette rue-là ?
— Quelle rue ?
— La rue de la Chanvrerie ?
— Je n'ai aucune idée du nom de cette rue-là, répondit M. Fauchelevent du ton le plus naturel du monde.

La réponse, qui portait sur le nom de la rue, et point sur la rue elle-même, parut à Marius plus concluante qu'elle ne l'était.

— Décidément, pensa-t-il, j'ai rêvé. J'ai eu une hallucination. C'est quelqu'un qui lui ressemblait. M. Fauchelevent n'y était pas.

VIII

DEUX HOMMES IMPOSSIBLES À RETROUVER

L'enchantement, si grand qu'il fût, n'effaça point dans l'esprit de Marius d'autres préoccupations.

Pendant que le mariage s'apprêtait et en attendant l'époque fixée, il fit faire de difficiles et scrupuleuses recherches rétrospectives.

Il devait de la reconnaissance de plusieurs côtés; il en devait pour son père, il en devait pour lui-même.

Il y avait Thénardier; il y avait l'inconnu qui l'avait rapporté, lui Marius, chez M. Gillenormand.

Marius tenait à retrouver ces deux hommes, n'entendant point se marier, être heureux et les oublier, et craignant que ces dettes du devoir non payées ne fissent ombre sur sa vie, si lumineuse désormais. Il lui était impossible de laisser tout cet arriéré en souffrance derrière lui, et il voulait, avant d'entrer joyeusement dans l'avenir, avoir quittance du passé.

Que Thénardier fût un scélérat, cela n'ôtait rien à ce fait qu'il avait sauvé le colonel Pontmercy. Thénardier était un bandit pour tout le monde, excepté pour Marius.

Et Marius, ignorant la véritable scène du champ de bataille de Waterloo, ne savait pas cette particularité, que son père était vis-à-vis de Thénardier dans cette situation étrange de lui devoir la vie sans lui devoir de reconnaissance.

Aucun des divers agents que Marius employa ne parvint à saisir la piste de Thénardier. L'effacement semblait complet de ce côté-là. La Thénardier était morte en prison pendant l'instruction du procès. Thénardier et sa fille Azelma, les deux seuls qui restassent de ce groupe lamentable, avaient replongé dans l'ombre. Le gouffre de l'Inconnu social s'était silencieusement refermé sur ces êtres. On ne voyait même plus à la surface ce frémissement, ce tremblement, ces obscurs cercles concentriques qui annoncent que quelque chose est tombé là, et qu'on peut y jeter la sonde.

La Thénardier étant morte, Boulatruelle étant mis hors de cause, Claquesous ayant disparu, les principaux accusés s'étant échappés de prison, le procès du guet-apens de la masure Gorbeau avait à peu près avorté. L'affaire était restée assez obscure. Le banc des assises avait dû se contenter de deux subalternes, Panchaud, dit Printanier, dit Bigrenaille, et Demi-Liard, dit Deux-Milliards, qui avaient été condamnés contradictoirement à dix ans de galères. Les travaux forcés à perpétuité avaient été prononcés contre leurs complices évadés et contumaces. Thénardier, chef et meneur, avait été, par contumace également, condamné à mort. Cette condamnation était la seule chose qui restât sur Thénardier, jetant sur ce nom enseveli sa lueur sinistre, comme une chandelle à côté d'une bière.

Du reste, en refoulant Thénardier dans les dernières profondeurs par la crainte d'être ressaisi, cette condamnation ajoutait à l'épaississement ténébreux qui couvrait cet homme.

Quant à l'autre, quant à l'homme ignoré qui avait sauvé Marius, les recherches eurent d'abord quelque résultat, puis s'arrêtèrent court. On réussit à retrouver le fiacre qui avait rapporté Marius rue des Filles-du-Calvaire dans la soirée du 6 juin. Le cocher déclara que le 6 juin, d'après l'ordre d'un agent de police, il avait « stationné », depuis trois heures de l'après-midi jusqu'à la nuit, sur le quai des Champs-Élysées, au-dessus de l'issue du Grand Égout; que, vers neuf heures du soir, la grille de l'égout qui donne sur la berge de la rivière s'était ouverte; qu'un homme en était sorti, portant sur ses épaules un autre homme, qui semblait mort; que l'agent, lequel était en observation sur ce point, avait arrêté l'homme vivant et saisi l'homme mort; que, sur l'ordre de l'agent, lui cocher avait reçu « tout ce monde-là » dans son fiacre; qu'on était allé d'abord rue des Filles-du-Calvaire; qu'on y avait déposé l'homme mort; que l'homme mort, c'était monsieur

Marius, et que lui cocher le reconnaissait bien, quoiqu'il fût vivant « cette fois-ci »; qu'ensuite on était remonté dans sa voiture, qu'il avait fouetté ses chevaux, que, à quelques pas de la porte des Archives, on lui avait crié de s'arrêter, que là, dans la rue, on l'avait payé et quitté, et que l'agent avait emmené l'autre homme; qu'il ne savait rien de plus; que la nuit était très noire.

Marius, nous l'avons dit, ne se rappelait rien. Il se souvenait seulement d'avoir été saisi en arrière par une main énergique au moment où il tombait à la renverse dans la barricade; puis tout s'effaçait pour lui. Il n'avait repris connaissance que chez M. Gillenormand.

Il se perdait en conjectures.

Il ne pouvait douter de sa propre identité. Comment se faisait-il pourtant que, tombé rue de la Chanvrerie, il eût été ramassé par l'agent de police sur la berge de la Seine, près du pont des Invalides? Quelqu'un l'avait emporté du quartier des halles aux Champs-Élysées. Et comment? Par l'égout. Dévouement inouï!

Quelqu'un? qui?

C'était cet homme que Marius cherchait.

De cet homme, qui était son sauveur, rien; nulle trace; pas le moindre indice.

Marius, quoique obligé de ce côté-là à une grande réserve, poussa ses recherches jusqu'à la préfecture de police. Là, pas plus qu'ailleurs, les renseignements pris n'aboutirent à aucun éclaircissement. La préfecture en savait moins que le cocher de fiacre. On n'y avait connaissance d'aucune arrestation opérée le 6 juin à la grille du Grand Égout; on n'y avait reçu aucun rapport d'agent sur ce fait qui, à la préfecture, était regardé comme une fable. On y attribuait l'invention de cette fable au cocher. Un cocher qui veut un pourboire est capable de tout, même d'imagination. Le fait, pourtant, était certain, et Marius n'en pouvait douter, à moins de douter de sa propre identité, comme nous venons de le dire.

Tout, dans cette étrange énigme, était inexplicable.

Cet homme, ce mystérieux homme, que le cocher avait vu sortir de la grille du Grand Égout portant sur son dos Marius évanoui, et que l'agent de police aux aguets avait arrêté en flagrant délit de sauvetage d'un insurgé, qu'était-il devenu? qu'était devenu l'agent lui-même? Pourquoi cet agent avait-il gardé le silence? l'homme avait-il réussi à s'évader? avait-il corrompu l'agent? Pourquoi cet homme ne donnait-il aucun signe de vie à Marius qui lui devait tout? Le désintéressement n'était pas moins prodigieux que le dévouement. Pourquoi cet homme ne reparaissait-il pas? Peut-être était-il au-dessus de la récompense, mais personne n'est au-dessus de la reconnaissance. Était-il mort? quel homme était-ce? quelle figure avait-il? Personne ne pouvait le dire. Le cocher répondait : La nuit était très noire. Basque et Nicolette, ahuris, n'avaient regardé que leur jeune maître tout sanglant. Le portier, dont la chandelle avait éclairé la tragique arrivée de Marius, avait seul remarqué l'homme en question, et voici le signalement qu'il en donnait : « Cet homme était épouvantable. »

Dans l'espoir d'en tirer parti pour ses recherches, Marius fit conserver les vêtements ensanglantés qu'il avait sur le corps, lorsqu'on l'avait ramené chez son aïeul. En examinant l'habit, on remarqua qu'un pan était bizarrement déchiré. Un morceau manquait.

Un soir, Marius parlait, devant Cosette et Jean Valjean, de toute cette singulière aventure, des informations sans nombre qu'il avait prises et de l'inutilité de ses efforts. Le visage froid de « monsieur Fauchelevent » l'impatientait. Il s'écria avec une vivacité qui avait presque la vibration de la colère :

— Oui, cet homme-là, quel qu'il soit, a été sublime. Savez-vous ce qu'il a fait, monsieur? Il est intervenu comme l'archange. Il a fallu qu'il se jetât au milieu du combat, qu'il me dérobât, qu'il ouvrît l'égout, qu'il m'y traînât, qu'il m'y portât! Il a fallu qu'il fît plus d'une lieue et demie dans d'affreuses galeries souterraines, courbé, ployé, dans les ténèbres, dans le cloaque, plus d'une lieue et demie, monsieur, avec un cadavre sur le dos! Et dans quel but? Dans l'unique but de sauver ce cadavre. Et ce cadavre, c'était moi. Il s'est dit : il y a encore là peut-être une lueur de vie; je vais risquer mon existence à moi pour cette misérable étincelle! Et son existence, il ne l'a pas risquée une fois, mais vingt! Et chaque pas était un danger. La preuve, c'est qu'en sortant de l'égout il a été arrêté.

Savez-vous, monsieur, que cet homme a fait tout cela? Et aucune récompense à attendre. Qu'étais-je? Un insurgé. Qu'étais-je? Un vaincu. Oh! si les six cent mille francs de Cosette étaient à moi...

— Ils sont à vous, interrompit Jean Valjean.

— Eh bien, reprit Marius, je les donnerais pour retrouver cet homme!

Jean Valjean garda le silence.

LIVRE SIXIÈME

LA NUIT BLANCHE

I

LE 16 FÉVRIER 1833

La nuit du 16 au 17 février 1833 fut une nuit bénie. Elle eut au-dessus de son ombre le ciel ouvert. Ce fut la nuit de noces de Marius et de Cosette.

La journée avait été adorable.

Ce n'avait pas été la fête bleue rêvée par le grand-père, une féerie avec une confusion de chérubins et de cupidons au-dessus de la tête des mariés, un mariage digne de faire un dessus de porte; mais cela avait été doux et riant.

La mode du mariage n'était pas en 1833 ce qu'elle est aujourd'hui. La France n'avait pas encore emprunté à l'Angleterre cette délicatesse suprême d'enlever sa femme, de s'enfuir en sortant de l'église, de se cacher avec honte de son bonheur, et de combiner les allures d'un banqueroutier avec les ravissements du cantique des cantiques. On n'avait pas encore compris tout ce qu'il y a de chaste, d'exquis et de décent à cahoter son paradis en chaise de poste, à entrecouper son mystère de clic-clacs, à prendre pour lit nuptial un lit d'auberge, et à laisser derrière soi, dans l'alcôve banale à tant par nuit, le plus sacré des souvenirs de la vie pêle-mêle avec le tête-à-tête du conducteur de diligence et de la servante d'auberge.

Dans cette seconde moitié du dix-neuvième siècle où

nous sommes, le maire et son écharpe, le prêtre et sa chasuble, la loi et Dieu, ne suffisent plus; il faut les compléter par le postillon de Longjumeau; veste bleue aux retroussis rouges et aux boutons grelots, plaque en brassard, culotte de peau verte, jurons aux chevaux normands à la queue nouée, faux galons, chapeau ciré, gros cheveux poudrés, fouet énorme et bottes fortes. La France ne pousse pas encore l'élégance jusqu'à faire, comme la nobility anglaise, pleuvoir sur la calèche de poste des mariés une grêle de pantoufles éculées et de vieilles savates, en souvenir de Churchill, depuis Marlborough, ou Malbrouck, assailli le jour de son mariage par une colère de tante qui lui porta bonheur. Les savates et les pantoufles ne font point encore partie de nos célébrations nuptiales; mais patience, le bon goût continuant à se répandre, on y viendra.

En 1833, il y a cent ans, on ne pratiquait pas le mariage au grand trot.

On s'imaginait encore à cette époque, chose bizarre, qu'un mariage est une fête intime et sociale, qu'un banquet patriarcal ne gâte point une solennité domestique, que la gaîté, fût-elle excessive, pourvu qu'elle soit honnête, ne fait aucun mal au bonheur, et qu'enfin il est vénérable et bon que la fusion de ces deux destinées d'où sortira une famille commence dans la maison, et que le ménage ait désormais pour témoin la chambre nuptiale.

Et l'on avait l'impudeur de se marier chez soi.

Le mariage se fit donc, suivant cette mode maintenant caduque, chez M. Gillenormand.

Si naturelle et si ordinaire que soit cette affaire de se marier, les bans à publier, les actes à dresser, la mairie, l'église, ont toujours quelque complication. On ne put être prêt avant le 16 février.

Or, nous notons ce détail pour la pure satisfaction d'être exact, il se trouva que le 16 était un mardi gras. Hésitations, scrupules, particulièrement de la tante Gillenormand.

— Un mardi gras! s'écria l'aïeul, tant mieux. Il y a un proverbe :

> Mariage un mardi gras
> N'aura point d'enfants ingrats.

Passons outre. Va pour le 16! Est-ce que tu veux retarder, toi, Marius ?

— Non, certes ! répondit l'amoureux.

— Marions-nous, fit le grand-père.

Le mariage se fit donc le 16, nonobstant la gaîté publique. Il pleuvait ce jour-là, mais il y a toujours dans le ciel un petit coin d'azur au service du bonheur, que les amants voient, même quand le reste de la création serait sous un parapluie.

La veille, Jean Valjean avait remis à Marius, en présence de M. Gillenormand, les cinq cent quatrevingt-quatre mille francs.

Le mariage se faisant sous le régime de la communauté, les actes avaient été simples.

Toussaint était désormais inutile à Jean Valjean ; Cosette en avait hérité et l'avait promue au grade de femme de chambre.

Quant à Jean Valjean, il y avait dans la maison Gillenormand une belle chambre meublée exprès pour lui, et Cosette lui avait si irrésistiblement dit : « Père, je vous en prie », qu'elle lui avait fait à peu près promettre qu'il viendrait l'habiter.

Quelques jours avant le jour fixé pour le mariage, il était arrivé un accident à Jean Valjean ; il s'était un peu écrasé le pouce de la main droite. Ce n'était point grave ; et il n'avait pas permis que personne s'en occupât, ni le pansât, ni même vît son mal, pas même Cosette. Cela pourtant l'avait forcé de s'emmitoufler la main d'un linge, et de porter le bras en écharpe, et l'avait empêché de rien signer. M. Gillenormand, comme subrogé tuteur de Cosette, l'avait suppléé.

Nous ne mènerons le lecteur ni à la mairie ni à l'église. On ne suit guère deux amoureux jusque-là, et l'on a l'habitude de tourner le dos au drame dès qu'il met à sa boutonnière un bouquet de marié. Nous nous bornerons à noter un incident qui, d'ailleurs inaperçu de la noce, marqua le trajet de la rue des Filles-du-Calvaire à l'église Saint-Paul.

On repavait à cette époque l'extrémité nord de la rue Saint-Louis. Elle était barrée à partir de la rue du Parc-Royal. Il était impossible aux voitures de la noce d'aller directement à Saint-Paul. Force était de changer l'itinéraire, et le plus simple était de tourner par le boulevard. Un des invités fit observer que c'était le mardi gras, et qu'il y aurait là encombrement de voitures. — Pourquoi ? demanda M. Gillenormand. — À cause des masques. — À merveille, dit le grand-père. Allons par là. Ces jeunes gens se marient ; ils vont entrer dans le sérieux de la vie. Cela les préparera de voir un peu de mascarade.

On prit par le boulevard. La première des berlines de la noce contenait Cosette et la tante Gillenormand, M. Gillenormand et Jean Valjean. Marius, encore séparé de sa fiancée, selon l'usage, ne venait que dans la seconde. Le cortège nuptial, au sortir de la rue des Filles-du-Calvaire, s'engagea dans la longue procession de voitures qui faisait la chaîne sans fin de la Madeleine à la Bastille et de la Bastille à la Madeleine.

Les masques abondaient sur le boulevard. Il avait beau pleuvoir par intervalles, Paillasse, Pantalon et Gille s'obstinaient. Dans la bonne humeur de cet hiver de 1833, Paris s'était déguisé en Venise. On ne voit plus de ces mardis gras-là aujourd'hui. Tout ce qui existe étant un carnaval répandu, il n'y a plus de carnaval.

Les contre-allées regorgeaient de passants et les fenêtres de curieux. Les terrasses qui couronnent les péristyles des théâtres étaient bordées de spectateurs. Outre les masques, on regardait ce défilé, propre au mardi gras comme à Longchamp, de véhicules de toutes sortes, fiacres, citadines, tapissières, carrioles, cabriolets, marchant en ordre, rigoureusement rivés les uns aux autres par les règlements de police et comme emboîtés dans des rails. Quiconque est dans un de ces véhicules-là est tout à la fois spectateur et spectacle. Des sergents de ville maintenaient sur les bas côtés du boulevard ces deux interminables files parallèles se mouvant en mouvement contrarié, et surveillaient, pour que rien n'entravât leur double courant, ces deux ruisseaux de voitures coulant, l'un en aval, l'autre en amont, l'un vers la chaussée d'Antin, l'autre vers le faubourg Saint-Antoine. Les voitures armoriées des pairs de France et des ambassadeurs tenaient le milieu de la chaussée, allant et venant librement. De certains cortèges magnifiques et joyeux, notamment le Bœuf Gras, avaient le même privilège. Dans cette gaîté de Paris, l'Angleterre faisait claquer son fouet; la chaise de poste de lord Seymour, harcelée d'un sobriquet populacier, passait à grand bruit.

Dans la double file, le long de laquelle des gardes municipaux galopaient comme des chiens de berger, d'honnêtes berlingots de famille, encombrés de grand'tantes et d'aïeules, étalaient à leurs portières de frais groupes d'enfants déguisés, pierrots de sept ans, pierrettes de six ans, ravissants petits êtres, sentant qu'ils faisaient officiellement partie de l'allégresse publique, pénétrés de la dignité de leur arlequinade et ayant une gravité de fonctionnaires.

De temps en temps un embarras survenait quelque part dans la procession des véhicules, et l'une ou l'autre des deux files latérales s'arrêtait jusqu'à ce que le nœud fût dénoué; une voiture empêchée suffisait pour paralyser toute la ligne. Puis on se remettait en marche.

Les carrosses de la noce étaient dans la file allant vers la Bastille et longeant le côté droit du boulevard. À la hauteur de la rue du Pont-aux-Choux, il y eut un temps d'arrêt. Presque au même instant, sur l'autre bas côté, l'autre file qui allait vers la Madeleine s'arrêta également. Il y avait à ce point-là de cette file une voiture de masques.

Ces voitures, ou, pour mieux dire, ces charretées de masques sont bien connues des parisiens. Si elles manquaient à un mardi gras ou à une mi-carême, on y entendrait malice, et l'on dirait : *Il y a quelque chose là-dessous. Probablement le ministère va changer*. Un entassement de Cassandres, d'Arlequins et de Colombines, cahoté au-dessus des passants, tous les grotesques possibles depuis le turc jusqu'au sauvage, des hercules supportant des marquises, des poissardes qui feraient boucher les oreilles à Rabelais de même que les ménades faisaient baisser les yeux à Aristophane, perruques de filasse, maillots roses, chapeaux de faraud, lunettes de grimacier, tricornes de Janot taquinés par un papillon, cris jetés aux piétons, poings sur les hanches, postures hardies, épaules nues, faces masquées, impudeurs démuselées; un chaos d'effronteries promené par un cocher coiffé de fleurs; voilà ce que c'est que cette institution.

La Grèce avait besoin du chariot de Thespis, la France a besoin du fiacre de Vadé.

Tout peut être parodié, même la parodie. La saturnale, cette grimace de la beauté antique, arrive, de grossissement en grossissement, au mardi gras ; et la bacchanale, jadis couronnée de pampres, inondée de soleil, montrant des seins de marbre dans une demi-nudité divine, aujourd'hui avachie sous la guenille mouillée du nord, a fini par s'appeler la chic-en-lit.

La tradition des voitures de masques remonte aux plus vieux temps de la monarchie. Les comptes de Louis XI allouent au bailli du palais « vingt sous tournois pour trois « coches de mascarades ès carrefours ». De nos jours, ces monceaux bruyants de créatures se font habituellement charrier par quelque ancien coucou dont ils encombrent l'impériale, ou accablent de leur tumultueux groupe un landau de régie dont les capotes sont rabattues. Ils sont vingt dans une voiture de six. Il y en a sur le siège, sur le strapontin, sur les joues des capotes, sur le timon. Ils enfourchent jusqu'aux lanternes de la voiture. Ils sont debout, couchés, assis, jarrets recroquevillés, jambes pendantes. Les femmes occupent les genoux des hommes. On voit de loin sur le fourmillement des têtes leur pyramide forcenée. Ces carrossées font des montagnes d'allégresse au milieu de la cohue. Collé, Panard et Piron en découlent, enrichis d'argot. On crache de là-haut sur le peuple le catéchisme poissard. Ce fiacre, devenu démesuré par son chargement, a un air de conquête. Brouhaha est à l'avant, Tohubohu est à l'arrière. On y vocifère, on y vocalise, on y hurle, on y éclate, on s'y tord de bonheur ; la gaîté y rugit, le sarcasme y flamboie, la jovialité s'y étale comme une pourpre ; deux haridelles y traînent la farce épanouie en apothéose ; c'est le char de triomphe du Rire.

Rire trop cynique pour être franc. Et en effet ce rire est suspect. Ce rire a une mission. Il est chargé de prouver aux parisiens le carnaval.

Ces voitures poissardes, où l'on sent on ne sait quelles ténèbres, font songer le philosophe. Il y a du gouvernement là-dedans. On touche là du doigt une affinité mystérieuse entre les hommes publics et les femmes publiques.

Que des turpitudes échafaudées donnent un total de gaîté, qu'en étageant l'ignominie sur l'opprobre on affriande un peuple, que l'espionnage servant de cariatide à la prostitution amuse les cohues en les affrontant, que la foule aime à voir passer sur les quatre roues d'un fiacre ce monstrueux tas vivant, clinquant-haillon, mi-parti ordure et lumière, qui aboie et qui chante, qu'on batte des mains à cette gloire faite de toutes les hontes, qu'il n'y ait pas de fête pour les multitudes si la police ne promène au milieu d'elles ces espèces d'hydres de joie à vingt têtes, certes, cela est triste. Mais qu'y faire ? Ces tombereaux de fange enrubannée et fleurie sont insultés et amnistiés par le rire public. Le rire de tous est complice de la dégradation universelle. De certaines fêtes malsaines désagrègent le peuple et le font populace; et aux populaces comme aux tyrans il faut des bouffons. Le roi a Roquelaure, le peuple a Paillasse. Paris est la grande ville folle, toutes les fois qu'il n'est pas la grande cité sublime. Le carnaval y fait partie de la politique. Paris, avouons-le, se laisse volontiers donner la comédie par l'infamie. Il ne demande à ses maîtres, — quand il a des maîtres, — qu'une chose : fardez-moi la boue. Rome était de la même humeur. Elle aimait Néron. Néron était un débardeur titan.

Le hasard fit, comme nous venons de le dire, qu'une de ces difformes grappes de femmes et d'hommes masqués, trimballée dans une vaste calèche, s'arrêta à gauche du boulevard pendant que le cortège de la noce s'arrêtait à droite. D'un bord du boulevard à l'autre, la voiture où étaient les masques aperçut vis-à-vis d'elle la voiture où était la mariée.

— Tiens ! dit un masque, une noce.

— Une fausse noce, reprit un autre. C'est nous qui sommes la vraie.

Et, trop loin pour pouvoir interpeller la noce, craignant d'ailleurs le holà des sergents de ville, les deux masques regardèrent ailleurs.

Toute la carrossée masquée eut fort à faire au bout d'un instant, la multitude se mit à la huer, ce qui est la caresse de la foule aux mascarades; et les deux masques qui venaient de parler durent faire front à tout le monde avec leurs camarades, et n'eurent pas trop de tous les projectiles du répertoire des halles pour répondre aux énormes coups de gueule du peuple. Il se fit entre les masques et la foule un effrayant échange de métaphores.

Cependant, deux autres masques de la même voiture, un espagnol au nez démesuré avec un air vieillot et d'énormes moustaches noires, et une poissarde maigre, et toute jeune fille, masquée d'un loup, avaient remarqué la noce, eux aussi, et, pendant que leurs compagnons et les passants s'insultaient, avaient un dialogue à voix basse.

Leur aparté était couvert par le tumulte et s'y perdait. Les bouffées de pluie avaient mouillé la voiture toute grande ouverte ; le vent de février n'est pas chaud ; tout en répondant à l'espagnol, la poissarde, décolletée, grelottait, riait, et toussait.

Voici le dialogue :

— Dis donc.

— Quoi, daron ?

— Vois-tu ce vieux ?

— Quel vieux ?

— Là, dans la première roulotte de la noce, de notre côté.

— Qui a le bras accroché dans une cravate noire ?

— Oui.

— Eh bien ?

— Je suis sûr que je le connais.

— Ah !

— Je veux qu'on me fauche le colabre et n'avoir de ma vioc dit vousaille, tonorgue ni mézig, si je ne colombe pas ce pantinois-là.

— C'est aujourd'hui que Paris est Pantin.

— Peux-tu voir la mariée ? en te penchant ?

— Non.

— Et le marié ?

— Il n'y a pas de marié dans cette roulotte-là.

— Bah !

— À moins que ce ne soit l'autre vieux.

— Tâche donc de voir la mariée en te penchant bien.

— Je ne peux pas.

— C'est égal, ce vieux qui a quelque chose à la patte, j'en suis sûr, je connais ça.

— Et à quoi ça te sert-il de le connaître ?

— On ne sait pas. Des fois !

— Je me fiche pas mal des vieux, moi.

— Je le connais !

— Connais-le à ton aise.
— Comment diable est-il à la noce?
— Nous y sommes bien, nous.
— D'où vient-elle, cette noce?
— Est-ce que je sais?
— Écoute.
— Quoi?
— Tu devrais faire une chose.
— Quoi?
— Descendre de notre roulotte et filer cette noce-là.
— Pourquoi faire?
— Pour savoir où elle va, et ce qu'elle est. Dépêche-toi de descendre, cours, ma fée, toi qui es jeune.
— Je ne peux pas quitter la voiture.
— Pourquoi ça?
— Je suis louée.
— Ah fichtre!
— Je dois ma journée de poissarde à la préfecture.
— C'est vrai.
— Si je quitte la voiture, le premier inspecteur qui me voit m'arrête. Tu sais bien.
— Oui, je sais.
— Aujourd'hui, je suis achetée par Pharos.
— C'est égal. Ce vieux m'embête.
— Les vieux t'embêtent. Tu n'es pourtant pas une jeune fille.
— Il est dans la première voiture.
— Eh bien?
— Dans la roulotte de la mariée.
— Après?
— Donc il est le père.
— Qu'est-ce que cela me fait?
— Je te dis qu'il est le père.
— Il n'y a pas que ce père-là.
— Écoute.
— Quoi?
— Moi, je ne peux guère sortir que masqué. Ici, je suis caché, on ne sait pas que j'y suis. Mais demain, il n'y a plus de masques. C'est mercredi des cendres. Je risque de tomber. Il faut que je rentre dans mon trou. Toi, tu es libre.

— Pas trop.
— Plus que moi toujours.
— Eh bien, après ?
— Il faut que tu tâches de savoir où est allée cette noce-là ?
— Où elle va ?
— Oui.
— Je le sais.
— Où va-t-elle donc ?
— Au Cadran Bleu.
— D'abord ce n'est pas de ce côté-là.
— Eh bien! à la Râpée.
— Ou ailleurs.
— Elle est libre. Les noces sont libres.
— Ce n'est pas tout ça. Je te dis qu'il faut que tu tâches de me savoir ce que c'est que cette noce-là, dont est ce vieux, et où cette noce-là demeure.
— Plus souvent! voilà qui sera drôle. C'est commode de retrouver, huit jours après, une noce qui a passé dans Paris le mardi gras. Une tiquante dans un grenier à foin! Est-ce que c'est possible ?
— N'importe, il faudra tâcher. Entends-tu, Azelma ?

Les deux files reprirent des deux côtés du boulevard leur mouvement en sens inverse, et la voiture des masques perdit de vue « la roulotte » de la mariée.

II

JEAN VALJEAN A TOUJOURS SON BRAS EN ÉCHARPE

Réaliser son rêve. À qui cela est-il donné ? Il doit y avoir des élections pour cela dans le ciel; nous somme tous candidats à notre insu; les anges votent. Cosette et Marius avaient été élus.

Cosette, à la mairie et dans l'église, était éclatante et touchante. C'était Toussaint, aidée de Nicolette, qui l'avait habillée.

Cosette avait sur une jupe de taffetas blanc sa robe de guipure de Binche, un voile de point d'Angleterre, un collier de perles fines, une couronne de fleurs d'oranger ; tout cela était blanc, et, dans cette blancheur, elle rayonnait. C'était une candeur exquise se dilatant et se transfigurant dans de la clarté. On eût dit une vierge en train de devenir déesse.

Les beaux cheveux de Marius étaient lustrés et parfumés, on entrevoyait çà et là, sous l'épaisseur des boucles, des lignes pâles qui étaient les cicatrices de la barricade.

Le grand-père, superbe, la tête haute, amalgamant plus que jamais dans sa toilette et dans ses manières toutes les élégances du temps de Barras, conduisait Cosette. Il remplaçait Jean Valjean qui, à cause de son bras en écharpe, ne pouvait donner la main à la mariée.

Jean Valjean, en noir, suivait et souriait.

— Monsieur Fauchelevent, lui disait l'aïeul, voilà un beau jour. Je vote la fin des afflictions et des chagrins. Il ne faut plus qu'il y ait de tristesse nulle part désormais. Pardieu ! je décrète la joie ! Le mal n'a pas le droit d'être. Qu'il y ait des hommes malheureux, en vérité, cela est honteux pour l'azur du ciel. Le mal ne vient pas de l'homme qui, au fond, est bon. Toutes les misères humaines ont pour chef-lieu et pour gouvernement central l'enfer, autrement dit les Tuileries du diable. Bon, voilà que je dis des mots démagogiques à présent ! Quant à moi, je n'ai plus d'opinion politique ; que tous les hommes soient riches, c'est-à-dire joyeux, voilà à quoi je me borne.

Quand, à l'issue de toutes les cérémonies, après avoir prononcé devant le maire et devant le prêtre tous les oui possibles, après avoir signé sur les registres à la municipalité et à la sacristie, après avoir échangé leurs anneaux, après avoir été à genoux coude à coude sous le poêle de moire blanche dans la fumée de l'encensoir, ils arrivèrent se tenant par la main, admirés et enviés de tous, Marius en noir, elle en blanc, précédés du suisse à épaulettes de colonel frappant les dalles de sa hallebarde, entre deux haies d'assistants émerveillés, sous le portail de l'église ouvert à deux battants, prêts à remonter en voiture et tout étant fini, Cosette ne pouvait encore y croire. Elle regardait Marius, elle regardait la foule, elle regardait le ciel ; il semblait qu'elle eût peur de se réveiller. Son air étonné et inquiet lui ajoutait on ne sait quoi d'enchanteur. Pour s'en retourner, ils montèrent ensemble dans la même voiture, Marius près de Cosette ; M. Gillenormand et Jean Valjean leur faisaient vis-à-vis. La tante Gillenormand avait reculé d'un plan, et était dans la seconde voiture. — Mes enfants, disait le grand-père, vous voilà monsieur le baron et madame la baronne avec trente mille livres de rente. Et Cosette, se penchant tout contre Marius, lui caressa l'oreille de ce chuchotement angélique : — C'est donc vrai. Je m'appelle Marius. Je suis madame Toi.

Ces deux êtres resplendissaient. Ils étaient à la minute irrévocable et introuvable, à l'éblouissant point d'intersection de toute la jeunesse et de toute la joie. Ils réalisaient le vers de Jean Prouvaire ; à eux deux, ils n'avaient pas quarante ans. C'était le mariage sublimé ; ces deux enfants étaient deux lys. Ils ne se voyaient pas, ils se contemplaient. Cosette apercevait Marius dans une gloire ; Marius apercevait Cosette sur un autel. Et sur cet autel et dans cette gloire, les deux apothéoses se mêlant, au fond, on ne sait comment, derrière un nuage pour Cosette, dans un flamboiement pour Marius, il y avait la chose idéale, la chose réelle, le rendez-vous du baiser et du songe, l'oreiller nuptial.

Tout le tourment qu'ils avaient eu leur revenait en envirement. Il leur semblait que les chagrins, les insomnies, les larmes, les angoisses, les épouvantes, les désespoirs, devenus caresses et rayons, rendaient plus charmante encore l'heure charmante qui approchait ; et que les tristesses étaient autant de servantes qui faisaient la toilette de la joie. Avoir souffert, comme c'est bon ! Leur malheur faisait auréole à leur bonheur. La longue agonie de leur amour aboutissait à une ascension.

C'était dans ces deux âmes le même enchantement, nuancé de volupté dans Marius et de pudeur dans Cosette. Ils se disaient tout bas : Nous irons revoir notre petit jardin de la rue Plumet. Les plis de la robe de Cosette étaient sur Marius.

Un tel jour est un mélange ineffable de rêve et de certitude. On possède et on suppose. On a encore du temps devant soi pour deviner. C'est une indicible émotion ce jour-là d'être à midi et de songer à minuit. Les délices de ces deux cœurs débordaient sur la foule et donnaient de l'allégresse aux passants.

On s'arrêtait rue Saint-Antoine devant Saint-Paul pour voir à travers la vitre de la voiture trembler les fleurs d'oranger sur la tête de Cosette.

Puis ils rentrèrent rue des Filles-du-Calvaire, chez eux. Marius, côte à côte avec Cosette, monta, triomphant et rayonnant, cet escalier où on l'avait traîné mourant. Les pauvres, attroupés devant la porte et se partageant leurs bourses, les bénissaient. Il y avait partout des fleurs. La maison n'était pas moins embaumée que l'église; après l'encens, les roses. Ils croyaient entendre des voix chanter dans l'infini; ils avaient Dieu dans le cœur; la destinée leur apparaissait comme un plafond d'étoiles; ils voyaient au-dessus de leurs têtes une lueur de soleil levant. Tout à coup l'horloge sonna. Marius regarda le charmant bras nu de Cosette et les choses roses qu'on apercevait vaguement à travers les dentelles de son corsage, et Cosette, voyant le regard de Marius, se mit à rougir jusqu'au blanc des yeux.

Bon nombre d'anciens amis de la famille Gillenormand avaient été invités; on s'empressait autour de Cosette. C'était à qui l'appellerait madame la baronne.

L'officier Théodule Gillenormand, maintenant capitaine, était venu de Chartres où il tenait garnison, pour assister à la noce de son cousin Pontmercy. Cosette ne le reconnut pas.

Lui, de son côté, habitué à être trouvé joli par les femmes, ne se souvint pas plus de Cosette que d'une autre.

— Comme j'ai eu raison de ne pas croire à cette histoire du lancier! disait à part soi le père Gillenormand.

Cosette n'avait jamais été plus tendre avec Jean Valjean. Elle était à l'unisson du père Gillenormand; pendant qu'il érigeait la joie en aphorismes et en maximes, elle exhalait l'amour et la bonté comme un parfum. Le bonheur veut tout le monde heureux.

Elle retrouvait, pour parler à Jean Valjean, des inflexions de voix du temps qu'elle était petite fille. Elle le caressait du sourire.

Un banquet avait été dressé dans la salle à manger.

Un éclairage à giorno est l'assaisonnement nécessaire

d'une grande joie. La brume et l'obscurité ne sont point acceptées par les heureux. Ils ne consentent pas à être noirs. La nuit, oui ; les ténèbres, non. Si l'on n'a pas de soleil, il faut en faire un.

La salle à manger était une fournaise de choses gaies. Au centre, au-dessus de la table blanche et éclatante, un lustre de Venise à lames plates, avec toutes sortes d'oiseaux de couleur, bleus, violets, rouges, verts, perchés au milieu des bougies ; autour du lustre des girandoles, sur le mur des miroirs-appliques à triples et quintuples branches ; glaces, cristaux, verreries, vaisselles, porcelaines, faïences, poteries, orfèvreries, argenteries, tout étincelait et se réjouissait. Les vides entre les candélabres étaient comblés par les bouquets, en sorte que, là où il n'y avait pas une lumière, il y avait une fleur.

Dans l'antichambre trois violons et une flûte jouaient en sourdine des quatuors de Haydn.

Jean Valjean s'était assis sur une chaise dans le salon, derrière la porte, dont le battant se repliait sur lui de façon à le cacher presque. Quelques instants avant qu'on se mît à table, Cosette vint, comme par coup de tête, lui faire une grande révérence en étalant de ses deux mains sa toilette de mariée, et, avec un regard tendrement espiègle, elle lui demanda :

— Père, êtes-vous content ?

— Oui, dit Jean Valjean, je suis content.

— Eh bien, riez alors.

Jean Valjean se mit à rire.

Quelques instants après, Basque annonça que le dîner était servi.

Les convives, précédés de M. Gillenormand donnant le bras à Cosette, entrèrent dans la salle à manger, et se répandirent, selon l'ordre voulu, autour de la table.

Deux grands fauteuils y figuraient, à droite et à gauche de la mariée, le premier pour M. Gillenormand, le second pour Jean Valjean. M. Gillenormand s'assit. L'autre fauteuil resta vide.

On chercha des yeux « monsieur Fauchelevent ».

Il n'était plus là.

M. Gillenormand interpella Basque.

— Sais-tu où est monsieur Fauchelevent ?

— Monsieur, répondit Basque, précisément. Monsieur Fauchelevent m'a dit de dire à monsieur qu'il souffrait un peu de sa main malade, et qu'il ne pourrait dîner avec monsieur le baron et madame la baronne. Qu'il priait qu'on l'excusât. Qu'il viendrait demain matin. Il vient de sortir.

Ce fauteuil vide refroidit un moment l'effusion du repas de noces. Mais, M. Fauchelevent absent, M. Gillenormand était là, et le grand-père rayonnait pour deux. Il affirma que M. Fauchelevent faisait bien de se coucher de bonne heure, s'il souffrait, mais que ce n'était qu'un « bobo ». Cette déclaration suffit. D'ailleurs, qu'est-ce qu'un coin obscur dans une telle submersion de joie ? Cosette et Marius étaient dans un de ces moments égoïstes et bénis où l'on n'a pas d'autre faculté que de percevoir le bonheur. Et puis, M. Gillenormand eut une idée. — Pardieu, ce fauteuil est vide. Viens-y, Marius. Ta tante, quoiqu'elle ait droit à toi, te le permettra. Ce fauteuil est pour toi. C'est légal, et c'est gentil. Fortunatus près de Fortunata. — Applaudissement de toute la table. Marius prit près de Cosette la place de Jean Valjean ; et les choses s'arrangèrent de telle sorte que Cosette, d'abord triste de l'absence de Jean Valjean, finit par en être contente. Du moment où Marius était le remplaçant, Cosette n'eût pas regretté Dieu. Elle mit son doux petit pied chaussé de satin blanc sur le pied de Marius.

Le fauteuil occupé, M. Fauchelevent fut effacé ; et rien ne manqua. Et, cinq minutes après, la table entière riait d'un bout à l'autre avec toute la verve de l'oubli.

Au dessert, M. Gillenormand debout, un verre de vin de champagne en main, à demi plein pour que le tremblement de ses quatrevingt-douze ans ne le fit pas déborder, porta la santé des mariés.

— Vous n'échapperez pas à deux sermons, s'écria-t-il. Vous avez eu le matin celui du curé, vous aurez le soir celui du grand-père. Écoutez-moi ; je vais vous donner un conseil : adorez-vous. Je ne fais pas un tas de giries, je vais au but, soyez heureux. Il n'y a pas dans la création d'autres sages que les tourtereaux. Les philosophes disent : Modérez vos joies. Moi je dis : Lâchez-leur la bride, à vos joies. Soyez épris comme des diables. Soyez enragés. Les philosophes radotent. Je voudrais leur faire rentrer leur philosophie dans la gargoine. Est-ce qu'il peut y avoir trop de parfums, trop de boutons de rose ouverts, trop de rossignols chantants, trop de feuilles vertes, trop d'aurore dans la vie ? est-ce qu'on peut trop s'aimer ? est-ce qu'on peut trop se plaire l'un à l'autre ? Prends garde, Estelle, tu es trop jolie ! Prends garde, Némorin, tu es trop beau ! La bonne balourdise ! Est-ce qu'on peut trop s'enchanter, trop se cajoler, trop se charmer ? est-ce qu'on peut trop être vivant ? est-ce qu'on peut être trop heureux ? Modérez vos joies. Ah ouiche ! À bas les philosophes ! La sagesse, c'est la jubilation. Jubilez, jubilons. Sommes-nous heureux parce que nous sommes bons, ou sommes-nous bons parce que nous sommes heureux ? Le Sancy s'appelle-t-il le Sancy parce qu'il a appartenu à Harlay de Sancy, ou parce qu'il pèse cent six carats ? Je n'en sais rien ; la vie est pleine de ces problèmes-là ; l'important, c'est d'avoir le Sancy, et le bonheur. Soyons heureux sans chicaner. Obéissons aveuglément au soleil. Qu'est-ce que le soleil ? C'est l'amour. Qui dit amour, dit femme. Ah ! ah ! voilà une toute-puissance, c'est la femme. Demandez à ce démagogue de Marius s'il n'est pas l'esclave de cette petite tyranne de Cosette. Et de son plein gré, le lâche ! La femme ! Il n'y a pas de Robespierre qui tienne, la femme règne. Je ne suis plus royaliste que de cette royauté-là. Qu'est-ce qu'Adam ? C'est le royaume d'Ève. Pas de 89 pour Ève. Il y avait le sceptre royal surmonté d'une fleur de lys, il y avait le sceptre impérial surmonté d'un globe, il y avait le sceptre de Charlemagne qui était en fer, il y avait le sceptre de Louis le Grand qui était en or, la révolution les a tordus entre son pouce et son index, comme des fétus de paille de deux liards ; c'est fini, c'est cassé, c'est par terre, il n'y a plus de sceptre ; mais faites-moi donc des révolutions contre ce petit mouchoir brodé qui sent le patchouli ! Je voudrais vous y voir. Essayez. Pourquoi est-ce solide ? Parce que c'est un chiffon. Ah ! vous êtes le dix-neuvième siècle ? Eh bien, après ? Nous étions le dix-huitième, nous ! Et nous étions aussi bêtes que vous. Ne vous imaginez pas que vous ayez changé grand'chose à l'univers, parce que votre trousse-galant s'appelle le choléra-morbus, et parce que votre bourrée s'appelle la cachucha. Au fond, il faudra bien toujours aimer les femmes. Je vous défie de sortir de là. Ces diablesses sont nos anges. Oui, l'amour, la femme, le baiser, c'est un cercle dont je vous défie de sortir; et, quant à moi, je voudrais bien y rentrer. Lequel de vous a vu se lever dans l'infini, apaisant tout au-dessous d'elle, regardant les flots comme une femme, l'étoile Vénus, la grande coquette de l'abîme, la Célimène de l'océan? L'océan, voilà un rude Alceste. Eh bien, il a beau bougonner, Vénus paraît, il faut qu'il sourie. Cette bête brute se soumet. Nous sommes tous ainsi. Colère, tempête, coups de foudre, écume jusqu'au plafond. Une femme entre en scène, une étoile se lève; à plat ventre! Marius se battait il y a six mois; il se marie aujourd'hui. C'est bien fait. Oui, Marius, oui, Cosette, vous avez raison. Existez hardiment l'un pour l'autre, faites-vous des mamours, faites-nous crever de rage de n'en pouvoir faire autant, idolâtrez-vous. Prenez dans vos deux becs tous les petits brins de félicité qu'il y a sur la terre, et arrangez-vous-en un nid pour la vie. Pardi, aimer, être aimé, le beau miracle quand on est jeune! Ne vous figurez pas que vous ayez inventé cela. Moi aussi, j'ai rêvé, j'ai songé, j'ai soupiré; moi aussi, j'ai eu une âme clair de lune. L'amour est un enfant de six mille ans. L'amour a droit à une longue barbe blanche. Mathusalem est un gamin près de Cupidon. Depuis soixante siècles, l'homme et la femme se tirent d'affaire en aimant. Le diable, qui est malin, s'est mis à haïr l'homme; l'homme, qui est plus malin, s'est mis à aimer la femme. De cette façon, il s'est fait plus de bien que le diable ne lui a fait de mal. Cette finesse-là a été trouvée dès le paradis terrestre. Mes amis, l'invention est vieille, mais elle est toute neuve. Profitez-en. Soyez Daphnis et Chloé en attendant que vous soyiez Philémon et Baucis. Faites en sorte que, quand vous êtes l'un avec l'autre, rien ne vous manque, et que Cosette soit le soleil pour Marius, et que Marius soit l'univers pour Cosette. Cosette, que le beau temps, ce soit le sourire de votre mari; Marius, que la pluie, ce soit les larmes de ta femme. Et qu'il ne pleuve jamais dans votre ménage. Vous avez chipé à la loterie le bon numéro, l'amour dans le sacrement; vous avez le gros lot, gardez-le bien, mettez-le sous clef, ne le gaspillez pas, adorez-vous, et fichez-vous du reste. Croyez ce que je dis là. C'est du bon sens. Bon sens ne peut mentir. Soyez-vous l'un pour l'autre une religion. Chacun a sa façon d'adorer Dieu. Saperlotte! la meilleure manière d'adorer Dieu, c'est d'aimer sa femme. Je t'aime! voilà mon catéchisme. Quiconque aime est orthodoxe. Le juron de Henri IV met la sainteté entre la ripaille et l'ivresse. Ventre-saint-gris! je ne suis pas de la religion de ce juron-là. La femme y est oubliée. Cela m'étonne de la part du juron de Henri IV. Mes amis, vive la femme! je suis vieux, à ce qu'on dit; c'est étonnant comme je me sens en train d'être jeune. Je voudrais aller écouter des musettes dans les bois. Ces enfants-là qui réussissent à être beaux et contents, cela me grise. Je me marierais bellement si quelqu'un voulait. Il est impossible de s'imaginer que Dieu nous ait faits pour autre chose que ceci : idolâtrer, roucouler, adoniser, être pigeon, être coq, becqueter ses amours du matin au soir, se mirer dans sa petite femme, être fier, être triomphant, faire jabot; voilà le but de la vie. Voilà, ne vous en déplaise, ce que nous pensions, nous autres, dans notre temps dont nous étions les jeunes gens. Ah! vertu-bamboche! qu'il y en avait donc de charmantes femmes, à cette époque-là, et des minois, et des tendrons! J'y exerçais mes ravages. Donc aimez-vous. Si l'on ne s'aimait pas, je ne vois pas vraiment à quoi cela servirait qu'il y eût un printemps; et, quant à moi, je prierais le bon Dieu de serrer toutes les belles choses qu'il nous montre, et de nous les reprendre, et de remettre dans sa boîte les fleurs, les oiseaux et les jolies filles. Mes enfants, recevez la bénédiction du vieux bonhomme.

La soirée fut vive, gaie, aimable. La belle humeur souveraine du grand-père donna l'ut à toute la fête, et chacun se régla sur cette cordialité presque centenaire. On dansa un peu, on rit beaucoup; ce fut une noce bonne enfant. On eût pu y convier le bonhomme Jadis. Du reste il y était dans la personne du père Gillenormand.

Il y eut tumulte, puis silence.

Les mariés disparurent.

Un peu après minuit la maison Gillenormand devint un temple.

Ici nous nous arrêtons. Sur le seuil des nuits de noce un ange est debout, souriant, un doigt sur la bouche.

L'âme entre en contemplation devant ce sanctuaire où se fait la célébration de l'amour.

Il doit y avoir des lueurs au-dessus de ces maisons-là. La joie qu'elles contiennent doit s'échapper à travers les pierres des murs en clarté et rayer vaguement les ténèbres. Il est impossible que cette fête sacrée et fatale n'envoie pas un rayonnement céleste à l'infini. L'amour, c'est le creuset sublime où se fait la fusion de l'homme et de la femme; l'être un, l'être triple, l'être final, la trinité humaine en sort. Cette naissance de deux âmes en une doit être une émotion pour l'ombre. L'amant est prêtre; la vierge ravie s'épouvante. Quelque chose de cette joie va à Dieu. Là où il y a vraiment mariage, c'est-à-dire où il y a amour, l'idéal s'en mêle. Un lit nuptial fait dans les ténèbres un coin d'aurore. S'il était donné à la prunelle de chair de percevoir les visions redoutables et charmantes de la vie supérieure, il est probable qu'on verrait les formes de la nuit, les inconnus ailés, les passants bleus de l'invisible, se pencher, foule de têtes sombres, autour de la maison lumineuse, satisfaits, bénissants, se montrant les uns aux autres la vierge épouse, doucement effarés, et ayant le reflet de la félicité humaine sur leurs visages divins. Si, à cette heure suprême, les époux éblouis de volupté, et qui se croient seuls, écoutaient, ils entendraient dans leur chambre un bruissement d'ailes confuses. Le bonheur parfait implique la solidarité des anges. Cette petite alcôve obscure a pour plafond tout le ciel. Quand deux bouches, devenues sacrées par l'amour, se rapprochent pour créer, il est impossible qu'au-dessus de ce baiser ineffable il n'y ait pas un tressaillement dans l'immense mystère des étoiles.

Ces félicités sont les vraies. Pas de joie hors de ces joies-là. L'amour, c'est là l'unique extase. Tout le reste pleure.

Aimer ou avoir aimé, cela suffit. Ne demandez rien ensuite. On n'a pas d'autre perle à trouver dans les plis ténébreux de la vie. Aimer est un accomplissement.

III

L'INSÉPARABLE

Qu'était devenu Jean Valjean ?

Immédiatement après avoir ri, sur la gentille injonction de Cosette, personne ne faisant attention à lui, Jean Valjean s'était levé, et, inaperçu, il avait gagné l'antichambre. C'était cette même salle où, huit mois auparavant, il était entré noir de boue, de sang et de poudre, rapportant le petit-fils à l'aïeul. La vieille boiserie était enguirlandée de feuillages et de fleurs ; les musiciens étaient assis sur le canapé où l'on avait déposé Marius. Basque en habit noir, en culotte courte, en bas blancs et en gants blancs, disposait des couronnes de roses autour de chacun des plats qu'on allait servir. Jean Valjean lui avait montré son bras en écharpe, l'avait chargé d'expliquer son absence, et était sorti.

Les croisées de la salle à manger donnaient sur la rue. Jean Valjean demeura quelques minutes debout et immobile dans l'obscurité sous ces fenêtres radieuses. Il écoutait. Le bruit confus du banquet venait jusqu'à lui. Il entendait la parole haute et magistrale du grand-père, les violons, le cliquetis des assiettes et des verres, les éclats de rire, et dans toute cette rumeur gaie il distinguait la douce voix joyeuse de Cosette.

Il quitta la rue des Filles-du-Calvaire et s'en revint rue de l'Homme-Armé.

Pour s'en retourner, il prit par la rue Saint-Louis, la rue Culture-Sainte-Catherine et les Blancs-Manteaux ; c'était un peu le plus long, mais c'était le chemin par où, depuis trois mois, pour éviter les encombrements et les boues de la rue Vieille-du-Temple, il avait coutume de venir tous les jours, de la rue de l'Homme-Armé à la rue des Filles-du-Calvaire, avec Cosette.

Ce chemin où Cosette avait passé excluait pour lui tout autre itinéraire.

Jean Valjean rentra chez lui. Il alluma sa chandelle et monta. L'appartement était vide. Toussaint elle-même n'y était plus. Le pas de Jean Valjean faisait dans les chambres plus de bruit qu'à l'ordinaire. Toutes les armoires étaient ouvertes. Il pénétra dans la chambre de Cosette. Il n'y avait pas de draps au lit. L'oreiller de coutil, sans taie et sans dentelles, était posé sur les couvertures pliées au pied des matelas dont on voyait la toile et où personne ne devait plus coucher. Tous les petits objets féminins auxquels tenait Cosette avaient été emportés ; il ne restait que les gros meubles et les quatre murs. Le lit de Toussaint était également dégarni. Un seul lit était fait et semblait attendre quelqu'un ; c'était celui de Jean Valjean.

Jean Valjean regarda les murailles, ferma quelques portes d'armoires, alla et vint d'une chambre à l'autre.

Puis il se retrouva dans sa chambre, et il posa sa chandelle sur une table.

Il avait dégagé son bras de l'écharpe, et il se servait de sa main droite comme s'il n'en souffrait pas.

Il s'approcha de son lit, et ses yeux s'arrêtèrent, fut-ce par hasard ? fut-ce avec intention ? sur l'*inséparable*, dont Cosette avait été jalouse, sur la petite malle qui ne le quittait jamais. Le 4 juin, en arrivant rue de l'Homme-Armé, il l'avait déposée sur un guéridon près de son chevet. Il alla à ce guéridon avec une sorte de vivacité, prit de sa poche une clef, et ouvrit la valise.

Il en tira lentement les vêtements avec lesquels, dix ans auparavant, Cosette avait quitté Montfermeil ; d'abord la petite robe noire, puis le fichu noir, puis les bons gros souliers d'enfant que Cosette aurait presque pu mettre encore, tant elle avait le pied petit, puis la brassière de futaine bien épaisse, puis le jupon de tricot, puis le tablier à poches, puis les bas de laine. Ces bas, où était encore gracieusement marquée la forme d'une petite jambe, n'étaient guère plus longs que la main de Jean Valjean. Tout cela était de couleur noire. C'était lui qui avait apporté ces vêtements pour elle à Montfermeil. À mesure qu'il les ôtait de la valise, il les posait sur le lit. Il pensait. Il se rappelait. C'était en hiver, un mois de décembre très froid, elle grelottait à demi nue dans des guenilles, ses pauvres petits pieds tout rouges dans des sabots. Lui Jean Valjean, il lui avait fait quitter ces haillons pour lui faire mettre cet habillement de deuil. La mère avait dû être contente dans sa tombe de voir sa fille porter son deuil, et surtout de voir qu'elle était vêtue et qu'elle avait chaud. Il pensait à cette forêt de Montfermeil ; ils l'avaient traversée ensemble, Cosette et lui ; il pensait au temps qu'il faisait, aux arbres sans feuilles, au bois sans oiseaux, au ciel sans soleil ; c'est égal, c'était charmant. Il rangea les petites nippes sur le lit, le fichu près du jupon, les bas à côté des souliers, la brassière à côté de la robe, et il les regarda l'une après l'autre. Elle n'était pas plus haute que cela, elle avait sa grande poupée dans ses bras, elle avait mis son louis d'or dans la poche de ce tablier, elle riait, ils marchaient tous les deux se tenant par la main, elle n'avait plus que lui au monde.

Alors sa vénérable tête blanche tomba sur le lit, ce vieux cœur stoïque se brisa, sa face s'abîma pour ainsi dire dans les vêtements de Cosette, et si quelqu'un eût passé dans l'escalier en ce moment, on eût entendu d'effrayants sanglots.

IV

IMMORTALE JECUR

La vieille lutte formidable, dont nous avons déjà vu plusieurs phases, recommença.

Jacob ne lutta avec l'ange qu'une nuit. Hélas ! combien de fois avons-nous vu Jean Valjean saisi corps à corps dans les ténèbres par sa conscience, et luttant éperdument contre elle !

Lutte inouïe ! À de certains moments, c'est le pied qui glisse ; à d'autres instants, c'est le sol qui croule. Combien de fois cette conscience, forcenée au bien, l'avait-elle étreint et accablé ! Combien de fois la vérité, inexorable, lui avait-elle mis le genou sur la poitrine ! Combien de fois, terrassé par la lumière, lui avait-il crié grâce ! Combien de fois cette lumière implacable, allumée en lui et sur lui par l'évêque, l'avait-elle ébloui de force lorsqu'il souhaitait être aveuglé ! Combien de fois s'était-il redressé dans le combat, retenu au rocher, adossé au sophisme, traîné dans la poussière, tantôt renversant sa conscience sous lui, tantôt renversé par elle! Combien de fois, après une équivoque, après un raisonnement traître et spécieux de l'égoïsme, avait-il entendu sa conscience irritée lui crier à l'oreille : Croc-en-jambe! misérable! Combien de fois sa pensée réfractaire avait-elle râlé convulsivement sous l'évidence du devoir! Résistance à Dieu. Sueurs funèbres. Que de blessures secrètes, que lui seul sentait saigner! Que d'écorchures à sa lamentable existence! Combien de fois s'était-il relevé sanglant, meurtri, brisé, éclairé, le désespoir au cœur, la sérénité dans l'âme! et, vaincu, il se sentait vainqueur. Et, après l'avoir disloqué, tenaillé et rompu, sa conscience, debout au-dessus de lui, redoutable, lumineuse, tranquille, lui disait : Maintenant, va en paix!

Mais, au sortir d'une si sombre lutte, quelle paix lugubre, hélas!

Cette nuit-là pourtant, Jean Valjean sentit qu'il livrait son dernier combat.

Une question se présentait, poignante.

Les prédestinations ne sont pas toutes droites; elles ne se développent pas en avenue rectiligne devant le prédestiné; elles ont des impasses, des cœcums, des tournants obscurs, des carrefours inquiétants offrant plusieurs voies. Jean Valjean faisait halte en ce moment au plus périlleux de ces carrefours.

Il était parvenu au suprême croisement du bien et du mal. Il avait cette ténébreuse intersection sous les yeux. Cette fois encore, comme cela lui était déjà arrivé dans d'autres péripéties douloureuses, deux routes s'ouvraient devant lui; l'une tentante, l'autre effrayante. Laquelle prendre?

Celle qui effrayait était conseillée par le mystérieux doigt indicateur que nous apercevons tous chaque fois que nous fixons nos yeux sur l'ombre.

Jean Valjean avait, encore une fois, le choix entre le port terrible et l'embûche souriante.

Cela est-il donc vrai? l'âme peut guérir; le sort, non. Chose affreuse! une destinée incurable!

La question qui se présentait, la voici :

De quelle façon Jean Valjean allait-il se comporter avec

le bonheur de Cosette et de Marius ? Ce bonheur, c'était lui qui l'avait voulu, c'était lui qui l'avait fait ; il se l'était lui-même enfoncé dans les entrailles, et à cette heure, en le considérant, il pouvait avoir l'espèce de satisfaction qu'aurait un armurier qui reconnaîtrait sa marque de fabrique sur un couteau, en se le retirant tout fumant de la poitrine.

Cosette avait Marius, Marius possédait Cosette. Ils avaient tout, même la richesse. Et c'était son œuvre.

Mais ce bonheur, maintenant qu'il existait, maintenant qu'il était là, qu'allait-il en faire, lui Jean Valjean ? S'imposerait-il à ce bonheur ? Le traiterait-il comme lui appartenant ? Sans doute Cosette était à un autre ; mais lui Jean Valjean retiendrait-il de Cosette tout ce qu'il en pourrait retenir ? Resterait-il l'espèce de père, entrevu, mais respecté, qu'il avait été jusqu'alors ? S'introduirait-il tranquillement dans la maison de Cosette ? Apporterait-il, sans dire mot, son passé à cet avenir ? Se présenterait-il là comme ayant droit, et viendrait-il s'asseoir, voilé, à ce lumineux foyer ? Prendrait-il, en leur souriant, les mains de ces innocents dans ses deux mains tragiques ? Poserait-il sur les paisibles chenets du salon Gillenormand ses pieds qui traînaient derrière eux l'ombre infamante de la loi ? Entrerait-il en participation de chances avec Cosette et Marius ? Épaissirait-il l'obscurité sur son front et le nuage sur le leur ? Mettrait-il en tiers avec leurs deux félicités sa catastrophe ? Continuerait-il de se taire ? En un mot serait-il, près de ces deux êtres heureux, le sinistre muet de la destinée ?

Il faut être habitué à la fatalité et à ses rencontres pour oser lever les yeux quand de certaines questions nous apparaissent dans leur nudité horrible. Le bien ou le mal sont derrière ce sévère point d'interrogation. Que vas-tu faire ? demande le sphinx.

Cette habitude de l'épreuve, Jean Valjean l'avait. Il regarda le sphinx fixement.

Il examina l'impitoyable problème sous toutes ses faces.

Cosette, cette existence charmante, était le radeau de ce naufragé. Que faire ? S'y cramponner, ou lâcher prise ?

S'il s'y cramponnait, il sortait du désastre, il remontait au soleil, il laissait ruisseler de ses vêtements et de ses cheveux l'eau amère, il était sauvé, il vivait.

Allait-il lâcher prise ?

Alors, l'abîme.

Il tenait ainsi douloureusement conseil avec sa pensée. Ou, pour mieux dire, il combattait ; il se ruait, furieux, au dedans de lui-même, tantôt contre sa volonté, tantôt contre sa conviction.

Ce fut un bonheur pour Jean Valjean d'avoir pu pleurer. Cela l'éclaira peut-être. Pourtant le commencement fut farouche. Une tempête, plus furieuse que celle qui autrefois l'avait poussé vers Arras, se déchaîna en lui. Le passé lui revenait en regard du présent ; il comparait, et il sanglotait. Une fois l'écluse des larmes ouvertes, le désespéré se tordit.

Il se sentait arrêté.

Hélas, dans ce pugilat à outrance entre notre égoïsme et notre devoir, quand nous reculons ainsi pas à pas devant notre idéal incommutable, égarés, acharnés, exaspérés de céder, disputant le terrain, espérant une fuite possible, cherchant une issue, quelle brusque et sinistre résistance derrière nous que le pied du mur !

Sentir l'ombre sacrée qui fait obstacle !

L'invisible inexorable, quelle obsession !

Donc avec la conscience on n'a jamais fini. Prends-en ton parti, Brutus ; prends-en ton parti, Caton. Elle est sans fond, étant Dieu. On jette dans ce puits le travail de toute sa vie, on y jette sa fortune, on y jette sa richesse, on y jette son succès, on y jette sa liberté ou sa patrie, on y jette son bien-être, on y jette son repos, on y jette sa joie. Encore ! encore ! encore ! Videz le vase ! penchez l'urne ! Il faut finir par y jeter son cœur.

Il y a quelque part dans la brume des vieux enfers un tonneau comme cela.

N'est-on pas pardonnable de refuser enfin ? Est-ce que l'inépuisable peut avoir un droit ? Est-ce que les chaînes sans fin ne sont pas au-dessus de la force humaine ? Qui donc blâmerait Sisyphe et Jean Valjean de dire : c'est assez !

L'obéissance de la matière est limitée par le frottement ; est-ce qu'il n'y a pas une limite à l'obéissance de l'âme ? Si le mouvement perpétuel est impossible, est-ce que le dévouement est exigible ?

Le premier pas n'est rien; c'est le dernier qui est difficile. Qu'était-ce que l'affaire Champmathieu à côté du mariage de Cosette et de ce qu'il entraînait ? Qu'est-ce que ceci : rentrer au bagne, à côté de ceci : entrer dans le néant ?

O première marche à descendre, que tu es sombre ! O seconde marche, que tu es noire !

Comment ne pas détourner la tête cette fois ?

Le martyre est une sublimation, sublimation corrosive. C'est une torture qui sacre. On peut y consentir la première heure ; on s'assied sur le trône de fer rouge, on met sur son front la couronne de fer rouge, on accepte le globe de fer rouge, on prend le sceptre de fer rouge, mais il reste encore à vêtir le manteau de flamme, et n'y a-t-il pas un moment où la chair misérable se révolte, et où l'on abdique le supplice ?

Enfin Jean Valjean entra dans le calme de l'accablement.

Il pesa, il songea, il considéra les alternatives de la mystérieuse balance de lumière et d'ombre.

Imposer son bagne à ces deux enfants éblouissants, ou consommer lui-même son irrémédiable engloutissement. D'un côté le sacrifice de Cosette ; de l'autre le sien propre.

À quelle solution s'arrêta-t-il ? Quelle détermination prit-il ? Quelle fut, au dedans de lui-même, sa réponse définitive à l'incorruptible interrogatoire de la fatalité ? Quelle porte se décida-t-il à ouvrir ? Quel côté de sa vie prit-il le parti de fermer et de condamner ? Entre tous ces escarpements insondables qui l'entouraient, quel fut son choix ? Quelle extrémité accepta-t-il ? Auquel de ces gouffres fit-il un signe de tête ?

Sa rêverie vertigineuse dura toute la nuit.

Il resta là jusqu'au jour, dans la même attitude, ployé en deux sur ce lit, prosterné sous l'énormité du sort, écrasé peut-être, hélas ! les poings crispés, les bras étendus à angle droit comme un crucifié décloué qu'on aurait jeté la face contre terre. Il demeura douze heures, les douze heures d'une longue nuit d'hiver, glacé, sans relever la tête et sans prononcer une parole. Il était immobile comme un cadavre, pendant que sa pensée se roulait à terre et s'envolait, tantôt comme l'hydre, tantôt comme l'aigle. À le voir ainsi sans mouvement on eût dit un mort; tout à coup il tressaillait convulsivement et sa bouche, collée aux vêtements de Cosette, les baisait; alors on voyait qu'il vivait.

Qui? on? puisque Jean Valjean était seul, et qu'il n'y avait personne là?

Le On qui est dans les ténèbres.

LIVRE SEPTIÈME
LA DERNIÈRE GORGÉE DU CALICE

I

LE SEPTIÈME CERCLE ET LE HUITIÈME CIEL

Les lendemains de noce sont solitaires. On respecte le recueillement des heureux. Et aussi un peu leur sommeil attardé. Le brouhaha des visites et des félicitations ne commence que plus tard. Le matin du 17 février, il était un peu plus de midi quand Basque, la serviette et le plumeau sous le bras, occupé « à faire son antichambre », entendit un léger frappement à la porte. On n'avait point sonné, ce qui est discret un pareil jour, Basque ouvrit et vit M. Fauchelevent. Il l'introduisit dans le salon, encore encombré et sens dessus dessous, et qui avait l'air du champ de bataille des joies de la veille.

— Dame, monsieur, observa Basque, nous nous sommes réveillés tard.

— Votre maître est-il levé? demanda Jean Valjean.

— Comment va le bras de monsieur? répondit Basque.

— Mieux. Votre maître est-il levé?

— Lequel? l'ancien ou le nouveau?

— Monsieur Pontmercy.

— Monsieur le baron? fit Basque en se redressant.

On est surtout baron pour ses domestiques. Il leur en revient quelque chose; ils ont ce qu'un philosophe appellerait l'éclaboussure du titre, et cela les flatte. Marius, pour le dire en passant, républicain militant, et il l'avait prouvé, était maintenant baron malgré lui. Une petite révolution s'était faite dans la famille sur ce titre; c'était à présent M. Gillenormand qui y tenait et Marius qui s'en détachait. Mais le colonel Pontmercy avait écrit : *Mon fils portera mon titre.* Marius obéissait. Et puis Cosette, en qui la femme commençait à poindre, était ravie d'être baronne.

— Monsieur le baron? répéta Basque. Je vais voir. Je vais lui dire que monsieur Fauchelevent est là.

— Non. Ne lui dites pas que c'est moi. Dites-lui que quelqu'un demande à lui parler en particulier, et ne lui dites pas de nom.

— Ah! fit Basque.

— Je veux lui faire une surprise.

— Ah! reprit Basque, se donnant à lui-même son second Ah! comme explication du premier.

Et il sortit.

Jean Valjean resta seul.

Le salon, nous venons de le dire, était tout en désordre. Il semblait qu'en prêtant l'oreille on eût pu y entendre la vague rumeur de la noce. Il y avait sur le parquet toutes sortes de fleurs tombées des guirlandes et des coiffures. Les bougies brûlées jusqu'au tronçon ajoutaient aux cristaux des lustres des stalactites de cire. Pas un meuble n'était à sa place. Dans des coins, trois ou quatre fauteuils, rapprochés les uns des autres et faisant cercle, avaient l'air de continuer une causerie. L'ensemble était riant. Il y a encore une certaine grâce dans une fête morte. Cela a été heureux. Sur ces chaises en désarroi, parmi ces fleurs qui se fanent, sous ces lumières éteintes, on a pensé de la joie. Le soleil succédait au lustre, et entrait gaîment dans le salon.

Quelques minutes s'écoulèrent. Jean Valjean était immobile à l'endroit où Basque l'avait quitté. Il était très pâle. Ses yeux étaient creux et tellement enfoncés par l'insomnie sous l'orbite qu'ils y disparaissaient presque. Son habit noir avait les plis fatigués d'un vêtement qui a passé la nuit. Les coudes étaient blanchis de ce duvet que laisse au drap le frottement du linge. Jean Valjean regardait à ses pieds la fenêtre dessinée sur le parquet par le soleil.

Un bruit se fit à la porte, il leva les yeux.

Marius entra, la tête haute, la bouche riante, on ne sait quelle lumière sur le visage, le front épanoui, l'œil triomphant. Lui aussi n'avait pas dormi.

— C'est vous, père! s'écria-t-il en apercevant Jean Valjean; cet imbécile de Basque qui avait un air mystérieux! Mais vous venez de trop bonne heure. Il n'est encore que midi et demi. Cosette dort.

Ce mot: Père, dit à M. Fauchelevent par Marius, signifiait: Félicité suprême. Il y avait toujours eu, on le sait, escarpement, froideur et contrainte entre eux, glace à rompre ou à fondre. Marius en était à ce point d'enivrement que l'escarpement s'abaissait, que la glace se dissolvait, et que M. Fauchelevent était pour lui, comme pour Cosette, un père.

Il continua; les paroles débordaient de lui, ce qui est propre à ces divins paroxysmes de la joie:

— Que je suis content de vous voir! Si vous saviez comme vous nous avez manqué hier! Bonjour, père. Comment va votre main? Mieux, n'est-ce pas?

Et, satisfait de la bonne réponse qu'il se faisait à lui-même, il poursuivit:

— Nous avons bien parlé de vous tous les deux. Cosette vous aime tant! Vous n'oubliez pas que vous avez votre chambre ici. Nous ne voulons plus de la rue de l'Homme-Armé. Nous n'en voulons plus du tout. Comment aviez-vous pu aller demeurer dans une rue comme ça, qui est malade, qui est grognon, qui est laide, qui a une barrière à un bout, où l'on a froid, où l'on ne peut pas entrer? Vous viendrez vous installer ici. Et dès aujourd'hui. Ou vous aurez affaire à Cosette. Elle entend nous mener tous par le bout du nez, je vous en préviens. Vous avez vu votre chambre, elle est tout près de la nôtre, elle donne sur des jardins; on a fait arranger ce qu'il y avait à la serrure, le lit est fait, elle est toute prête, vous n'avez qu'à arriver. Cosette a mis près de votre lit une grande vieille bergère en velours d'Utrecht, à qui elle a dit: tends-lui les bras. Tous les printemps, dans le massif d'acacias qui est en face de vos fenêtres, il vient un rossignol. Vous l'aurez dans deux mois. Vous aurez son nid à votre gauche et le nôtre à votre droite. La nuit il chantera, et le jour Cosette parlera. Votre chambre est en plein midi. Cosette vous y rangera vos livres, votre voyage du capitaine Cook, et l'autre, celui de Vancouver, toutes vos affaires. Il y a, je crois, une petite valise à laquelle vous tenez, j'ai disposé un coin d'honneur pour elle. Vous avez conquis mon grand-père, vous lui allez. Nous vivrons ensemble. Savez-vous le whist? vous comblerez mon grand-père si vous savez le whist. C'est vous qui mènerez promener Cosette mes jours de palais, vous lui donnerez le bras, vous savez, comme au Luxembourg autrefois. Nous sommes absolument décidés à être très heureux. Et vous en serez, de notre bonheur, entendez-vous, père ? Ah ça, vous déjeunez avec nous aujourd'hui ?

— Monsieur, dit Jean Valjean, j'ai une chose à vous dire. Je suis un ancien forçat.

La limite des sons aigus perceptibles peut être tout aussi bien dépassée pour l'esprit que pour l'oreille. Ces mots : *Je suis un ancien forçat*, sortant de la bouche de M. Fauchelevent et entrant dans l'oreille de Marius, allaient au delà du possible. Marius n'entendit pas. Il lui sembla que quelque chose venait de lui être dit ; mais il ne sut quoi. Il resta béant.

Il s'aperçut alors que l'homme qui lui parlait était effrayant. Tout à son éblouissement, il n'avait pas jusqu'à ce moment remarqué cette pâleur terrible.

Jean Valjean dénoua la cravate noire qui lui soutenait le bras droit, défit le linge roulé autour de sa main, mit son pouce à nu et le montra à Marius.

— Je n'ai rien à la main, dit-il.

Marius regarda le pouce.

— Je n'y ai jamais rien eu, reprit Jean Valjean.

Il n'y avait en effet aucune trace de blessure.

Jean Valjean poursuivit :

— Il convenait que je fusse absent de votre mariage. Je me suis fait absent le plus que j'ai pu. J'ai supposé cette blessure pour ne point faire un faux, pour ne pas introduire de nullité dans les actes du mariage, pour être dispensé de signer.

Marius bégaya :

— Qu'est-ce que cela veut dire ?

— Cela veut dire, répondit Jean Valjean, que j'ai été aux galères.

— Vous me rendez fou! s'écria Marius épouvanté.

— Monsieur Pontmercy, dit Jean Valjean, j'ai été dix-neuf ans aux galères. Pour vol. Puis j'ai été condamné à perpétuité. Pour vol. Pour récidive. À l'heure qu'il est, je suis en rupture da ban.

Marius avait beau reculer devant la réalité, refuser le fait, résister à l'évidence, il fallait s'y rendre. Il commença à comprendre, et comme cela arrive toujours en cas pareil, il comprit au delà. Il eut le frisson d'un hideux éclair intérieur; une idée, qui le fit frémir, lui traversa l'esprit. Il entrevit dans l'avenir, pour lui-même, une destinée difforme.

— Dites tout, dites tout! cria-t-il. Vous êtes le père de Cosette!

Et il fit deux pas en arrière avec un mouvement d'indicible horreur.

Jean Valjean redressa la tête dans une telle majesté d'attitude qu'il sembla grandir jusqu'au plafond.

— Il est nécessaire que vous me croyiez ici, monsieur; et, quoique notre serment à nous autres ne soit pas reçu en justice...

Ici il fit un silence, puis, avec une sorte d'autorité souveraine et sépulcrale, il ajouta en articulant lentement et en pesant sur les syllabes :

— ... Vous me croirez. Le père de Cosette, moi! devant Dieu, non. Monsieur le baron Pontmercy, je suis un paysan de Faverolles. Je gagnais ma vie à émonder des arbres. Je ne m'appelle pas Fauchelevent, je m'appelle Jean Valjean. Je ne suis rien à Cosette. Rassurez-vous.

Marius balbutia :

— Qui me prouve?...

— Moi. Puisque je le dis.

Marius regarda cet homme. Il était lugubre et tranquille. Aucun mensonge ne pouvait sortir d'un tel calme. Ce qui est glacé est sincère. On sentait le vrai dans cette froideur de tombe.

— Je vous crois, dit Marius.

Jean Valjean inclina la tête comme pour prendre acte, et continua :

— Que suis-je pour Cosette? un passant. Il y a dix ans, je ne savais pas qu'elle existât. Je l'aime, c'est vrai. Une enfant qu'on a vue petite, étant soi-même déjà vieux, on l'aime. Quand on est vieux on se sent grand-père pour tous les petits enfants. Vous pouvez, ce me semble, supposer que j'ai quelque chose qui ressemble à un cœur. Elle était orpheline. Sans père ni mère. Elle avait besoin de moi. Voilà pourquoi je me suis mis à l'aimer. C'est si faible les enfants, que le premier venu, même un homme comme moi, peut être leur protecteur. J'ai fait ce devoir-là vis-à-vis de Cosette. Je ne crois pas qu'on puisse vraiment appeler si peu de chose une bonne action; mais si c'est une bonne action, eh bien, mettez que je l'ai faite. Enregistrez cette circonstance atténuante. Aujourd'hui Cosette quitte ma vie; nos deux chemins se séparent. Désormais je ne puis plus rien pour elle. Elle est madame Pontmercy. Sa providence a changé. Et Cosette gagne au change. Tout est bien. Quant aux six cent mille francs, vous ne m'en parlez pas, mais je vais au-devant de votre pensée, c'est un dépôt. Comment ce dépôt était-il entre mes mains? Qu'importe? Je rends le dépôt. On n'a rien de plus à me demander. Je complète la restitution en disant mon vrai nom. Ceci encore me regarde. Je tiens, moi, à ce que vous sachiez qui je suis.

Et Jean Valjean regarda Marius en face.

Tout ce qu'éprouvait Marius était tumultueux et incohérent. De certains coups de vent de la destinée font de ces vagues dans notre âme.

Nous avons tous eu de ces moments de trouble dans lesquels tout se disperse en nous; nous disons les premières choses venues, lesquelles ne sont pas toujours précisément celles qu'il faudrait dire. Il y a des révélations subites qu'on ne peut porter et qui enivrent comme un vin funeste. Marius était stupéfié de la situation nouvelle qui lui apparaissait, au point de parler à cet homme presque comme quelqu'un qui lui en aurait voulu de cet aveu.

— Mais enfin, s'écria-t-il, pourquoi me dites-vous tout cela? Qu'est-ce qui vous y force? Vous pouviez vous garder le secret à vous-même. Vous n'êtes ni dénoncé, ni poursuivi, ni traqué? Vous avez une raison pour faire, de gaîté de cœur, une telle révélation. Achevez. Il y a autre chose. À quel propos faites-vous cet aveu? Pour quel motif?

— Pour quel motif? répondit Jean Valjean d'une voix si basse et si sourde qu'on eût dit que c'était à lui-même qu'il parlait plus qu'à Marius. Pour quel motif, en effet, ce forçat vient-il dire : Je suis un forçat? Eh bien oui! le motif est étrange. C'est par honnêteté. Tenez, ce qu'il y a de malheureux, c'est un fil que j'ai là dans le cœur et qui me tient attaché. C'est surtout quand on est vieux que ces fils-là sont solides. Toute la vie se défait alentour; ils résistent. Si j'avais pu arracher ce fil, le casser, dénouer le nœud ou le couper, m'en aller bien loin, j'étais sauvé, je n'avais qu'à partir; il y a des diligences rue du Bouloi; vous êtes heureux, je m'en vais. J'ai essayé de le rompre, ce fil, j'ai tiré dessus, il a tenu bon, il n'a pas cassé, je m'arrachais le cœur avec. Alors j'ai dit : Je ne puis pas vivre ailleurs que là. Il faut que je reste. Eh bien oui, mais vous avez raison, je suis un imbécile, pourquoi ne pas rester tout simplement? Vous m'offrez une chambre dans la maison, madame Pontmercy m'aime bien, elle dit à ce fauteuil : tends-lui les bras, votre grand-père ne demande pas mieux que de m'avoir, je lui vas, nous habiterons tous ensemble, repas en commun, je donnerai le bras à Cosette... — à madame Pontmercy, pardon, c'est l'habitude, — nous n'aurons qu'un toit, qu'une table, qu'un feu, le même coin de cheminée l'hiver, la même promenade l'été, c'est la joie cela, c'est le bonheur cela, c'est tout, cela. Nous vivrons en famille. En famille!

À ce mot, Jean Valjean devint farouche. Il croisa les bras, considéra le plancher à ses pieds comme s'il voulait y creuser un abîme, et sa voix fut tout à coup éclatante :

— En famille! non. Je ne suis d'aucune famille, moi. Je ne suis pas de la vôtre. Je ne suis pas de celle des hommes. Les maisons où l'on est entre soi, j'y suis de trop. Il y a des familles, mais ce n'est pas pour moi. Je suis le malheureux; je suis dehors. Ai-je eu un père et une mère? j'en doute presque. Le jour où j'ai marié cette enfant, cela a été fini, je l'ai vu heureuse, et qu'elle était avec l'homme qu'elle aime, et qu'il y avait là un bon vieillard, un ménage de deux anges, toutes les joies dans cette maison, et que c'était bien, et je me suis dit : Toi, n'entre pas. Je pouvais mentir, c'est vrai, vous tromper tous, rester monsieur Fauchelevent. Tant que cela a été pour elle, j'ai pu mentir;

mais maintenant ce serait pour moi, je ne le dois pas. Il suffisait de me taire, c'est vrai, et tout continuait. Vous me demandez ce qui me force à parler ? une drôle de chose, ma conscience. Me taire, c'était pourtant bien facile. J'ai passé la nuit à tâcher de me le persuader ; vous me confessez, et ce que je viens vous dire est si extraordinaire que vous en avez le droit ; eh bien oui, j'ai passé la nuit à me donner des raisons, je me suis donné de très bonnes raisons, j'ai fait ce que j'ai pu, allez. Mais il y a deux choses où je n'ai pas réussi : ni à casser le fil qui me tient par le cœur fixé, rivé et scellé ici, ni à faire taire quelqu'un qui me parle bas quand je suis seul. C'est pourquoi je suis venu vous avouer tout ce matin. Tout, ou à peu près tout. Il y a de l'inutile à dire qui ne concerne que moi ; je le garde pour moi. L'essentiel, vous le savez. Donc j'ai pris mon mystère, et je vous l'ai apporté. Et j'ai éventré mon secret sous vos yeux. Ce n'était pas une résolution aisée à prendre. Toute la nuit je me suis débattu. Ah ! vous croyez que je ne me suis pas dit que ce n'était point là l'affaire Champmathieu, qu'en cachant mon nom je ne faisais de mal à personne, que le nom de Fauchelevent m'avait été donné par Fauchelevent lui-même en reconnaissance d'un service rendu, et que je pouvais bien le garder, et que je serais heureux dans cette chambre que vous m'offrez, que je ne gênerais rien, que je serais dans mon petit coin, et que, tandis que vous auriez Cosette, moi j'aurais l'idée d'être dans la même maison qu'elle. Chacun aurait eu son bonheur proportionné. Continuer d'être monsieur Fauchelevent, cela arrangeait tout. Oui, excepté mon âme. Il y avait de la joie partout sur moi, le fond de mon âme restait noir. Ce n'est pas assez d'être heureux, il faut être content. Ainsi je serais resté monsieur Fauchelevent, ainsi mon vrai visage, je l'aurais caché, ainsi, en présence de votre épanouissement, j'aurais eu une énigme, ainsi, au milieu de votre plein jour, j'aurais eu des ténèbres ; ainsi, sans crier gare, tout bonnement, j'aurais introduit le bagne à votre foyer, je me serais assis à votre table avec la pensée que, si vous saviez qui je suis, vous me chasseriez, je me serais laissé servir par des domestiques qui, s'ils avaient su, auraient dit : Quelle horreur ! Je vous aurais touché avec mon coude dont vous avez droit de ne pas vouloir, je vous aurais filouté vos poignées de main ! Il y aurait eu dans votre maison un partage de respect entre des cheveux blancs vénérables et des cheveux blancs flétris ; à vos heures les plus intimes, quand tous les cœurs se seraient crus ouverts jusqu'au fond les uns pour les autres, quand nous aurions été tous quatre ensemble, votre aïeul, vous deux, et moi, il y aurait eu là un inconnu ! J'aurais été côte à côte avec vous dans votre existence, ayant pour unique soin de ne jamais déranger le couvercle de mon puits terrible. Ainsi, moi, un mort, je me serais imposé à vous qui êtes des vivants. Elle, je l'aurais condamnée à moi à perpétuité. Vous, Cosette et moi, nous aurions été trois têtes dans le bonnet vert ! Est-ce que vous ne frissonnez pas ? Je ne suis que le plus accablé des hommes, j'en aurais été le plus monstrueux. Et ce crime, je l'aurais commis tous les jours ! Et ce mensonge, je l'aurais fait tous les jours ! Et cette face de nuit, je l'aurais eue sur mon visage tous les jours ! Et ma flétrissure, je vous en aurais donné votre part tous les jours ! tous les jours ! à vous mes bien-aimés, à vous mes enfants, à vous mes innocents ! Se taire n'est rien ? garder le silence est simple ? Non, ce n'est pas simple. Il y a un silence qui ment. Et mon mensonge, et ma fraude, et mon indignité, et ma lâcheté, et ma trahison, et mon crime, je l'aurais bu goutte à goutte, je l'aurais recraché, puis rebu, j'aurais fini à minuit et recommencé à midi, et mon bonjour aurait menti, et mon bonsoir aurait menti, et j'aurai dormi là-dessus, et j'aurais mangé cela avec mon pain, et j'aurais regardé Cosette en face, et j'aurais répondu au sourire de l'ange par le sourire du damné, et j'aurais été un fourbe abominable ! Pourquoi faire ? pour être heureux. Pour être heureux, moi ! Est-ce que j'ai le droit d'être heureux ? Je suis hors de la vie, monsieur.

Jean Valjean s'arrêta. Marius écoutait. De tels enchaînements d'idées et d'angoisses ne se peuvent interrompre. Jean Valjean baissa la voix de nouveau, mais ce n'était plus la voix sourde, c'était la voix sinistre.

— Vous demandez pourquoi je parle ? je ne suis ni dénoncé, ni poursuivi, ni traqué, dites-vous. Si ! je suis dénoncé ! si ! je suis poursuivi ! si ! je suis traqué ! Par qui ? par moi. C'est moi qui me barre à moi-même le passage, et je me traîne, et je me pousse, et je m'arrête, et je m'exécute, et quand on se tient soi-même, on est bien tenu.

Et, saisissant son propre habit à poigne-main et le tirant vers Marius :

— Voyez donc ce poing-ci, continua-t-il. Est-ce que vous ne trouvez pas qu'il tient ce collet-là de façon à ne pas le lâcher ? Eh bien ! c'est bien un autre poignet, la conscience ! Il faut, si l'on veut être heureux, monsieur, ne jamais comprendre le devoir ; car, dès qu'on l'a compris, il est implacable. On dirait qu'il vous punit de le comprendre ; mais non ; il vous en récompense ; car il vous met dans un enfer où l'on sent à côté de soi Dieu. On ne s'est pas sitôt déchiré les entrailles qu'on est en paix avec soi-même.

Et, avec une accentuation poignante, il ajouta :

— Monsieur Pontmercy, cela n'a pas le sens commun, je suis un honnête homme. C'est en me dégradant à vos yeux que je m'élève aux miens. Ceci m'est déjà arrivé une fois, mais c'était moins douloureux ; ce n'était rien. Oui, un honnête homme. Je ne le serais pas si vous aviez, par ma faute, continué de m'estimer ; maintenant que vous me méprisez, je le suis. J'ai cette fatalité sur moi que, ne pouvant jamais avoir que de la considération volée, cette considération m'humilie et m'accable intérieurement, et que, pour que je me respecte, il faut qu'on me méprise. Alors je me redresse. Je suis un galérien qui obéit à sa conscience. Je sais bien que cela n'est pas ressemblant. Mais que voulez-vous que j'y fasse ? cela est. J'ai pris des engagements envers moi-même ; je les tiens. Il y a des rencontres qui nous lient, il y a des hasards qui nous entraînent dans des devoirs. Voyez-vous, monsieur Pontmercy, il m'est arrivé des choses dans ma vie.

Jean Valjean fit encore une pause, avalant sa salive avec effort comme si ses paroles avaient un arrière-goût amer, et il reprit :

— Quand on a une telle horreur sur soi, on n'a pas le droit de la faire partager aux autres à leur insu, on n'a pas le droit de leur communiquer sa peste, on n'a pas le droit de les faire glisser dans son précipice sans qu'ils s'en aperçoivent, on n'a pas le droit de laisser traîner sa casaque rouge sur eux, on n'a pas le droit d'encombrer sournoisement de sa misère le bonheur d'autrui. S'approcher de ceux qui sont sains et les toucher dans l'ombre avec son ulcère invisible, c'est hideux. Fauchelevent a eu beau me prêter son nom, je n'ai pas le droit de m'en servir ; il a pu me le donner, je n'ai pas pu le prendre. Un nom, c'est un moi. Voyez-vous, monsieur, j'ai un peu pensé, j'ai un peu lu, quoique je sois un paysan ; et je me rends compte des choses. Vous voyez que je m'exprime convenablement. Je me suis fait une éducation à moi. Eh bien oui, soustraire un nom et se mettre dessous, c'est déshonnête. Des lettres de l'alphabet, cela s'escroque comme une bourse ou comme une montre. Être une fausse signature en chair et en os, être une fausse clef vivante, entrer chez d'honnêtes gens en trichant leur serrure, ne plus jamais regarder, loucher toujours, être infâme au dedans de moi, non ! non ! non ! non ! Il vaut mieux souffrir, saigner, pleurer, s'arracher la peau de la chair avec les ongles, passer les nuits à se tordre dans les angoisses, se ronger le ventre et l'âme. Voilà pourquoi je viens vous raconter tout cela. De gaîté de cœur, comme vous dites.

Il respira péniblement, et jeta ce dernier mot :

— Pour vivre, autrefois, j'ai volé un pain ; aujourd'hui, pour vivre, je ne veux pas voler un nom.

— Pour vivre ! interrompit Marius. Vous n'avez pas besoin de ce nom pour vivre ?

— Ah ! je m'entends, répondit Jean Valjean, en levant et en abaissant la tête lentement plusieurs fois de suite.

Il y eut un silence. Tous deux se taisaient, chacun abîmé dans un gouffre de pensées. Marius s'était assis près d'une table et appuyait le coin de sa bouche sur un de ses doigts replié. Jean Valjean allait et venait. Il s'arrêta devant une glace et demeura sans mouvement. Puis, comme s'il répondait à un raisonnement intérieur, il dit en regardant cette glace où il ne se voyait pas :

— Tandis qu'à présent je suis soulagé !

Il se remit à marcher et alla à l'autre bout du salon. À l'instant où il se retourna, il s'aperçut que Marius le regardait marcher. Alors il lui dit avec un accent inexprimable :

— Je traîne un peu la jambe. Vous comprenez maintenant pourquoi.

Puis il acheva de se tourner vers Marius.

— Et maintenant, monsieur, figurez-vous ceci : Je n'ai rien dit, je suis resté monsieur Fauchelevent, j'ai pris ma place chez vous, je suis des vôtres, je suis dans ma chambre, je viens déjeuner le matin en pantoufles, les soirs nous allons au spectacle tous les trois, j'accompagne madame Pontmercy aux Tuileries et à la place Royale, nous sommes ensemble, vous me croyez votre semblable ; un beau jour, je suis là, vous êtes là, nous causons, nous rions, tout à coup vous entendez une voix crier ce nom : Jean Valjean ! et voilà que cette main épouvantable, la police, sort de l'ombre et m'arrache mon masque brusquement !

Il se tut encore ; Marius s'était levé avec un frémissement. Jean Valjean reprit :

— Qu'en dites-vous ?

Le silence de Marius répondait.

Jean Valjean continua :

— Vous voyez bien que j'ai raison de ne pas me taire. Tenez, soyez heureux, soyez dans le ciel, soyez l'ange d'un ange, soyez dans le soleil, et contentez-vous-en, et ne vous inquiétez pas de la manière dont un pauvre damné s'y prend pour s'ouvrir la poitrine et faire son devoir ; vous avez un misérable homme devant vous, monsieur.

Marius traversa lentement le salon, et quand il fut près de Jean Valjean, lui tendit la main.

Mais Marius dut aller prendre cette main qui ne se présentait point, Jean Valjean se laissa faire, et il sembla à Marius qu'il étreignait une main de marbre.

— Mon grand-père a des amis, dit Marius ; je vous aurai votre grâce.

— C'est inutile, répondit Jean Valjean. On me croit mort, cela suffit. Les morts ne sont pas soumis à la surveillance. Ils sont censés pourrir tranquillement. La mort, c'est la même chose que la grâce.

Et, dégageant sa main que Marius tenait, il ajouta avec une sorte de dignité inexorable :

— D'ailleurs, faire mon devoir, voilà l'ami auquel j'ai recours ; et je n'ai besoin que d'une grâce, celle de ma conscience.

En ce moment, à l'autre extrémité du salon, la porte s'entr'ouvrit doucement et dans l'entre-bâillement la tête de Cosette apparut. On n'apercevait que son doux visage, elle était admirablement décoiffée, elle avait les paupières encore gonflées de sommeil. Elle fit le mouvement d'un oiseau qui passe sa tête hors du nid, regarda d'abord son mari, puis Jean Valjean, et leur cria en riant, on croyait voir un sourire au fond d'une rose :

— Parions que vous parlez politique ! Comme c'est bête, au lieu d'être avec moi !

Jean Valjean tressaillit.

— Cosette !... balbutia Marius. — Et il s'arrêta. On eût dit deux coupables.

Cosette, radieuse, continuait de les regarder tour à tour tous les deux. Il y avait dans ses yeux comme des échappées de paradis.

— Je vous prends en flagrant délit, dit Cosette. Je viens d'entendre à travers la porte mon père Fauchelevent qui disait : — La conscience... — Faire son devoir... — C'est de la politique, ça. Je ne veux pas. On ne doit pas parler politique dès le lendemain. Ce n'est pas juste.

— Tu te trompes, Cosette, répondit Marius. Nous parlons affaires. Nous parlons du meilleur placement à trouver pour tes six cent mille francs...

— Ce n'est pas tout ça, interrompit Cosette. Je viens. Veut-on de moi ici ?

Et, passant résolûment la porte, elle entra dans le salon. Elle était vêtue d'un large peignoir blanc à mille plis et à grandes manches qui, partant du cou, lui tombait jusqu'aux pieds. Il y a, dans les ciels d'or des vieux tableaux gothiques, de ces charmants sacs à mettre un ange.

Elle se contempla de la tête aux pieds dans une grande glace, puis s'écria avec une explosion d'extase ineffable :

— Il y avait une fois un roi et une reine. Oh ! comme je suis contente !

Cela dit, elle fit la révérence à Marius et à Jean Valjean.

— Voilà, dit-elle, je vais m'installer près de vous sur un fauteuil, on déjeune dans une demi-heure, vous direz tout ce que vous voudrez, je sais bien qu'il faut que les hommes parlent, je serai bien sage.

Marius lui prit le bras, et lui dit amoureusement :

— Nous parlons affaires.

— À propos, répondit Cosette, j'ai ouvert ma fenêtre, il vient d'arriver un tas de pierrots dans le jardin. Des oiseaux, pas des masques. C'est aujourd'hui mercredi des cendres ; mais pas pour les oiseaux.

— Je te dis que nous parlons affaires, va, ma petite Cosette, laisse-nous un moment. Nous parlons chiffres. Cela t'ennuierait.

— Tu as mis ce matin une charmante cravate, Marius. Vous êtes fort coquet, monseigneur. Non, cela ne m'ennuiera pas.

— Je t'assure que cela t'ennuiera.

— Non. Puisque c'est vous. Je ne vous comprendrai pas, mais je vous écouterai. Quand on entend les voix qu'on aime, on n'a pas besoin de comprendre les mots qu'elles disent. Être là ensemble, c'est tout ce que je veux. Je reste avec vous, bah !

— Tu es ma Cosette bien-aimée ! Impossible.

— Impossible !

— Oui.

— C'est bon, reprit Cosette. Je vous aurais dit des nouvelles. Je vous aurais dit que mon grand-père dort encore, que votre tante est à la messe, que la cheminée de la chambre de mon père Fauchelevent fume, que Nicolette a fait venir le ramoneur, que Toussaint et Nicolette se sont déjà disputées, que Nicolette se moque du bégayement de Toussaint. Eh bien, vous ne saurez rien. Ah ! c'est impossible ? Moi aussi, à mon tour, vous verrez, monsieur, je dirai : c'est impossible. Qui est-ce qui sera attrapé ? Je t'en prie, mon petit Marius, laisse-moi ici avec vous deux.

— Je te jure qu'il faut que nous soyons seuls.

— Eh bien, est-ce que je suis quelqu'un ?

Jean Valjean ne prononçait pas une parole. Cosette se tourna vers lui :

— D'abord, père, vous, je veux que vous veniez m'embrasser. Qu'est-ce que vous faites là à ne rien dire au lieu de prendre mon parti ? qui est-ce qui m'a donné un père comme ça ? Vous voyez bien que je suis très malheureuse en ménage. Mon mari me bat. Allons, embrassez-moi tout de suite.

Jean Valjean s'approcha.

Cosette se retourna vers Marius.

— Vous, je vous fais la grimace.

Puis elle tendit son front à Jean Valjean.

Jean Valjean fit un pas vers elle.

Cosette recula.

— Père, vous êtes pâle. Est-ce que votre bras vous fait mal?

— Il est guéri, dit Jean Valjean.

— Est-ce que vous avez mal dormi?

— Non.

— Est-ce que vous êtes triste?

— Non.

— Embrassez-moi. Si vous vous portez bien, si vous dormez bien, si vous êtes content, je ne vous gronderai pas.

Et de nouveau elle lui tendit son front.

Jean Valjean déposa un baiser sur ce front où il y avait un reflet céleste.

— Souriez.

Jean Valjean obéit. Ce fut le sourire d'un spectre.

— Maintenant défendez-moi contre mon mari.

— Cosette!... fit Marius.

— Fâchez-vous, père. Dites-lui qu'il faut que je reste. On peut bien parler devant moi. Vous me trouvez donc bien sotte. C'est donc bien étonnant ce que vous dites! des affaires, placer de l'argent à une banque, voilà grand'chose. Les hommes font les mystérieux pour rien. Je veux rester. Je suis très jolie ce matin; regarde-moi, Marius.

Et avec un haussement d'épaules adorable et on ne sait quelle bouderie exquise, elle regarda Marius. Il y eut comme un éclair entre ces deux êtres. Que quelqu'un fût là, peu importait.

— Je t'aime! dit Marius.

— Je t'adore! dit Cosette.

Et ils tombèrent irrésistiblement dans les bras l'un de l'autre.

— À présent, reprit Cosette en rajustant un pli de son peignoir avec une petite moue triomphante, je reste.

— Cela, non, répondit Marius d'un ton suppliant. Nous avons quelque chose à terminer.

— Encore non?

Marius prit une inflexion de voix grave :

— Je t'assure, Cosette, que c'est impossible.

— Ah ! vous faites votre voix d'homme, monsieur. C'est bon, on s'en va. Vous, père, vous ne m'avez pas soutenue. Monsieur mon mari, monsieur mon papa, vous êtes des tyrans. Je vais le dire à grand-père. Si vous croyez que je vais revenir et vous faire des platitudes, vous vous trompez. Je suis fière. Je vous attends à présent. Vous allez voir que c'est vous qui allez vous ennuyer sans moi. Je m'en vais, c'est bien fait.

Et elle sortit.

Deux secondes après, la porte se rouvrit, sa fraîche tête vermeille passa encore une fois entre les deux battants, et elle leur cria :

— Je suis très en colère.

La porte se referma et les ténèbres se refirent.

Ce fut comme un rayon de soleil fourvoyé qui, sans s'en douter, aurait traversé brusquement de la nuit.

Marius s'assura que la porte était bien refermée.

— Pauvre Cosette ! murmura-t-il, quand elle va savoir...

À ce mot, Jean Valjean trembla de tous ses membres. Il fixa sur Marius un œil égaré.

— Cosette ! oh oui, c'est vrai, vous allez dire cela à Cosette. C'est juste. Tiens, je n'y avais pas pensé. On a de la force pour une chose, on n'en a pas pour une autre. Monsieur, je vous en conjure, je vous en supplie, monsieur, donnez-moi votre parole la plus sacrée, ne le lui dites pas. Est-ce qu'il ne suffit pas que vous le sachiez, vous ? J'ai pu le dire de moi-même sans y être forcé, je l'aurais dit à l'univers, à tout le monde, ça m'était égal. Mais elle, elle ne sait pas ce que c'est, cela l'épouvanterait. Un forçat, quoi ! on serait forcé de lui expliquer, de lui dire : C'est un homme qui a été aux galères. Elle a vu un jour passer la chaîne. Oh mon Dieu !

Il s'affaissa sur un fauteuil et cacha son visage dans ses deux mains. On ne l'entendait pas, mais aux secousses de ses épaules, on voyait qu'il pleurait. Pleurs silencieux, pleurs terribles.

Il y a de l'étouffement dans le sanglot. Une sorte de convulsion le prit, il se renversa en arrière sur le dossier du fauteuil comme pour respirer, laissant pendre ses bras et laissant voir à Marius sa face inondée de larmes, et Marius l'entendit murmurer si bas que sa voix semblait être dans une profondeur sans fond : — Oh! je voudrais mourir!

— Soyez tranquille, dit Marius, je garderai votre secret pour moi seul.

Et, moins attendri peut-être qu'il n'aurait dû l'être, mais obligé depuis une heure de se familiariser avec un inattendu effroyable, voyant par degrés un forçat se superposer sous ses yeux à M. Fauchelevent, gagné peu à peu par cette réalité lugubre, et amené par la pente naturelle de la situation à constater l'intervalle qui venait de se faire entre cet homme et lui, Marius ajouta :

— Il est impossible que je ne vous dise pas un mot du dépôt que vous avez si fidèlement et si honnêtement remis. C'est là un acte de probité. Il est juste qu'une récompense vous soit donnée. Fixez la somme vous-même, elle vous sera comptée. Ne craignez pas de la fixer très haut.

— Je vous remercie, monsieur, répondit Jean Valjean avec douceur.

Il resta pensif un moment, passant machinalement le bout de son index sur l'ongle de son pouce, puis il éleva la voix :

— Tout est à peu près fini. Il me reste une dernière chose...

— Laquelle?

Jean Valjean eut comme une suprême hésitation, et, sans voix, presque sans souffle, il balbutia plus qu'il ne dit :

— À présent que vous savez, croyez-vous, monsieur, vous qui êtes le maître, que je ne dois plus voir Cosette?

— Je crois que ce serait mieux, répondit froidement Marius.

— Je ne la verrai plus, murmura Jean Valjean.

Et il se dirigea vers la porte.

Il mit la main sur le bec-de-cane, le pêne céda, la porte s'entre-bâilla, Jean Valjean l'ouvrit assez pour pouvoir passer, demeura une seconde immobile, puis referma la porte et se retourna vers Marius.

Il n'était plus pâle, il était livide. Il n'y avait plus de

larmes dans ses yeux, mais une sorte de flamme tragique. Sa voix était redevenue étrangement calme.

— Tenez, monsieur, dit-il, si vous voulez, je viendrai la voir. Je vous assure que je le désire beaucoup. Si je n'avais pas tenu à voir Cosette, je ne vous aurais pas fait l'aveu que je vous ai fait, je serais parti ; mais voulant rester dans l'endroit où est Cosette et continuer de la voir, j'ai dû honnêtement tout vous dire. Vous suivez mon raisonnement, n'est-ce pas ? c'est là une chose qui se comprend. Voyez-vous, il y a neuf ans passés que je l'ai près de moi. Nous avons demeuré d'abord dans cette masure du boulevard, ensuite dans le couvent, ensuite près du Luxembourg. C'est là que vous l'avez vue pour la première fois. Vous vous rappelez son chapeau de peluche bleue. Nous avons été ensuite dans le quartier des Invalides où il y avait une grille et un jardin. Rue Plumet. J'habitais une petite arrière-cour d'où j'entendais son piano. Voilà ma vie. Nous ne nous quittions jamais. Cela a duré neuf ans et des mois. J'étais comme son père, et elle était mon enfant. Je ne sais pas si vous me comprenez, monsieur Pontmercy, mais s'en aller à présent, ne plus la voir, ne plus lui parler, n'avoir plus rien, ce serait difficile. Si vous ne le trouvez pas mauvais, je viendrai de temps en temps voir Cosette. Je ne viendrais pas souvent. Je ne resterais pas longtemps. Vous diriez qu'on me reçoive dans la petite salle basse. Au rez-de-chaussée. J'entrerais bien par la porte de derrière, qui est pour les domestiques, mais cela étonnerait peut-être. Il vaut mieux, je crois, que j'entre par la porte de tout le monde. Monsieur, vraiment. Je voudrais bien voir encore un peu Cosette. Aussi rarement qu'il vous plaira. Mettez-vous à ma place, je n'ai plus que cela. Et puis, il faut prendre garde. Si je ne venais plus du tout, il y aurait un mauvais effet, on trouverait cela singulier. Par exemple, ce que je puis faire, c'est de venir le soir, quand il commence à être nuit.

— Vous viendrez tous les soirs, dit Marius, et Cosette vous attendra.

— Vous êtes bon, monsieur, dit Jean Valjean.

Marius salua Jean Valjean, le bonheur reconduisit jusqu'à la porte le désespoir, et ces deux hommes se quittèrent.

II

LES OBSCURITÉS QUE PEUT CONTENIR UNE RÉVÉLATION

Marius était bouleversé.

L'espèce d'éloignement qu'il avait toujours eu pour l'homme près duquel il voyait Cosette lui était désormais expliqué. Il y avait dans ce personnage un on ne sait quoi énigmatique dont son instinct l'avertissait. Cette énigme, c'était la plus hideuse des hontes, le bagne. Ce M. Fauchelevent était le forçat Jean Valjean.

Trouver brusquement un tel secret au milieu de son bonheur, cela ressemble à la découverte d'un scorpion dans un nid de tourterelles.

Le bonheur de Marius et de Cosette était-il condamné désormais à ce voisinage? Était-ce là un fait accompli? L'acceptation de cet homme faisait-elle partie du mariage consommé? N'y avait-il plus rien à faire?

Marius avait-il épousé aussi le forçat?

On a beau être couronné de lumière et de joie, on a beau savourer la grande heure de pourpre de la vie, l'amour heureux, de telles secousses forceraient l'archange dans son extase, même le demi-dieu dans sa gloire, au frémissement.

Comme il arrive toujours dans les changements à vue de cette espèce, Marius se demandait s'il n'avait pas de reproche à se faire à lui-même? Avait-il manqué de divination? Avait-il manqué de prudence? S'était-il étourdi involontairement? Un peu, peut-être. S'était-il engagé, sans assez de précaution pour éclairer les alentours, dans cette aventure d'amour qui avait abouti à son mariage avec Cosette? Il constatait, — c'est ainsi, par une série de constatations successives de nous-mêmes sur nous-mêmes, que la vie nous amende peu à peu, — il constatait le côté chimérique et visionnaire de sa nature, sorte de nuage intérieur propre à beaucoup d'organisations, et qui, dans les paroxysmes de la passion et de la douleur, se dilate, la température de l'âme changeant, et envahit l'homme tout entier, au point de n'en plus faire qu'une conscience baignée d'un brouillard. Nous avons plus d'une fois indiqué cet élément caractéristique de l'individualité de Marius. Il se rappelait que, dans l'enivrement de son amour, rue Plumet, pendant ces six ou sept semaines extatiques, il n'avait pas même parlé à Cosette de ce drame énigmatique du bouge Gorbeau où la victime avait eu un si étrange parti pris de silence pendant la lutte et d'évasion après. Comment se faisait-il qu'il n'en eût point parlé à Cosette ? Cela pourtant était si proche et si effroyable ! Comment se faisait-il qu'il ne lui eût pas même nommé les Thénardier, et, particulièrement, le jour où il avait rencontré Éponine ? Il avait presque peine à s'expliquer maintenant son silence d'alors. Il s'en rendait compte cependant. Il se rappelait son étourdissement, son ivresse de Cosette, l'amour absorbant tout, cet enlèvement de l'un par l'autre dans l'idéal, et peut-être aussi, comme la quantité imperceptible de raison mêlée à cet état violent et charmant de l'âme, un vague et sourd instinct de cacher et d'abolir dans sa mémoire cette aventure redoutable dont il craignait le contact, où il ne voulait jouer aucun rôle, à laquelle il se dérobait, et où il ne pouvait être narrateur ni témoin sans être accusateur. D'ailleurs, ces quelques semaines avaient été un éclair ; on n'avait eu le temps de rien, que de s'aimer. Enfin, tout pesé, tout retourné, tout examiné, quand il eût raconté le guet-apens Gorbeau à Cosette, quand il lui eût nommé les Thénardier, quelles qu'eussent été les conséquences, quand même il eût découvert que Jean Valjean était un forçat, cela l'eût-il changé, lui Marius, cela l'eût-il changée, elle Cosette ? Eût-il reculé ? L'eût-il moins adorée ? L'eût-il moins épousée ? Non. Cela eût-il changé quelque chose à ce qui s'était fait ? Non. Rien donc à regretter, rien à se reprocher. Tout était bien. Il y a un dieu pour ces ivrognes qu'on appelle les amoureux. Aveugle, Marius avait suivi la route qu'il eût choisie clairvoyant. L'amour lui avait bandé les yeux, pour le mener où ? Au paradis.

Mais ce paradis était compliqué désormais d'un côtoiement infernal.

L'ancien éloignement de Marius pour cet homme, pour ce Fauchelevent devenu Jean Valjean, était à présent mêlé d'horreur.

Dans cette horreur, disons-le, il y avait quelque pitié, et même une certaine surprise.

Ce voleur, ce voleur récidiviste, avait restitué un dépôt. Et quel dépôt? Six cent mille francs. Il était seul dans le secret du dépôt. Il pouvait tout garder, il avait tout rendu.

En outre, il avait révélé de lui-même sa situation. Rien ne l'y obligeait. Si l'on savait qui il était, c'était par lui. Il y avait dans cet aveu plus que l'acceptation de l'humiliation, il y avait l'acceptation du péril. Pour un condamné, un masque n'est pas un masque, c'est un abri. Il avait renoncé à cet abri. Un faux nom, c'est de la sécurité; il avait rejeté ce faux nom. Il pouvait, lui galérien, se cacher à jamais dans une famille honnête; il avait résisté à cette tentation. Et pour quel motif? par scrupule de conscience. Il l'avait expliqué lui-même avec l'irrésistible accent de la réalité. En somme, quel que fût ce Jean Valjean, c'était incontestablement une conscience qui se réveillait. Il y avait là on ne sait quelle mystérieuse réhabilitation commencée; et, selon toute apparence, depuis longtemps déjà le scrupule était maître de cet homme. De tels accès du juste et du bien ne sont pas propres aux natures vulgaires. Réveil de conscience, c'est grandeur d'âme.

Jean Valjean était sincère. Cette sincérité, visible, palpable, irréfragable, évidente même par la douleur qu'elle lui faisait, rendait les informations inutiles et donnait autorité à tout ce que disait cet homme. Ici, pour Marius, interversion étrange des situations. Que sortait-il de M. Fauchelevent? la défiance. Que se dégageait-il de Jean Valjean? la confiance.

Dans le mystérieux bilan de ce Jean Valjean que Marius pensif dressait, il constatait l'actif, il constatait le passif, et il tâchait d'arriver à une balance. Mais tout cela était comme dans un orage. Marius, s'efforçant de se faire une idée nette de cet homme, et poursuivant, pour ainsi dire, Jean Valjean au fond de sa pensée, le perdait et le retrouvait dans une brume fatale.

Le dépôt honnêtement rendu, la probité de l'aveu, c'était bien. Cela faisait comme une éclaircie dans la nuée, puis la nuée redevenait noire.

Si troubles que fussent les souvenirs de Marius, il lui en revenait quelque ombre.

Qu'était-ce décidément que cette aventure du galetas Jondrette? Pourquoi, à l'arrivée de la police, cet homme, au lieu de se plaindre, s'était-il évadé? Ici Marius trouvait la réponse. Parce que cet homme était un repris de justice en rupture de ban.

Autre question : Pourquoi cet homme était-il venu dans la barricade? Car à présent Marius revoyait distinctement ce souvenir, reparu dans ces émotions comme l'encre sympathique au feu. Cet homme était dans la barricade. Il n'y combattait pas. Qu'était-il venu y faire? Devant cette question un spectre se dressait, et faisait la réponse. Javert. Marius se rappelait parfaitement à cette heure la funèbre vision de Jean Valjean entraînant hors de la barricade Javert garrotté, et il entendait encore derrière l'angle de la petite rue Mondétour l'affreux coup de pistolet. Il y avait, vraisemblablement, haine entre cet espion et ce galérien. L'un gênait l'autre. Jean Valjean était allé à la barricade pour se venger. Il y était arrivé tard. Il savait probablement que Javert était prisonnier. La vendetta corse a pénétré dans de certains bas-fonds et y fait loi; elle est si simple qu'elle n'étonne pas les âmes même à demi retournées vers le bien; et ces cœurs-là sont ainsi faits qu'un criminel, en voie de repentir, peut être scrupuleux sur le vol et ne l'être pas sur la vengeance. Jean Valjean avait tué Javert. Du moins, cela semblait évident.

Dernière question enfin; mais à celle-ci pas de réponse. Cette question, Marius la sentait comme une tenaille. Comment se faisait-il que l'existence de Jean Valjean eût coudoyé si longtemps celle de Cosette? Qu'était-ce que ce sombre jeu de la providence qui avait mis cet enfant en contact avec cet homme? Y a-t-il donc aussi des chaînes à deux forgées là-haut, et Dieu se plaît-il à accoupler l'ange avec le démon? Un crime et une innocence peuvent donc être camarades de chambrée dans le mystérieux bagne des misères? Dans ce défilé de condamnés qu'on appelle la destinée humaine, deux fronts peuvent passer l'un près de l'autre, l'un naïf, l'autre formidable, l'un tout baigné des divines blancheurs de l'aube, l'autre à jamais blêmi par la lueur d'un éternel éclair? Qui avait pu déterminer cet appareillement inexplicable? De quelle façon, par suite de quel prodige, la communauté de vie avait-elle pu s'établir entre cette céleste petite et ce vieux damné ? Qui avait pu lier l'agneau au loup, et, chose plus incompréhensible encore, attacher le loup à l'agneau ? Car le loup aimait l'agneau, car l'être farouche adorait l'être faible, car, pendant neuf années, l'ange avait eu pour point d'appui le monstre. L'enfance et l'adolescence de Cosette, sa venue au jour, sa virginale croissance vers la vie et la lumière, avaient été abritées par ce dévouement difforme. Ici, les questions s'exfoliaient, pour ainsi parler, en énigmes innombrables, les abîmes s'ouvraient au fond des abîmes, et Marius ne pouvait plus se pencher sur Jean Valjean sans vertige. Qu'était-ce donc que cet homme précipice ?

Les vieux symboles génésiaques sont éternels ; dans la société humaine, telle qu'elle existe, jusqu'au jour où une clarté plus grande la changera, il y a à jamais deux hommes, l'un supérieur, l'autre souterrain ; celui qui est selon le bien, c'est Abel ; celui qui est selon le mal, c'est Caïn. Qu'était-ce que ce Caïn tendre ? Qu'était-ce que ce bandit religieusement absorbé dans l'adoration d'une vierge, veillant sur elle, l'élevant, la gardant, la dignifiant, et l'enveloppant, lui impur, de pureté ? Qu'était-ce que ce cloaque qui avait vénéré cette innocence au point de ne pas lui laisser une tache ? Qu'était-ce que ce Jean Valjean faisant l'éducation de Cosette ? Qu'était-ce que cette figure de ténèbres ayant pour unique soin de préserver de toute ombre et de tout nuage le lever d'un astre ?

Là était le secret de Jean Valjean ; là aussi était le secret de Dieu.

Devant ce double secret, Marius reculait. L'un en quelque sorte le rassurait sur l'autre. Dieu était dans cette aventure aussi visible que Jean Valjean, Dieu a ses instruments. Il se sert de l'outil qu'il veut. Il n'est pas responsable devant l'homme. Savons-nous comment Dieu s'y prend ? Jean Valjean avait travaillé à Cosette. Il avait un peu fait cette âme. C'était incontestable. Eh bien, après ? L'ouvrier était horrible ; mais l'œuvre était admirable. Dieu produit ses miracles comme bon lui semble. Il avait construit cette charmante Cosette, et il y avait employé Jean Valjean. Il lui avait plu de se choisir cet étrange collaborateur. Quel compte avons-nous à lui demander ? Est-ce la première fois que le fumier aide le printemps à faire la rose ?

Marius se faisait ces réponses-là et se déclarait à lui-même qu'elles étaient bonnes. Sur tous les points que nous venons d'indiquer, il n'avait pas osé presser Jean Valjean, sans s'avouer à lui-même qu'il ne l'osait pas. Il adorait Cosette, il possédait Cosette, Cosette était splendidement pure. Cela lui suffisait. De quel éclaircissement avait-il besoin ? Cosette était une lumière. La lumière a-t-elle besoin d'être éclaircie ? Il avait tout ; que pouvait-il désirer ? Tout, est-ce que ce n'est pas assez ? Les affaires personnelles de Jean Valjean ne le regardaient pas. En se penchant sur l'ombre fatale de cet homme, il se cramponnait à cette déclaration solennelle du misérable : *Je ne suis rien à Cosette. Il y a dix ans, je ne savais pas qu'elle existât.*

Jean Valjean était un passant. Il l'avait dit lui-même. Eh bien, il passait. Quel qu'il fût, son rôle était fini. Il y avait désormais Marius pour faire les fonctions de la providence près de Cosette. Cosette était venue retrouver dans l'azur son pareil, son amant, son époux, son mâle céleste. En s'envolant, Cosette, ailée et transfigurée, laissait derrière elle à terre, vide et hideuse, sa chrysalide, Jean Valjean.

Dans quelque cercle d'idées que tournât Marius, il en revenait toujours à une certaine horreur de Jean Valjean. Horreur sacrée peut-être, car, nous venons de l'indiquer, il sentait un *quid divinum* dans cet homme. Mais, quoi qu'on fît, et quelque atténuation qu'on y cherchât, il fallait bien toujours retomber sur ceci : c'était un forçat ; c'est-à-dire l'être qui, dans l'échelle sociale, n'a même pas de place, étant au-dessous du dernier échelon. Après le dernier des hommes vient le forçat. Le forçat n'est plus, pour ainsi dire, le semblable des vivants. La loi l'a destitué de toute la quantité d'humanité qu'elle peut ôter à un homme. Marius, sur les questions pénales, en était encore, quoique démocrate, au système inexorable, et il avait, sur ceux que la loi frappe, toutes les idées de la loi. Il n'avait pas encore, disons-le, accompli tous les progrès. Il n'en était pas encore à distinguer entre ce qui est écrit par l'homme et ce qui est écrit par Dieu, entre la loi et le droit. Il n'avait point examiné et pesé le droit que prend l'homme de disposer de l'irrévocable et de l'irréparable. Il n'était pas révolté du mot *vindicte*. Il trouvait simple que de certaines effractions de la loi écrite fussent suivies de peines éternelles, et il acceptait, comme procédé de civilisation, la damnation sociale. Il en était encore là, sauf à avancer infailliblement plus tard, sa nature étant bonne, et au fond toute faite de progrès latent.

Dans ce milieu d'idées, Jean Valjean lui apparaissait difforme et repoussant. C'était le réprouvé. C'était le forçat. Ce mot était pour lui comme un son de la trompette du jugement; et, après avoir considéré longtemps Jean Valjean, son dernier geste était de détourner la tête. *Vade retro*.

Marius, il faut le reconnaître et même y insister, tout en interrogeant Jean Valjean au point que Jean Valjean lui avait dit : *vous me confessez*, ne lui avait pourtant pas fait deux ou trois questions décisives. Ce n'était pas qu'elles ne se fussent présentées à son esprit, mais il en avait eu peur. Le galetas Jondrette? La barricade? Javert? Qui sait où se fussent arrêtées les révélations? Jean Valjean ne semblait pas homme à reculer, et qui sait si Marius, après l'avoir poussé, n'aurait pas souhaité le retenir? Dans de certaines conjonctures suprêmes, ne nous est-il pas arrivé à tous, après avoir fait une question, de nous boucher les oreilles pour ne pas entendre la réponse? C'est surtout quand on aime qu'on a de ces lâchetés-là. Il n'est pas sage de questionner à outrance les situations sinistres, surtout quand le côté indissoluble de notre propre vie y est fatalement mêlé. Des explications désespérées de Jean Valjean, quelque épouvantable lumière pouvait sortir, et qui sait si cette clarté hideuse n'aurait pas rejailli jusqu'à Cosette? Qui sait s'il n'en fût pas resté une sorte de lueur infernale sur le front de cet ange? L'éclaboussure d'un éclair, c'est encore de la foudre. La fatalité a de ces solidarités-là, où l'innocence elle-même s'empreint de crime par la sombre loi des reflets colorants. Les plus pures figures peuvent garder à jamais la réverbération d'un voisinage horrible. À tort ou à raison, Marius avait eu peur. Il en savait déjà trop. Il cherchait plutôt à s'étourdir qu'à s'éclairer. Éperdu, il emportait Cosette dans ses bras en fermant les yeux sur Jean Valjean.

Cet homme était de la nuit, de la nuit vivante et terrible. Comment oser en chercher le fond? C'est une épouvante de questionner l'ombre. Qui sait ce qu'elle va répondre ? L'aube pourrait en être noircie pour jamais.

Dans cette situation d'esprit, c'était pour Marius une perplexité poignante de penser que cet homme aurait désormais un contact quelconque avec Cosette. Ces questions redoutables, devant lesquelles il avait reculé, et d'où aurait pu sortir une décision implacable et définitive, il se reprochait presque à présent de ne pas les avoir faites. Il se trouvait trop bon, trop doux, disons le mot, trop faible. Cette faiblesse l'avait entraîné à une concession imprudente. Il s'était laissé toucher. Il avait eu tort. Il aurait dû purement et simplement rejeter Jean Valjean. Jean Valjean était la part du feu, il aurait dû la faire, et débarrasser sa maison de cet homme. Il s'en voulait, il en voulait à la brusquerie de ce tourbillon d'émotions qui l'avait assourdi, aveuglé, et entraîné. Il était mécontent de lui-même.

Que faire maintenant ? Les visites de Jean Valjean lui répugnaient profondément. À quoi bon cet homme chez lui ? que faire ? Ici il s'étourdissait, il ne voulait pas creuser, il ne voulait pas approfondir ; il ne voulait pas se sonder lui-même. Il avait promis, il s'était laissé entraîner à promettre ; Jean Valjean avait sa promesse ; même à un forçat, surtout à un forçat, on doit tenir sa parole. Toutefois, son premier devoir était envers Cosette. En somme, une répulsion, qui dominait tout, le soulevait.

Marius roulait confusément tout cet ensemble d'idées dans son esprit, passant de l'une à l'autre, et remué par toutes. De là un trouble profond. Il ne lui fut pas aisé de cacher ce trouble à Cosette, mais l'amour est un talent, et Marius y parvint.

Du reste, il fit, sans but apparent, des questions à Cosette, candide comme une colombe est blanche, et ne se doutant de rien ; il lui parla de son enfance et de sa jeunesse, et il se convainquit de plus en plus que tout ce qu'un homme peut être de bon, de paternel et de respectable, ce forçat l'avait été pour Cosette. Tout ce que Marius avait entrevu et supposé était réel. Cette ortie sinistre avait aimé et protégé ce lys.

LIVRE HUITIÈME
LA DÉCROISSANCE CRÉPUSCULAIRE

I

LA CHAMBRE D'EN BAS

Le lendemain, à la nuit tombante, Jean Valjean frappait à la porte cochère de la maison Gillenormand. Ce fut Basque qui le reçut. Basque se trouvait dans la cour à point nommé, et comme s'il avait eu des ordres. Il arrive quelquefois qu'on dit à un domestique : Vous guetterez monsieur un tel, quand il arrivera.

Basque, sans attendre que Jean Valjean vînt à lui, lui adressa la parole :

— Monsieur le baron m'a chargé de demander à monsieur s'il désir monter ou rester en bas ?

— Rester en bas, répondit Jean Valjean.

Basque, d'ailleurs absolument respectueux, ouvrit la porte de la salle basse et dit : Je vais prévenir madame.

La pièce où Jean Valjean entra était un rez-de-chaussée voûté et humide, servant de cellier à l'occasion, donnant sur la rue, carrelé de carreaux rouges, et mal éclairé d'une fenêtre à barreaux de fer.

Cette chambre n'était pas de celles que harcèlent le houssoir, la tête de loup et le balai. La poussière y était tranquille. La persécution des araignées n'y était pas organisée. Une belle toile, largement étalée, bien noire, ornée de mouches mortes, faisait la roue sur une des vitres de la fenêtre. La salle, petite et basse, était meublée d'un tas de bouteilles vides amoncelées dans un coin. La muraille, badigeonnée d'un badigeon d'ocre jaune, s'écaillait par larges plaques. Au fond, il y avait une cheminée de bois peinte en noir à tablette étroite. Un feu y était allumé ; ce qui indiquait qu'on avait compté sur la réponse de Jean Valjean : *Rester en bas*.

Deux fauteuils étaient placés aux deux coins de la cheminée. Entre les fauteuils était étendue, en guise de tapis, une vieille descente de lit montrant plus de corde que de laine.

La chambre avait pour éclairage le feu de la cheminée et le crépuscule de la fenêtre.

Jean Valjean était fatigué. Depuis plusieurs jours il ne mangeait ni ne dormait. Il se laissa tomber sur un des fauteuils.

Basque revint, posa sur la cheminée une bougie allumée et se retira. Jean Valjean, la tête ployée et le menton sur la poitrine, n'aperçut ni Basque, ni la bougie.

Tout à coup, il se dressa comme en sursaut. Cosette était derrière lui.

Il ne l'avait pas vue entrer, mais il avait senti qu'elle entrait.

Il se retourna. Il la contempla. Elle était adorablement belle. Mais ce qu'il regardait de ce profond regard, ce n'était pas la beauté, c'était l'âme.

— Ah bien, s'écria Cosette, voilà une idée ! père, je savais que vous étiez singulier, mais jamais je ne me serais attendue à celle-là. Marius me dit que c'est vous qui voulez que je vous reçoive ici.

— Oui, c'est moi.

— Je m'attendais à la réponse. Tenez-vous bien. Je vous préviens que je vais vous faire une scène. Commençons par le commencement. Père, embrassez-moi.

Et elle tendit sa joue.

Jean Valjean demeura immobile.

— Vous ne bougez pas. Je le constate. Attitude de coupable. Mais c'est égal, je vous pardonne. Jésus-Christ a dit : Tendez l'autre joue. La voici.

Et elle tendit l'autre joue.

Jean Valjean ne remua pas. Il semblait qu'il eût les pieds cloués dans le pavé.

— Ceci devient sérieux, dit Cosette. Qu'est-ce que je vous ai fait? Je me déclare brouillée. Vous me devez mon raccommodement. Vous dînez avec nous.

— J'ai dîné.

— Ce n'est pas vrai. Je vous ferai gronder par monsieur Gillenormand. Les grands-pères sont faits pour tancer les pères. Allons. Montez avec moi dans le salon. Tout de suite.

— Impossible.

Cosette ici perdit un peu de terrain. Elle cessa d'ordonner et passa aux questions.

— Mais pourquoi? Et vous choisissez pour me voir la chambre la plus laide de la maison. C'est horrible ici.

— Tu sais...

Jean Valjean se reprit.

— Vous savez, madame, je suis particulier, j'ai mes lubies.

Cosette frappa ses petites mains l'une contre l'autre.

— Madame!... vous savez!... encore du nouveau! Qu'est-ce que cela veut dire?

Jean Valjean attacha sur elle ce sourire navrant auquel il avait parfois recours.

— Vous avez voulu être madame. Vous l'êtes.

— Pas pour vous, père.

— Ne m'appelez plus père.

— Comment?

— Appelez-moi monsieur Jean. Jean, si vous voulez.

— Vous n'êtes plus père? je ne suis plus Cosette? monsieur Jean? Qu'est-ce que cela signifie? mais c'est des révolutions, ça! que s'est-il donc passé? regardez-moi donc un peu en face. Et vous ne voulez pas demeurer avec nous! Et vous ne voulez pas de ma chambre! Qu'est-ce que je vous ai fait? qu'est-ce que je vous ai fait? Il y a donc eu quelque chose?

— Rien.

— Eh bien alors?

— Tout est comme à l'ordinaire.

— Pourquoi changez-vous de nom?

— Vous en avez bien changé, vous.

Il sourit encore de ce même sourire et ajouta:

— Puisque vous êtes madame Pontmercy, je puis bien être monsieur Jean.

— Je n'y comprends rien. Tout cela est idiot. Je demanderai à mon mari la permission que vous soyez monsieur Jean. J'espère qu'il n'y consentira pas. Vous me faites beaucoup de peine. On a des lubies, mais on ne fait pas du chagrin à sa petite Cosette. C'est mal. Vous n'avez pas le droit d'être méchant, vous qui êtes bon.

Il ne répondit pas.

Elle lui prit vivement les deux mains, et, d'un mouvement irrésistible, les élevant vers son visage, elle les pressa contre son cou sous son menton, ce qui est un profond geste de tendresse.

— Oh! lui dit-elle, soyez bon!

Et elle poursuivit :

— Voici ce que j'appelle être bon : être gentil, venir demeurer ici, reprendre nos bonnes petites promenades, il y a des oiseaux ici comme rue Plumet, vivre avec nous, quitter ce trou de la rue de l'Homme-Armé, ne pas nous donner des charades à deviner, être comme tout le monde, dîner avec nous, déjeuner avec nous, être mon père.

Il dégagea ses mains.

— Vous n'avez plus besoin de père, vous avez un mari.

Cosette s'emporta.

— Je n'ai plus besoin de père! Des choses comme ça qui n'ont pas le sens commun, on ne sait que dire vraiment!

— Si Toussaint était là, reprit Jean Valjean comme quelqu'un qui en est à chercher des autorités et qui se rattache à toutes les branches, elle serait la première à convenir que c'est vrai que j'ai toujours eu mes manières à moi. Il n'y a rien de nouveau. J'ai toujours aimé mon coin noir.

— Mais il fait froid ici. On n'y voit pas clair. C'est abominable, ça, de vouloir être monsieur Jean. Je ne veux pas que vous me disiez vous.

— Tout à l'heure, en venant, répondit Jean Valjean, j'ai vu rue Saint-Louis un meuble. Chez un ébéniste. Si j'étais une jolie femme, je me donnerais ce meuble-là. Une toilette très bien; genre d'à présent. Ce que vous appelez du bois de rose, je crois. C'est incrusté. Une glace assez grande. Il y a des tiroirs. C'est joli.

— Hou! le vilain ours! répliqua Cosette.

Et avec une gentillesse suprême, serrant les dents et écartant les lèvres, elle souffla contre Jean Valjean. C'était une Grâce copiant une chatte.

— Je suis furieuse, reprit-elle. Depuis hier vous me faites tous rager. Je bisque beaucoup. Je ne comprends pas. Vous ne me défendez pas contre Marius. Marius ne me soutient pas contre vous. Je suis toute seule. J'arrange une chambre gentiment. Si j'avais pu y mettre le bon Dieu, je l'y aurais mis. On me laisse ma chambre sur les bras. Mon locataire me fait banqueroute. Je commande à Nicolette un bon petit dîner. On n'en veut pas de votre dîner, madame. Et mon père Fauchelevent veut que je l'appelle monsieur Jean, et que je le reçoive dans une affreuse vieille laide cave moisie où les murs ont de la barbe, et où il y a, en fait de cristaux, des bouteilles vides, et en fait de rideaux, des toiles d'araignées ! Vous êtes singulier, j'y consens, c'est votre genre, mais on accorde une trêve à des gens qui se marient. Vous n'auriez pas dû vous remettre à être singulier tout de suite. Vous allez donc être bien content dans votre abominable rue de l'Homme-Armé. J'y ai été bien désespérée, moi ! Qu'est-ce que vous avez contre moi ? Vous me faites beaucoup de peine. Fi !

Et, sérieuse subitement, elle regarda fixement Jean Valjean, et ajouta :

— Vous m'en voulez donc de ce que je suis heureuse ?

La naïveté, à son insu, pénètre quelquefois très avant. Cette question, simple pour Cosette, était profonde pour Jean Valjean. Cosette voulait égratigner ; elle déchirait.

Jean Valjean pâlit. Il resta un moment sans répondre, puis, d'un accent inexprimable et se parlant à lui-même, il murmura :

— Son bonheur, c'était le but de ma vie. À présent Dieu peut me signer ma sortie. Cosette, tu es heureuse ; mon temps est fait.

— Ah ! vous m'avez dit *tu* ! s'écria Cosette.

Et elle lui sauta au cou.

Jean Valjean, éperdu, l'étreignit contre sa poitrine avec égarement. Il lui sembla presque qu'il la reprenait.

— Merci, père ! lui dit Cosette.

L'entraînement allait devenir poignant pour Jean Valjean. Il se retira doucement des bras de Cosette, et prit son chapeau.

— Eh bien ? dit Cosette.

Jean Valjean répondit :

— Je vous quitte, madame, on vous attend.

Et, du seuil de la porte, il ajouta :

— Je vous ai dit tu. Dites à votre mari que cela ne m'arrivera plus. Pardonnez-moi.

Jean Valjean sortit, laissant Cosette stupéfaite de cet adieu énigmatique.

II

AUTRES PAS EN ARRIÈRE

Le jour suivant, à la même heure, Jean Valjean vint.

Cosette ne lui fit pas de questions, ne s'étonna plus, ne s'écria plus qu'elle avait froid, ne parla pas du salon ; elle évita de dire ni père ni monsieur Jean. Elle se laissa dire vous. Elle se laissa appeler madame. Seulement elle avait une certaine diminution de joie. Elle eût été triste, si la tristesse lui eût été possible.

Il est probable qu'elle avait eu avec Marius une de ces conversations dans lesquelles l'homme aimé dit ce qu'il veut, n'explique rien, et satisfait la femme aimée. La curiosité des amoureux ne va pas très loin au delà de leur amour.

La salle basse avait fait un peu de toilette. Basque avait supprimé les bouteilles, et Nicolette les araignées.

Tous les lendemains qui suivirent ramenèrent à la même heure Jean Valjean. Il vint tous les jours, n'ayant pas la force de prendre les paroles de Marius autrement qu'à la lettre. Marius s'arrangea de manière à être absent aux heures où Jean Valjean venait. La maison s'accoutuma à la nouvelle manière d'être de M. Fauchelevent. Toussaint y aida. *Monsieur a toujours été comme ça*, répétait-elle. Le grand-père rendit ce décret : — C'est un original. Et tout fut dit. D'ailleurs, à quatrevingt-dix ans il n'y a plus de liaison possible ; tout est juxtaposition ; un nouveau venu est une gêne. Il n'y a plus de place ; toutes les habitudes sont prises. M. Fauchelevent, M. Tranchelevent, le père Gillenormand ne demanda pas mieux que d'être dispensé de « ce monsieur ». Il ajouta : — Rien n'est plus commun que ces originaux-là. Ils font toutes sortes de bizarreries. De motif, point. Le marquis de Canaples était pire. Il acheta un palais pour se loger dans le grenier. Ce sont des apparences fantasques qu'ont les gens.

Personne n'entrevit le dessous sinistre. Qui eût d'ailleurs pu deviner une telle chose ? Il y a de ces marais dans l'Inde ; l'eau semble extraordinaire, inexplicable, frissonnante sans qu'il y ait de vent, agitée là où elle devrait être calme. On regarde à la superficie ces bouillonnements sans cause ; on n'aperçoit pas l'hydre qui se traîne au fond.

Beaucoup d'hommes ont ainsi un monstre secret, un mal qu'ils nourrissent, un dragon qui les ronge, un désespoir qui habite leur nuit. Tel homme ressemble aux autres, va, vient. On ne sait pas qu'il a en lui une effroyable douleur parasite aux mille dents, laquelle vit dans ce misérable, qui en meurt. On ne sait pas que cet homme est un gouffre. Il est stagnant, mais profond. De temps en temps un trouble auquel on ne comprend rien se fait à sa surface. Une ride mystérieuse se plisse, puis s'évanouit, puis reparaît ; une bulle d'air monte et crève. C'est peu de chose, c'est terrible. C'est la respiration de la bête inconnue.

De certaines habitudes étranges, arriver à l'heure où les autres partent, s'effacer pendant que les autres s'étalent, garder dans toutes les occasions ce qu'on pourrait appeler le manteau couleur de muraille, chercher l'allée solitaire, préférer la rue déserte, ne point se mêler aux conversations, éviter les foules et les fêtes, sembler à son aise et vivre pauvrement, avoir, tout riche qu'on est, sa clef dans sa poche et sa chandelle chez le portier, entrer par la petite porte, monter par l'escalier dérobé, toutes ces singularités insignifiantes, rides, bulles d'air, plis fugitifs à la surface, viennent souvent d'un fond formidable.

Plusieurs semaines se passèrent ainsi. Une vie nouvelle s'empara peu à peu de Cosette ; les relations que crée le mariage, les visites, le soin de la maison, les plaisirs, ces grandes affaires. Les plaisirs de Cosette n'étaient pas coûteux ; ils consistaient en un seul : être avec Marius. Sortir avec lui, rester avec lui, c'était là la grande occupation de sa vie. C'était pour eux une joie toujours toute neuve de sortir bras dessus bras dessous, à la face du soleil, en pleine rue, sans se cacher, devant tout le monde, tous les deux tout seuls. Cosette eut une contrariété. Toussaint ne put s'accorder avec Nicolette, le soudage de deux vieilles filles étant impossible, et s'en alla. Le grand-père se portait bien ; Marius plaidait çà et là quelques causes ; la tante Gillenormand menait paisiblement près du nouveau ménage cette vie latérale qui lui suffisait. Jean Valjean venait tous les jours.

Le tutoiement disparu, le vous, le madame, le monsieur Jean, tout cela le faisait un autre pour Cosette. Le soin qu'il avait pris lui-même de la détacher de lui, lui réussissait. Elle était de plus en plus gaie et de moins en moins tendre. Pourtant elle l'aimait toujours bien, et il le sentait. Un jour elle lui dit tout à coup : Vous étiez mon père, vous n'êtes plus mon père, vous étiez mon oncle, vous n'êtes plus mon oncle, vous étiez monsieur Fauchelevent, vous êtes Jean. Qui êtes-vous donc ? Je n'aime pas tout ça. Si je ne vous savais pas si bon, j'aurai peur de vous.

Il demeurait toujours rue de l'Homme-Armé, ne pouvant se résoudre à s'éloigner du quartier qu'habitait Cosette.

Dans les premiers temps il ne restait près de Cosette que quelques minutes, puis s'en allait.

Peu à peu il prit l'habitude de faire ses visites moins courtes. On eût dit qu'il profitait de l'autorisation des jours qui s'allongeaient ; il arriva plus tôt et partit plus tard.

Un jour il échappa à Cosette de lui dire : Père. Un éclair de joie illumina le vieux visage sombre de Jean Valjean. Il la reprit : Dites Jean. — Ah ! c'est vrai, répondit-elle avec un éclat de rire, monsieur Jean. — C'est bien, dit-il. Et il se détourna pour qu'elle ne le vît pas essuyer ses yeux.

III

ILS SE SOUVIENNENT DU JARDIN
DE LA RUE PLUMET

Ce fut la dernière fois. À partir de cette dernière lueur, l'extinction complète se fit. Plus de familiarité, plus de bonjour avec un baiser, plus jamais ce mot si profondément doux : mon père ! il était, sur sa demande et par sa propre complicité, successivement chassé de tous ses bonheurs ; et il avait cette misère qu'après avoir perdu Cosette tout entière en un jour, il lui avait fallu ensuite la reperdre en détail.

L'œil finit par s'habituer aux jours de cave. En somme, avoir tous les jours une apparition de Cosette, cela lui suffisait. Toute sa vie se concentrait dans cette heure-là. Il s'asseyait près d'elle, il la regardait en silence, ou bien il lui parlait des années d'autrefois, de son enfance, du couvent, de ses petites amies d'alors.

Une après-midi, — c'était une des premières journées d'avril, déjà chaude, encore fraîche, le moment de la grande gaîté du soleil, les jardins qui environnaient les fenêtres de Marius et de Cosette avaient l'émotion du réveil, l'aubépine allait poindre, une bijouterie de giroflées s'étalait sur les vieux murs, les gueules-de-loup roses bâillaient dans les fentes des pierres, il y avait dans l'herbe un charmant commencement de pâquerettes et de boutons-d'or, les papillons blancs de l'année débutaient, le vent, ce ménétrier de la noce éternelle, essayait dans les arbres les premières notes de cette grande symphonie aurorale que les vieux poëtes appelaient le renouveau, — Marius dit à Cosette : — Nous avons dit que nous irions revoir notre jardin de la rue Plumet. Allons-y. Il ne faut pas être ingrats. — Et ils s'envolèrent comme deux hirondelles vers le printemps. Ce jardin de la rue Plumet leur faisait l'effet de l'aube. Ils avaient déjà derrière eux dans la vie quelque chose qui était comme le printemps de leur amour. La maison de la rue Plumet, étant prise à bail, appartenait encore à Cosette. Ils allèrent à ce jardin et à cette maison. Ils s'y retrouvèrent, ils s'y oublièrent. Le soir, à l'heure ordinaire, Jean Valjean vint rue des Filles-du-Calvaire. — Madame est sortie avec monsieur, et n'est pas rentrée encore, lui dit Basque. — Il s'assit en silence et attendit une heure. Cosette ne rentra point. Il baissa la tête et s'en alla.

Cosette était si enivrée de sa promenade à « leur jardin » et si joyeuse d'avoir « vécu tout un jour dans son passé » qu'elle ne parla pas d'autre chose le lendemain. Elle ne s'aperçut pas qu'elle n'avait point vu Jean Valjean.

— De quelle façon êtes-vous allés là? lui demanda Jean Valjean.

— À pied.

— Et comment êtes-vous revenus?

— En fiacre.

Depuis quelque temps Jean Valjean remarquait la vie étroite que menait le jeune couple. Il en était importuné. L'économie de Marius était sévère, et le mot pour Jean Valjean avait son sens absolu. Il hasarda une question :

— Pourquoi n'avez-vous pas une voiture à vous? Un joli coupé ne vous coûterait que cinq cents francs par mois. Vous êtes riches.

— Je ne sais pas, répondit Cosette.

— C'est comme Toussaint, reprit Jean Valjean. Elle est partie. Vous ne l'avez pas remplacée. Pourquoi?

— Nicolette suffit.

— Mais il vous faudrait une femme de chambre.

— Est-ce que je n'ai pas Marius?

— Vous devriez avoir une maison à vous, des domestiques à vous, une voiture, loge au spectacle. Il n'y a rien de trop beau pour vous. Pourquoi ne pas profiter de ce que vous êtes riches? La richesse, cela s'ajoute au bonheur.

Cosette ne répondit rien.

Les visites de Jean Valjean ne s'abrégeaient point. Loin de là. Quand c'est le cœur qui glisse, on ne s'arrête pas sur la pente.

Lorsque Jean Valjean voulait prolonger sa visite et faire oublier l'heure, il faisait l'éloge de Marius; il le trouvait beau, noble, courageux, spirituel, éloquent, bon. Cosette enchérissait. Jean Valjean recommençait. On ne tarissait pas. Marius, ce mot était inépuisable; il y avait des volumes dans ces six lettres. De cette façon Jean Valjean parvenait à rester longtemps. Voir Cosette, oublier près d'elle, cela lui était si doux! C'était le pansement de sa plaie. Il arriva plusieurs fois que Basque vint dire à deux reprises : Monsieur Gillenormand m'envoie rappeler à madame la baronne que le dîner est servi.

Ces jours-là, Jean Valjean rentrait chez lui très pensif.

Y avait-il donc du vrai dans cette comparaison de la chrysalide qui s'était présentée à l'esprit de Marius? Jean Valjean était-il en effet une chrysalide qui s'obstinerait, et qui viendrait faire des visites à son papillon?

Un jour il resta plus longtemps encore qu'à l'ordinaire. Le lendemain, il remarqua qu'il n'y avait point de feu dans la cheminée. — Tiens! pensa-t-il. Pas de feu. — Et il se donna à lui-même cette explication : — C'est tout simple. Nous sommes en avril. Les froids ont cessé.

— Dieu! qu'il fait froid ici! s'écria Cosette en entrant.

— Mais non, dit Jean Valjean.

— C'est donc vous qui avez dit à Basque de ne pas faire de feu?

— Oui. Nous sommes en mai tout à l'heure.

— Mais on fait du feu jusqu'au mois de juin. Dans cette cave-ci, il en faut toute l'année.

— J'ai pensé que le feu était inutile.

— C'est bien là une de vos idées! reprit Cosette.

Le jour d'après, il y avait du feu. Mais les deux fauteuils étaient rangés à l'autre bout de la salle près de la porte. — Qu'est-ce que cela veut dire? pensa Jean Valjean.

Il alla chercher les fauteuils, et les remit à leur place ordinaire près de la cheminée.

Ce feu rallumé l'encouragea pourtant. Il fit durer la causerie plus longtemps encore que d'habitude. Comme il se levait pour s'en aller, Cosette lui dit :

— Mon mari m'a dit une drôle de chose hier.

— Quelle chose donc?

— Il m'a dit : Cosette, nous avons trente mille livres de rente. Vingt-sept que tu as, trois que me fait mon grand-père. J'ai répondu : Cela fait trente. Il a repris : Aurais-tu le courage de vivre avec les trois mille? J'ai répondu : Oui, avec rien. Pourvu que ce soit avec toi. Et puis j'ai demandé : Pourquoi me dis-tu ça? Il m'a répondu : Pour savoir.

Jean Valjean ne trouva pas une parole. Cosette attendait probablement de lui quelque explication ; il l'écouta dans un morne silence. Il s'en retourna rue de l'Homme-Armé ; il était si profondément absorbé qu'il se trompa de porte, et qu'au lieu de rentrer chez lui, il entra dans la maison voisine. Ce ne fut qu'après avoir monté presque deux étages qu'il s'aperçut de son erreur et qu'il redescendit.

Son esprit était bourrelé de conjectures. Il était évident que Marius avait des doutes sur l'origine de ces six cent mille francs, qu'il craignait quelque source non pure, qui sait ? qu'il avait même peut-être découvert que cet argent venait de lui Jean Valjean, qu'il hésitait devant cette fortune suspecte, et répugnait à la prendre comme sienne, aimant mieux rester pauvres, lui et Cosette, que d'être riches d'une richesse trouble.

En outre, vaguement, Jean Valjean commençait à se sentir éconduit.

Le jour suivant, il eut, en pénétrant dans la salle basse, comme une secousse. Les fauteuils avaient disparu. Il n'y avait pas même une chaise.

— Ah çà, s'écria Cosette en entrant, pas de fauteuils ! Où sont donc les fauteuils ?

— Ils n'y sont plus, répondit Jean Valjean.

— Voilà qui est fort !

Jean Valjean bégaya :

— C'est moi qui ai dit à Basque de les enlever.

— Et la raison ?

— Je ne reste que quelques minutes aujourd'hui.

— Rester peu, ce n'est pas une raison pour rester debout.

— Je crois que Basque avait besoin des fauteuils pour le salon.

— Pourquoi ?

— Vous avez sans doute du monde ce soir.

— Nous n'avons personne.

Jean Valjean ne put dire un mot de plus.

Cosette haussa les épaules.

— Faire enlever les fauteuils ! L'autre jour vous faites éteindre le feu. Comme vous êtes singulier !

— Adieu, murmura Jean Valjean.

Il ne dit pas : Adieu, Cosette. Mais il n'eut pas la force de dire : Adieu, madame.

Il sortit accablé.

Cette fois il avait compris.

Le lendemain il ne vint pas. Cosette ne le remarqua que le soir.

— Tiens, dit-elle, monsieur Jean n'est pas venu aujourd'hui.

Elle eut comme un léger serrement de cœur, mais elle s'en aperçut à peine, tout de suite distraite par un baiser de Marius.

Le jour d'après, il ne vint pas.

Cosette n'y prit pas garde, passa sa soirée et dormit sa nuit, comme à l'ordinaire, et n'y pensa qu'en se réveillant. Elle était si heureuse! Elle envoya bien vite Nicolette chez monsieur Jean savoir s'il était malade, et pourquoi il n'était pas venu la veille. Nicolette rapporta la réponse de monsieur Jean. Il n'était point malade. Il était occupé. Il viendrait bientôt. Le plus tôt qu'il pourrait. Du reste, il allait faire un petit voyage. Que madame devait se souvenir que c'était son habitude de faire des voyages de temps en temps. Qu'on n'eût pas d'inquiétude. Qu'on ne songeât point à lui.

Nicolette, en entrant chez monsieur Jean, lui avait répété les propres paroles de sa maîtresse. Que madame envoyait savoir « pourquoi monsieur Jean n'était pas venu la veille ». — Il y a deux jours que je ne suis venu, dit Jean Valjean avec douceur.

Mais l'observation glissa sur Nicolette qui n'en rapporta rien à Cosette.

IV

L'ATTRACTION ET L'EXTINCTION

Pendant les derniers mois du printemps et les premiers mois de l'été de 1833, les passants clairsemés du Marais, les marchands des boutiques, les oisifs sur le pas des portes, remarquaient un vieillard proprement vêtu de noir, qui, tous les jours, vers la même heure, à la nuit tombante, sortait de la rue de l'Homme-Armé, du côté de la rue Sainte-Croix-de-la-Bretonnerie, passait devant les Blancs-Manteaux, gagnait la rue Culture-Sainte-Catherine, et, arrivé à la rue de l'Écharpe, tournait à gauche, et entrait dans la rue Saint-Louis.

Là il marchait à pas lents, la tête tendue en avant, ne voyant rien, n'entendant rien, l'œil immuablement fixé sur un point toujours le même, qui semblait pour lui étoilé, et qui n'était autre que l'angle de la rue des Filles-du-Calvaire. Plus il approchait de ce coin de rue, plus son œil s'éclairait; une sorte de joie illuminait ses prunelles comme une aurore intérieure, il avait l'air fasciné et attendri, ses lèvres faisaient des mouvements obscurs, comme s'il parlait à quelqu'un qu'il ne voyait pas, il souriait vaguement, et il avançait le plus lentement qu'il pouvait. On eût dit que, tout en souhaitant d'arriver, il avait peur du moment où il serait tout près. Lorsqu'il n'y avait plus que quelques maisons entre lui et cette rue qui paraissait l'attirer, son pas se ralentissait au point que par instants on pouvait croire qu'il ne marchait plus. La vacillation de sa tête et la fixité de sa prunelle faisaient songer à l'aiguille qui cherche le pôle. Quelque temps qu'il mît à faire durer l'arrivée, il fallait bien arriver; il atteignait la rue des Filles-du-Calvaire; alors il s'arrêtait, il tremblait, il passait sa tête avec une sorte de timidité sombre au delà du coin de la dernière maison, et il regardait dans cette rue, et il y avait dans ce tragique regard quelque chose qui ressemblait à l'éblouissement de l'impossible et à la réverbération d'un paradis fermé. Puis une larme, qui s'était peu à peu amassée dans l'angle des paupières, devenue assez grosse pour tomber, glissait sur sa joue, et quelquefois s'arrêtait à sa bouche. Le vieillard en sentait la saveur amère. Il restait ainsi quelques minutes comme s'il eût été de pierre; puis il s'en retournait par le même chemin et du même pas, et, à mesure qu'il s'éloignait, son regard s'éteignait.

Peu à peu, ce vieillard cessa d'aller jusqu'à l'angle de la rue des Filles-du-Calvaire; il s'arrêtait à mi-chemin dans la rue Saint-Louis; tantôt un peu plus loin, tantôt un peu plus près. Un jour, il resta au coin de la rue Culture-Sainte-Catherine et regarda la rue des Filles-du-Calvaire de loin. Puis il hocha silencieusement la tête de droite à gauche, comme s'il se refusait quelque chose, et rebroussa chemin.

Bientôt il ne vint même plus jusqu'à la rue Saint-Louis. Il arrivait jusqu'à la rue Pavée, secouait le front, et s'en retournait ; puis il n'alla plus au-delà de la rue des Trois-Pavillons ; puis il ne dépassa plus les Blancs-Manteaux. On eût dit un pendule qu'on ne remonte plus et dont les oscillations s'abrègent en attendant qu'elles s'arrêtent.

Tous les jours, il sortait de chez lui à la même heure, il entreprenait le même trajet, mais il ne l'achevait plus, et, peut-être sans qu'il en eût conscience, il le raccourcissait sans cesse. Tout son visage exprimait cette unique idée : À quoi bon ? La prunelle était éteinte ; plus de rayonnement. La larme aussi était tarie ; elle ne s'amassait plus dans l'angle des paupières ; cet œil pensif était sec. La tête du vieillard était toujours tendue en avant ; le menton par moments remuait ; les plis de son cou maigre faisaient de la peine. Quelquefois, quand le temps était mauvais, il avait sous le bras un parapluie, qu'il n'ouvrait point. Les bonnes femmes du quartier disaient : C'est un innocent. Les enfants le suivaient en riant.

LIVRE NEUVIÈME

SUPRÊME OMBRE, SUPRÊME AURORE

I

PITIÉ POUR LES MALHEUREUX, MAIS INDULGENCE POUR LES HEUREUX

C'est une terrible chose d'être heureux! Comme on s'en contente! Comme on trouve que cela suffit! Comme, étant en possession du faux but de la vie, le bonheur, on oublie le vrai but, le devoir!

Disons-le pourtant, on aurait tort d'accuser Marius.

Marius, nous l'avons expliqué, avant son mariage, n'avait pas fait de questions à M. Fauchelevent, et, depuis, il avait craint d'en faire à Jean Valjean. Il avait regretté la promesse à laquelle il s'était laissé entraîner. Il s'était beaucoup dit qu'il avait eu tort de faire cette concession au désespoir. Il s'était borné à éloigner peu à peu Jean Valjean de sa maison et à l'effacer le plus possible dans l'esprit de Cosette. Il s'était en quelque sorte toujours placé entre Cosette et Jean Valjean, sûr que de cette façon elle ne l'apercevrait pas et n'y songerait point. C'était plus que l'effacement, c'était l'éclipse.

Marius faisait ce qu'il jugeait nécessaire et juste. Il croyait avoir, pour écarter Jean Valjean, sans dureté, mais sans faiblesse, des raisons sérieuses qu'on a vues déjà et d'autres encore qu'on verra plus tard. Le hasard lui ayant fait rencontrer, dans un procès qu'il avait plaidé, un ancien commis de la maison Laffitte, il avait eu, sans les chercher, de mystérieux renseignements qu'il n'avait pu, à la vérité, approfondir, par respect même pour ce secret qu'il avait promis de garder, et par ménagement pour la situation périlleuse de Jean Valjean. Il croyait, en ce moment-là même, avoir un grave devoir à accomplir, la restitution des six cent mille francs à quelqu'un qu'il cherchait le plus discrètement possible. En attendant, il s'abstenait de toucher à cet argent.

Quant à Cosette, elle n'était dans aucun de ces secrets-là ; mais il serait dur de la condamner, elle aussi.

Il y avait de Marius à elle un magnétisme tout-puissant, qui lui faisait faire, d'instinct et presque machinalement, ce que Marius souhaitait. Elle sentait, du côté de « monsieur Jean », une volonté de Marius ; elle s'y conformait. Son mari n'avait eu rien à lui dire ; elle subissait la pression vague, mais claire, de ses intentions tacites, et obéissait aveuglément. Son obéissance ici consistait à ne pas se souvenir de ce que Marius oubliait. Elle n'avait aucun effort à faire pour cela. Sans qu'elle sût elle-même pourquoi, et sans qu'il y ait à l'en accuser, son âme était tellement devenue celle de son mari, que ce qui se couvrait d'ombre dans la pensée de Marius s'obscurcissait dans la sienne.

N'allons pas trop loin cependant ; en ce qui concerne Jean Valjean, cet oubli et cet effacement n'étaient que superficiels. Elle était plutôt étourdie qu'oublieuse. Au fond, elle aimait bien celui qu'elle avait si longtemps nommé son père. Mais elle aimait plus encore son mari. C'est ce qui avait un peu faussé la balance de ce cœur, penchée d'un seul côté.

Il arrivait parfois que Cosette parlait de Jean Valjean et s'étonnait. Alors Marius la calmait : — Il est absent, je crois. N'a-t-il pas dit qu'il partait pour un voyage ? — C'est vrai, pensait Cosette. Il avait l'habitude de disparaître ainsi. Mais pas si longtemps. — Deux ou trois fois elle envoya Nicolette rue de l'Homme-Armé s'informer si monsieur Jean était revenu de son voyage. Jean Valjean fit répondre que non.

Cosette n'en demanda pas davantage, n'ayant sur la terre qu'un besoin, Marius.

Disons encore que, de leur côté, Marius et Cosette avaient été absents. Ils étaient allés à Vernon. Marius avait mené Cosette au tombeau de son père.

Marius avait peu à peu soustrait Cosette à Jean Valjean. Cosette s'était laissée faire.

Du reste, ce qu'on appelle beaucoup trop durement, dans de certains cas, l'ingratitude des enfants, n'est pas toujours une chose aussi reprochable qu'on le croit. C'est l'ingratitude de la nature. La nature, nous l'avons dit ailleurs, « regarde devant elle ». La nature divise les êtres vivants en arrivants et en partants. Les partants sont tournés vers l'ombre, les arrivants vers la lumière. De là un écart qui, du côté des vieux, est fatal, et, du côté des jeunes, involontaire. Cet écart, d'abord insensible, s'accroît lentement comme toute séparation de branches. Les rameaux, sans se détacher du tronc, s'en éloignent. Ce n'est pas leur faute. La jeunesse va où est la joie, aux fêtes, aux vives clartés, aux amours. La vieillesse va à la fin. On ne se perd pas de vue, mais il n'y a plus d'étreinte. Les jeunes gens sentent le refroidissement de la vie ; les vieillards celui de la tombe. N'accusons pas ces pauvres enfants.

II

DERNIÈRES PALPITATIONS DE LA LAMPE SANS HUILE

Jean Valjean un jour descendit son escalier, fit trois pas dans la rue, s'assit sur une borne, sur cette même borne où Gavroche, dans la nuit du 5 au 6 juin, l'avait trouvé songeant ; il resta là quelques minutes, puis remonta. Ce fut la dernière oscillation du pendule. Le lendemain, il ne sortit pas de chez lui. Le surlendemain, il ne sortit pas de son lit.

Sa portière, qui lui apprêtait son maigre repas, quelques choux ou quelques pommes de terre avec un peu de lard, regarda dans l'assiette de terre brune et s'exclama :

— Mais vous n'avez pas mangé hier, pauvre cher homme !

— Si fait, répondit Jean Valjean.

— L'assiette est toute pleine.

— Regardez le pot à l'eau. Il est vide.

— Cela prouve que vous avez bu ; cela ne prouve pas que vous avez mangé.

— Eh bien, fit Jean Valjean, si je n'ai eu faim que d'eau ?

— Cela s'appelle la soif, et, quand on ne mange pas en même temps, cela s'appelle la fièvre.

— Je mangerai demain.

— Ou à la Trinité. Pourquoi pas aujourd'hui ? Est-ce qu'on dit : Je mangerai demain ! Me laisser tout mon plat sans y toucher ! Mes viquelottes qui étaient si bonnes !

Jean Valjean prit la main de la vieille femme :

— Je vous promets de les manger, lui dit-il de sa voix bien-veillante.

— Je ne suis pas contente de vous, répondit la portière.

Jean Valjean ne voyait guère d'autre créature humaine que cette bonne femme. Il y a dans Paris des rues où personne ne passe et des maisons où personne ne vient. Il était dans une de ces rues-là et dans une de ces maisons-là.

Du temps qu'il sortait encore, il avait acheté à un chaudronnier pour quelques sous un petit crucifix de cuivre qu'il avait accroché à un clou en face de son lit. Ce gibet-là est toujours bon à voir.

Une semaine s'écoula sans que Jean Valjean fit un pas dans sa chambre. Il demeurait toujours couché. La portière disait à son mari : — Le bonhomme de là-haut ne se lève plus, il ne mange plus, il n'ira pas loin. Ça a des chagrins, ça. On ne m'ôtera pas de la tête que sa fille est mal mariée.

Le portier répliqua avec l'accent de la souveraineté maritale :

— S'il est riche, qu'il ait un médecin. S'il n'est pas riche, qu'il n'en ait pas. S'il n'a pas de médecin, il mourra.

— Et s'il en a un ?

— Il mourra, dit le portier.

La portière se mit à gratter avec un vieux couteau de

l'herbe qui poussait dans ce qu'elle appelait son pavé, et tout en arrachant l'herbe, elle grommelait :

— C'est dommage. Un vieillard qui est si propre ! Il est blanc comme un poulet.

Elle aperçut au bout de la rue un médecin du quartier qui passait ; elle prit sur elle de le prier de monter.

— C'est au deuxième, lui dit-elle. Vous n'aurez qu'à entrer. Comme le bonhomme ne bouge plus de son lit, la clef est toujours à la porte.

Le médecin vit Jean Valjean et lui parla.

Quand il redescendit, la portière l'interpella :

— Eh bien, docteur ?

— Votre malade est bien malade.

— Qu'est-ce qu'il a ?

— Tout et rien. C'est un homme qui, selon toute apparence, a perdu une personne chère. On meurt de cela.

— Qu'est-ce qu'il vous a dit ?

— Il m'a dit qu'il se portait bien.

— Reviendrez-vous, docteur ?

— Oui, répondit le médecin. Mais il faudrait qu'un autre que moi revînt.

III

UNE PLUME PÈSE À QUI SOULEVAIT
LA CHARRETTE FAUCHELEVENT

Un soir Jean Valjean eut de la peine à se soulever sur le coude ; il se prit la main et ne trouva pas son pouls ; sa respiration était courte et s'arrêtait par instants ; il reconnut qu'il était plus faible qu'il ne l'avait encore été. Alors, sans doute sous la pression de quelque préoccupation suprême, il fit un effort, se dressa sur son séant, et s'habilla. Il mit son vieux vêtement d'ouvrier. Ne sortant plus, il y était revenu, et il le préférait. Il dut s'interrompre plusieurs fois en s'habillant ; rien que pour passer les manches de la veste, la sueur lui coulait du front.

Depuis qu'il était seul, il avait mis son lit dans l'antichambre, afin d'habiter le moins possible cet appartement désert.

Il ouvrit la valise et en tira le trousseau de Cosette.

Il l'étala sur son lit.

Les chandeliers de l'évêque étaient à leur place sur la cheminée. Il prit dans un tiroir deux bougies de cire et les mit dans les chandeliers. Puis, quoiqu'il fît encore grand jour, c'était en été, il les alluma. On voit ainsi quelquefois des flambeaux allumés en plein jour dans les chambres où il y a des morts.

Chaque pas qu'il faisait en allant d'un meuble à l'autre l'exténuait, et il était obligé de s'asseoir. Ce n'était point de la fatigue ordinaire qui dépense la force pour la renouveler; c'était le reste des mouvements possibles; c'était la vie épuisée qui s'égoutte dans des efforts accablants qu'on ne recommencera pas.

Une des chaises où il se laissa tomber était placée devant le miroir, si fatal pour lui, si providentiel pour Marius, où il avait lu sur le buvard l'écriture renversée de Cosette. Il se vit dans ce miroir, et ne se reconnut pas. Il avait quatrevingts ans; avant le mariage de Marius, on lui eût à peine donné cinquante ans; cette année avait compté trente. Ce qu'il avait sur le front, ce n'était plus la ride de l'âge, c'était la marque mystérieuse de la mort. On sentait là le creusement de l'ongle impitoyable. Ses joues pendaient; la peau de son visage avait cette couleur qui ferait croire qu'il y a déjà de la terre dessus; les deux coins de sa bouche s'abaissaient comme dans ce masque que les anciens sculptaient sur les tombeaux; il regardait le vide avec un air de reproche; on eût dit un de ces grands êtres tragiques qui ont à se plaindre de quelqu'un.

Il était dans cette situation, la dernière phase de l'accablement, où la douleur ne coule plus; elle est, pour ainsi dire, coagulée; il y a sur l'âme comme un caillot de désespoir.

La nuit était venue. Il traîna laborieusement une table et le vieux fauteuil près de la cheminée, et posa sur la table une plume, de l'encre et du papier.

Cela fait, il eut un évanouissement. Quand il reprit connaissance, il avait soif. Ne pouvant soulever le pot à eau, il le pencha péniblement vers sa bouche, et but une gorgée.

Puis il se tourna vers le lit, et, toujours assis, car il ne pouvait rester debout, il regarda la petite robe noire et tous ces chers objets.

Ces contemplations-là durent des heures qui semblent des minutes. Tout à coup il eut un frisson, il sentit que le froid lui venait ; il s'accouda à la table que les flambeaux de l'évêque éclairaient, et prit la plume.

Comme la plume ni l'encre n'avaient servi depuis longtemps, le bec de la plume était recourbé, l'encre était desséchée, il fallut qu'il se levât et qu'il mît quelques gouttes d'eau dans l'encre, ce qu'il ne put faire sans s'arrêter et s'asseoir deux ou trois fois, et il fut forcé d'écrire avec le dos de la plume. Il s'essuyait le front de temps en temps.

Sa main tremblait. Il écrivit lentement quelques lignes que voici :

« Cosette, je te bénis. Je vais t'expliquer. Ton mari a eu
« raison de me faire comprendre que je devais m'en aller ;
« cependant il y a un peu d'erreur dans ce qu'il a cru, mais
« il a eu raison. Il est excellent. Aime-le toujours bien
« quand je serai mort. Monsieur Pontmercy, aimez tou-
« jours mon enfant bien-aimé. Cosette, on trouvera ce
« papier-ci, voici ce que je veux te dire, tu vas voir les
« chiffres, si j'ai la force de mes les rappeler, écoute bien,
« cet argent est bien à toi. Voici toute la chose : Le jais
« blanc vient de Norvège, le jais noir vient d'Angleterre, la
« verroterie noire vient d'Allemagne. Le jais est plus léger,
« plus précieux, plus cher. On peut faire en France des
« imitations comme en Allemagne. Il faut une petite
« enclume de deux pouces carrés et une lampe à esprit de
« vin pour amollir la cire. La cire autrefois se faisait avec
« de la résine et du noir de fumée et coûtait quatre francs
« la livre. J'ai imaginé de la faire avec de la gomme laque
« et de la térébenthine. Elle ne coûte plus que trente sous,
« et elle est bien meilleure. Les boucles se font avec un
« verre violet qu'on colle au moyen de cette cire sur une
« petite membrure en fer noir. Le verre doit être violet
« pour les bijoux de fer et noir pour les bijoux d'or.
« L'Espagne en achète beaucoup. C'est le pays du jais... »

Ici il s'interrompit, la plume tomba de ses doigts, il lui vint un de ces sanglots désespérés qui montaient par moments des profondeurs de son être, le pauvre homme prit sa tête dans ses deux mains, et songea.

— Oh! s'écria-t-il au dedans de lui-même (cris lamentables, entendus de Dieu seul), c'est fini. Je ne la verrai plus. C'est un sourire qui a passé sur moi. Je vais entrer dans la nuit sans même la revoir. Oh! une minute, un instant, entendre sa voix, toucher sa robe, la regarder, elle, l'ange! et puis mourir! Ce n'est rien de mourir, ce qui est affreux, c'est de mourir sans la voir. Elle me sourirait, elle me dirait un mot. Est-ce que cela ferait du mal à quelqu'un? Non, c'est fini, jamais. Me voilà tout seul. Mon Dieu! mon Dieu! je ne la verrai plus.

En ce moment on frappa à sa porte.

IV

BOUTEILLE D'ENCRE QUI NE RÉUSSIT
QU'À BLANCHIR

Ce même jour, ou, pour mieux dire, ce même soir, comme Marius sortait de table et venait de se retirer dans son cabinet, ayant un dossier à étudier, Basque lui avait remis une lettre en disant : La personne qui a écrit la lettre est dans l'antichambre.

Cosette avait pris le bras du grand-père et faisait un tour dans le jardin.

Une lettre peut, comme un homme, avoir mauvaise tournure. Gros papier, pli grossier, rien qu'à les voir, de certaines missives déplaisent. La lettre qu'avait apportée Basque était de cette espèce.

Marius la prit. Elle sentait le tabac. Rien n'éveille un souvenir comme une odeur. Marius reconnut ce tabac. Il regarda la suscription : *À monsieur, monsieur le baron Pommerci. En son hôtel.* Le tabac reconnu lui fit reconnaître l'écriture. On pourrait dire que l'étonnement a des éclairs. Marius fut comme illuminé d'un de ces éclairs-là.

L'odorat, ce mystérieux aide-mémoire, venait de faire revivre en lui tout un monde. C'était bien là le papier, la façon de plier, la teinte blafarde de l'encre, c'était bien là l'écriture connue; surtout c'était là le tabac. Le galetas Jondrette lui apparaissait.

Ainsi, étrange coup de tête du hasard! une des deux pistes qu'il avait tant cherchées, celle pour laquelle dernièrement encore il avait fait tant d'efforts et qu'il croyait à jamais perdue, venait d'elle-même s'offrir à lui.

Il décacheta avidement la lettre, et il lut :

« Monsieur le baron,

« Si l'Être Suprême m'en avait donné les talents, j'aurais
« pu être le baron Thénard, membre de l'institut (acadé-
« mie des ciences), mais je ne le suis pas. Je porte seule-
« ment le même nom que lui, heureux si ce souvenir me
« recommande à l'excellence de vos bontés. Le bienfait
« dont vous m'honorerez sera réciproque. Je suis en pos-
« session d'un secret consernant un individu. Cet individu
« vous conserne. Je tiens le secret à votre disposition dési-
« rant avoir l'honneur de vous être hutile. Je vous donne-
« rai le moyen simple de chasser de votre honorable
« famille cet individu qui n'y a pas droit, madame la
« barone étant de haute naissance. Le sanctuaire de la
« vertu ne pourrait coabiter plus longtemps avec le crime
« sans abdiqer.

« J'attends dans l'antichambre les ordres de monsieur le
« baron.

« Avec respect. »

La lettre était signée « Thénard ».

Cette signature n'était pas fausse. Elle était seulement un peu abrégée.

Du reste l'amphigouri et l'orthographe achevaient la révélation. Le certificat d'origine était complet. Aucun doute n'était possible.

L'émotion de Marius fut profonde. Après le mouvement de surprise, il eut un mouvement de bonheur. Qu'il trouvât maintenant l'autre homme qu'il cherchait, celui qui l'avait sauvé lui Marius, et il n'aurait plus rien à souhaiter.

Il ouvrit un tiroir de son secrétaire, y prit quelques billets de banque, les mit dans sa poche, referma le secrétaire et sonna. Basque entre-bâilla la porte.

— Faites entrer, dit Marius.

Basque annonça :

— Monsieur Thénard.

Un homme entra.

Nouvelle surprise pour Marius. L'homme qui entra lui était parfaitement inconnu.

Cet homme, vieux du reste, avait le nez gros, le menton dans la cravate, des lunettes vertes à double abat-jour de taffetas vert sur les yeux, les cheveux lissés et aplatis sur le front au ras des sourcils comme la perruque des cochers anglais de high life. Ses cheveux étaient gris. Il était vêtu de noir de la tête aux pieds, d'un noir très râpé, mais propre ; un trousseau de breloques, sortant de son gousset, y faisait supposer une montre. Il tenait à la main un vieux chapeau. Il marchait voûté, et la courbure de son dos s'augmentait de la profondeur de son salut.

Ce qui frappait au premier abord, c'est que l'habit de ce personnage, trop ample, quoique soigneusement boutonné, ne semblait pas fait pour lui.

Ici une courte digression est nécessaire.

Il y avait à Paris, à cette époque, dans un vieux logis borgne, rue Beautreillis, près de l'Arsenal, un juif ingénieux qui avait pour profession de changer un gredin en honnête homme. Pas pour trop longtemps, ce qui eût pu être gênant pour le gredin. Le changement se faisait à vue, pour un jour ou deux, à raison de trente sous par jour, au moyen d'un costume ressemblant le plus possible à l'honnêteté de tout le monde. Ce loueur de costumes s'appelait *le Changeur* ; les filous parisiens lui avaient donné ce nom, et ne lui en connaissaient pas d'autre. Il avait un vestiaire assez complet. Les loques dont il affublait les gens étaient à peu près possibles. Il avait des spécialités et des catégories ; à chaque clou de son magasin pendait, usée et fripée, une condition sociale ; ici l'habit de magistrat, là l'habit de curé, là l'habit de banquier, dans un coin l'habit de militaire en retraite, ailleurs l'habit d'homme de lettres, plus loin l'habit d'homme d'état. Cet être était le costumier du drame immense que la friponnerie joue à Paris. Son bouge était la coulisse d'où le vol sortait et où l'escroquerie rentrait. Un coquin déguenillé arrivait à ce vestiaire, déposait trente sous, et choisissait, selon le rôle qu'il voulait jouer ce jour-là, l'habit qui lui convenait, et, en redescendant l'escalier, le coquin était quelqu'un. Le lendemain les nippes étaient fidèlement rapportées, et le Changeur, qui confiait tout aux voleurs, n'était jamais volé. Ces vêtements avaient un inconvénient, ils « n'allaient pas »; n'étant point faits pour ceux qui les portaient, ils étaient collants pour celui-ci, flottants pour celui-là, et ne s'ajustaient à personne. Tout filou qui dépassait la moyenne humaine en petitesse ou en grandeur, était mal à l'aise dans les costumes du Changeur. Il ne fallait être ni trop gras ni trop maigre. Le Changeur n'avait prévu que les hommes ordinaires. Il avait pris mesure à l'espèce dans la personne du premier gueux venu, lequel n'est ni gros, ni mince, ni grand, ni petit. De là des adaptations quelquefois difficiles dont les pratiques du Changeur se tiraient comme elles pouvaient. Tant pis pour les exceptions! L'habit d'homme d'état, par exemple, noir du haut en bas, et par conséquent convenable, eût été trop large pour Pitt et trop étroit pour Castelcicala. Le vêtement d'*homme d'état* était désigné comme il suit dans le catalogue du Changeur; nous copions : « Un habit de drap « noir, un pantalon de cuir de laine noir, un gilet de soie, « des bottes et du linge. » Il y avait en marge : *Ancien ambassadeur*, et une note que nous transcrivons également : « Dans une boîte séparée, une perruque proprement frisée, des lunettes vertes, des breloques, et deux « petits tuyaux de plume d'un pouce de long enveloppés de « coton. » Tout cela revenait à l'homme d'état, ancien ambassadeur. Tout ce costume était, si l'on peut parler ainsi, exténué; les coutures blanchissaient, une vague boutonnière s'entr'ouvrait à l'un des coudes; en outre, un bouton manquait à l'habit sur la poitrine; mais ce n'est qu'un détail; la main de l'homme d'état, devant toujours être dans l'habit et sur le cœur, avait pour fonction de cacher le bouton absent.

Si Marius avait été familier avec les institutions occultes de Paris, il eût tout de suite reconnu, sur le dos du visiteur que Basque venait d'introduire, l'habit d'homme d'état emprunté au Décroche-moi-ça du Changeur.

Le désappointement de Marius, en voyant entrer un homme autre que celui qu'il attendait, tourna en disgrâce pour le nouveau venu. Il l'examina des pieds à la tête, pendant que le personnage s'inclinait démesurément, et lui demanda d'un ton bref :

— Que voulez-vous ?

L'homme répondit avec un rictus aimable dont le sourire caressant d'un crocodile donnerait quelque idée :

— Il me semble impossible que je n'aie pas déjà eu l'honneur de voir monsieur le baron dans le monde. Je crois bien l'avoir particulièrement rencontré, il y a quelques années, chez madame la princesse Bagration et dans les salons de sa seigneurie le vicomte Dambray, pair de France.

C'est toujours une bonne tactique en coquinerie que d'avoir l'air de reconnaître quelqu'un qu'on ne connaît point.

Marius était attentif au parler de cet homme. Il épiait l'accent et le geste, mais son désappointement croissait ; c'était une prononciation nasillarde, absolument différente du son de voix aigre et sec auquel il s'attendait. Il était tout à fait dérouté.

— Je ne connais, dit-il, ni madame Bagration, ni M. Dambray. Je n'ai de ma vie mis le pied ni chez l'un ni chez l'autre.

La réponse était bourrue. Le personnage, gracieux quand même, insista.

— Alors ce sera chez Chateaubriand que j'aurai vu monsieur ! Je connais beaucoup Chateaubriand. Il est très affable. Il me dit quelquefois : Thénard, mon ami..., est-ce que vous ne buvez pas un verre avec moi ?

Le front de Marius devint de plus en plus sévère :

— Je n'ai jamais eu l'honneur d'être reçu chez monsieur de Chateaubriand. Abrégeons. Qu'est-ce que vous voulez ?

L'homme, devant la voix plus dure, salua plus bas.

— Monsieur le baron, daignez m'écouter. Il y a en Amérique, dans un pays qui est du côté de Panama, un village appelé la Joya. Ce village se compose d'une seule maison. Une grande maison carrée de trois étages en briques cuites au soleil, chaque côté du carré long de cinq cents pieds, chaque étage en retraite de douze pieds sur l'étage inférieur de façon à laisser devant soi une terrasse qui fait le tour de l'édifice, au centre une cour intérieure où sont les provisions et les munitions, pas de fenêtres, des meurtrières, pas de porte, des échelles, des échelles pour monter du sol à la première terrasse, et de la première à la seconde, et de la seconde à la troisième, des échelles pour descendre dans la cour intérieure, pas de portes aux chambres, des trappes, pas d'escaliers aux chambres, des échelles ; le soir on ferme les trappes, on retire les échelles, on braque des tromblons et des carabines aux meurtrières ; nul moyen d'entrer ; une maison le jour, une citadelle la nuit, huit cents habitants, voilà ce village. Pourquoi tant de précautions ? c'est que ce pays est dangereux ; il est plein d'anthropophages. Alors pourquoi y va-t-on ? c'est que ce pays est merveilleux ; on y trouve de l'or.

— Où voulez-vous en venir ? interrompit Marius qui du désappointement passait à l'impatience.

— À ceci, monsieur le baron. Je suis un ancien diplomate fatigué. La vieille civilisation m'a mis sur les dents. Je veux essayer des sauvages.

— Après ?

— Monsieur le baron, l'égoïsme est la loi du monde. La paysanne prolétaire qui travaille à la journée se retourne quand la diligence passe, la paysanne propriétaire qui travaille à son champ ne se retourne pas. Le chien du pauvre aboie après le riche, le chien du riche aboie après le pauvre. Chacun pour soi. L'intérêt, voilà le but des hommes. L'or, voilà l'aimant.

— Après ? Concluez.

— Je voudrais aller m'établir à la Joya. Nous sommes trois. J'ai mon épouse et mademoiselle ; une fille qui est fort belle. Le voyage est long et cher. Il me faut un peu d'argent.

— En quoi cela me regarde-t-il ? demanda Marius.

L'inconnu tendit le cou hors de sa cravate, geste propre au vautour, et répliqua avec un redoublement de sourire :

— Est-ce que monsieur le baron n'a pas lu ma lettre ?

Cela était à peu près vrai. Le fait est que le contenu de l'épître avait glissé sur Marius. Il avait vu l'écriture plus qu'il n'avait lu la lettre. Il s'en souvenait à peine. Depuis un moment un nouvel éveil venait de lui être donné. Il avait remarqué ce détail : mon épouse et ma demoiselle. Il attachait sur l'inconnu un œil pénétrant. Un juge d'instruction n'eût pas mieux regardé. Il le guettait presque. Il se borna à lui répondre :

— Précisez.

L'inconnu inséra ses deux mains dans ses deux goussets, releva sa tête sans redresser son épine dorsale, mais en scrutant de son côté Marius avec le regard vert de ses lunettes.

— Soit, monsieur le baron. Je précise. J'ai un secret à vous vendre.

— Un secret !

— Un secret.

— Qui me concerne ?

— Un peu.

— Quel est ce secret ?

Marius examinait de plus en plus l'homme, tout en l'écoutant.

— Je commence gratis, dit l'inconnu. Vous allez voir que je suis intéressant.

— Parlez.

— Monsieur le baron, vous avez chez vous un voleur et un assassin.

Marius tressaillit.

— Chez moi ? non, dit-il.

L'inconnu, imperturbable, brossa son chapeau du coude, et poursuivit :

— Assassin et voleur. Remarquez, monsieur le baron, que je ne parle pas ici de faits anciens, arriérés, caducs, qui peuvent être effacés par la prescription devant la loi et par le repentir devant Dieu. Je parle de faits récents, de faits actuels, de faits encore ignorés de la justice à cette heure. Je continue. Cet homme s'est glissé dans votre confiance, et presque dans votre famille, sous un faux nom. Je vais vous dire son nom vrai. Et vous le dire pour rien.

— J'écoute.

— Il s'appelle Jean Valjean.

— Je le sais.

— Je vais vous dire, également pour rien, qui il est.

— Dites.

— C'est un ancien forçat.

— Je le sais.

— Vous le savez depuis que j'ai eu l'honneur de vous le dire.

— Non. Je le savais auparavant.

Le ton froid de Marius, cette double réplique *je le sais*, son laconisme réfractaire au dialogue, remuèrent dans l'inconnu quelque colère sourde. Il décocha à la dérobée à Marius un regard furieux, tout de suite éteint. Si rapide qu'il fût, ce regard était de ceux qu'on reconnaît quand on les a vus une fois; il n'échappa point à Marius. De certains flamboiements ne peuvent venir que de certaines âmes; la prunelle, ce soupirail de la pensée, s'en embrase; les lunettes ne cachent rien; mettez donc une vitre à l'enfer.

L'inconnu reprit, en souriant :

— Je ne me permets pas de démentir monsieur le baron. Dans tous les cas, vous devez voir que je suis renseigné. Maintenant ce que j'ai à vous apprendre n'est connu que de moi seul. Cela intéresse la fortune de madame la baronne. C'est un secret extraordinaire. Il est à vendre. C'est à vous que je l'offre d'abord. Bon marché. Vingt mille francs.

— Je sais ce secret-là comme je sais les autres, dit Marius.

Le personnage sentit le besoin de baisser un peu son prix :

— Monsieur le baron, mettez dix mille francs, et je parle.

— Je vous répète que vous n'avez rien à m'apprendre. Je sais ce que vous voulez me dire.

Il y eut dans l'œil de l'homme un nouvel éclair. Il s'écria :

— Il faut pourtant que je dîne aujourd'hui. C'est un secret extraordinaire, vous dis-je. Monsieur le baron, je vais parler. Je parle. Donnez-moi vingt francs.

Marius le regarda fixement :

— Je sais votre secret extraordinaire; de même que je savais le nom de Jean Valjean, de même que je sais votre nom.

— Mon nom?

— Oui.

— Ce n'est pas difficile, monsieur le baron. J'ai eu l'honneur de vous l'écrire et de vous le dire. Thénard.

— Dier.
— Hein?
— Thénardier.
— Qui ça?

Dans le danger, le porc-épic se hérisse, le scarabée fait le mort, la vieille garde se forme en carré; cet homme se mit à rire.

Puis il épousseta d'une chiquenaude un grain de poussière sur la manche de son habit.

Marius continua :

— Vous êtes aussi l'ouvrier Jondrette, le comédien Fabantou, le poëte Genflot, l'espagnol don Alvarès, et la femme Balizard.

— La femme quoi?
— Et vous avez tenu une gargote à Montfermeil.
— Une gargote! Jamais.
— Et je vous dis que vous êtes Thénardier.
— Je le nie.
— Et que vous êtes un gueux. Tenez.

Et Marius, tirant de sa poche un billet de banque, le lui jeta à la face.

— Merci! pardon! cinq cents francs! monsieur le baron!

Et l'homme, bouleversé, saluant, saisissant le billet, l'examina.

— Cinq cents francs! reprit-il, ébahi. Et il bégaya à demi-voix : Un fafiot sérieux!

Puis brusquement :

— Eh bien soit, s'écria-t-il. Mettons-nous à notre aise.

Et, avec une prestesse de singe, rejetant ses cheveux en arrière, arrachant ses lunettes, retirant de son nez et escamotant les deux tuyaux de plume dont il a été question tout à l'heure, et qu'on a d'ailleurs déjà vus à une autre page de ce livre, il ôta son visage comme on ôte son chapeau.

L'œil s'alluma ; le front inégal, raviné, bossu par endroits, hideusement ridé en haut, se dégagea, le nez redevint aigu comme un bec ; le profil féroce et sagace de l'homme de proie reparut.

— Monsieur le baron est infaillible, dit-il d'une voix nette et d'où avait disparu tout nasillement, je suis Thénardier.

Et il redressa son dos voûté.

Thénardier, car c'était bien lui, était étrangement surpris ; il eût été troublé s'il avait pu l'être. Il était venu apporter de l'étonnement, et c'était lui qui en recevait. Cette humiliation lui était payée cinq cents francs, et, à tout prendre, il l'acceptait ; mais il n'en était pas moins abasourdi.

Il voyait pour la première fois ce baron Pontmercy, et, malgré son déguisement, ce baron Pontmercy le reconnaissait, et le reconnaissait à fond. Et non seulement ce baron était au fait de Thénardier, mais il semblait au fait de Jean Valjean. Qu'était-ce que ce jeune homme presque imberbe, si glacial et si généreux, qui savait les noms des gens, qui savait tous leurs noms, et qui leur ouvrait sa bourse, qui malmenait les fripons comme un juge et qui les payait comme une dupe ?

Thénardier, on se le rappelle, quoique ayant été voisin de Marius, ne l'avait jamais vu, ce qui est fréquent à Paris ; il avait autrefois entendu vaguement ses filles parler d'un jeune homme très pauvre appelé Marius qui demeurait dans la maison. Il lui avait écrit, sans le connaître, la lettre qu'on sait. Aucun rapprochement n'était possible dans son esprit entre ce Marius-là et M. le baron Pontmercy.

Quant au nom de Pontmercy, on se rappelle que, sur le champ de bataille de Waterloo, il n'en avait entendu que les deux dernières syllabes, pour lesquelles il avait toujours eu le légitime dédain qu'on doit à ce qui n'est qu'un remercîment.

Du reste, par sa fille Azelma, qu'il avait mise à la piste des mariés du 16 février, et par ses fouilles personnelles, il était parvenu à savoir beaucoup de choses, et, du fond de ses ténèbres, il avait réussi à saisir plus d'un fil mystérieux. Il avait, à force d'industrie, découvert, ou, tout au moins, à force d'inductions, deviné, quel était l'homme qu'il avait rencontré un certain jour dans le Grand Égout. De l'homme, il était facilement arrivé au nom. Il savait que madame la baronne Pontmercy, c'était Cosette. Mais de ce côté-là, il comptait être discret. Qui était Cosette ? Il ne le savait pas au juste lui-même. Il entrevoyait bien quelque bâtardise, l'histoire de Fantine lui avait toujours semblé louche ; mais à quoi bon en parler ? Pour se faire paver son silence ? Il avait, ou croyait avoir, à vendre mieux que cela. Et, selon toute apparence, venir faire, sans preuve, cette révélation au baron Pontmercy : *Votre femme est bâtarde*, cela n'eût réussi qu'à attirer la botte du mari vers les reins du révélateur.

Dans la pensée de Thénardier, la conversation avec Marius n'avait pas encore commencé. Il avait dû reculer, modifier sa stratégie, quitter une position, changer de front ; mais rien d'essentiel n'était encore compromis, et il avait cinq cents francs dans sa poche. En outre, il avait quelque chose de décisif à dire, et même contre ce baron Pontmercy si bien renseigné et si bien armé, il se sentait fort. Pour les hommes de la nature de Thénardier, tout dialogue est un combat. Dans celui qui allait s'engager, quelle était sa situation ? Il ne savait pas à qui il parlait, mais il savait de quoi il parlait. Il fit rapidement cette revue intérieure de ses forces, et après avoir dit : *Je suis Thénardier*, il attendit.

Marius était resté pensif. Il tenait donc enfin Thénardier. Cet homme, qu'il avait tant désiré retrouver, était là. Il allait donc pouvoir faire honneur à la recommandation du colonel Pontmercy. Il était humilié que ce héros dût quelque chose à ce bandit, et que la lettre de change tirée du fond du tombeau par son père sur lui Marius fût jusqu'à ce jour protestée. Il lui paraissait aussi, dans la situation complexe où était son esprit vis-à-vis de Thénardier, qu'il y avait lieu de venger le colonel du malheur d'avoir été sauvé par un tel gredin. Quoi qu'il en fût, il était content. Il allait donc enfin délivrer de ce créancier indigne l'ombre du colonel, et il lui semblait qu'il allait retirer de la prison pour dettes la mémoire de son père.

À côté de ce devoir, il en avait un autre, éclaircir, s'il se pouvait, la source de la fortune de Cosette. L'occasion semblait se présenter. Thénardier savait peut-être quelque chose. Il pouvait être utile de voir le fond de cet homme. Il commença par là.

Thénardier avait fait disparaître le « fafiot sérieux » dans son gousset, et regardait Marius avec une douceur presque tendre.

Marius rompit le silence.

— Thénardier, je vous ai dit votre nom. À présent, votre

secret, ce que vous veniez m'apprendre, voulez-vous que je vous le dise ? J'ai mes informations aussi, moi. Vous allez voir que j'en sais plus long que vous. Jean Valjean, comme vous l'avez dit, est un assassin et un voleur. Un voleur, parce qu'il a volé un riche manufacturier dont il a causé la ruine, M. Madeleine. Un assassin, parce qu'il a assassiné l'agent de police Javert.

— Je ne comprends pas, monsieur le baron, fit Thénardier.

— Je vais me faire comprendre. Écoutez. Il y avait, dans un arrondissement du Pas-de-Calais, vers 1822, un homme qui avait eu quelque ancien démêlé avec la justice, et qui, sous le nom de M. Madeleine, s'était relevé et réhabilité. Cet homme était devenu, dans toute la force du terme, un juste. Avec une industrie, la fabrique des verroteries noires, il avait fait la fortune de toute une ville. Quant à sa fortune personnelle, il l'avait faite aussi, mais secondairement et, en quelque sorte, par occasion. Il était le père nourricier des pauvres. Il fondait des hôpitaux, ouvrait des écoles, visitait les malades, dotait les filles, soutenait les veuves, adoptait les orphelins ; il était comme le tuteur du pays. Il avait refusé la croix, on l'avait nommé maire. Un forçat libéré savait le secret d'une peine encourue autrefois par cet homme ; il le dénonça et le fit arrêter, et profita de l'arrestation pour venir à Paris et se faire remettre par le banquier Laffitte, — je tiens le fait du caissier lui-même, — au moyen d'une fausse signature, une somme de plus d'un demi-million qui appartenait à M. Madeleine. Ce forçat, qui a volé M. Madeleine, c'est Jean Valjean. Quant à l'autre fait, vous n'avez rien non plus à m'apprendre. Jean Valjean a tué l'agent Javert ; il l'a tué d'un coup de pistolet. Moi qui vous parle, j'étais présent.

Thénardier jeta à Marius le coup d'œil souverain d'un homme battu qui remet la main sur la victoire et qui vient de regagner en une minute tout le terrain qu'il avait perdu. Mais le sourire revint tout de suite ; l'inférieur vis-à-vis du supérieur doit avoir le triomphe câlin, et Thénardier se borna à dire à Marius :

— Monsieur le baron, nous faisons fausse route.

Et il souligna cette phrase en faisant faire à son trousseau de breloques un moulinet expressif.

— Quoi! repartit Marius, contestez-vous cela? Ce sont des faits.

— Ce sont des chimères. La confiance dont monsieur le baron m'honore me fait un devoir de le lui dire. Avant tout la vérité et la justice. Je n'aime pas voir accuser les gens injustement. Monsieur le baron, Jean Valjean n'a point volé M. Madeleine, et Jean Valjean n'a point tué Javert.

— Voilà qui est fort! comment cela?

— Pour deux raisons.

— Lesquelles? parlez.

— Voici la première : il n'a pas volé M. Madeleine, attendu que c'est lui-même Jean Valjean qui est M. Madeleine.

— Que me contez-vous là?

— Et voici la seconde : il n'a pas assassiné Javert, attendu que celui qui a tué Javert, c'est Javert.

— Que voulez-vous dire?

— Que Javert s'est suicidé.

— Prouvez! prouvez! cria Marius hors de lui.

Thénardier reprit en scandant sa phrase à la façon d'un alexandrin antique :

— L'agent-de-police-Ja-vert-a-été-trouvé-no-yé-sous-un-bateau-du-Pont-au-Change.

— Mais prouvez donc!

Thénardier tira de sa poche de côté une large enveloppe de papier gris qui semblait contenir des feuilles pliées de diverses grandeurs.

— J'ai mon dossier, dit-il avec calme.

Et il ajouta :

— Monsieur le baron, dans votre intérêt, j'ai voulu connaître à fond mon Jean Valjean. Je dis que Jean Valjean et Madeleine, c'est le même homme, et je dis que Javert n'a eu d'autre assassin que Javert, et quand je parle, c'est que j'ai des preuves. Non des preuves manuscrites, l'écriture est suspecte, l'écriture est complaisante, mais des preuves imprimées.

Tout en parlant, Thénardier extrayait de l'enveloppe deux numéros de journaux jaunis, fanés, et fortement saturés de tabac. L'un de ces deux journaux, cassé à tous les plis et tombant en lambeaux carrés, semblait beaucoup plus ancien que l'autre.

— Deux faits, deux preuves, fit Thénardier. Et il tendit à Marius les deux journaux déployés.

Ces deux journaux, le lecteur les connaît. L'un, le plus ancien, un numéro du *Drapeau blanc* du 25 juillet 1823, dont on a pu voir le texte à la page 148 du tome troisième de ce livre, établissait l'identité de M. Madeleine et de Jean Valjean. L'autre, un *Moniteur* du 15 juin 1832, constatait le suicide de Javert, ajoutant qu'il résultait d'un rapport verbal de Javert au préfet que, fait prisonnier dans la barricade de la rue de la Chanvrerie, il avait dû la vie à la magnanimité d'un insurgé qui, le tenant sous son pistolet, au lieu de lui brûler la cervelle, avait tiré en l'air.

Marius lut. Il y avait évidence, date certaine, preuve irréfragable, ces deux journaux n'avaient pas été imprimés exprès pour appuyer les dires de Thénardier ; la note publiée dans le *Moniteur* était communiquée administrativement par la préfecture de police. Marius ne pouvait douter. Les renseignements du commis-caissier étaient faux, et lui-même s'était trompé. Jean Valjean, grandi brusquement, sortait du nuage. Marius ne put retenir un cri de joie :

— Eh bien alors, ce malheureux est un admirable homme ! toute cette fortune était vraiment à lui ! c'est Madeleine, la providence de tout un pays ! c'est Jean Valjean, le sauveur de Javert ! c'est un héros ! c'est un saint !

— Ce n'est pas un saint, et ce n'est pas un héros, dit Thénardier. C'est un assassin et un voleur.

Et il ajouta du ton d'un homme qui commence à se sentir quelque autorité : — Calmons-nous.

Voleur, assassin, ces mots que Marius croyait disparus, et qui revenaient, tombèrent sur lui comme une douche de glace.

— Encore ! dit-il.

— Toujours, fit Thénardier. Jean Valjean n'a pas volé Madeleine, mais c'est un voleur. Il n'a pas tué Javert, mais c'est un meurtrier.

— Voulez-vous parler, reprit Marius, de ce misérable vol d'il y a quarante ans, expié, cela résulte de vos journaux même, par toute une vie de repentir, d'abnégation et de vertu ?

— Je dis assassinat et vol, monsieur le baron. Et je

répète que je parle de faits actuels. Ce que j'ai à vous révéler est absolument inconnu. C'est de l'inédit. Et peut-être y trouverez-vous la source de la fortune habilement offerte par Jean Valjean à madame la baronne. Je dis habilement, car, par une donation de ce genre, se glisser dans une honorable maison dont on partagera l'aisance, et, du même coup, cacher son crime, jouir de son vol, enfouir son nom, et se créer une famille, ce ne serait pas très maladroit.

— Je pourrais vous interrompre ici, observa Marius, mais continuez.

— Monsieur le baron, je vais vous dire tout, laissant la récompense à votre générosité. Ce secret vaut de l'or massif. Vous me direz : Pourquoi ne t'es-tu pas adressé à Jean Valjean ? Par une raison toute simple : je sais qu'il s'est dessaisi, et dessaisi en votre faveur, et je trouve la combinaison ingénieuse ; mais il n'a plus le sou, il me montrerait ses mains vides, et, puisque j'ai besoin de quelque argent pour mon voyage à la Joya, je vous préfère, vous qui avez tout, à lui qui n'a rien. Je suis un peu fatigué, permettez-moi de prendre une chaise.

Marius s'assit et lui fit signe de s'asseoir.

Thénardier s'installa sur une chaise capitonnée, reprit les deux journaux, les replongea dans l'enveloppe, et murmura en becquetant avec son ongle le *Drapeau blanc* : Celui-ci m'a donné du mal pour l'avoir. Cela fait, il croisa les jambes et s'étala sur le dos, attitude propre aux gens sûrs de ce qu'ils disent, puis entra en matière, gravement et en appuyant sur les mots :

— Monsieur le baron, le 6 juin 1832, il y a un an environ, le jour de l'émeute, un homme était dans le Grand Égout de Paris, du côté où l'égout vient rejoindre la Seine, entre le pont des Invalides et le pont d'Iéna.

Marius rapprocha brusquement sa chaise de celle de Thénardier. Thénardier remarqua ce mouvement et continua avec la lenteur d'un orateur qui tient son interlocuteur et qui sent la palpitation de son adversaire sous ses paroles :

— Cet homme, forcé de se cacher, pour des raisons du reste étrangères à la politique, avait pris l'égout pour domicile et en avait une clef. C'était, je le répète, le 6 juin ;

il pouvait être huit heures du soir. L'homme entendit du bruit dans l'égout. Très surpris, il se blottit, et guetta. C'était un bruit de pas, on marchait dans l'ombre, on venait de son côté. Chose étrange, il y avait dans l'égout un autre homme que lui. La grille de sortie de l'égout n'était pas loin. Un peu de lumière qui en venait lui permit de reconnaître le nouveau venu et de voir que cet homme portait quelque chose sur son dos. Il marchait courbé. L'homme qui marchait courbé était un ancien forçat, et ce qu'il traînait sur ses épaules était un cadavre. Flagrant délit d'assassinat, s'il en fut. Quant au vol, il va de soi ; on ne tue pas un homme gratis. Ce forçat allait jeter ce cadavre à la rivière. Un fait à noter, c'est qu'avant d'arriver à la grille de sortie, ce forçat, qui venait de loin dans l'égout, avait nécessairement rencontré une fondrière épouvantable où il semble qu'il eût pu laisser le cadavre ; mais, dès le lendemain, les égoutiers, en travaillant à la fondrière, y auraient retrouvé l'homme assassiné, et ce n'était pas le compte de l'assassin. Il avait mieux aimé traverser la fondrière, avec son fardeau, et ses efforts ont dû être effrayants, il est impossible de risquer plus complètement sa vie ; je ne comprends pas qu'il soit sorti de là vivant.

La chaise de Marius se rapprocha encore. Thénardier en profita pour respirer longuement. Il poursuivit :

— Monsieur le baron, un égout n'est pas le Champ de Mars. On y manque de tout, et même de place. Quand deux hommes sont là, il faut qu'ils se rencontrent. C'est ce qui arriva. Le domicilié et le passant furent forcés de se dire bonjour, à regret l'un et l'autre. Le passant dit au domicilié : — *Tu vois ce que j'ai sur le dos, il faut que je sorte, tu as la clef, donne-la-moi.* Ce forçat était un homme d'une force terrible. Il n'y avait pas à refuser. Pourtant celui qui avait la clef parlementa, uniquement pour gagner du temps. Il examina ce mort, mais il ne put rien voir, sinon qu'il était jeune, bien mis, l'air d'un riche, et tout défiguré par le sang. Tout en causant, il trouva moyen de déchirer et d'arracher par derrière, sans que l'assassin s'en aperçût, un morceau de l'habit de l'homme assassiné. Pièce à conviction, vous comprenez ; moyen de ressaisir la trace des choses et de prouver le crime au criminel. Il mit la pièce à conviction dans sa poche. Après quoi il ouvrit la grille, fit sortir l'homme avec son embarras sur le dos, referma la grille et se sauva, se souciant peu d'être mêlé au surplus de l'aventure et surtout ne voulant pas être là quand l'assassin jetterait l'assassiné à la rivière. Vous comprenez à présent. Celui qui portait le cadavre, c'est Jean Valjean ; celui qui avait la clef vous parle en ce moment ; et le morceau de l'habit...

Thénardier acheva la phrase en tirant de sa poche et en tenant, à la hauteur de ses yeux, pincé entre ses deux pouces et ses deux index, un lambeau de drap noir déchiqueté, tout couvert de taches sombres.

Marius s'était levé, pâle, respirant à peine, l'œil fixé sur le morceau de drap noir, et, sans prononcer une parole, sans quitter ce haillon du regard, il reculait vers le mur et, de sa main droite étendue derrière lui, cherchait en tâtonnant sur la muraille une clef qui était à la serrure d'un placard près de la cheminée. Il trouva cette clef, ouvrit le placard, et y enfonça son bras sans y regarder, et sans que sa prunelle effarée se détachât du chiffon que Thénardier tenait déployé.

Cependant Thénardier continuait :

— Monsieur le baron, j'ai les plus fortes raisons de croire que le jeune homme assassiné était un opulent étranger attiré par Jean Valjean dans un piège et porteur d'une somme énorme.

— Le jeune homme était moi, et voici l'habit ! cria Marius, et il jeta sur le parquet un vieil habit noir tout sanglant.

Puis, arrachant le morceau des mains de Thénardier, il s'accroupit sur l'habit, et rapprocha du pan déchiqueté le morceau déchiré. La déchirure s'adaptait exactement, et le lambeau complétait l'habit.

Thénardier était pétrifié. Il pensa ceci : Je suis épaté.

Marius se redressa frémissant, désespéré, rayonnant.

Il fouilla dans sa poche, et marcha, furieux, vers Thénardier, lui présentant et lui appuyant presque sur le visage son poing rempli de billets de cinq cents francs et de mille francs.

— Vous êtes un infâme ! vous êtes menteur, un calomniateur, un scélérat. Vous veniez accuser cet homme, vous l'avez justifié; vous vouliez le perdre, vous n'avez réussi qu'à le glorifier. Et c'est vous qui êtes un voleur! Et c'est vous qui êtes un assassin! Je vous ai vu, Thénardier Jondrette, dans ce bouge du boulevard de l'Hôpital. J'en sais assez sur vous pour vous envoyer au bagne, et plus loin même, si je voulais. Tenez, voilà mille francs, sacripant que vous êtes!

Et il jeta un billet de mille francs à Thénardier.

— Ah! Jondrette Thénardier, vil coquin! que ceci vous serve de leçon, brocanteur de secrets, marchand de mystères, fouilleur de ténèbres, misérable! Prenez ces cinq cents francs, et sortez d'ici! Waterloo vous protège.

— Waterloo! grommela Thénardier, en empochant les cinq cents francs avec les mille francs.

— Oui, assassin! vous y avez sauvé la vie à un colonel...

— À un général, dit Thénardier, en relevant la tête.

— À un colonel! reprit Marius avec emportement. Je ne donnerais pas un liard pour un général. Et vous veniez ici faire des infamies! Je vous dis que vous avez commis tous les crimes. Partez! disparaissez! Soyez heureux seulement, c'est tout ce que je désire. Ah! monstre! Voilà encore trois mille francs. Prenez-les. Vous partirez dès demain, pour l'Amérique, avec votre fille; car votre femme est morte, abominable menteur! Je veillerai à votre départ, bandit, et je vous compterai à ce moment-là vingt mille francs. Allez vous faire pendre ailleurs!

— Monsieur le baron, répondit Thénardier en saluant jusqu'à terre, reconnaissance éternelle.

Et Thénardier sortit, n'y concevant rien, stupéfait et ravi de ce doux écrasement sous des sacs d'or et de cette foudre éclatant sur sa tête en billets de banque.

Foudroyé, il l'était, mais content aussi; et il eût été très fâché d'avoir un paratonnerre contre cette foudre-là.

Finissons-en tout de suite avec cet homme. Deux jours après les événements que nous racontons en ce moment, il partit, par les soins de Marius, pour l'Amérique, sous un faux nom, avec sa fille Azelma, muni d'une traite de vingt mille francs sur New York. La misère morale de Thénardier, ce bourgeois manqué, était irrémédiable; il fut en Amérique ce qu'il était en Europe. Le contact d'un méchant homme suffit quelquefois pour pourrir une bonne action et pour en faire sortir une chose mauvaise. Avec l'argent de Marius, Thénardier se fit négrier.

Dès que Thénardier fut dehors, Marius courut au jardin où Cosette se promenait encore.

— Cosette ! Cosette ! cria-t-il. Viens ! viens vite. Partons. Basque, un fiacre ! Cosette, viens. Ah ! mon Dieu ! C'est lui qui m'avait sauvé la vie ! Ne perdons pas une minute ! Mets ton châle.

Cosette le crut fou, et obéit.

Il ne respirait pas, il mettait la main sur son cœur pour en comprimer les battements. Il allait et venait à grands pas, il embrassait Cosette : — Ah ! Cosette ! je suis un malheureux ! disait-il.

Marius était éperdu. Il commençait à entrevoir dans ce Jean Valjean on ne sait quelle haute et sombre figure. Une vertu inouïe lui apparaissait, suprême et douce, humble dans son immensité. Le forçat se transfigurait en Christ. Marius avait l'éblouissement de ce prodige. Il ne savait pas au juste ce qu'il voyait, mais c'était grand.

En un instant, un fiacre fut devant la porte.

Marius y fit monter Cosette et s'y élança.

— Cocher, dit-il, rue de l'Homme-Armé, numéro 7.

Le fiacre partit.

— Ah ! quel bonheur ! fit Cosette, rue de l'Homme-Armé. Je n'osais plus t'en parler. Nous allons voir monsieur Jean.

— Ton père, Cosette ! ton père plus que jamais. Cosette, je devine. Tu m'as dit que tu n'avais jamais reçu la lettre que je t'avais envoyée par Gavroche. Elle sera tombée dans ses mains. Cosette, il est allé à la barricade pour me sauver. Comme c'est son besoin d'être un ange, en passant, il en a sauvé d'autres ; il a sauvé Javert. Il m'a tiré de ce gouffre pour me donner à toi. Il m'a porté sur son dos dans cet effroyable égout. Ah ! je suis un monstrueux ingrat. Cosette, après avoir été ta providence, il a été la mienne. Figure-toi qu'il y avait une fondrière épouvantable, à s'y noyer cent fois, à se noyer dans la boue, Cosette ! il me l'a fait traverser. J'étais évanoui ; je ne voyais rien, je n'entendais rien, je ne pouvais rien savoir de ma propre aventure. Nous allons le ramener, le prendre avec nous, qu'il le veuille ou non, il ne nous quittera plus.

Pourvu qu'il soit chez lui ! Pourvu que nous le trouvions ! Je passerai le reste de ma vie à le vénérer. Oui, ce doit être cela, vois-tu, Cosette ? C'est à lui que Gavroche aura remis ma lettre. Tout s'explique. Tu comprends.

Cosette ne comprenait pas un mot.

— Tu as raison, lui dit-elle.

Cependant le fiacre roulait.

V

NUIT DERRIÈRE LAQUELLE IL Y A LE JOUR

Au coup qu'il entendit frapper à sa porte, Jean Valjean se retourna.

— Entrez, dit-il faiblement.

La porte s'ouvrit. Cosette et Marius parurent.

Cosette se précipita dans la chambre.

Marius resta sur le seuil, debout, appuyé contre le montant de la porte.

— Cosette ! dit Jean Valjean, et il se dressa sur sa chaise, les bras ouverts et tremblants, hagard, livide, sinistre, une joie immense dans les yeux.

Cosette, suffoquée d'émotion, tomba sur la poitrine de Jean Valjean.

— Père ! dit-elle.

Jean Valjean, bouleversé, bégayait :

— Cosette ! elle ! vous, madame ! c'est toi ! Ah mon Dieu !

Et, serré dans les bras de Cosette, il s'écria :

— C'est toi ! tu es là ! Tu me pardonnes donc !

Marius, baissant les paupières pour empêcher ses larmes de couler, fit un pas et murmura entre ses lèvres contractées convulsivement pour arrêter les sanglots :

— Mon père !

— Et vous aussi, vous me pardonnez ! dit Jean Valjean.

Marius ne put trouver une parole, et Jean Valjean ajouta : — Merci.

Cosette arracha son châle et jeta son chapeau sur le lit.

— Cela me gêne, dit-elle.

Et, s'asseyant sur les genoux du vieillard, elle écarta ses cheveux blancs d'un mouvement adorable, et lui baisa le front.

Jean Valjean se laissait faire, égaré.

Cosette, qui ne comprenait que très confusément, redoublait ses caresses, comme si elle voulait payer la dette de Marius.

Jean Valjean balbutiait :

— Comme on est bête! Je croyais que je ne la verrais plus. Figurez-vous, monsieur Pontmercy, qu'au moment où vous êtes entré, je me disais : C'est fini. Voilà sa petite robe, je suis un misérable homme, je ne verrai plus Cosette, je disais cela au moment même où vous montiez l'escalier. Étais-je idiot! Voilà comme on est idiot! Mais on compte sans le bon Dieu. Le bon Dieu dit : Tu t'imagines qu'on va t'abandonner, bêta! Non, non, ça ne se passera pas comme ça. Allons, il y a là un pauvre bonhomme qui a besoin d'un ange. Et l'ange vient; et l'on revoit sa Cosette, et l'on revoit sa petite Cosette! Ah! j'étais bien malheureux!

Il fut un moment sans pouvoir parler, puis il poursuivit :

— J'avais vraiment besoin de voir Cosette une petite fois de temps en temps. Un cœur, cela veut un os à ronger. Cependant je sentais bien que j'étais de trop. Je me donnais des raisons : Ils n'ont pas besoin de toi, reste dans ton coin, on n'a pas le droit de s'éterniser. Ah! Dieu béni, je la revois! Sais-tu, Cosette, que ton mari est très beau? Ah! tu as un joli col brodé, à la bonne heure. J'aime ce dessin-là. C'est ton mari qui l'a choisi, n'est-ce pas? Et puis, il te faudra des cachemires. Monsieur Pontmercy, laissez-moi la tutoyer. Ce n'est pas pour longtemps.

Et Cosette reprenait :

— Quelle méchanceté de nous avoir laissés comme cela! Où êtes-vous donc allé? pourquoi avez-vous été si longtemps? Autrefois vos voyages ne duraient pas plus de trois ou quatre jours. J'ai envoyé Nicolette, on répondait toujours : Il est absent. Depuis quand êtes-vous revenu? Pourquoi ne pas nous l'avoir fait savoir? Savez-vous que vous êtes très changé? Ah! le vilain père! il a été malade, et nous ne l'avons pas su! Tiens, Marius, tâte sa main comme elle est froide.

— Ainsi vous voilà! Monsieur Pontmercy, vous me pardonnez! répéta Jean Valjean.

À ce mot, que Jean Valjean venait de redire, tout ce qui se gonflait dans le cœur de Marius trouva une issue, il éclata :

— Cosette, entends-tu? il en est là! il me demande pardon. Et sais-tu ce qu'il m'a fait, Cosette? il m'a sauvé la vie. Il a fait plus. Il t'a donnée à moi. Et après m'avoir sauvé, et après t'avoir donnée à moi, Cosette, qu'a-t-il fait de lui-même? il s'est sacrifié. Voilà l'homme. Et, à moi l'ingrat, à moi l'oublieux, à moi l'impitoyable, à moi le coupable, il me dit : Merci! Cosette, toute ma vie passée aux pieds de cet homme, ce sera trop peu. Cette barricade, cet égout, cette fournaise, ce cloaque, il a tout traversé pour moi, pour toi, Cosette! il m'a emporté à travers toutes les morts qu'il écartait de moi et qu'il acceptait pour lui. Tous les courages, toutes les vertus, tous les héroïsmes, toutes les saintetés, il les a! Cosette, cet homme-là, c'est l'ange!

— Chut! chut! dit tout bas Jean Valjean. Pourquoi dire tout cela?

— Mais vous! s'écria Marius avec une colère où il y avait de la vénération, pourquoi ne l'avez-vous pas dit? C'est votre faute aussi. Vous sauvez la vie aux gens, et vous le leur cachez! Vous faites plus, sous prétexte de vous démasquer, vous vous calomniez. C'est affreux.

— J'ai dit la vérité, répondit Jean Valjean.

— Non, reprit Marius, la vérité, c'est toute la vérité; et vous ne l'avez pas dite. Vous étiez monsieur Madeleine, pourquoi ne pas l'avoir dit? Vous aviez sauvé Javert, pourquoi ne pas l'avoir dit? Je vous devais la vie, pourquoi ne pas l'avoir dit?

— Parce que je pensais comme vous. Je trouvais que vous aviez raison. Il fallait que je m'en allasse. Si vous aviez su cette affaire de l'égout, vous m'auriez fait rester près de vous. Je devais donc me taire. Si j'avais parlé, cela aurait tout gêné.

— Gêné quoi! gêné qui! repartit Marius. Est-ce que vous croyez que vous allez rester ici? Nous vous emmenons. Ah! mon Dieu! quand je pense que c'est par hasard que j'ai appris tout cela! Nous vous emmenons. Vous faites partie de nous-mêmes. Vous êtes son père et le mien. Vous ne passerez pas dans cette affreuse maison un jour de plus. Ne vous figurez pas que vous serez demain ici.

— Demain, dit Jean Valjean, je ne serai pas ici, mais je ne serai pas chez vous.

— Que voulez-vous dire? répliqua Marius. Ah ça, nous ne permettrons plus de voyage. Vous ne nous quitterez plus. Vous nous appartenez. Nous ne vous lâchons pas.

— Cette fois-ci, c'est pour de bon, ajouta Cosette. Nous avons une voiture en bas. Je vous enlève. S'il le faut, j'emploierai la force.

Et, riant, elle fit le geste de soulever le vieillard dans ses bras.

— Il y a toujours votre chambre dans notre maison, poursuivit-elle. Si vous saviez comme le jardin est joli dans ce moment-ci! Les azalées y viennent très bien. Les allées sont sablées avec du sable de rivière; il y a de petits coquillages violets. Vous mangerez de mes fraises. C'est moi qui les arrose. Et plus de madame, et plus de monsieur Jean, nous sommes en république, tout le monde se dit *tu*, n'est-ce pas, Marius? Le programme est changé. Si vous saviez, père, j'ai du chagrin, il y avait un rouge-gorge qui avait fait son nid dans un trou du mur, un horrible chat me l'a mangé. Mon pauvre joli petit rouge-gorge qui mettait sa tête à sa fenêtre et qui me regardait! J'en ai pleuré. J'aurais tué le chat! Mais maintenant personne ne pleure plus. Tout le monde rit, tout le monde est heureux. Vous allez venir avec nous. Comme le grand-père va être content! Vous aurez votre carré dans le jardin, vous le cultiverez, et nous verrons si vos fraises sont aussi belles que les miennes. Et puis, je ferai tout ce que vous voudrez, et puis, vous m'obéirez bien.

Jean Valjean l'écoutait sans l'entendre. Il entendait la musique de sa voix plutôt que le sens de ses paroles; une de ces grosses larmes, qui sont les sombres perles de l'âme, germait lentement dans son œil. Il murmura :

— La preuve que Dieu est bon, c'est que la voilà.

— Mon père! dit Cosette.

Jean Valjean continua :

— C'est bien vrai que ce serait charmant de vivre ensemble. Ils ont des oiseaux plein leurs arbres. Je me promènerais avec Cosette. Être des gens qui vivent, qui se disent bonjour, qui s'appellent dans le jardin, c'est doux. On se voit dès le matin. Nous cultiverions chacun un petit coin. Elle me ferait manger ses fraises, je lui ferais cueillir mes roses. Ce serait charmant. Seulement...

Il s'interrompit, et dit doucement :

— C'est dommage.

La larme ne tomba pas, elle rentra, et Jean Valjean la remplaça par un sourire.

Cosette prit les deux mains du vieillard dans les siennes.

— Mon Dieu! dit-elle, vos mains sont encore plus froides. Est-ce que vous êtes malade? Est-ce que vous souffrez?

— Moi? non, répondit Jean Valjean, je suis très bien. Seulement...

Il s'arrêta.

— Seulement quoi?

— Je vais mourir tout à l'heure.

Cosette et Marius frissonnèrent.

— Mourir! s'écria Marius.

— Oui, mais ce n'est rien, dit Jean Valjean.

Il respira, sourit, et reprit :

— Cosette, tu me parlais, continue, parle encore, ton petit rouge-gorge est donc mort, parle, que j'entende ta voix!

Marius pétrifié regardait le vieillard.

Cosette poussa un cri déchirant.

— Père! mon père! vous vivrez. Vous allez vivre. Je veux que vous viviez, entendez-vous!

Jean Valjean leva la tête vers elle avec adoration.

— Oh oui, défends-moi de mourir. Qui sait? j'obéirai peut-être. J'étais en train de mourir quand vous êtes arrivés. Cela m'a arrêté, il m'a semblé que je renaissais.

— Vous êtes plein de force et de vie, s'écria Marius. Est-ce que vous vous imaginez qu'on meurt comme cela? Vous avez eu du chagrin, vous n'en aurez plus. C'est moi qui vous demande pardon, et à genoux encore! Vous allez vivre, et vivre avec nous, et vivre longtemps. Nous vous reprenons. Nous sommes deux ici qui n'aurons désormais qu'une pensée, votre bonheur !

— Vous voyez bien, reprit Cosette tout en larmes, que Marius dit que vous ne mourrez pas.

Jean Valjean continuait de sourire.

— Quand vous me reprendriez, monsieur Pontmercy, cela ferait-il que je ne sois pas ce que je suis ? Non, Dieu a pensé comme vous et moi, et il ne change pas d'avis ; il est utile que je m'en aille. La mort est un bon arrangement. Dieu sait mieux que nous ce qu'il nous faut. Que vous soyez heureux, que monsieur Pontmercy ait Cosette, que la jeunesse épouse le matin, qu'il y ait autour de vous, mes enfants, des lilas et des rossignols, que votre vie soit, une belle pelouse avec du soleil, que tous les enchantements du ciel vous remplissent l'âme, et maintenant, moi qui ne suis bon à rien, que je meure, il est sûr que tout cela est bien. Voyez-vous, soyons raisonnables, il n'y a plus rien de possible maintenant, je sens tout à fait que c'est fini. Il y a une heure, j'ai eu un évanouissement. Et puis, cette nuit, j'ai bu tout ce pot d'eau qui est là. Comme ton mari est bon, Cosette ! tu es bien mieux qu'avec moi.

Un bruit se fit à la porte. C'était le médecin qui entrait.

— Bonjour et adieu, docteur, dit Jean Valjean. Voici mes pauvres enfants.

Marius s'approcha du médecin. Il lui adressa ce seul mot : Monsieur ?... mais dans la manière de le prononcer, il y avait une question complète.

Le médecin répondit à la question par un coup d'œil expressif.

— Parce que les choses déplaisent, dit Jean Valjean, ce n'est pas une raison pour être injuste envers Dieu.

Il y eut un silence. Toutes les poitrines étaient oppressées.

Jean Valjean se tourna vers Cosette. Il se mit à la contempler comme s'il voulait en prendre pour l'éternité. À la profondeur d'ombre où il était déjà descendu, l'extase lui était encore possible en regardant Cosette. La réverbération de ce doux visage illuminait sa face pâle. Le sépulcre peut avoir son éblouissement.

Le médecin lui tâta le pouls.

— Ah ! c'est vous qu'il lui fallait ! murmura-t-il en regardant Cosette et Marius.

Et, se penchant à l'oreille de Marius, il ajouta très bas :
— Trop tard.

Jean Valjean, presque sans cesser de regarder Cosette, considéra Marius et le médecin avec sérénité. On entendit sortir de sa bouche cette parole à peine articulée :

— Ce n'est rien de mourir ; c'est affreux de ne pas vivre.

Tout à coup il se leva. Ces retours de force sont quelquefois un signe même de l'agonie. Il marcha d'un pas ferme à la muraille, écarta Marius et le médecin qui voulaient l'aider, détacha du mur le petit crucifix de cuivre qui y était suspendu, revint s'asseoir avec toute la liberté de mouvement de la pleine santé, et dit d'une voix haute en posant le crucifix sur la table :

— Voilà le grand martyr.

Puis sa poitrine s'affaissa, sa tête eut une vacillation, comme si l'ivresse de la tombe le prenait, et ses deux mains, posées sur ses genoux, se mirent à creuser de l'ongle l'étoffe de son pantalon.

Cosette lui soutenait les épaules, et sanglotait, et tâchait de lui parler sans pouvoir y parvenir. On distinguait, parmi les mots mêlés à cette salive lugubre qui accompagne les larmes, des paroles comme celles-ci : — Père ! ne nous quittez pas. Est-il possible que nous ne vous retrouvions que pour vous perdre ?

On pourrait dire que l'agonie serpente. Elle va, vient, s'avance vers le sépulcre, et se retourne vers la vie. Il y a du tâtonnement dans l'action de mourir.

Jean Valjean, après cette demi-syncope, se raffermit, secoua son front comme pour en faire tomber les ténèbres, et redevint presque pleinement lucide. Il prit un pan de la manche de Cosette et le baisa.

— Il revient ! docteur, il revient ! cria Marius.

— Vous êtes bons tous les deux, dit Jean Valjean. Je vais vous dire ce qui m'a fait de la peine. Ce qui m'a fait de la peine, monsieur Pontmercy, c'est que vous n'ayez pas voulu toucher à l'argent. Cet argent-là est bien à votre femme. Je vais vous expliquer, mes enfants, c'est même pour cela que je suis content de vous voir. Le jais noir vient d'Angleterre, le jais blanc vient de Norvège. Tout ceci est dans le papier que voilà, que vous lirez. Pour les bracelets, j'ai inventé de remplacer les coulants en tôle soudée par des coulants en tôle rapprochée. C'est plus joli, meilleur, et moins cher. Vous comprenez tout l'argent qu'on peut gagner. La fortune de Cosette est donc bien à elle. Je vous donne ces détails-là pour que vous ayez l'esprit en repos.

La portière était montée et regardait par la porte entrebâillée. Le médecin la congédia, mais il ne put empêcher qu'avant de disparaître cette bonne femme zélée ne criât au mourant :

— Voulez-vous un prêtre?

— J'en ai un, répondit Jean Valjean.

Et, du doigt, il sembla désigner un point au-dessus de sa tête où l'on eût dit qu'il voyait quelqu'un.

Il est probable que l'évêque en effet assistait à cette agonie.

Cosette, doucement, lui glissa un oreiller sous les reins. Jean Valjean reprit :

— Monsieur Pontmercy, n'ayez pas de crainte, je vous en conjure. Les six cent mille francs sont bien à Cosette. J'aurais donc perdu ma vie si vous n'en jouissiez pas! Nous étions parvenus à faire très bien cette verroterie-là. Nous rivalisions avec ce qu'on appelle les bijoux de Berlin. Par exemple, on ne peut pas égaler le verre noir d'Allemagne. Une grosse, qui contient douze cents grains très bien taillés, ne coûte que trois francs.

Quand un être qui nous est cher va mourir, on le regarde avec un regard qui se cramponne à lui et qui voudrait le retenir. Tous deux, muets d'angoisse, ne sachant que dire à la mort, désespérés et tremblants, étaient debout devant lui, Cosette donnant la main à Marius.

D'instant en instant, Jean Valjean déclinait. Il baissait; il se rapprochait de l'horizon sombre. Son souffle était devenu intermittent; un peu de râle l'entrecoupait. Il avait de la peine à déplacer son avant-bras, ses pieds avaient perdu tout mouvement, et en même temps que la misère des membres et l'accablement du corps croissait, toute la majesté de l'âme montait et se déployait sur son front. La lumière du monde inconnu était déjà visible dans sa prunelle.

Sa figure blêmissait et en même temps souriait. La vie n'était plus là, il y avait autre chose. Son haleine tombait, son regard grandissait. C'était un cadavre auquel on sentait des ailes.

Il fit signe à Cosette d'approcher, puis à Marius ; c'était évidemment la dernière minute de la dernière heure, et il se mit à leur parler d'une voix si faible qu'elle semblait venir de loin, et qu'on eût dit qu'il y avait dès à présent une muraille entre eux et lui.

— Approche, approchez tous deux. Je vous aime bien. Oh ! c'est bon de mourir comme cela ! Toi aussi, tu m'aimes, ma Cosette. Je savais bien que tu avais toujours de l'amitié pour ton vieux bonhomme. Comme tu es gentille de m'avoir mis ce coussin sous les reins ! Tu me pleureras un peu, n'est-ce pas ? Pas trop. Je ne veux pas que tu aies de vrais chagrins. Il faudra vous amuser beaucoup, mes enfants. J'ai oublié de vous dire que sur les boucles sans ardillons on gagnait encore plus que sur tout le reste. La grosse, les douze douzaines, revenait à dix francs, et se vendait soixante. C'était vraiment un bon commerce. Il ne faut donc pas s'étonner des six cent mille francs, monsieur Pontmercy. C'est de l'argent honnête. Vous pouvez être riches tranquillement. Il faudra avoir une voiture, de temps en temps une loge aux théâtres, de belles toilettes de bal, ma Cosette, et puis donner de bons dîners à vos amis, être très heureux. J'écrivais tout à l'heure à Cosette. Elle trouvera ma lettre. C'est à elle que je lègue les deux chandeliers qui sont sur la cheminée. Ils sont en argent ; mais pour moi ils sont en or, ils sont en diamant ; ils changent les chandelles qu'on y met, en cierges. Je ne sais pas si celui qui me les a donnés est content de moi là-haut. J'ai fait ce que j'ai pu. Mes enfants, vous n'oublierez pas que je suis un pauvre, vous me ferez enterrer dans le premier coin de terre venu sous une pierre pour marquer l'endroit. C'est là ma volonté. Pas de nom sur la pierre. Si Cosette veut venir un peu quelquefois, cela me fera plaisir. Vous aussi, monsieur Pontmercy. Il faut que je vous avoue que je ne vous ai pas toujours aimé ; je vous en demande pardon. Maintenant, elle et vous, vous n'êtes qu'un pour moi. Je vous suis très reconnaissant. Je sens que vous rendez Cosette heureuse. Si vous saviez, monsieur Pontmercy, ses belles joues roses, c'était ma joie ; quand je la voyais un peu pâle, j'étais triste. Il y a dans la commode un billet de cinq cents francs. Je n'y ai pas touché. C'est pour les pauvres. Cosette, vois-tu ta petite robe, là, sur le lit ? la reconnais-tu ? Il n'y a pourtant que dix ans de cela. Comme le temps passe ! Nous avons été bien heureux. C'est fini. Mes enfants, ne pleurez pas, je ne vais pas très loin. Je vous verrai de là. Vous n'aurez qu'à regarder quand il fera nuit, vous me verrez sourire. Cosette, te rappelles-tu Montfermeil ? Tu étais dans le bois, tu avais bien peur ; te rappelles-tu quand j'ai pris l'anse du seau d'eau ? C'est la première fois que j'ai touché ta pauvre petite main. Elle était si froide ! Ah ! vous aviez les mains rouges dans ce temps-là, mademoiselle, vous les avez bien blanches maintenant. Et la grande poupée ! te rappelles-tu ? Tu la nommais Catherine. Tu regrettais de ne pas l'avoir emmenée au couvent ! Comme tu m'as fait rire des fois, mon doux ange ! Quand il avait plu, tu embarquais sur les ruisseaux des brins de paille, et tu les regardais aller. Un jour, je t'ai donné une raquette en osier, et un volant avec des plumes jaunes, bleues, vertes. Tu l'as oublié, toi. Tu étais si espiègle toute petite ! Tu jouais. Tu te mettais des cerises aux oreilles. Ce sont là des choses du passé. Les forêts où l'on a passé avec son enfant, les arbres où l'on s'est promené, les couvents où l'on s'est caché, les jeux, les bons rires de l'enfance, c'est de l'ombre. Je m'étais imaginé que tout cela m'appartenait. Voilà où était ma bêtise. Ces Thénardier ont été méchants. Il faut leur pardonner. Cosette, voici le moment venu de te dire le nom de ta mère. Elle s'appelait Fantine. Retiens ce nom-là : Fantine. Mets-toi à genoux toutes les fois que tu le prononceras. Elle a bien souffert. Elle t'a bien aimée. Elle a eu en malheur tout ce que tu as en bonheur. Ce sont les partages de Dieu. Il est là-haut, il nous voit tous, et il sait ce qu'il fait au milieu de ses grandes étoiles. Je vais donc m'en aller, mes enfants. Aimez-vous bien toujours. Il n'y a guère autre chose que cela dans le monde : s'aimer. Vous penserez quelquefois au pauvre vieux qui est mort ici. Ô ma Cosette ! ce n'est pas ma faute, va, si je ne t'ai pas vue tous ces temps-ci, cela me fendait le cœur ; j'allais jusqu'au coin de ta rue, je devais faire un drôle d'effet aux gens qui me voyaient passer, j'étais comme fou, une fois je suis sorti sans chapeau. Mes enfants, voici que je ne vois plus très clair, j'avais encore des choses à dire, mais c'est égal. Pensez un peu à moi. Vous êtes des êtres bénis. Je ne sais pas ce que j'ai, je vois de la lumière. Approchez encore. Je meurs heureux. Donnez-moi vos chères têtes bien-aimées, que je mette mes mains dessus.

Cosette et Marius tombèrent à genoux, éperdus, étouffés de larmes, chacun sur une des mains de Jean Valjean. Ces mains augustes ne remuaient plus.

Il était renversé en arrière, la lueur des deux chandeliers l'éclairait ; sa face blanche regardait le ciel, il laissait Cosette et Marius couvrir ses mains de baisers ; il était mort.

La nuit était sans étoiles et profondément obscure. Sans doute, dans l'ombre, quelque ange immense était debout, les ailes déployées, attendant l'âme.

VI

L'HERBE CACHE ET LA PLUIE EFFACE

Il y a, au cimetière du Père-Lachaise, aux environs de la fosse commune, loin du quartier élégant de cette ville des sépulcres, loin de tous ces tombeaux de fantaisie qui étalent en présence de l'éternité les hideuses modes de la mort, dans un angle désert, le long d'un vieux mur, sous un grand if auquel grimpent, parmi les chiendents et les mousses, les liserons, une pierre. Cette pierre n'est pas plus exempte que les autres des lèpres du temps, de la moisissure, du lichen, et des fientes d'oiseaux. L'eau la verdit, l'air la noircit. Elle n'est voisine d'aucun sentier, et l'on n'aime pas aller de ce côté-là, parce que l'herbe est haute et qu'on a tout de suite les pieds mouillés. Quand il y a un peu de soleil, les lézards y viennent. Il y a, tout autour, un frémissement de folles avoines. Au printemps, les fauvettes chantent dans l'arbre.

Cette pierre est toute nue. On n'a songé en la taillant qu'au nécessaire de la tombe, et l'on n'a pris d'autre soin que de faire cette pierre assez longue et assez étroite pour couvrir un homme.

On n'y lit aucun nom !

Seulement, voilà de cela bien des années déjà, une main y a écrit au crayon ces quatre vers qui sont devenus peu à peu illisibles sous la pluie et la poussière, et qui probablement sont aujourd'hui effacés :

> Il dort. Quoique le sort fût pour lui bien étrange,
> Il vivait. Il mourut quand il n'eut plus son ange ;
> La chose simplement d'elle-même arriva,
> Comme la nuit se fait lorsque le jour s'en va.

TABLE

LIVRE SEPTIÈME
L'ARGOT

    I. Origine.................................. 11
   II. Racines 18
  III. Argot qui pleure et argot qui rit........ 26
  IV. Les deux devoirs : veiller et espérer 31

LIVRE HUITIÈME
LES ENCHANTEMENTS ET LES DÉSOLATIONS

     I. Pleine lumière........................ 37
    II. L'étourdissement du bonheur complet.. 43
   III. Commencement d'ombre 45
   IV. Cab roule en anglais et jappe en argot.. 48
    V. Choses de la nuit 56
   VI. Marius redevient réel au point de donner son adresse à Cosette............. 56
  VII. Le vieux cœur et le jeune cœur en présence 62

LIVRE NEUVIÈME
OÙ VONT-ILS ?

    I. Jean Valjean........................... 77

II.	Marius	79
III.	M. Mabeuf	81

LIVRE DIXIÈME

LE 5 JUIN 1832

I.	La surface de la question	87
II.	Le fond de la question	91
III.	Un enterrement : occasion de renaître	97
IV.	Les bouillonnements d'autrefois	102
V.	Originalité de Paris	108

LIVRE ONZIÈME

L'ATOME FRATERNISE AVEC L'OURAGAN

I.	Quelques éclaircissements sur les origines de la poésie de Gavroche. Influence d'un académicien sur cette poésie	111
II.	Gavroche en marche	113
III.	Juste indignation d'un perruquier	117
IV.	L'enfant s'étonne du vieillard	119
V.	Le vieillard	120
VI.	Recrues	122

LIVRE DOUZIÈME

CORINTHE

I.	Histoire de Corinthe depuis sa fondation	125
II.	Gaîtés préalables	130
III.	La nuit commence à se faire sur Grantaire	140
IV.	Essai de consolations sur la veuve Hucheloup	143
V.	Les préparatifs	147
VI.	En attendant	149

VII. L'homme recruté rue des Billettes...... 152
VIII. Plusieurs points d'interrogation à propos d'un nommé Le Cabuc qui ne se nommait peut-être pas Le Cabuc..... 155

LIVRE TREIZIÈME

MARIUS ENTRE DANS L'OMBRE

I. De la rue Plumet au quartier Saint-Denis 161
II. Paris à vol de hibou.................. 164
III. L'extrême bord 167

LIVRE QUATORZIÈME

LES GRANDEURS DU DÉSESPOIR

I. Le drapeau — Premier acte............ 173
II. Le drapeau — Deuxième acte.......... 176
III. Gavroche aurait mieux fait d'accepter la carabine d'Enjolras 179
IV. Le baril de poudre 180
V. Fin des vers de Jean Prouvaire........ 182
VI. L'agonie de la mort après l'agonie de la vie................................. 184
VII. Gavroche profond calculateur des distances............................... 189

LIVRE QUINZIÈME

LA RUE DE L'HOMME-ARMÉ

I. Buvard, bavard 193
II. Le gamin ennemi des lumières........ 202
III. Pendant que Cosette et Toussaint dorment............................... 206
IV. Les excès de zèle de Gavroche 207

CINQUIÈME PARTIE

JEAN VALJEAN

LIVRE PREMIER

LA GUERRE ENTRE QUATRE MURS

I.	La Charybde du faubourg Saint-Antoine et la Scylla du faubourg du Temple ..	217
II.	Que faire dans l'abîme à moins que l'on ne cause?	225
III.	Éclaircissement et assombrissement....	229
IV.	Cinq de moins, un de plus............	231
V.	Quel horizon on voit du haut de la barricade	237
VI.	Marius hagard, Javert Laconique	241
VII.	La situation s'aggrave	243
VIII.	Les artilleurs se font prendre au sérieux	247
IX.	Emploi de ce vieux talent de braconnier et de ce coup de fusil infaillible qui a influencé la condamnation de 1796 ..	250
X.	Aurore	252
XI.	Le coup de fusil qui ne manque rien et qui ne tue personne................	256
XII.	Le désordre partisan de l'ordre	257
XIII.	Lueurs qui passent...................	260
XIV.	Où on lira le nom de la maîtresse d'Enjolras	262
XV.	Gavroche dehors.....................	265
XVI.	Comment de frère on devient père	268
XVII.	*Mortuus pater filium moriturum expectat*	276
XVIII.	Le vautour devenu proie	278
XIX.	Jean Valjean se venge	282
XX.	Les morts ont raison et les vivants n'ont pas tort	285
XXI.	Les Héros	294
XXII.	Pied à pied	298
XXIII.	Oreste à jeun et Pylade ivre............	301
XXIV.	Prisonnier...........................	305

LIVRE DEUXIÈME
L'INTESTIN DE LÉVIATHAN

I.	La terre appauvrie par la mer	309
II.	L'histoire ancienne de l'égout	313
III.	Bruneseau	316
IV.	Détails ignorés	319
V.	Progrès actuel	323
VI.	Progrès futur	324

LIVRE TROISIÈME
LA BOUE, MAIS L'ÂME

I.	Le cloaque et ses surprises	331
II.	Explication	337
III.	L'homme filé	339
IV.	Lui aussi porte sa croix	344
V.	Pour le sable comme pour la femme il y a une finesse qui est perfidie	347
VI.	Le fontis	352
VII.	Quelquefois on échoue où l'on croit débarquer	354
VIII.	Le pan de l'habit déchiré	357
IX.	Marius fait l'effet d'être mort à quelqu'un qui s'y connaît	362
X.	Rentrée de l'enfant prodigue de sa vie	366
XI.	Ébranlement dans l'absolu	368
XII.	L'aïeul	320

LIVRE QUATRIÈME
JAVERT DÉRAILLÉ

I.	Javert déraillé	377

LIVRE CINQUIÈME
LE PETIT-FILS ET LE GRAND-PÈRE

I.	Où l'on revoit l'arbre à l'emplâtre de zinc	391
II.	Marius, en sortant de la guerre civile, s'apprête à la guerre domestique	394

III. Marius attaque 399
   IV. Mademoiselle Gillenormand finit par ne
        plus trouver mauvais que M. Fauche-
        levent soit entré avec quelque chose
        sous le bras 403
    V. Déposez plutôt votre argent dans telle
        forêt que chez tel notaire............ 408
   VI. Les deux vieillards font tout, chacun à
        leur façon, pour que Cosette soit heu-
        reuse................................ 409
  VII. Les effets de rêve mêlés au bonheur.... 417
 VIII. Deux hommes impossibles à retrouver . 420

LIVRE SIXIÈME
LA NUIT BLANCHE

    I. Le 16 février 1833 425
   II. Jean Valjean a toujours son bras en
        écharpe 434
  III. L'inséparable 444
   IV. *Immortale jocur*..................... 446

LIVRE SEPTIÈME
LA DERNIÈRE GORGÉE DU CALICE

    I. Le septième cercle et le huitième ciel... 453
   II. Les obscurités que peut contenir une
        révélation 471

LIVRE HUITIÈME
LA DÉCROISSANCE CRÉPUSCULAIRE

    I. La chambre d'en bas................... 479
   II. Autres pas en arrière.................. 484
  III. Ils se souviennent du jardin de la rue
        Plumet............................... 487
   IV. L'attraction et l'extinction 491

LIVRE NEUVIÈME

SUPRÊME OMBRE, SUPRÊME AURORE

I.	Pitié pour les malheureux, mais indulgence pour les heureux.	495
II.	Dernières palpitations de la lampe sans huile.	497
III.	Une plume pèse à qui soulevait la charrette Fauchelevent	499
IV.	Bouteille d'encre qui ne réussit qu'à blanchir.	502
V.	Nuit derrière laquelle il y a le jour	521
VI.	L'herbe cache et la pluie efface	531

IMPRIMÉ EN UNION EUROPÉENNE
le 06-04-2000
B/BK 022/96 – Dépôt légal, avril 1996